特発性間質性肺炎
診断と治療の手引き
2022
改訂第4版

編集 日本呼吸器学会 びまん性肺疾患診断・治療ガイドライン作成委員会

改訂第4版　序

　本書は日本呼吸器学会が主体となり，厚生労働科学研究費補助金　難治性疾患政策研究事業「びまん性肺疾患に関する調査研究班」と共同で作成し，2004年に初版，2011年に改訂第2版，2016年に改訂第3版が刊行され，好評を得ている．改訂第3版の発刊から早くも6年の年月が流れ，この間にも国際ガイドラインの改訂や呼吸管理・呼吸リハビリテーション，緩和ケアの充実が進んでいる．なかでも特発性肺線維症（IPF）の治療の分野では劇的な変革が進んでいる．第2版の刊行時は2008年に抗線維化薬であるピルフェニドンが世界ではじめて日本から発売されてから3年目を迎えていたが，その後ピルフェニドンは欧州で2011年から使用認可され，2014年にはASCEND試験の結果を踏まえ世界の多くの国でも使用可能となった．さらに2014年5月にはニンテダニブのINPULSIS試験の結果が報告され，欧米で使用可能となった．日本でも2015年に適応承認され，これまで有用な薬剤のなかったIPFに対して有力な2薬剤を手に入れることとなった．まさに"抗線維化薬の時代"に突入し，最近ではその長期使用の有効性や安全性も多く報告されるようになった．また国際ガイドラインでも，2015年にピルフェニドンおよびニンテダニブは"Conditional recommendation for use"と評価され，使用を条件付きで推奨される薬剤となった．このような背景のもとに「びまん性肺疾患に関する調査研究班」と日本呼吸器学会びまん性肺疾患学術部会合同のガイドライン作成委員会を立ち上げ，2015年に改訂されたATS/ERS/JRS/ALATのIPF国際ガイドラインならびに「特発性間質性肺炎診断と治療の手引き（改訂第3版）」との整合性を持たせかつ日本の国情に合ったエビデンスに基づいた標準的な治療法を提示する日本初のIPFの治療に特化した「特発性肺線維症の治療ガイドライン2017」をMinds法に準じて作成した．特に慢性期に加え，国際ガイドラインでは記載のない，予後を大きく左右する急性増悪ならびに肺癌合併症に対するクリニカルクエスチョンも設定した．また，2018年には診断において国際ガイドラインが7年ぶりに改訂され，新たに定義されたHRCTと病理組織パターンの組み合わせによるIPFの診断・アルゴリズムが示され，集学的検討（MDD）の重要性についても強調された．

　さらに，2020年5月には「進行性線維化を伴う間質性肺疾患」に対するニンテダニブの適応拡大が承認された．このような抗線維化薬の適応疾患の拡大および治療戦略の変化に基づき，われわれはIPF以外の進行性肺線維化を示す間質性肺疾患患者に対して，少なくとも治療の選択肢としてこれらの抗線維化薬を提示し，説明することが必要となった．

　こういった時代背景に鑑み，日々の臨床において患者さんの説明に役立てるべき解説書として役割を果たす本書の喫緊の改訂が必要となった．そこで，最近の動向ならびに国際ガイドラインの内容を盛り込んで作成されたのが第4版である．なお，実臨床に役立つものとするために，今回もガイドラインではなく"手引き"として刊行し，「びまん性肺疾患に関する調査研究班」の多くの先生方にご協力いただき完成させることができた．この場をお借りして深謝申し上げる．また，初版以来，南江堂の大野隆之，堀内　桂，平野　萌，一條尚人の各氏に編集等多大なご協力をいただいたことに感謝申し上げる．

　本書をこの難病の診療にお役立て頂ければ幸いである．

2022年1月

日本呼吸器学会びまん性肺疾患診断・治療ガイドライン作成委員会　委員長　本間　栄

厚生労働科学研究費補助金　難治性疾患政策研究事業「びまん性肺疾患に関する調査研究班」　代表研究者　須田隆文

「IIPs診断と治療の手引き・IPF治療ガイドライン部会」会長　坂東政司

改訂第3版　序

　2011年3月に本書の改訂第2版が発行されてから早くも5年半の年月が流れた．この5年半の間には特発性間質性肺炎，なかでも特発性肺線維症の治療の分野で劇的な変革が進んでいる．第2版の発行当時は2008年のピルフェニドン発売から3年目を迎えていたが，その後ピルフェニドンは欧州で2011年から使用が開始され，さらに2014年にはASCENDの結果を受けて米国でも使用可能となった．さらに2014年5月には第2の抗線維化薬であるニンテダニブの国際治験INPUL-SISの成功が報告され，欧米で使用可能となった．日本でも2015年から認可使用可能となり，われわれはこれまで有用な薬剤のなかった特発性肺線維症に対して2つの有力な薬剤を手に入れることとなり，まさに"抗線維化薬の時代"に突入した．

　国際ガイドラインでも2015年にピルフェニドン，ニンテダニブは"Conditional recommendation for use"という評価となり，使用を条件付きで推奨される薬剤となった．このような時代になりわれわれは，特発性肺線維症の患者さんに対して，少なくとも治療の選択肢としてこれらの抗線維化薬を提示し，説明することが必要となった．

　こういった時代背景に鑑み，また厚労省「びまん班」での特発性肺線維症の治療ガイドライン作成も踏まえて日々の臨床，患者さんの説明に役立てるべき解説書として本書の喫緊の改訂が必要とされることとなった．以上を受けて作成されたのが第3版である．今回も厚労省「びまん班」の多くの先生方のご協力をいただき完成させることができた．この場をお借りして深く御礼申し上げる．また，初版，第2版に引き続き，南江堂の大野隆之，堀内　桂，平野　萌，一條尚人の各氏に編集等多大なご協力をいただいたことを感謝申し上げる．

　本書をこの難病に苦しむ患者さん方の日々の診療にお役立て頂くようお願い申し上げる．

2016年11月

日本呼吸器学会びまん性肺疾患診断・治療ガイドライン作成委員会　委員長　杉山幸比古
厚生労働科学研究難治性疾患対策研究事業びまん性肺疾患に関する調査研究班　主任研究者　本間　栄

改訂第2版 序

　2004年9月に『特発性間質性肺炎 診断と治療の手引き』の第1版が発行されてから，既に6年の月日が流れた．その間，「特発性間質性肺炎」をめぐる研究は大きな進歩をとげ，様々な変化がもたらされている．その中で最も特筆すべき事は，治療薬として世界初の抗線維化薬・ピルフェニドンの特発性肺線維症（IPF）治療への導入であろう．ピルフェニドンは当初，アメリカで開発され小規模な治験が行われていた．悪くはない成績であったが，それ以上の進展はなかった．この薬剤に一早く目を着けられたのが，「びまん性肺疾患研究班」の先々代の班長をされていた，当時日本医科大学教授の工藤翔二先生である．日本における第II相，第III相試験が「びまん班」（工藤翔二班長，貫和敏博班長）の強力なバックアップのもと見事に成功し，世界初のIPF治療薬として上市されたのが2008年の暮れであった．その後2年余が経過し，少しずつその有効なターゲットも明らかにされてきた．そして，2010年暮には，CHMPからヨーロッパでのピルフェニドンの承認勧告がだされ，EMA（European Medicines Agency）によるヨーロッパでの承認の期待が高まっている．今後の欧米でのピルフェニドン使用も視野に入ってきている昨今である．ピルフェニドン以外にも，「特発性間質性肺炎の画期的治療法に関する臨床研究班」（工藤翔二班長）でなされていた N-アセチルシステインの検討も東邦大学 本間によりまとめられ，新たな選択肢としての位置をかためつつある．その他にも，6年間に色々な進歩があり，これらを加えた改訂版を早急に発刊する必要があった．そこで，「びまん班」を中心に「手引き」改訂委員会を編成し，2009年から改訂作業にとりかかった．今回は，第1版の精神を継承し，大きな骨格や中心となるコンセプトは変更せず，その後の進歩のみを加えるというマイナーな改訂にとどめ，形も第1版同様『手引き』とし，しかしながら迅速な刊行を目指すこととした．一方，2011年春には欧米の新ガイドラインが刊行される予定である．今後はこの新ガイドラインをふまえて，いよいよ日本での「ガイドライン」作成にむけて走り出す予定である．

　本『手引き』の内容は，一般論として臨床現場の意思決定を支援するものであり，さまざまな病状を示す患者に対して画一的に用いられることなく，個別的な治療を行うための参考の書として活用されることをお願いすると共に，本『手引き』が医療訴訟等の資料になるものではないことを明記したい．最後に改訂第2版の編集に多大な御尽力・御協力を頂いた（株）南江堂の大野隆之，堀内桂，毛利聡の各氏に篤く御礼申し上げる．また，本改訂にあたっては厚生労働省難治性疾患克服研究事業「びまん性肺疾患に関する調査研究班」の援助を受けた．

2010年12月

日本呼吸器学会びまん性肺疾患診断・治療ガイドライン作成委員会　委員長　杉山幸比古
「びまん性肺疾患に関する調査研究班」「手引き」改訂部会　部会長　本間　栄

初版 序文

　特発性間質性肺炎（idiopathic interstitial pneumonias：IIPs）は原因を特定しえない種々の間質性肺炎の総称であり，その50％以上を占め最も予後不良な特発性肺線維症（idiopathic pulmonary fibrosis：IPF）をはじめとする7種の疾患が含まれている．この『特発性間質性肺炎診断と治療の手引き』は，日本呼吸器学会びまん性肺疾患診断・治療ガイドライン作成委員会が，今日における特発性間質性肺炎の正しい理解を進め，臨床における診断・治療の指針となるよう，厚生科学研究特定疾患対策事業びまん性肺疾患研究班（以下，研究班）との共同で作成したものである．

　わが国の特発性間質性肺炎にかかわる研究は研究班発足（1974年）以来，30年にわたる国内共同研究の歴史を有し，その中で疾患概念，疫学，診断，治療，病因・病態に関する研究が推進されてきた．とくに臨床診断基準に関しては研究班によって策定と改訂が重ねられ，1991年の第三次改訂案からは，本疾患の医療費助成対象疾患指定（1994年）に伴って，医療行政に直接かかわることになった．

　1990年代，高分解能コンピュータ断層写真（HRCT）と胸腔鏡下肺生検VTLB（VATS肺生検と呼ばれている）の普及は，それまでの気管支肺胞洗浄法と経気管支肺生検法や，わが国で発見された新たな血清マーカー（KL-6，SP-D，SP-A）の導入等と相まって，特発性間質性肺炎の診断，病態解明のみならず，ATS/ERS国際的多分野合意分類（International Multidisciplinary Consensus Classification）（2002年）にみるように，疾患の概念と分類に関しても大きな変化をもたらした．このような変化を背景に研究班は2001年，医学的進歩への対応と国際的整合を図ることを目的として，特発性間質性肺炎に関する臨床診断基準の第四次改訂を行った．

　このような動きを受けて，日本呼吸器学会は2001年3月，呼吸器内科学，放射線診断学，呼吸器病理学の各領域の委員からなるびまん性肺疾患診断・治療ガイドライン作成委員会を発足させ，研究班との緊密な協力のもとに，会員がかかわる診療と医学教育に資することを目的として『特発性間質性肺炎診断と治療の手引き』の作成を開始した．この間に4回の合同委員会，3回の作業合宿を実施し，本書の構成，案文の分担作成とレビュー，最終校正にいたるまで綿密な検討を重ねた．作成にあたっては，特発性間質性肺炎に関する近年の医学的進歩の吸収と国際的認識との整合を重視しつつ，わが国の研究の歴史と医療環境との整合を図ることに努めた．

　本書は，「I. びまん性肺疾患と特発性間質性肺炎」，「II. 診断の進め方（診断のフローチャート，臨床像，一般検査，特殊検査，病理組織総論，鑑別診断）」，「III. 治療総論（日常の生活管理，薬物療法，在宅酸素療法とリハビリテーション，肺移植，合併症の対策とその管理）」，「IV. IIPs各疾患の概念と診断・治療」からなり，巻末に第四次改訂にいたるわが国における特発性間質性肺炎の歴史を付した．

　本書は特発性間質性肺炎に関するより正確な理解を図ることを第一義としており，そのためガイドラインというより解説書というべきものである．現在，本書をもとにしてより簡明なガイドラインの編集が企画されており，両者を使い分けて頂ければ幸いである．終わりに本書の編集に多大な尽力を頂いた株式会社南江堂，大野隆之，植松夢路の両氏に感謝申し上げる．

2004年7月

　　　　日本呼吸器学会びまん性肺疾患診断・治療ガイドライン作成委員会　委員長　工藤翔二
　　　　厚生労働科学研究特定疾患対策研究事業びまん性肺疾患研究班　班長　貫和敏博

目　次

第Ⅰ章　びまん性肺疾患と特発性間質性肺炎 — 1

第Ⅱ章　診断の進め方 — 5

1 診断の考え方 — 5

2 臨床像 — 9

3 一般検査 — 10

4 特殊検査 — 27

5 間質性肺炎の病理組織総論 — 38

6 鑑別診断 — 45

7 家族性間質性肺炎 — 53

8 進行性線維化を伴う間質性肺疾患（PF-ILD）/進行性フェノタイプを示す慢性線維化性間質性肺疾患 — 56

第Ⅲ章　IIPs 各疾患の概念と診断・治療 — 63

A．慢性の線維化をきたす間質性肺炎 — 63

1 特発性肺線維症（IPF） — 63

2 特発性非特異性間質性肺炎（iNSIP） — 80

3 急性増悪 — 89

B．急性または亜急性の間質性肺炎 — 99

1 特発性器質化肺炎（COP） — 99

2 急性間質性肺炎（AIP） — 105

C. 喫煙関連の間質性肺炎 — 110

1 剥離性間質性肺炎（DIP） — 110

2 呼吸細気管支炎を伴う間質性肺疾患（RB-ILD） — 115

D. まれな間質性肺炎 — 119

1 特発性リンパ球性間質性肺炎（iLIP） — 119

2 特発性 pleuroparenchymal fibroelastosis（iPPFE） — 123

3 まれな組織学的パターン — 130

E. 分類不能型特発性間質性肺炎 — 134

第Ⅳ章　管理総論 — 137

1 治療の目標と管理 — 137

2 日常の生活管理 — 140

3 薬物療法の目標・評価法 — 144

4 合併症の対策とその管理 — 151

5 呼吸管理 — 156

6 呼吸リハビリテーション — 158

7 肺移植 — 160

8 緩和ケア — 163

第Ⅴ章　かかりつけ医のための診療・病診連携アウトライン — 167

付　録 ... 171
付1. わが国の特発性間質性肺炎の歴史と臨床診断基準の第四次改訂 ... 172
付2. 厚生労働省指定難病　概要・診断基準など ... 177
付3. 厚生労働省指定難病　臨床調査個人票 ... 181

改訂第4版作成作業の経過と委員会の構成 — 190

改訂第3版作成作業の経過と委員会の構成 — 194

改訂第2版作成作業の経過と委員会の構成 — 196

初版作成作業の経過と委員会の構成 — 197

索　引 ... 198

本書で用いた略語一覧

AE	acute exacerbation	急性増悪
AEP	acute eosinophilic pneumonia	急性好酸球性肺炎
AFOP	acute fibrinous and organizing pneumonia	急性線維素性器質化肺炎
AIP	acute interstitial pneumonia	急性間質性肺炎
ANA	antinuclear antibodies	抗核抗体
ANCA	anti-neutrophil cytoplasmic autoantibody	抗好中球細胞質抗体
ARDS	acute respiratory distress syndrome	急性呼吸促迫症候群
ATS	American Thoracic Society	米国胸部学会
BAL	bronchoalveolar lavage	気管支肺胞洗浄
BALF	bronchoalveolar lavage fuid	気管支肺胞洗浄液
BALT	bronchus-associated lymphoid tissue	気管支随伴リンパ組織
BOOP	bronchiolitis obliterans organizing pneumonia	器質化肺炎を伴う細気管支炎
BPIP	bronchiolocentric patterns of interstitial pneumonia	細気管支中心性間質性肺炎パターン
CEP	chronic eosinophilic pneumonia	慢性好酸球性肺炎
CFA	cryptogenic fibrosing alveolitis	特発性線維化性胞隔炎
CMV	cytomegalovirus	サイトメガロウイルス
COP	cryptogenic organizing pneumonia	特発性器質化肺炎
COPD	chronic obstructive pulmonary disease	慢性閉塞性肺疾患
CPFE	combined pulmonary fibrosis and emphysema	気腫合併肺線維症
DAD	difuse alveolar damage	びまん性肺胞傷害
DIP	desquamative interstitial pneumonia	剝離性間質性肺炎
DM	dermatomyositis	皮膚筋炎
DPB	diffuse panbronchiolitis	びまん性汎細気管支炎
ERS	European Respiratory Society	欧州呼吸器学会
FIP	familial interstitial pneumonia	家族性間質性肺炎
FVC	forced vital capacity	努力肺活量
GER	gastroesophageal reflux	胃食道逆流
HRCT	high resoluition CT	高分解能 CT
IIPs	idiopathic interstitial pneumonias	特発性間質性肺炎
ILD	interstitial lung disease	間質性肺疾患
iLIP	idiopathic lymphocytic interstitial pneumonia	特発性リンパ球性間質性肺炎
iNSIP	idiopathic nonspecific interstitial pneumonia	特発性非特異性間質性肺炎
IP	interstitial pneumonia	間質性肺炎
IPAF	intestitial pneumonia with autoimmune features	自己免疫性疾患の特徴を伴う間質性肺炎
IPF	idiopathic pulmonary fibrosis	特発性肺線維症
iPPFE	idiopathic pleuroparenchymal fibroelastosis	特発性胸膜肺実質線維弾性症
LAM	lymphangioleiomyomatosis	リンパ脈管筋腫症
LIP	lymphocytic interstitial pneumonia	リンパ球性間質性肺炎
LST	lymphocyte stimulating test	リンパ球幼若化試験
MCTD	mixed connective tissue disease	混合性結合組織病
MDD	multidisciplinary discussion	多分野による集学的検討
NPPV	noninvasive positive pressure ventilation	非侵襲的陽圧換気療法
NSIP	nonspecific interstitial pneumonia	非特異性間質性肺炎
OLB	open lung biopsy	開胸肺生検
OP	organizing pneumonia	器質化肺炎
PAS 染色	Periodic acid-Schiff stain	
PF-ILD	progressive fibrosing interstitial lung disease	進行性線維化を伴う間質性肺疾患
PM	polymyositis	多発性筋炎
PMX	polymyxin B-immobilized fiber column	ポリミキシン（polymyxin）B 固定化線維
RA	rheumatoid arthritis	関節リウマチ
RB-ILD	respiratory bronchiolitis-associated interstitial lung disease	呼吸細気管支炎を伴う間質性肺疾患
SLB	surgical lung biopsy	外科的肺生検
SSc	systemic sclerosis	全身性硬化症
TBLB	transbronchial lung biopsy	経気管支肺生検
TBLC	transbronchial lung cryobiopsy	経気管支クライオ肺生検
TLC	total lung capacity	全肺気量
UCTD	undifferentiated connective tissue disease	分類不能型結合組織病
UIP	usual interstitial pneumonia	通常型間質性肺炎
VAP	ventilator-associated pneumonia	人工呼吸器関連肺炎
VATS 肺生検	video-assisted thoracoscopic lung biopsy	胸腔鏡下肺生検
V-V ECMO	veno-venous extracorporeal membrane oxygenation	静脈脱血-静脈送血体外式膜型人工肺

第I章

びまん性肺疾患と特発性間質性肺炎

a）びまん性肺疾患とは

胸部X線写真や胸部CT画像にて，両側肺野にびまん性の陰影が広がる疾患群を「びまん性肺疾患」と総称している．びまん性肺疾患には，原因不明の種々の間質性肺疾患，職業・環境性肺疾患，膠原病および関連疾患，薬剤によるもの，腫瘍性疾患，感染症など様々な疾患が含まれている（表1）．そのなかに，肺の間質と呼ばれる肺胞（隔）壁の炎症や線維化病変の基本的な場とする，間質性肺炎という疾患群が存在する．

表1　びまん性肺疾患

特発性間質性肺炎（IIPs）	職業・環境性肺疾患	腫瘍性肺疾患
特発性肺線維症（IPF）	過敏性肺炎（夏型，鳥関連，加湿器肺，ほか）	癌性リンパ管症
特発性非特異性間質性肺炎（iNSIP）	じん肺（珪肺，石綿肺，アルミニウム肺，超硬合金肺，ほか）	癌血行性肺転移
急性間質性肺炎（AIP）		浸潤性粘液性肺腺癌（IMA）
特発性器質化肺炎（COP）		悪性リンパ腫，Kaposi肉腫
剥離性間質性肺炎（DIP）	**膠原病および関連疾患**	Castleman病，リンパ腫様肉芽腫症
呼吸細気管支炎を伴う間質性肺疾患（RB-ILD）	関節リウマチ（RA）	**感染性肺疾患**
特発性リンパ球性間質性肺炎（iLIP）	全身性強皮症（SSc）	細菌性肺炎
特発性PPFE（iPPFE）	多発筋炎/皮膚筋炎（PM/DM）	ウイルス性肺炎
分類不能型特発性間質性肺炎（unclassifiable IIPs）	全身性エリテマトーデス（SLE）	ニューモシスチス肺炎，クラミジア肺炎
	混合性結合組織病（MCTD）	マイコプラズマ肺炎，レジオネラ肺炎
	シェーグレン症候群	粟粒結核
IIPs以外の原因不明疾患	顕微鏡的多発血管炎（MPA）	肺真菌症
サルコイドーシス	多発血管炎性肉芽腫症（GPA）	**気道系が関与する肺疾患**
慢性好酸球性肺炎	好酸球性多発血管炎性肉芽腫症（EGPA）	びまん性汎細気管支炎
急性好酸球性肺炎	結節性多発動脈炎（PAN）	線毛不動症候群
リンパ脈管筋腫症（LAM）	ベーチェット病	嚢胞性線維症（cystic fibrosis）
肺胞蛋白症	**医原性肺疾患**	**その他のびまん性肺疾患**
Hermansky-Pudlak症候群	薬剤性肺炎（抗悪性腫瘍薬，抗菌薬，抗リウマチ薬，消炎鎮痛薬，漢方薬，インターフェロン，ほか）	心原性肺水腫，高地肺水腫
肺Langerhans細胞組織球症		急性呼吸促（窮）迫症候群（ARDS）
鉄肺症		HIV関連肺疾患，HTLV-1関連肺疾患，IgG4関連肺疾患
アミロイドーシス	放射性肺炎	
肺胞微石症	ほか	

b）特発性間質性肺炎とその分類

間質性肺炎には，過敏性肺炎（hypersensitivity pneumonitis），じん肺，膠原病によるもの，薬剤性，放射線性，サルコイドーシス，過敏性肺炎などの原因が明らかなものと，こういった原因がまったく認められない原因不明の間質性肺炎とがある．後者の原因不明のものを，特発性間質性肺炎（idiopathic interstitial pneumonias：IIPs）と呼んでいる．

IIPsはその病理組織パターンに基づいてこれまで7型に分類されていた．すなわち，①特発性肺線維症（idiopathic pulmonary fibrosis：IPF），②特発性非特異性間質性肺炎（idiopathic nonspecific interstitial pneumonia：iNSIP），③特発性器質化肺炎（cryptogenic organizing pneumonia：COP），④急性間質性肺炎（acute interstitial pneumonia：AIP），⑤剝離性間質性肺炎（desquamative interstitial pneumonia：DIP），⑥呼吸細気管支炎を伴う間質性肺疾患（respiratory bronchiolitis-associated interstitial lung disease：RB-ILD），⑦特発性リンパ球性間質性肺炎（idiopathic lymphocytic interstitial pneumonia：iLIP）の7型である．これは2002年の米国胸部学会（ATS）/欧州胸部疾患学会（ERS）による分類[1]であり，日本の手引きにおいても，国際的な整合性を目標としてこの分類を取り入れてきた．この分類による臨床病理学的疾患名と対応する病理組織パターンおよび大まかな欧米と日本での頻度を**表2**[2,3]に示す．その後，2013年になりATS/ERSを中心としてIIPsの分類の改訂が行われた[4] 新しい分類では，これまでの7型に加えて，idiopathic pleuroparenchymal fibroelastosis（idiopathic PPFE）と unclassifiable idiopathic interstitial pneumonias（unclassifiable IIPs）という2つの概念が取り入れられ，この9型について，major IIPs，rare IIPs，unclassifiable IIPsの3つの大きなカテゴリーに分類された（**表3**，**表4**）．idiopathic PPFEは，日本で提唱されたいわゆる網谷病を含む上葉優位型肺線維症とほぼ同じものと考えられる．unclassifiableが設定されたことで，どうしても従来の7型に入れづらかった症例の帰属が明らかになった反面，新たな問題も逆に提起されることとなり，今後の検討課題でもある．いずれにせよ，欧米との整合性を求める立場から，日本でも当面この2013年分類に従って，IIPsを分類整理していくことになる．

c）手引きとその改訂

IIPsは厚生労働省のいわゆる難病に指定されている疾患群で，全国で数万人の患者の存在が推定されている．そのなかで最も患者数が多く，かつ予後も極めて悪い疾患が，特発性肺線維症（IPF）である．IIPsに関しては，治療法が大きく異なるIPFとiNSIPとの鑑別が特に診断面において重要であるが，fibrotic NSIPの存在がそれを難しくしている．また，診断がついたあとの治療法の選択も難しい面が多く，そういった意味からこの分野全体の指針となる手引きの必要性が従来から認識されていた．これに応えたものが，2004年に刊行されたこの分野の先導となるガイドライン的書物の「特発性間質性肺炎 診断と治療の手引き」第1版[5]であり，2011年にはマイナー改訂され，第2版が刊行された[6]．しかし，欧米からは同じ2011年にIPFのステートメント[7]が，そして2013年には前記のIIPsガイドラインが刊行され，さらに2015年にはIPF治療に関するステートメントの改訂版が発表された[8]．さらに，この分野では従来，効果のある薬剤がまったくなかったIPFに対して，日本発世界初の抗線維化薬ピルフェニドンが2008年に日本で市販され，欧州そして2014年からは米国でもこれが使用されるにいたった．2015年からは新しい分子標的抗線維化薬であるニンテダニブが日本でも市販されている．

これら治療面での大きな変革を取り入れ，2015年に「ATS/ERS/JRA/ALATによるIPF治療に関する国際ガイドライン」ならびに2016年に「特発性間質性肺炎 診断と治療の手引き（改訂第3版）」[9]が改訂された．また，これらのガイドライン，手引きとの整合性を持たせ，かつ日本の実情に合ったエビデンスに基づいた標準的な治療法を呈示する日本初のIPFの治療に特化

表2 IIPsにおける各疾患の相対的頻度（外科的肺生検例）

臨床病理学的疾患名	病理組織パターン	欧米での頻度（$n=102$）	日本での頻度（$n=606$）
IPF	UIP	63（62%）	313（52.6%）
iNSIP	NSIP	14（14%）	107（17.2%）
COP	OP	4（4%）	57（9.4%）
AIP	DAD	2（2%）	9（1.5%）
DIPおよびRB-ILD	DIPおよびRB	10（10%）	29（4.8%）
iLIP	LIP	―	14（2.5%）
その他	その他	9（8%）	72（12.2%）

略語は「本書で用いた略語一覧」を参照

（文献2，3より作成）

表3 IIPsの新しい分類

主要な特発性間質性肺炎
　特発性肺線維症（IPF）
　特発性非特異性間質性肺炎（idiopathic NSIP：iNSIP）
　呼吸細気管支炎を伴う間質性肺疾患（RB-ILD）
　剝離性間質性肺炎（DIP）
　特発性器質化肺炎（COP）
　急性間質性肺炎（AIP）
まれな特発性間質性肺炎
　特発性リンパ球性間質性肺炎（idiopathic LIP：iLIP）
　特発性PPFE（idiopathic PPFE：iPPFE）
分類不能型特発性間質性肺炎（unclassifiable IIPs）

表4 主要な特発性間質性肺炎のカテゴリー分類と組織パターン

カテゴリー	臨床病理学的疾患名	病理組織パターン
Chronic fibrosing IP（慢性線維化性）	IPF iNSIP	UIP NSIP
Smoking-related IP（喫煙関連）	RB-ILD DIP	RB DIP
Acute/subacute IP（急性/亜急性）	COP AIP	OP DAD

UIP；usual interstitial pneumonia, iNSIP；idiopathic nonspecific interstitial pneumonia, RB-ILD；respiratory bonchiolitis-assocoiated interstitial lung disease, DIP；desquamative interstitial pneumonia, COP；cryptogenic organizing pneumonia, OP；organizing pneumonia, AIP；acute interstitial pneumonia, DAD；diffuse alveolar damage

した「特発性肺線維症の治療ガイドライン2017」が刊行された[10]．さらに，2018年にはIPF診断に関する国際ガイドラインが7年ぶりに改訂され，HRCTパターンと病理組織パターンの組み合わせによるIPFの診断が新たに定義された[11]．

このような状況を踏まえて，「手引き（改訂第3版）」第3版の改訂を行うこととなった．

d）改訂のコンセプト

大きな方針としては，国際的なガイドライン・ステートメントとの整合性を保ち，分類，診断基準はすべて欧米のATS/ERS/JRS/ALATガイドラインに完全に準拠することとした．しかしながら，治療の面ではわが国の「特発性間質性肺炎 診断と治療の手引き」ならびに「特発性肺線維症の治療ガイドライン」との整合性を保ち，ピルフェニドン，ニンテダニブの扱い，ステロイド・免疫抑制薬の使い方などに日本独自の主張も取り入れていくこととした．この領域がevidence basedのものにするにはやや不適当であること，また疾患の概念や分類などが難解であることから，解説書的役割も必要であると考え，体裁としては今回も厳密な意味でのガイドラインのかたちは取らず，「手引き」として刊行することとした．

欧米では近年，IIPsの診断・治療に関しては，呼吸器専門病理医，呼吸器専門放射線科医と呼吸器専門臨床医の三者が同じ土俵で十分に議論して，診断と治療の方針を決定していくというmultidisciplinary discussion（MDD）という概念が非常に重視されてきている．現在，日本でもこういった点を取り入れて進めてきており，この「手引き」でもMDDが強調されていくこととなる．

構成としては，第I章にこの「手引き」のコンセプトを示し，第II章では診断の進め方，第III章ではIIPsの各論（特に重要なIPFとiNSIPを中心に記述する），第IV章・V章ではそれぞれ管理総論と病診連携について記述する．新規項目としては，ILDのフェノタイプとして第II章に「進行性線維化を伴う間質性肺疾患（PF-ILD）/進行性フェノタイプを示す慢性線維化性間質性肺疾患」を，第IV章には「緩和ケア」を追加し，最近の動向ならびに国際的ガイドラインの内容を反映している．この「手引き」の対象読者は，間質性肺炎を扱う呼吸器科医はもちろんのこと，一般呼吸器科医（外科医を含む），一般内科医を想定している．

文献

1) American Thoracic Society；European Respiratory Society：American Thoracic Society/European Respiratory Society International Multidisciplinary Consensus Classification of the Idiopathic Interstitial Pneumonias. This joint statement of the American Thoracic Society（ATS）, and the European Respiratory Society（ERS）was adopted by the ATS board of directors, June 2001 and by the ERS Executive Committee, June 2001. Am J Respir Crit Care Med 2002；**165**：277-304.

2) Bjoraker JA, Ryu JH, Edwin MK, et al：Prognostic significance of histopathologic subcets in idiopathic pulmonary fibrosis. Am J Respir Crit Care Med 1998；**157**：199-203.

3) 千田金吾，鈴木研一郎，須田隆文，ほか：本邦における特発性間質性肺炎（IIPs）の実際．厚生科学研究特定疾患対策研究事業びまん性肺疾患調査研究班平成13年度報告書，2002：p106-108.

4) Travis WD, Costabel U, Hansell DM, et al：An official American Thoracic Society/European Respiratory Society statement：update of the international multidisciplinary classification of the idiopathic interstitial pneumonias. Am J Respir Crit Care Med 2013；**188**：733-748.

5) 日本呼吸器学会びまん性肺疾患診断・治療ガイドライン作成委員会（編）：特発性間質性肺炎 診断と治療の手引き，南江堂，東京，2004.

6) 日本呼吸器学会びまん性肺疾患診断・治療ガイドライン作成委員会（編）：特発性間質性肺炎 診断と治療の

手引き，第2版，南江堂，東京，2011.
7) Raghu G, Collard HR, Egan JJ, et al : An official ATS/ERS/JRS/ALAT statement : idiopathic pulmonary fibrosis : evidence-based guidelines for diagnosis and management. Am J Respir Crit Care Med 2011 ; **183** : 788-824.
8) Raghu G, Rochwerg B, Zhang Y, et al : An official ATS/ERS/JRS/ALAT Clinical Practice Guideline : Treatment of Idiopathic Pulmonary Fibrosis. An Update of the 2011 Clinical Practice Guideline. Am J Respir Crit Care Med 2015 ; **192** : e3-e19.9.
9) 日本呼吸器学会びまん性肺疾患診断・治療ガイドライン作成委員会（編）：特発性間質性肺炎 診断と治療の手引き，第3版，南江堂，東京，2016.
10) 厚生労働科学研究費補助金難治性疾患政策研究事業「びまん性肺疾患に関する調査研究班　特発性肺線維症の治療ガイドライン作成委員会」（編）：特発性肺線維症の治療ガイドライン2017，南江堂，東京，2017.
11) Raghu G, Remy-Jardin M, Myers JL, et al : An official ATS/ERS/JRS/ALAT Clinical Practice Guideline : Diagnosis of Idiopathic Pulmonary Fibrosis. Am J Respir Crit Care Med 2018 ; **198** : e44-e68.

第Ⅱ章

診断の進め方

1 診断の考え方

a）診断の考え方（図1）

間質性肺疾患（interstitial lung disease：ILD）の診断の第一歩は，胸部X線写真で間質性陰影を認めた場合が大部分で，次いで胸部聴診所見にて捻髪音が認められた場合が想定される．ILDが疑われたら，次にILDの原因となりうる要因についての検討を行う．この際，びまん性肺疾患を呈する種々の疾患（「第Ⅰ章．びまん性肺疾患と特発性間質性肺炎」表1参照），なかでも，膠原病，過敏性肺炎，薬剤性肺障害，などの鑑別が特に重要である．鑑別には，十分な問診，身体所見，画像検

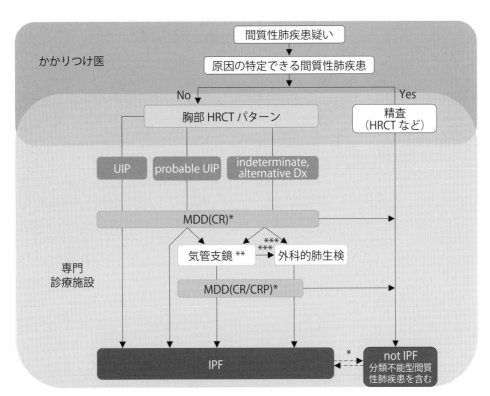

図1　特発性肺線維症診断のフローチャート

*　疾患挙動を考慮したMDDによる再評価
**　BAL, TBLB, TBLC
***　診断の確信度が高くなければ考慮

HRCT：高分解能CT，UIP：usual interstitial pneumonia，Dx：diagnosis，
MDD：multidisciplinary discussion，CR：臨床医・放射線科医による集学的検討，
CRP：臨床医・放射線科医・病理医による集学的検討，BAL：bronchoalveolar lavage，
TBLB：transbronchial lung biopsy，TBLC：transbronchial lung cryobiopsy

査，採血検査，組織検査などが有用である．いずれの疾患も鑑別を想定しないと見落とす可能性がある．膠原病は，症状が軽微な場合に見落とす可能性や，疑わしい症状や所見が存在するも診断基準を満たさない症例が存在するため注意が必要である．過敏性肺炎は，抗原曝露が明らかで臨床像が特徴的な場合は診断が比較的容易であるが，抗原曝露が明らかでない場合で慢性進行性の場合は特発性肺線維症（IPF）との鑑別がしばしば困難であり注意が必要である．

ILDの原因の検討を行ったあと，HRCTの画像パターンによりさらに診断プロセスを進める．検査法の選択や診断に際して，呼吸器科医，放射線科医を中心に病理医，可能であれば膠原病科医を含めた多分野による集学的検討（multidisciplinary discussion：MDD）を行うことが診断精度を高めることに有用とされている[1～6]．

画像所見でUIPパターンを認め，明らかな原因が認められなければ，多くの場合，気管支鏡検査や外科的肺生検を行わなくともIPFと診断可能である[1,2,5,6]．ただし，UIPパターンを認めても，確定困難な膠原病や過敏性肺炎など二次性のUIPが疑われる場合は気管支鏡検査（気管支肺胞洗浄，経気管支肺生検，経気管支クライオ肺生検）などを検討してもよい[4～6]．

画像所見でprobable UIPパターンの場合は，IPFの臨床像に矛盾しないか，IPF以外を想定する所見や経過がなければ多くの場合はIPFと診断可能である[5～8]．気管支鏡検査にてIPFに矛盾しなければ診断の確信度が高まる．気管支鏡検査（気管支肺胞洗浄，経気管支肺生検，経気管支クライオ肺生検）を行っても診断の確信度が高くなければ，可能であれば外科的肺生検も考慮する[5,6,8]．

画像所見でindeterminate for UIPパターンの場合は，初期のIPFの可能性や，IPFかどうかの確信度があまり高くなく他疾患の可能性も十分ありうる．この場合は，気管支鏡検査（気管支肺胞洗浄，経気管支肺生検，経気管支クライオ肺生検）や可能であれば外科的肺生検を積極的に行いIPFの可能性，他疾患の可能性を十分吟味する[5,6]．

画像所見でalternative diagnosisパターンを認めた場合は，IPF以外の疾患の可能性が高く，気管支鏡検査（気管支肺胞洗浄，経気管支肺生検，経気管支クライオ肺生検）や可能であれば外科的肺生検を駆使して確定診断に努める[5,6]．ただし，IPFとして非典型的な画像所見を呈しても30％程度の症例がIPFと診断されるため，IPFを鑑別から完全に外すことはできないことに留意すべきである[9]．

b）多分野による集学的検討（MDD）

MDDは，間質性肺炎診療における診断と診断の確信度のレベルの確立，生検やその他の検査の必要性の判断，管理方針の決定のために重要である[1～6]．MDDは臨床医，放射線科医，病理医による臨床情報，画像診断，病理診断についてダイナミックな意見交換を通じて行われ，各々の不確実性を補い，判断の精度を高めることにつながる．MDDにより，検者間における診断一致率と診断確信度を改善させるとの報告や，臨床医や放射線科医単独での診断よりもIPF診断の確信度を上昇させることも報告されている[3～6]．IPFと診断された症例のうち，MDDによる再評価により30～50％がIPF以外の診断に変わったとの報告もある[10,11]．さらに，臨床医や放射線科医単独よりもMDDでのIPF診断の方が予後識別能に優れているとの報告もなされている[4]．また最近では，施設診断よりも専門家によるMDD診断のほうがIPF診断の予後識別能に優れているとの報告もある[11]．

しかし，IPF以外の慢性線維化性間質性肺炎において，非特異性間質性肺炎や慢性過敏性肺炎などは専門医によるMDD診断においても一致率が良好でないという問題もあり，診断基準の確立が必要である[4]．

MDDを行う際の推奨事項を**表1**に記載する[5]．MDDの基本的な構成メンバーは，呼吸器科医，放射線科医，病理医であり，可能ならば，膠原病医，ときには産業医，遺伝学者の協力も有用である．なお，たとえば，経験のある臨床医か放射線科医がIPFに矛盾しない臨床所見と典型的なCT所見であると判断した場合には，MDDを行わなくともIPFと診断可能である[4,5]．

ILDの診断は，確信度や経過により診断が変わる可能性があることに留意し，3～6ヵ月毎に治療反応性も含め多面的に再評価を行う姿勢が重要である[5]．

c）分類不能型と暫定診断・作業診断

間質性肺疾患の診断において，従来は診断基準が重視され，基準を満たす確定診断と，そうでない場合は未診断，あるいは分類不能型と診断されていた．分類不能型は，2013年の国際分類では，分類不能型（特発性）間質性肺炎，Ryersonらの報告では"分類不能型間質性肺疾患"と総称されている[2,4,5]．分類不能型ILDは，気管支鏡検査や外科的肺生検などの検査が行えず診断がつかない場合と，これらの検査を行ったうえで明確な診断にいたらない場合に大別される．

多くのILDの診断基準では組織学的評価が重要視され，結果として多くのILD症例が分類不能となり，治療・管理を行う際に支障が生じていた．このような現状を改善するため，確信度による診断分類が提唱されている[12]．この分類によれば，診断基準を満たした場合や90％以上の確信度を確定診断，90～51％を暫定診断（90～71％を高確信度，70～51％を低確信度），50％

表1 MDDカンファレンスを行う際の推奨事項（Fleischner Society）

頻度	・週もしくは月単位（患者数による）
対象患者	・確定診断できない患者 ・non-IPFを疑う患者（ex 過敏性肺炎，膠原病に伴う間質性肺疾患） ・患者が多く経験豊富なグループでは，典型例には必要ない場合もある ・一部の患者では経過観察により，再評価が必要な場合もある
カンファレンスの形態	・直接もしくはオンライン会議 ・病理と画像は直接閲覧するべき
参加者	・間質性肺疾患診療の経験がある臨床医，放射線医および病理医 ・経験が少ない場合は，専門グループとの連携が必要（画像の送信，病理スライドの評価，臨床的観点についてオンラインあるいは電話もしくはe-mailで討議） ・時にはリウマチ専門医の参加が役立つ
目標	・診断，治療計画の決定，病態進行の評価
記録事項	・MDDによる第一診断（"分類不能型"を含む），現実的な代替診断，必要な診断検査の助言
情報共有	・カルテと退院通知への最終診断の記録 ・カンファレンス参加者のリスト，臨床診断のリスト，画像診断のリスト，病理診断のリスト，推奨する治療法のリストなども可能なら含める

(Lynch DA, et al. Lancet Respir Med 2018；6：138-153[5]を参考に作成)

以下を分類不能とされている[12]．そして分類不能の場合は鑑別疾患を併記する．いずれの場合も，治療反応性を含めた臨床経過，疾患の挙動により診断の再評価が重要とされている．

"確定診断とはされないが，臨床像や疾患の挙動がIPFと矛盾しないと判断される場合"に，作業診断IPF（working diagnosis of IPF）とすることがFleischner SocietyのIPF診断白書に記載されている[5]．Walshらは，ILDの専門家が70%以上の確信度の診断と判断すれば，疾患挙動がIPFと矛盾しないのみならず，専門家はIPFと同様の治療戦略をとることを報告し，70%以上の確信度を作業診断の根拠とする妥当性を示した[13]．すなわちIPFを対象とした場合，作業診断IPF=高確信度暫定診断IPFと考えられる（例：HRCTでprobable UIPパターンを呈し，臨床的にIPFと矛盾しないと判断すれば作業診断IPFと診断可能）．

d）重症度分類

日本におけるIPFの重症度分類では，安静時の動脈血酸素分圧値と歩行時のdesaturationの有無により重症度Ⅰ度からⅣ度までに分類されており，指定難病申請の際など広く使用されている[14]（表2）．

しかしながらこの重症度分類は，Ⅰ+Ⅱ度と，Ⅲ度，Ⅳ度の予後の識別能は良好であるが，Ⅰ度とⅡ度の予後識別能が不良であるという問題点がある[15]．これは，Ⅰ度の定義が予後不良因子とされる歩行時のdesaturationの有無にかかわらず規定されていることが原因となっており，従来のⅠ度で歩行時のdesaturation例をⅡ度にすることにより予後識別能の改善を可能とする改定

表2 重症度分類判定表（安静時室内気）（日本呼吸器学会）

重症度	安静時動脈血ガス PaO_2	6分間歩行時 SpO_2
Ⅰ	80Torr以上	
Ⅱ	70Torr以上80Torr未満	90%未満の場合はⅢにする
Ⅲ	60Torr以上70Torr未満	90%未満の場合はⅣにする（危険な場合は測定不要）
Ⅳ	60Torr未満	測定不要

案が提案されている[15]．また，最近ではより侵襲度の低い経皮酸素飽和度（SpO_2）を用いた重症度も報告されている[16]．

また，国際的には，重要な予後因子とされる性別，年齢，呼吸機能検査でのFVC，DLcoとを組み合わせスコア化するGAPモデルが予後予測に有用であると報告されている[17,18]が，このモデルには本邦から人種差の影響があることも報告されている[19]．

今後，重症度改訂に資するエビデンスをさらに集積するとともに，将来的には日本人に適した呼吸機能変数の導入による，より予後識別能の精度の高い重症度分類の構築が期待される[20]．

文献

1) Raghu G, Collard HR, Egan JJ, et al：An official ATS/ERS/JRS/ALAT statement：idiopathic pulmonary fibrosis：evidence-based guidelines for diagnosis and management. Am J Respir Crit Care Med 2011；**183**：788-824.
2) Travis WD, Costabel U, Hansell DM, et al：An official Ameri-

can Thoracic Society/European Respiratory Society statement : Update of the international multidisciplinary classification of the idiopathic interstitial pneumonias. Am J Respir Crit Care Med 2013 ; **188** : 733-748.
3) Flaherty KR, King TE Jr., Raghu G, et al : Idiopathic interstitial pneumonia : what is the effect of a multidisciplinary approach to diagnosis? Am J Respir Crit Care Med 2004 ; **170** : 904-910.
4) Walsh SLF, Wells AU, Desai SR, et al : Multicentre evaluation of multidisciplinary team meeting agreement on diagnosis in diffuse parenchymal lung disease : a case-cohort study. Lancet Respir Med 2016 ; **4** : 557-565.
5) Lynch DA, Sverzellati N, Travis WD, et al : Diagnostic criteria for idiopathic pulmonary fibrosis : a Fleischner Society White Paper. Lancet Respir Med 2018 ; **6** : 138-153.
6) Raghu G, Remy-Jardin M, Myers JL, et al : Diagnosis of Idiopathic Pulmonary Fibrosis. An Official ATS/ERS/JRS/ALAT Clinical Practice Guideline. Am J Respir Crit Care Med 2018 ; **198** : e44-e68.
7) Brownell R, Moua T, Henry TS, et al : The use of pretest probability increases the value of high-resolution CT in diagnosing usual interstitial pneumonia. Thorax 2017 ; **72** : 424-429.
8) Fukihara J, Kondoh Y, Brown KK, et al : Probable usual interstitial pneumonia pattern on chest CT : is it sufficient for a diagnosis of idiopathic pulmonary fibrosis? Eur Respir J 2020 ; **55** : 1802465.
9) Yagihashi K, Huckleberry J, Colby TV, et al : Radiologic-pathologic discordance in biopsy-proven usual interstitial pneumonia. Eur Respir J 2016 ; **47** : 1189-1197.
10) Jo HE, Glaspole IN, Levin KC, et al : Clinical impact of the interstitial lung disease multidisciplinary service. Respirology 2016 ; **21** : 1438-1444.
11) Fujisawa T, Mori K, Mikamo M, et al : Nationwide cloud-based integrated database of idiopathic interstitial pneumonias for multidisciplinary discussion. Eur Respir J 2019 ; **53** : 1802243.
12) Ryerson CJ, Corte TJ, Lee JS, et al : A Standardized Diagnostic Ontology for Fibrotic Interstitial Lung Disease. An International Working Group Perspective. Am J Respir Crit Care Med 2017 ; **196** : 1249-1254.
13) Walsh SLF, Lederer DJ, Ryerson CJ, et al : Diagnostic Likelihood Thresholds That Define a Working Diagnosis of Idiopathic Pulmonary Fibrosis. Am J Respir Crit Care Med 2019 ; **200** : 1146-1153.
14) 日本呼吸器学会びまん性肺疾患診断・治療ガイドライン作成委員会（編）：特発性間質性肺炎診断と治療の手引き，第3版，南江堂，東京，2016．
15) Kondoh Y, Taniguchi H, Kataoka K, et al : Disease severity staging system for idiopathic pulmonary fibrosis in Japan. Respirology 2017 ; **22** : 1609-1614.
16) Takei R, Yamano Y, Kataoka K, et al : Pulse oximetry saturation can predict prognosis of idiopathic pulmonary fibrosis. Respir Investig 2020 ; **58** : 190-195.
17) Ley B, Ryerson CJ, Vittinghoff E, et al : A multidimensional index and staging system for idiopathic pulmonary fibrosis. Ann Intern Med 2012 ; **156** : 684-691.
18) Ryerson CJ, Vittinghoff E, Ley B, et al : Predicting survival across chronic interstitial lung disease : the ILD-GAP model. Chest 2014 ; **145** : 723-728.
19) Kondoh S, Chiba H, Nishikiori H, et al : Validation of the Japanese disease severity classification and the GAP model in Japanese patients with idiopathic pulmonary fibrosis. Respir Investig 2016 ; **54** : 327-333.
20) Nishikiori H, Chiba H, Lee SH, et al : A modified GAP model for East-Asian populations with idiopathic pulmonary fibrosis. Respir Investig 2020 ; **58** : 395-402.

2 臨床像

a）発症経過

IIPsの発症経過としては，慢性（3ヵ月以上），亜急性（1〜3ヵ月），急性（1ヵ月以下）がある．慢性の発症経過として特発性肺線維症（IPF），剥離性間質性肺炎（DIP），呼吸細気管支炎を伴う間質性肺疾患（RB-ILD），特発性リンパ球性間質性肺炎（iLIP），亜急性〜慢性の発症経過として特発性非特異性間質性肺炎（iNSIP），急性〜亜急性の発症経過として特発性器質化肺炎（COP），急性の発症経過として急性間質性肺炎（AIP）がある．

b）臨床症状

IIPsの主要症状は乾性咳嗽と労作時呼吸困難である．IPFでは，これまでの諸報告では，乾性咳嗽が初診時50〜90％前後に認められる．労作時呼吸困難の頻度については，症状のない検診発見例をどの程度含むかにより異なるが，有症状群において労作時呼吸困難は高頻度で，およそ80％以上に認められる．

c）身体所見

捻髪音：IIPsでは，捻髪音（fine crackles）は重要所見であり，特にIPFではATSの報告[1]で80％以上，日本の報告[2]でも90％以上に聴取され，ほぼ必発と考えられる．

ばち指（**図1**）：慢性に経過するIPFでは，ばち指（clubbed finger）は初診時33〜38％[2,3]，ATSの報告で25〜50％[1]，ほかの報告で30〜60％前後[4]に認められる．

以上のように，IIPsの診断，特にIPFの診断にかかわる主要症状および身体所見に関する項目の中では，労作時呼吸困難，乾性咳嗽，捻髪音が重要であり，特に捻髪音は自覚症状が出現する以前から聴取可能であり，早期診断の観点からも最も重要である[5]．

膠原病に関連する間質性肺炎は鑑別疾患として非常に重要であり，膠原病を示唆するような皮膚・関節症状，口腔粘膜所見，筋痛や筋力低下の有無とともに，表在リ

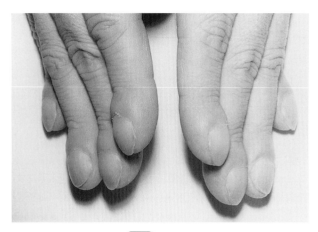

図1 ばち指

ンパ節腫脹や眼・鼻・副鼻腔所見なども検索すべきである（「第Ⅱ章-6．鑑別診断」参照）．

文献

1) American Thoracic Society: Idiopathic pulmonary fibrosis: diagnosis and treatment. International consensus statement. American Thoracic Society (ATS), and the European Respiratory Society (ERS). Am J Respir Crit Care Med 2000; **161**: 646-664.

2) Bando M, Sugiyama Y, Azuma A, et al: A prospective survey of idiopathic interstitial pneumonias in a web registry in Japan. Respir Investig 2015; **53**: 51-59.

3) 近藤有好，本間行彦，阿部庄作，ほか：特発性間質性肺炎（IIP）の疫学調査．厚生省特定疾患びまん性肺疾患調査研究班平成4年度研究報告書 1993; p11-18.

4) 田口善夫，井上哲郎：臨床診断基準における主要症状および身体所見について．厚生科学研究特定疾患対策研究事業びまん性肺疾患研究班平成12年度研究報告書 2001; p96-99.

5) Cottin V, Cordier JF. Velcro crackles: the key for early diagnosis of idiopathic pulmonary fibrosis. Eur Respir J 2012; **40**: 519-521.

3 一般検査

　間質性肺炎の診断に用いられる画像診断の手法は，X線撮影とHRCTである．活動性の評価にGa-citrateシンチグラムやFDG-PETなどの核医学的手法が試用されているが，FDG-PETの評価はまだ十分に定まっていない．

❶胸部X線

　胸部X線撮影は，手軽で安価な検査方法であり，スクリーニングに利用されることが多いが，経過観察でも有用性が大きい．胸部X線撮影の利点は，概観像が得られることであり，肺野容積の変化や横隔膜の位置なども把握しやすい．病変の上下方向の分布は，直観的に把握しやすく，異常陰影の分布の把握に優れている．肺野容積の変化や経過を観察するのにも適している（**図1**，**図2**）．間質陰影の検出に関して，X線写真はHRCTに劣るが，X線写真は重積像であるために，早期の微細な陰影に関しても鋭敏に検出が可能である．早期の陰影の発見には，血管陰影の不鮮明化や横隔膜陰影の不鮮明化などの所見が有用である（**図3**）．

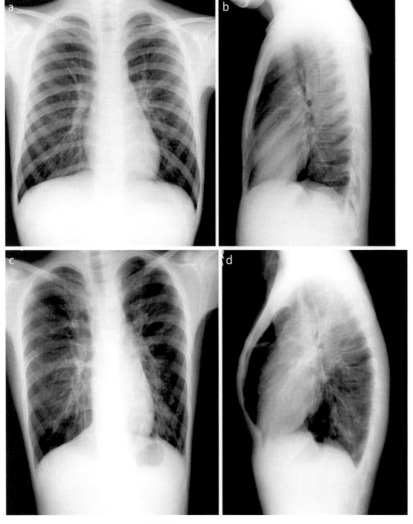

図1 閉塞性細気管支炎

a，b：骨髄移植前
c，d：閉塞性細気管支炎発症後（骨髄移植後）
閉塞性細気管支炎発症後は，空気とらえ込み現象により肺野容積が増加し，横隔膜は低位平坦化し，側面像では胸郭の前後径の増加を認める．

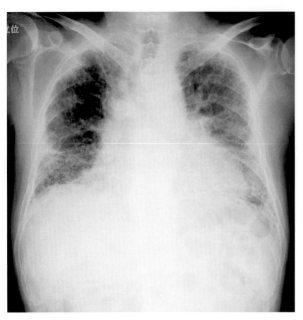

図2 特発性NSIP+OP 胸部X線

心拡大を認める．肺野容積の減少と両側下肺野優位の網状陰影を認める．横隔膜や心大血管陰影の輪郭は不鮮明化している．血管陰影はまったく同定できない．

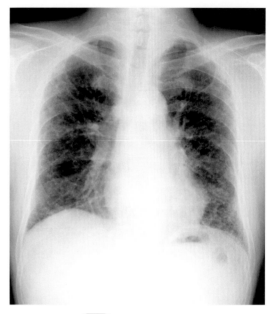

図3 IPF．胸部X線

両側下肺野，末梢優位に網状陰影を認め，横隔膜の輪郭は不鮮明化している．

❷ CTおよび高分解能CT（high resolution CT：HRCT）

a）CT画像の撮影条件および表示条件について

胸部CT（含HRCT）の撮影は間質性肺炎の診断に必須であるが，適切な撮影条件，観察条件を満たしたものでなければならない．下記に加え，別表に推奨撮影条件を記載するので参考にされたい（**表1**）．

全肺を単純撮影にて多列検出器CT（multi-detector row CT：MDCT）にて，0.5 mmから1 mm厚程度の連続スライスデータとして撮影し，そのデータを再構成することによって，5 mm厚のCT（肺野条件，縦隔条件）および0.5～1.25 mm厚程度のHRCTを作成して観察する．急性呼吸不全時の肺動脈血栓塞栓症の除外や悪性疾患評価など，同時に評価すべき情報がある場合には適宜造影CT追加をすることとなるが，びまん性肺疾患自体には，単純CTが必須である．

また，末梢気道病変検出を目的として，初回精査時には呼気CTの追加が望ましいが，過剰な被曝を避けるため，呼気CTに関しては低線量撮影を推奨する（1 mSv未満の超低線量撮影は避ける）．呼気CTの撮影時には機器に設定された自動音声を使用するよりも，放射線技師が直接患者に声をかけて努力性に呼気を促しながら撮影することで，より適切な呼気撮影が可能となる．肺底部や背側胸膜下の軽微な病変を検出・評価するため，加重部に生じる肺野濃度上昇を避けるために，適宜腹臥位CTを追加する場合もある．

HRCTは1 mm以下のスライス厚で撮影されたCT画像から，空間分解能を重視したアルゴリズムで再構成を行って作成した画像を指す[1～4]．再構成は両肺を含むFOV（field of view，有効視野）で行われることが多くなっており，FOVを小さくして片肺ずつの再構成画像を作成して観察することは，MDCTやモニターなど，画像診断機器の進歩により，特に必要とはされなくなりつつある．また，連続画像ではなく5 mm～数cmの間隔を開けた画像では，既存の脈管構造と病変の連続性の評価が困難となり，正常血管が粒状影のように見えてしまうこともあるため，1.25 mm厚以下の連続画像をスクロールして観察することがより望ましい．また，これらの画像をvolume dataとして用意しておくことで，高画質の冠状断，矢状断再構成画像や立体画像の作成が容易に可能となり，上下方向の病変の進展や横隔膜近傍の肺底部の陰影分布の解析に有用である（**図4**）．

さらに，近年では逐次近似法や人工知能を用いた画像再構成を組み合わせることで，より低被曝で高画質の画像を表示させることが可能となっているため，施設のCT機器の画質や処理能力により，画質を担保したうえでの低被曝化も考慮されたい．

b）HRCT

（1）CT画像の読影

i．各CT画像表示条件とその目的

5 mm厚のCT肺野条件を用いた観察では肺の全体像

表1 高分解能CTの推奨撮影・出力条件

1. 非造影CT（単純CT）
2. ボリュームデータでのCT撮影
   - 背臥位・吸気撮影（ボリュームデータ）※
   - 背臥位・低線量呼気撮影（数枚の断面のみもしくはボリュームデータ）
   - オプション：腹臥位撮影（数枚の断面のみもしくはボリュームデータ）
   ※使用CT機器の能力により，画質を担保した上での低線量化は可能
3. 出力画像
   - HRCT：両肺同時，連続画像での出力＞片肺ずつのギャップあり画像
   （高空間分解能関数使用，最低2mm以下で1.25mm以下を推奨）
   - 可能であれば冠状断・矢状断再構成
   - 適宜，逐次近似法の使用
   - 5mm厚以下の肺野条件，縦隔条件
4. 観察条件
   - 肺野条件：WW 1,500〜1,600, WL −500〜−600（HU）※
   - 骨条件：WW 2,000〜2,500, WL 500前後
   ※WW 1,200, WL −700〜−800（HU）程度の条件は軽微な気腫の検出やモザイク陰影の検出には有用．上記推奨プロトコールに加え，適宜追加

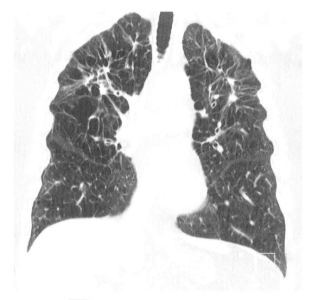

図4 じん肺症．CT冠状断再構成像

両側上肺優位，肺野内側よりの結節陰影を認める．肺気腫もみられる．

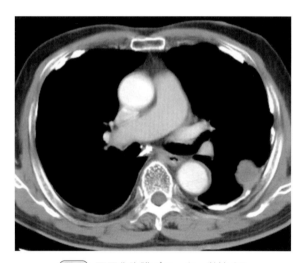

図5 石灰化胸膜プラーク．単純CT

一部石灰化した斑状の胸膜肥厚を認める．左肺下葉に肺癌を合併している．

を把握することが容易であり，大まかな頭尾方向や水平方向での分布，左右差を評価することに向いているといえる．縦隔条件は，軟部組織の観察に適した再構成関数を用いたものが推奨される．縦隔・肺門リンパ節の腫大や，前縦隔の状態，胸膜プラーク（図5）や胸水などの胸膜病変も，IIPsの診断過程において，特に二次性間質性肺炎の可能性を検討する観点から評価すべき情報である．

肺野病変の詳細はHRCTにて評価する．HRCTでの観察は後述する肺の既存構造と病変の関係を把握するうえで必須であり，肺病変の性状を正確に評価するためにも必要である．たとえば5mm厚ではすりガラス影のものがHRCTでは網状影に，コンソリデーションにみえるものが，HRCTではやや濃い網状影であることがわかる場合もある．HRCTは高空間分解能関数を用いて再構成のうえ，WW 1,500〜1,600, WL −500〜−600（HU）程度のウィンドウ値での観察が推奨される．なお，WW 1,200〜1,400, WL −700〜−800（HU）程度のウィンドウ幅を狭くした観察条件は，軽微な気腫性変化の検出やモザイク陰影の検出には有用であるものの，すりガラス影が強調されることや，細かい網状影がコンソリデーションのようにみえることもあるため，上記推奨プロトコールを基準にしたうえで，適宜追加して使用することが望ましい．また，施設によって基本設定にしているウィンドウ値が異なることも多いため，他施設で撮影されてCT画像を読影するときには，ウィンドウ値を自施設と同じ慣れた表示条件に変更してから観察することが望ましい．

骨条件のthin-slice CTを観察することで，肺病変に併存する石灰化/骨化の有無を検出することが可能となる．IPFでは微小な骨化結節の検出頻度が他の慢性間質性肺炎に比し高いことが報告されており，診断に有用なことがある[5]．

ii. 肺末梢の構造とHRCT画像

HRCT画像読影の基本は，二次小葉内部での病変の分布に着目して行う．小葉内の病変分布に着目すること

により，既存構造との関連性を把握し，病変の性状や病変の進展様式の推定に役立つ．二次小葉内での分布は，小葉（細葉）中心性分布，小葉（細葉）辺縁性分布，広義間質（リンパ路）分布，汎小葉（多小葉）性，ランダム分布などに区別される．

①小葉と細葉の定義（図6）

一次小葉は，ひとつの肺胞管により支配される肺末梢の構造を指す．画像診断で用いられる小葉はほとんどの場合 Miller の二次小葉であるので，ここでは，二次小葉を単に小葉という．Miller の小葉は，線維性の隔壁で境界された約 10 mm 程度の大きさの多面体である．ヒトでは小葉間隔壁の発達が肺表面以外では不良で，深部では小葉の辺縁は，肺静脈やより中枢で小葉外の気管支肺動脈束が構成する．一方，Reid は気管支分岐の間隔の相違に基づいて小葉を定義している[6,7]．Reid の二次小葉を支配する気管支までは，小細気管支は cm 間隔で分岐を繰り返すが，小葉内に入ると気管支は，mm 間隔で分岐を繰り返すようになるので，気管支分岐の間隔が mm 間隔となる範囲を小葉と定義した．1 個の Miller の小葉のなかには，複数個，大きい Miller の小葉の内部には 10〜20 個以上の Reid の小葉が含まれる．

細葉には，いくつかの定義があるが，最も一般的な定義では1本の終末細気管支で支配される肺末梢の構造を指す．1 個の小葉の内部には，2〜5 個の細葉が含まれ，その大きさは 5 mm 程度である．特に肺表面の近くでは小葉間には小葉間隔壁が存在するが，細葉間には細葉間隔壁はなく，細葉間に介在する肺静脈があるのみである．病的状態では細葉の辺縁に位置する静脈周囲の病変により細葉の輪郭がより明瞭になることがある．

②肺末梢の構造

小葉の辺縁をなす構造は，胸膜面，小葉間隔壁，肺静脈，太い肺動脈枝などであり，これよりやや離れた小葉内に肺動脈，細気管支，気管支動脈が伴行する．気道は気管，主気管支から葉気管支，区域気管支，亜区域気管支と分岐する[8]．これより末梢は同大2分岐を繰り返し，小気管支，膜性細気管支，終末細気管支，呼吸細気管支，肺胞管，肺胞嚢，肺胞にいたる[9]．このうち，高次呼吸細気管支は，小葉辺縁から 2〜3 mm の距離に位置し，導管部細気道から肺胞を含む末梢気腔へ移行する部位となる．呼吸細気管支は経気道的な病原物質が停滞しやすく，肺気腫や経気道性に散布する病変が生じやすい部位である．肺動脈は気管支動脈とともに気管支に伴行して分岐を繰り返すが，肺動脈分枝のなかには，気管支に伴わないものも数多く存在する[10]．注意すべきは，気管支肺動脈はそれ自身の支配する細葉や小葉の外で

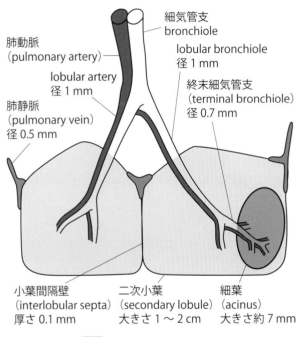

図6 小葉，細葉のシェーマ

(池添潤平，本田 修：肺の微細構造．胸部の CT，第 2 版，池添潤平，村田喜代史（編），医学書院 MYW，東京，1998 より引用)

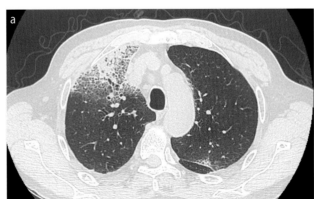 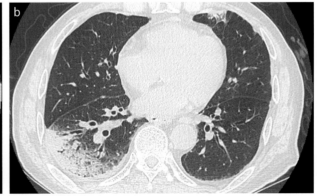

図7 特発性器質化肺炎

両肺に気管支透亮像を伴う多発コンソリデーションを認め，近傍には境界不明瞭なすりガラス影を認める．胸膜下に分布しているが，気管支血管束に沿う要素もみられる．

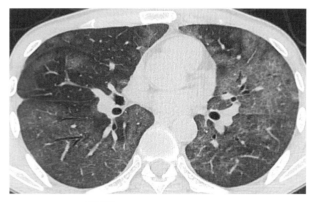

図8 ニューモシスチス肺炎

両肺びまん性に広範なすりガラス影を認め，胸膜直下の所見はやや乏しい．左肺では一部すりガラス影に重なる小葉内間質肥厚像を認め，crazy-paving appearance を呈する部位もある．

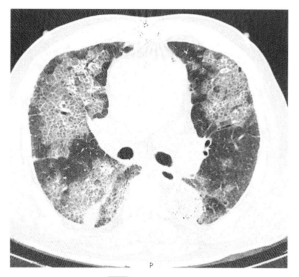

図9 肺胞蛋白症

広範な両肺のすりガラス影内部に小葉内網状陰影による crazy-paving appearance を呈している．

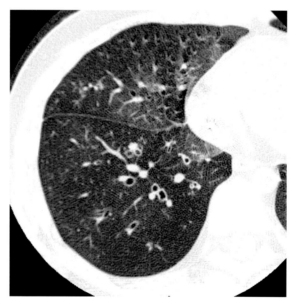

図10 骨髄移植後閉塞性細気管支炎

透過性の亢進した領域が混在するモザイクパターンを示す．透過性の亢進した部位と正常に近い肺野の境界は直線状である．空気とらえ込み現象（air trap）による透過性亢進である．

は，小葉ないし細葉の辺縁構造をなすことである．一方，肺静脈はこれと異なった走行を示し，細葉間から小葉間などの肺機能単位の辺縁ないし境界を走行する．肺静脈の末梢は，小葉間隔壁に連続する．したがって，亜区域間，区域間にも肺静脈が位置することになる[11]．

小葉間隔壁は，正常の画像では，同定できないことが多いが，上葉外側や右中葉など小葉間隔壁の発達のよい部分では，正常の小葉間隔壁が同定できることがある．正常で小葉間隔壁が同定できない場合は，肺静脈の走行を参考にしつつ，その大きさなどを想定して，小葉構造を推定しなければならない．

③肺の実質と間質

肺における実質は肺胞腔内＋肺胞上皮細胞を指す．肺実質病変は，肺実質すなわち肺胞腔内に病変の主座が存在する状態で，本来は空気が含まれる肺胞腔に細胞や液体などからなる病変が存在することになる．肺全体から肺胞腔および肺胞上皮を除いた部分が肺の間質であるが，本来の間質（狭義の間質）である肺胞壁とそれ以外（気管支血管周囲や小葉間隔壁，胸膜下間質および脈管構造など）の間質（広義の間質）からなる．一方，Weibel の定義によれば，間質は，肺末梢の肺胞壁，胸膜下などの末梢間質 peripheral connective tissue と気管支血管周囲の軸位間質 axial connective tissue からなる．axial connective tissue は広義間質に近いが，必ずしも一致する概念ではない[12,13]．

iii. 間質性肺炎の画像診断に重要な画像所見

①網状影（reticulation）

小葉間隔壁肥厚像よりも細かい一辺が数 mm 程度のサイズを持つ網状影を指す．①網状影のみの所見と，②網状影とすりガラス影が重なるようにみえる所見とでは，反映する組織学的所見が異なり，一般的に慢性線維化性間質性肺炎で観察される網状影は前者①に該当する．後者②は肺胞腔内の滲出物増多およびその吸収過程を反映していることが多く，亜急性～急性病態で観察され，すりガラス影と同様に取り扱う．なお，後者②の場合には，後述の牽引性気管支・細気管支拡張，もしくは罹患肺の容積減少の有無を確認することで，線維化病変であるかの判断が可能となる．

②コンソリデーションとすりガラス影

コンソリデーション，すりガラス影とも肺野の X 線透過性の低下した状態を表す用語である．コンソリデー

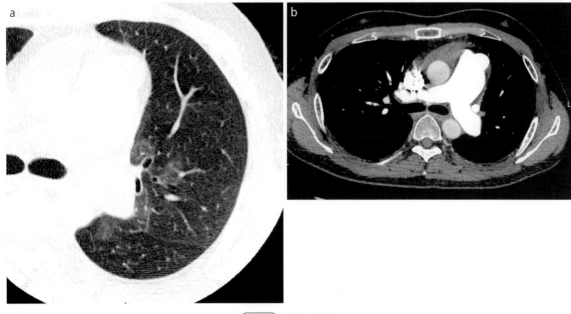

図11 肺高血圧症

a：肺高血圧症に伴うモザイクパターン．黒い小葉と白い小葉の差は，血流（血液）量の反映である．
b：造影縦隔条件CT，中枢部肺動脈の拡張を認め，肺高血圧症の所見である．

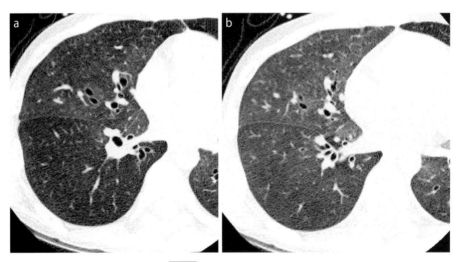

図12 閉塞性細気管支炎

a：吸気HRCT
b：呼気HRCT
吸気CTでは，透過性の高い部位が混在している．呼気時には，透過性の高い部分の透過性に変化はなく空気とらえ込み現象（air trap）が存在しているものと思われる．

ションは，病変部位で背景となる肺血管影がマスクされるような濃厚な病変を指し（図7），すりガラス影は病変部位でも背景となる肺血管影が同定可能な淡い病変を指す（図8）．この両者の相違は，病変部の含気の程度の違いを表しているに過ぎず，すりガラス影＝間質影とは限らない．病変部に含気が残る状況は，不完全な肺胞充填性病変（肺胞性病変）のこともあれば，肺胞隔壁の肥厚（間質性病変）のこともあり，肺胞隔壁肥厚も炎症性，線維化性のいずれもありうる．コンソリデーションは，肺胞腔内の含気が細胞成分や液体成分により置換される肺胞充填性病変のことが多いが，間質性病変であっても肺の虚脱を伴う場合や，肺胞隔壁の肥厚が高度な場合にはコンソリデーションになりうる．すなわち，コンソリデーションとすりガラス影をみた場合は，肺胞性あるいは間質性を決めつけず，同時に併存する所見を参考に，背景病理像を想定して診断する必要がある．

すりガラス影に重なって網状影が観察される病態はcrazy-paving appearance（舗道の敷石所見）と呼ばれて

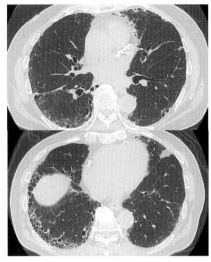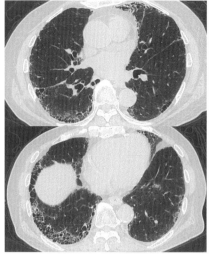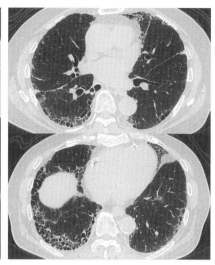

図13 蜂巣肺形成過程（半年毎のCT）

右肺の胸膜直下に線状網状影および小囊胞状変化の集簇巣があり，牽引性気管支細気管支拡張を伴っている．近傍に微細な粒状影もみられ，局所の不均一性が明瞭．経時的に囊胞が明瞭化，かつ増加し，典型的な蜂巣肺へ変化していくのがわかる．
左肺下葉末梢には当初すりガラス影やわずかな網状影がみられるのみであるが，こちらも経時的に小囊胞状変化が明瞭化し，蜂巣肺ができつつある．

いる．はじめは肺胞蛋白症（図9）に特徴的所見として報告されたが[14～16]，その後に肺水腫やARDS，急性間質性肺炎などで報告され，現在では非特異的な所見と考えられる．肺胞蛋白症では細葉間の水分のクリアランスの不良な部位に貯留した水分によるとされる．当然のことながら，小葉内の気管支血管に沿う間質病変や水分のクリアランスにかかわるリンパ管の拡張なども関与しうるし[17]，その病理学的背景は多彩であるが，いずれも肺胞腔内の滲出物を排泄する過程を反映していると考えられる．

③モザイクパターン（mosaic pattern）

小葉単位で肺野の透過性が異なり，ステンドグラスやパッチワークキルトの模様をみるような所見を指す[18]．透過性の異なる小葉の境界は，小葉間隔壁によるので，その境界は直線的である．このような画像所見の背景にはいくつかの機序が考えられる．

まず，透過性の低い小葉のほうが，透過性の高い小葉よりも病変の程度が高い場合と病変の程度が低い場合がある．前者は，たとえばメトトレキサートで治療している関節リウマチ患者のニューモシスチス肺炎などでみられることがある．なぜ小葉単位で陰影の強弱に差があるのかについては，十分に解明されていない．

後者のように透過性の高い小葉ないし小葉群で，病変の程度が高度な場合については，気道に起因する場合と血流に起因する場合がある[19,20]（図10，図11）．気道に起因するものは，内腔狭窄を伴う細気管支細気管支病変のために局所的な過膨張が生じるためであり，しばしば周囲肺胞領域に対し凸の辺縁を呈し，内部の肺血管影は狭細化す

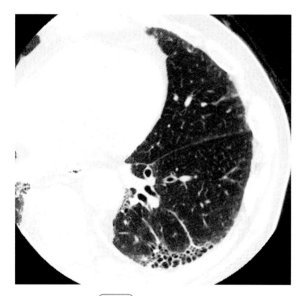

図14 UIPパターン

範囲は広くないが，蜂巣肺を認める．

る．また，小葉単位で血流に差が生じる（血管病変の程度に差が生じる）とやはり同様にモザイクパターンを生じる．このためにモザイクパターンはモザイク灌流（mosaic perfusion）と称されることがある．透過性の高い小葉内部の肺血管陰影は狭細化する．気道病変によるモザイクパターンでは，肺野の含気は増加し，呼気CTでモザイクパターンが強調され，これをair trapと称する．気道由来の病変の検出に有用とされているが，血管病変によるモザイクパターンでも，呼気CTでair trapがみられることが報告されている．これは，肺

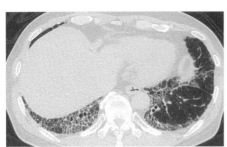
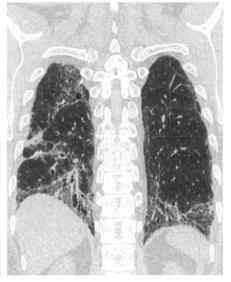

図15 NSIP パターン．牽引性気管支拡張が明瞭

両肺下葉に気管支血管束に沿って広がる線状網状影を認め，牽引性気管支拡張を伴っている．横断面で囊胞状にみえる部位も冠状断では連続した気管支として描出される．

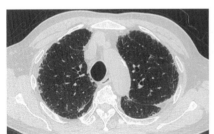
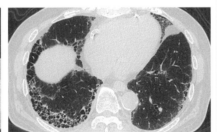
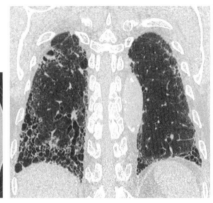

図16 UIP パターン

両肺びまん性胸膜直下かつ肺底部優位に線状網状影があり，上葉では胸膜から伸びる短い線状影と正常肺が隣接する．肺底部では蜂巣肺形成があり，典型的な UIP パターンである．冠状断ではこれらの所見に加え，頭尾方向に走行する気管支の牽引性拡張が明瞭である．

の換気血流調節機構によるものと考えられる．すなわち，肺は換気血流不均等を是正する一種の自己調節機構を有し，換気の減少した部分では血管攣縮により血流が減少，また血流の減少した部分では，気管支の攣縮によるair trap が起こりうるからである．すなわち，気管支病変，血管病変いずれであっても小葉単位で病変に強弱を生じれば，血流，換気いずれも減少する方向に働く．air trap が生じている場合は，呼気 CT により，病変の高度な（黒い）小葉が縮小せずに，モザイク様の構造がより目立ってみえる（図12）．

④蜂巣肺，蜂窩肺（honeycomb lung）

間質性肺炎において，病変の進行した部位の胸膜直下に形成される線維性の壁を有する集簇性囊胞を指す．これらの集簇性囊胞は呼吸細気管支〜肺胞領域が線維化病変に伴って虚脱，牽引ないし構造破壊をきたした結果として形成される．その厚い壁は線維化に陥った肺組織の畳み込みにより生じ，特発性肺線維症で最も典型的にみられ，肺末梢の背側胸膜下にみられるとされる[21,22]．蜂巣肺は，特に IPF/UIP の診断に重要な位置を占める．すなわち NSIP よりも UIP で蜂巣肺の範囲がより広い[23,24]．画像所見では，1〜3 mm の壁の厚みを持つ3〜10 mm 程度のサイズの囊胞の集簇として定義される[25]（図13, 図14）．囊胞がその壁を共有するのが典型的であり，離散的にみられるときは，牽引性気管支拡張の集簇を考える（図15）．蜂巣肺は，特発性肺線維症の診断に重要な所見とされるが，非典型的な蜂巣肺については，診断医間の一致が悪い[26]．これは，線維化巣では蜂巣肺と牽引性気管支拡張が混在し複雑な画像を呈

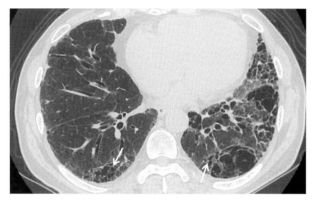

図17　気腫合併肺線維症

両肺下葉の胸膜側にやや壁のあついいびつな形状の嚢胞が多発している．胸膜直下よりもやや内層に主座があり，近傍の気管支に拡張はあるものの，明瞭な牽引性気管支拡張とは異なる．

する（図16）こと，蜂巣肺に画像上類似するが，病理学的には蜂巣肺でない honeycomb mimicker［肺気腫に何らかの肺病変が重畳した場合[27]や，気腫合併肺線維症などでみられる大型嚢胞の集簇など（図17）］が存在することによる．これらの honeycomb mimicker を蜂巣肺と呼ぶべきか，どこまで真の蜂巣肺と区別できるかについては，まだ議論の対象である．

⑤**牽引性気管支拡張（traction bronchiectasis）/牽引性細気管支拡張**

通常の気管支拡張は，気管支壁の破壊性病変により気管支の拡張をきたす病態である．牽引性気管支拡張は，周囲肺組織の線維化病変による容積減少のために気管支壁が牽引されて気管支拡張をきたす状態であり（図18，図19），気管支壁に破壊性病変を認めない．軟骨の存在する部位では，牽引性気管支拡張が生じず，気管支の縦軸方法への収縮も加わって，気管支壁が凹凸不整を示す．牽引性気管支拡張の存在は，その周辺の肺実質の線維化による容積減少を示す．急性の肺傷害で，すりガラス影内部に気管支拡張が存在するとその部位には，すでに非可逆的な早期の線維化が始まっていることを示す（図18）[28,29]．また，牽引性気管支拡張の集簇は，蜂巣肺と鑑別を要する状態である（図15）が，蜂巣肺はしばしば牽引性気管支拡張と混在する点に注意を要する（図16）[30,31]．なお，IPFの比較的早期より，胸膜下では末梢細気管支が牽引性拡張をきたす像が確認され，こちらは牽引性細気管支拡張と表現される．

iv．小葉，細葉に立脚した間質性肺炎画像の読影

従来は，間質性肺炎は，小葉，細葉を越えて肺内に広がるために，小葉，細葉に立脚した画像診断を応用するのは難しいと考えられてきた．しかし，最近1mm以下のスライス厚の連続HRCT画像が容易に得られるようになってきたこと，VATS生検と画像の詳細な対比か

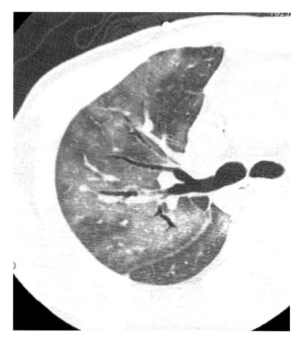

図18　骨髄移植後特発性肺炎症候群（DAD）

すりガラス影内部の牽引性気管支拡張．

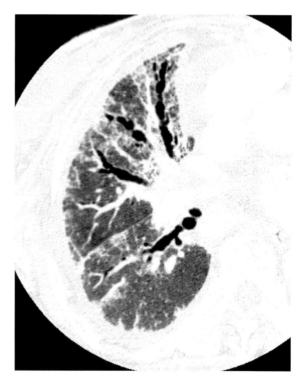

図19　fibrotic NSIP

すりガラス影内部の高度の牽引性気管支拡張．牽引性気管支拡張は，中枢部の気管支にも及ぶ．

ら，間質性肺炎においても細葉，小葉に立脚した画像診断を応用できることが解明されつつある[32]．すなわち，IPF/UIPのみならず間質性肺炎は，一般的に小葉，細葉辺縁の肺静脈周囲から病変が始まる．

IPF/UIPにおいては，小葉，細葉辺縁の線維化病変

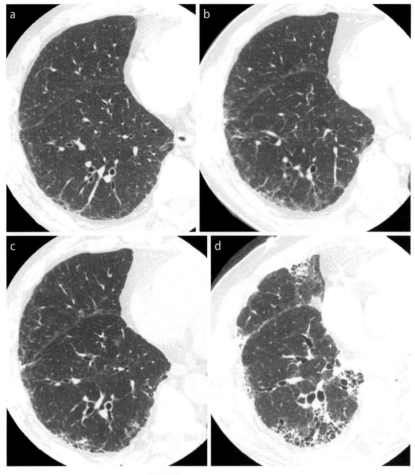

図20 IPF/UIP の経過
a：胸壁直下にわずかな不整形網状陰影が帯状にみられる．
b：1年後には陰影は拡大進行し，わずかに気管支血管束沿いにも深部に進展している．
c：3年後のCTでは，陰影内部に囊胞の出現がみられるが，蜂巣肺の形成はない．
d：6年後のCTでは蜂巣肺を含む典型的な UIP パターンを示す．

が進行するが，細葉，小葉中心，気道中心の線維化は少なく，病変は胸膜直下背側よりの肺優位に進行する[33]．しかし，当然のことながら，小葉内の細葉辺縁部の細葉間間質の病変を伴い，小葉内にも陰影を形成する．

線維化の進行に伴って，肺胞の畳み込みと細気道の拡張による囊胞形成から蜂巣肺の形成がみられる（**図20**）．これに対して，NSIPでは，病変は胸膜直下の肺実質を避けてやや内層よりの肺実質に病変が形成される[30,31]（**図21**）．慢性過敏性肺炎などでは，基本のフレームワークは UIP や NSIP パターンを示す[34]が，同時に，小葉，細葉中心部に線維化病変を示し，これから小葉辺縁部に連続するように静脈周囲の線維化（bridging fibrosis）を示す（**図22**）[35]．慢性過敏性肺炎では囊胞の形成もよくみられる所見である．また，膠原病に合併する間質性肺炎では，しばしば気管支血管周囲の間質に病変を示すが，肺末梢において肺静脈周囲に線維化をきたし，広義間質に沿っての病変進展を示す[36,37]．画像所見は，NSIP パターンをとることが多いが，UIP パターンをとることもある．UIP パターンをとる場合でも気管支血管束周囲の病変も同時に存在し，UIP パターンとしては非典型的になることが多い．

これらの細葉，小葉構造に立脚した間質性肺炎の画像所見の解析により，IPF/UIP の病理診断の hallmark である空間的，時間的異時性がどのように形成されるのか，また早期の IPF/UIP 病変はどのようなもので，どのように病変が進展するのか，NSIP 病変の進展がどのように理解されるのかの検討は今後の解析を待たなければならない．

c）核医学検査

現時点で，間質性肺病変の診断に有用である可能性のある核医学検査は，Ga-citrate シンチグラフィ，FDG-PET，肺血流スキャン，換気スキャンなどである．このうち，Ga-citrate シンチグラフィ，FDG-PET は間質性肺炎やびまん性肺疾患の活動性の指標になる可能性があ

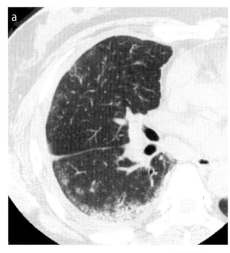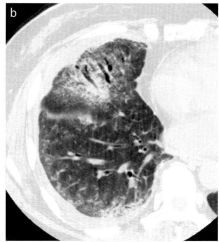

図21 fibrotic NSIP

a：肺野最末梢はスペアされている．軽度の部分では，陰影は静脈沿いの進展を示している．
b：進行した領域では牽引性気管支拡張やすりガラス影内部の網状陰影を示す．線維化に相当する所見と考えられる．

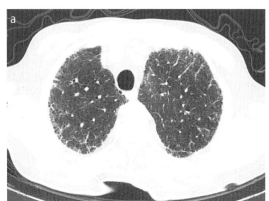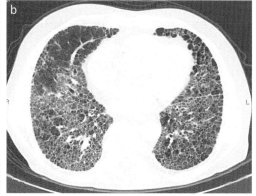

図22 慢性過敏性肺炎

a：上肺では，胸膜直下の短い索状陰影，網状陰影がみられる．肺静脈沿いの線維化病変に相当する変化を認める．
b：下肺では，囊胞陰影，網状陰影，すりガラス影を認める．画像所見ではNSIPパターンであるが，腹側寄りには蜂巣肺といえる領域もみられる．

る．また，換気スキャン，血流スキャンはおのおの肺機能の障害の程度や範囲を表す指標になる可能性がある[38〜41]．

❸血液検査

IIPsにおいて，肺胞上皮由来のバイオマーカーであるKL-6[42]，SP-D[43]，SP-A[44]は高い陽性率を示すので，本疾患を疑うきっかけや，病態のモニタリング，治療反応性の評価に有用である[45]．ただし，いずれも疾患特異性がないので，IIPsの確定診断やパターン分類の診断には必ずしも有用でない．

厚生労働省の診断基準では，①KL-6の上昇，②SP-Dの上昇，③SP-Aの上昇，④LDHの上昇のうち，1項目以上の陽性を条件にしている（⇒巻末「付2」）．特に，IPF，iNSIP，AIPでのKL-6，SP-D，SP-Aの陽性率は87〜93%と高い[46〜48]．胸部CT所見で真の間質性病変としばしば鑑別困難な，重力負荷による陰影の鑑別にも有用である[49]．COPではKL-6，SP-D，SP-Aの陽性率は約50%である[47,48]．IPFと慢性過敏性肺炎との鑑別は難しいこともあるが，慢性過敏性肺炎では，KL-6とSP-DがIPFよりもさらに高値を示すとされ鑑別の一助となる[50]．

原発性肺癌（特に非小細胞肺癌）組織で，KL-6，SP-D，SP-Aが産生され，KL-6は，肺癌合併時に血清値の上昇をみることがある[51]．さらに，これらのバイオマーカーは，ニューモシスチス肺炎やサイトメガロウイルス肺炎などの呼吸器感染症や肺胞蛋白症でも上昇するので注意する[52,53]．

AIP以外のIIPsでは，通常CRPは陰性あるいは陽性でも軽微で，強陽性の場合は感染症の合併，他疾患あるいはIPFを含めたIIPsの急性増悪を考慮すべきである．感染症の診断に有用な血液検査として，β-D-グルカン，CMV抗原などがある．

IPFやiNSIPの10～20％で，循環血液中に抗核抗体（antinuclear antibody：ANA）やリウマチ因子（rheumatoid factor：RF）が陽性となるが[54～58]，高い抗体価を認めた場合は，膠原病を念頭に置き診断を進める必要がある．また，膠原病や診断基準を満たさないが膠原病類似の所見を呈する間質性肺炎（IPAF）を鑑別する目的[59,60]で，関節，皮膚所見などの膠原病に認める身体所見の診察とともに，必要に応じて膠原病疾患特異的自己抗体の測定を行う．リウマチ因子陽性の場合は抗CCP抗体，ANA陽性の場合は，抗ds-DNA抗体，抗Sm抗体，抗U1RNP抗体，抗SS-A/Ro抗体，抗SS-B/La抗体，抗セントロメア抗体，抗トポイソメラーゼI抗体，ANA測定時に細胞質型が陽性の場合は，抗ARS抗体の測定を行う[59,61]．抗SS-A/Ro抗体，抗SS-B/La抗体はANA陰性でも陽性化することがある．皮膚筋炎合併急速進行性ILDが臨床的に疑われる場合は，抗MDA5抗体を速やかに測定する．血管炎症候群の鑑別が必要な場合は，MPO-ANCA，PR3-ANCAなどを検索する．

腫瘍マーカーのうち，CEA，CA19-9，SLXなどはIPFの存在で軽度の上昇を示すことがあるが[62,63]，その場合でも好発する原発性肺癌の除外診断は必須である．

また，IPFの活動性を予測する新規血清バイオマーカーの研究も進んでおり，臨床応用が期待される．CCL18は，線維芽細胞からの細胞外マトリックス（ECM）蛋白の産生を促す線維化性マクロファージ由来のケモカインである．ペリオスチンは，IL-13やIL-4の刺激で線維芽細胞などから産生され，インテグリン受容体を介して線維芽細胞を活性化するマトリセルラー蛋白である．これらの血清濃度は，IPFの経時的な呼吸機能低下，全生存期間を予測しうることが示されている．ピルフェニドンの治験であるASCEND，CAPACITY trialの統合解析によると，CCL18，ペリオスチン，CXCL14の3つのバイオマーカーの組み合わせにより，IPFの年間FVC低下や無増悪生存期間の予測感度が増すことが示された[64～67]．

❹呼吸機能検査，運動耐容能検査，動脈血ガス検査

a）呼吸機能検査

呼吸機能検査では，IIPsは通常，拘束性換気障害（努力肺活量［FVC］あるいは肺活量［VC］の減少，全肺気量［TLC］の減少），肺拡散能障害（DL_{CO}の低下）を認める[68～71]．肺拡散能障害は，FVCやVCの低下に先行して認められることもある．閉塞性障害を認める場合は，DPB，LAM，じん肺の一部，関節リウマチの一部，気管支喘息の合併の可能性のある好酸球性肺炎など，IIPs以外の疾患を鑑別する必要がある．また，喫煙による慢性閉塞性肺疾患（COPD）の合併を考慮する．重喫煙者では気腫病変を合併（CPFE：気腫合併肺線維症）するために，FVCやVCの減少が一見軽微で，肺気腫による気流閉塞も伴うことがあるため，閉塞性障害としても拘束性障害としても非典型的な所見となる[72～77]．この場合，DL_{CO}が顕著に低下し労作時の呼吸困難も強いことが多い[74,75]．

IPFでは，FVCやVCは最も信頼できる予後予測因子である[69,78～81]．また，1年間の死亡率は%FVCが80%以上の群に比べ，51～65%では4.1倍，50%以下では7.4倍にものぼるとの報告がある[78]．加えてDL_{CO}も予後予測因子であり，%DL_{CO}<40%は予後不良とされる[82,83]．さらにIPFおよび線維性NSIP（fibrotic NSIP）の組織型にかかわらず，DL_{CO}は予後因子となっていたとの報告もある[84,85]．

経時的な呼吸機能の変化は，IPFおよびfibrotic NSIPにおいて鋭敏な予後予測因子と考えられている[69,84,85]．予後不良を示唆する臨床的に有意なベースラインからの変化は，%FVC 10%以上[82]，%DL 15%以上[84]とされる[86]．特に診断から24ヵ月以内の早期予後については，組織型よりも%FVCや%DLco，およびその変化が大きく影響すると報告されている[84]．IPFに対する治験のプラセボ群を収集した研究によると，FVCの低下率は130～233.1 mL/年であり[86,87]，6～12ヵ月でFVCあるいはVCが10%以上低下する場合は，生存率が有意に低下する[69,83]．さらに，IPFでは3～6ヵ月でFVCが5～10%の低下であっても，死亡率の上昇に関与することが明らかになっている[78,88,89]．12ヵ月での死亡率は，6ヵ月で%FVC低下が5%以下の群に比べ，5～10%では2.1倍，10%以上では4.8倍と報告されている[78]．以上から慢性期における呼吸機能モニターの間隔としては，3～6ヵ月ごとが望ましい．なお，このような経時的な低下を論じる場合，絶対値（absolute，ベースライン%FVC-経過%FVC）あるいは相対値（relative，（ベースライン%FVC-経過%FVC）/ベースライン%FVC×100）で10%低下しているのかに注意が必要である[90]．%FVC 10%以上低下の判断では絶対値，相対値とも有意な予後予測因子であるが，5%以上低下の判断には絶対値のみが有意な因子であったと報告されている[90]．治療開始後であっても，FVCあるいはVCは多くのIPFの治療薬の効果判定に用いられ，その妥

当性，有用性が検証されている[87,91～94]．また，呼吸生理検査（%FVC，%DL_{CO}）と年齢，性別をスコア化した簡便な指標（GAPステージ）がIPFの重症度および予後を鋭敏に予測すると報告され，欧米を中心に広く利用されている[95]．気腫合併例においては，前述のように呼吸機能の経時的変化も一見軽微なため注意が必要である[73]が，%FVC・%DL_{CO}に%FEV_1を加えた指標（composite physiologic index：CPI）が気腫合併あるいはそれ以外のIPFにおいても予後因子になるとの報告がみられる[96～99]．

b）動脈血ガス検査

主な低酸素血症の原因は拡散障害と換気・血流の不均等分布である[80]．IIPs早期では安静時の低酸素血症はないか軽度である．それに対して，労作時低酸素症は早期から検出される．運動時のガス交換能の評価は，臨床経過をモニターするうえで鋭敏な指標となる[100]．

厚生労働省の診断基準（⇒巻末「付2」）では，①拘束性障害：%VC 80%未満，②拡散障害：%DL_{CO} 80%未満，③低酸素血症（以下のうち1項目以上：安静時PaO_2 80 Torr未満，安静時$A-aDO_2$ 20 Torr以上，6分間歩行時SpO_2 90%以下）について，①～③のうち2項目以上を満たすことを条件としている．また，JRS重症度分類では，安静時PaO_2値と6分間歩行試験の最低SpO_2値によって判定され，重症度とIPF長期予後との相関が報告されている[101,102]．IIPsで，換気不全を意味する$PaCO_2$の上昇を認める場合は，エンドステージであることが多い．

c）6分間歩行試験

6分間歩行試験は，IIPsにおける運動負荷時のガス交換能の変化を評価する検査であり，拘束性換気障害を示すFVC低下とは異なる情報が得られるとともに，予後予測に有用である[103,104]．6分間歩行距離207あるいは250 m未満，6ヵ月間で50 m以上の短縮，SpO_2最低値88%以下あるいは未満，歩行後心拍数増加の回復の遅れは予後予測因子である[105～109]．

d）肺高血圧症の評価

肺高血圧症は右心カテーテル検査における安静時の平均肺動脈圧（mPAP）が25 mmHg以上と定義される[110,111]．IIPsに伴う肺高血圧症は，2013年の世界会議以降，第3群の肺疾患または低酸素血症に伴う肺高血圧症に分類されている[111,112]．さらに，第3群肺高血圧症を疑う根拠として呼吸機能異常（%FEV_1<60%，FVC<70%）が示された[112]．ただし，第1群（肺動脈性）などの他の分類と鑑別が難しいことも多い．肺高血圧症の評価はIIPsの予後推定に重要である[113,114]．IPFにおける肺高血圧症合併率は8.1～46.1%とされているが，低呼吸機能例や肺移植待機例などの重症例では30%以上の報告が多い[115～118]．心エコー検査での推定肺動脈圧測定は非侵襲的なスクリーニング検査であるが，間質性肺炎の進行状況と一致しない息切れなどがあるときには，臨床の場でまずスクリーニングすることは必要である．確定診断には右心カテーテル検査が必要となる．なお，IPFでは低酸素血症の進行，DL_{CO}低値，運動耐容能の低下，運動時低酸素，BNP上昇，X線上での右室拡大，胸部CT上の肺動脈径/大動脈径比＞1などが肺高血圧症と関連すると報告されている[119]．FVC低下が軽度の割に呼吸困難の程度やDL_{CO}低下が重度であれば，肺高血圧症合併を疑うべきである．2018年の世界会議においてmPAP＞20 mmHgであれば診断できる早期肺高血圧症の定義が追加されたように，早期診断の重要性は増している[86,120]．また，右心カテーテル検査を施行したIPFにおいてmPAPが予後予測因子である報告があり，カットオフ値が17あるいは20 mmHgと報告されている[116,117,121]．

文献

1) Murata K, Khan A, Herman PG：Pulmonary parenchymal disease；evaluation with high resolution CT. Radiology 1989；**170**：629-635.
2) Murata K, Itoh H, Todo G, et al：Centrilobular lesions of the lung：demonstrations by high resolution CT and pathologic correlation. Radiology 1986；**161**：641-645.
3) 藤堂義郎，村田喜代史，伊藤春海，ほか：びまん性肺疾患病変のCT像．日本医学放射線学会雑誌 1986；**46**：1281-1295.
4) Noma S, Khan A, Herman PG：High-resolution computed tomography of the pulmonary parenchyma. Semin Ultrasound MR CT 1990；**11**：365-379.
5) Egashira R, Jacob J, Kokosi M, et al：Diffuse pulmonary ossification in fibrosing interstitial lung diseases：prevalence and associations. Radiology 2017；**284**：255-263.
6) Reid L, Simon G：The peripheral pattern in the normal bronchogram and its relation to the peripheral pulmonary anatomy. Thorax 1958；**13**：103-109.
7) Reid L：The secondary lobule in the adult human lung, with special reference to its appearance in bronchograms. Thorax 1958；**13**：110-115.
8) Hayward J, Reid L：Observation on the anatomy of the intrasegmental bronchial tree. Thorax 1952；**7**：89-97.
9) Gamsu G, Thurlbeck WM, Macklem PT, et al：Peripheral bronchographic morphology in the normal human lung. Invest Radiol 1971；**6**：161-170.
10) 高橋雅士，村田喜代史，森田陸司：伸展固定肺を用いた肺二次小葉の形態学的検討（第1報）小葉内肺動脈を中心とした形態観察 日本医学放射線学会雑誌 1993；**53**：999-1009.
11) 松本武四郎：第10章 肺．飯島宗一，入沢宏，岡田節

人（編）：岩波講座．現代生物学 10．組織と気管 II，岩波書店，東京，1977：p315-372.
12) Weibel ER：A retrospective of lung morphometry：from 1963 to present. Am J Physiol Lung Cell Mol Physiol 2013；**305**：L405-L408.
13) Weibel ER：Fleischner lecture：looking into the lung：what can it tell us? AJR 1979；**133**：1021-1031.
14) Lee KN, Levin DL, Webb WR, et al：Pulmonary alveolar proteinosis high resolution CT, chest radiographic and functional correlation. Chest 1997；**111**：989-995.
15) Ishii H, Trapnell BC, Tazawa R, et al：Comparative study of high-resolution CT findings between autoimmune and secondary pulmonary alveolar proteinosis. Chest 2009；**136**：1348-1355.
16) Godwin JD, Müller NL, Takasugi JE：Pulmonary alveolar proteinosis：CT findings. Radiology 1988；**169**：609-613.
17) Johkoh T, Itoh H, Müller NL, et al：Crazy-paving appearance at thin-section CT：spectrum of disease and pathologic findings. Radiology 1999；**211**：155-160.
18) Stern EJ, Müller NL, Swensen SJ, et al：CT mosaic pattern of lung attenuation：etiologies and terminology. J Thorac Imaging 1995；**10**：294-297.
19) Webb WR：Radiology of obstructive pulmonary disease. AJR Am J Roentgenol 1997；**169**：637-647.
20) Bergin CJ, Rios G, King MA, et al：Accuracy of high-resolution CT in identifying chronic pulmonary thromboembolic disease. AJR Am J Roentgenol 1996；**166**：1371-1377.
21) Johkoh T, Sakai F, Noma S, et al：Honeycombing on CT；its definition, pathologic correlation, and future direction of its diagnosis. Eur J Radiol 2014；**83**：27-31.
22) Arakawa H, Honma K：Honeycomb lung：history and current concepts. AJR Am J Roentgenol 2011；**196**：773-782.
23) Sumikawa H, Johkoh T, Colby TV, et al：Computed tomography findings in pathological usual interstitial pneumonia：relationship to survival. Am J Respir Crit Care Med 2008；**177**：433-439.
24) Sumikawa H, Johkoh T, Ichikado K, et al：Usual interstitial pneumonia and chronic idiopathic interstitial pneumonia：analysis of CT appearance in 92 patients. Radiology 2006；**241**：258-266.
25) Hansell DM, Bankier AA, MacMahon H, et al：Fleischner Society：glossary of terms for thoracic imaging. Radiology 2008；**246**：697-722.
26) Watadani T, Sakai F, Johkoh T, et al：Interobserver variability in the CT assessment of honeycombing in the lungs. Radiology 2013；**266**：936-944.
27) Akira M, Inoue Y, Kitaichi M, et al：Usual interstitial pneumonia and nonspecific interstitial pneumonia with and without concurrent emphysema：thin-section CT findings. Radiology 2009；**251**：271-279.
28) Ichikado K, Johkoh T, Ikezoe J, et al：Acute interstitial pneumonia：high-resolution CT findings correlated with pathology. AJR Am J Roentgenol 1997；**168**：333-338.
29) Johkoh T, Müller NL, Taniguchi H, et al：Acute interstitial pneumonia：thin-section CT findings in 36 patients. Radiology 1999；**211**：859-863.
30) Johkoh T, Müller NL, Colby TV, et al：Nonspecific interstitial pneumonia：correlation between thin-section CT findings and pathologic subgroups in 55 patients. Radiology 2002；**225**：199-204.
31) Lynch DA, Travis WD, Müller NL et al：Idiopathic interstitial pneumonias：CT features. Radiology 2005；**236**：10-21.
32) 伊藤春海，村田喜代史：間質性肺炎の画像診断の基礎-肺小葉から肺細葉へ．日本胸部臨床 2013；**72**：S103-S109.
33) Nishimura K, Kitaichi M, Izumi T, et al：Diffuse panbronchiolitis：correlation of high resolution CT and pathologic findings. Radiology 1992；**184**：779-785.
34) Ohtani Y, Saiki S, Kitaichi M, et al：Chronic bird fancier's lung；histopathological and clinical correlation. Thorax 2005；**60**：665-671.
35) Takemura T, Akashi T, Ohtani Y, et al：Pathology of hypersensitivity pneumonia. Curr Opin Pulm Med 2008；**14**：404-454.
36) Lee HK, Kim DS, Yoo B, et al：Histopathologic pattern and clinical features of rheumatoid arthritis associated interstitial lung disease. Chest 2005；**127**：2019-2017.
37) Schenider F, Gruden J, Tazelaar HD, et al：Pleuropulmonary pathology in patients with rheuomatoid arthritis. Arch Pathol Lab Med 2012；**136**：1242-1252.
38) Groves AM, Win T, Screaton NJ, et al：Idiopathic pulmonary fibrosis and diffuse parenchymal lung disease：implications from initial experience with 18F-FDG PET/CT. J Nucl Med 2009；**50**：538-545.
39) Tateishi U, Hasegawa T, Seki K, et al：Disease activity and 18F-FDG uptake in organising pneumonia：semi-quantitative evaluation using computed tomography and positron emission tomography. Eur J Nucl Med Mol Imaging 2006；**33**：906-912.
40) Morita Y, Kuwagata S, Kato N, et al：F-FDG PET/CT useful for the early detection of rapidly progressive fatal interstitial lung disease in dermatomyositis. Intern Med 2012；**51**：1613-1618.
41) Win T, Lambrou T, Hutton BF, et al：18F-Fluorodeoxyglucose positron emission tomography pulmonary imaging in idiopathic pulmonary fibrosis is reproducible：implications for future clinical trials. Eur J Nucl Med Mol Imaging 2012；**39**：521-528.
42) Kohno N, Kyoizumi S, Awaya Y, et al：New serum indicator of interstitial pneumonitis activity. Sialylated carbohydrate antigen KL-6. Chest 1989；**96**：68-73.
43) Honda Y, Kuroki Y, Matsuura E, et al：Pulmonary surfactant protein D in sera and bronchoalveolar lavage fluids. Am J Respir Crit Care Med 1995；**152**：1860-1866.
44) Kuroki Y, Tsutahara S, Shijubo N, et al：Elevated levels of lung surfactant protein A in sera from patients with idiopathic pulmonary fibrosis and pulmonary alveolar proteinosis. Am Rev Respir Dis 1993；**147**：723-729.
45) Nukiwa T：The role of biomarkers in management of intersti-

tial lung disease: implications of biomarkers derived from type II pneumocytes. Interstitial Lung Diseases, Du Bois RM, Richeldi L (eds), Europian Respiratory Monograph 46, Latimer Trend & Co. Ltd, Plymouth, 2009: p 47-66.
46) 千葉弘文, 林 伸好, 高橋弘毅: 北海道における臨床調査個人票に基づく特発性間質性肺炎の疫学調査. 厚生科学研究特定疾患対策研究事業びまん性肺疾患研究班平成 20 年度報告書 2009; p 39-46.
47) Ishii H, Mukae H, Kadota J: High serum concentrations of surfactant protein A in usual interstitial pneumonia compared with non-specific interstitial pneumonia. Thorax 2003; **58**: 52-57.
48) Okada F, Ando Y, Honda K, et al: Comparison of pulmonary CT findings and serum KL-6 levels in patients with cryptogenic organizing pneumonia. Br J Radiol 2009; **82**: 212-218.
49) Kashiwabara K: Characteristics and disease activity of early interstitial lung disease in subjects with true parenchymal abnormalities in the posterior subpleural aspect of the lung. Chest 2006; **129**: 402-406.
50) Okamoto T, Fujii M, Furusawa H, et al: The usefulness of KL-6 and SP-D for the diagnosis and management of chronic hypersensitivity pneumonitis. Respir Med 2015; **109**: 1576-1581.
51) Tanaka S, Hattori N, Ishikawa N, et al: Krebs von den Lungen-6 (KL-6) is a prognostic biomarker in patients with surgically resected non-small cell lung cancer. Int J Cancer 2012; **130**: 377-387.
52) Shimizu Y, Sunaga N, Dobashi K, et al: Serum markers in interstitial pneumonia with and without Pneumocystis jirovecii colonization: a prospective study. BMC Infect Dis 2009; **22**: 47.
53) Tanaka M, Tanaka K, Fukahori S, et al: Elevation of serum KL-6 levels in patients with hematological malignancies associated with cytomegalovirus or Pneumocystis carinii pneumonia. Hematology 2002; **7**: 105-108.
54) Chapman JR, Charles PJ, Venables PJ, et al: Definition and clinical relevance of antibodies to nuclear ribonucleoprotein and other nuclear antigens in patients with cryptogenic fibrosing alveolitis. Am Rev Respir Dis 1984; **130**: 439-443.
55) Dreisin RB, Schwarz MI, Theofilopoulos AN, et al: Circulating immune complexes in the idiopathic interstitial pneumonias. N Engl J Med 1978; **298**: 353-357.
56) Gottlieb AJ, Spiera H, Teirstein AS, et al: Serologic factors in idiopathic diffuse interstitial pulmonary fibrosis. Am J Med 1965; **39**: 405-410.
57) Haslam PL, Thompson B, Mohammed I, et al: Circulating immune complexes in patients with cryptogenic fibrosing alveolitis. Clin Exp Immunol 1979; **37**: 381-390.
58) Nagaya H, Elmore M, Ford CD: Idiopathic interstitial pulmonary fibrosis. An immune complex disease? Am Rev Respir Dis 1973; **107**: 826-830.
59) Fischer A, Antoniou KM, Brown KK, et al: An official European Respiratory Society/American Thoracic Society research statement: interstitial pneumonia with autoimmune features. Eur Respir J 2015; **46**: 976-987.
60) Yoshimura K, Kono M, Enomoto Y, et al: Distinctive characteristics and prognostic significance of interstitial pneumonia with autoimmune features in patients with chronic fibrosing interstitial pneumonia. Respir Med 2018; **137**: 167-175.
61) Nakashima R, Imura Y, Hosono Y, et al: The multicenter study of a new assay for simultaneous detection of multiple anti-aminoacyl-tRNA synthetases in myositis and interstitial pneumonia. PLoS One 2014; **9**: e85062.
62) Obayashi Y, Fujita J, Nishiyama T, et al: Role of carbohydrate antigens sialyl Lewis (a) (CA19-9) in bronchoalveolar lavage in patients with pulmonary fibrosis. Respiration 2000; **67**: 146-152.
63) Takahashi H, Nukiwa T, Matsuoka R: Carcinoembryonic antigen in bronchoalveolar lavage fluid in patients with idiopathic pulmonary fibrosis. Jpn J Med 1985; **24**: 236-243.
64) Prasse A, Probst C, Bargagli E, et al: Serum CC-chemokine ligand 18 concentration predicts outcome in idiopathic pulmonary fibrosis. Am J Respir Crit Care Med 2009; **179**: 717-723
65) Okamoto M, Izuhara K, Ohta S, et al: Ability of Periostin as a New Biomarker of Idiopathic Pulmonary Fibrosis. Adv Exp Med Biol 2019; **1132**: 79-87.
66) Ohta S, Okamoto M, Fujimoto K, et al: The usefulness of monomeric periostin as a biomarker for idiopathic pulmonary fibrosis. PLoS One 2017; **12**: e0174547.
67) Neighbors M, Cabanski CR, Ramalingam TR, et al: Prognostic and predictive biomarkers for patients with idiopathic pulmonary fibrosis treated with pirfenidone: post-hoc assessment of the CAPACITY and ASCEND trials. Lancet Respir Med 2018; **6**: 615-626.
68) O'Donnell D: Physiology of interstitial lung disease. Interstitial Lung Disease, Schwarz M, King T Jr (eds), Marcel Dekker, Hamilton, 1998: p 51-70.
69) Martinez FJ, Flaherty K: Pulmonary function testing in idiopathic interstitial pneumonias. Proc Am Thorac Soc 2006; **3**: 315-321.
70) Raghu G, Collard HR, Egan JJ, et al: ATS/ERS/JRS/ALAT Committee on Idiopathic Pulmonary Fibrosis: An official ATS/ERS/JRS/ALAT statement: idiopathic pulmonary fibrosis: evidence-based guidelines for diagnosis and management. Am J Respir Crit Care Med 2011; **183**: 788-824.
71) Travis WD, Costabel U, Hansell DM, et al: An official American Thoracic Society/European Respiratory Society statement: update of the international multidisciplinary classification of the idiopathic interstitial pneumonias. Am J Respir Crit Care Med 2013; **188**: 733-748.
72) Cottin V, Nunes H, Brillet PY, et al: Combined pulmonary fibrosis and emphysema: a distinct underrecognised entity. Eur Respir J 2005; **26**: 586-593.
73) Akagi T, Matsumoto T, Harada T, et al : Coexistent emphysema delays the decrease of vital capacity in idiopathic pulmonary fibrosis. Respir Med 2009; **103**: 1209-1215.
74) Kitaguchi Y, Fujimoto K, Hanaoka M, et al: Clinical characteristics of combined pulmonary fibrosis and emphysema. Respi-

75) Kurashima K, Takayanagi N, Tsuchiya N, et al: The effect of emphysema on lung function and survival in patients with idiopathic pulmonary fibrosis. Respirology 2010; **15**: 843-848.

76) Usui K, Tanai C, Tanaka Y, et al: The prevalence of pulmonary fibrosis combined with emphysema in patients with lung cancer. Respirology 2011; **16**: 326-331.

77) Jankowich MD, Rounds SI: Combined pulmonary fibrosis and emphysema syndrome: a review. Chest 2012; **141**: 222-231.

78) du Bois RM, Weycker D, Albera C, et al: Forced vital capacity in patients with idiopathic pulmonary fibrosis: test properties and minimal clinically important difference. Am J Respir Crit Care Med 2011; **184**: 1382-1389.

79) Natsuizaka M, Chiba H, Kuronuma K, et al: Epidemiologic survey of Japanese patients with idiopathic pulmonary fibrosis and investigation of ethnic differences. Am J Respir Crit Care Med 2014; **190**: 773-739.

80) Plantier L, Cazes A, Dinh-Xuan AT, et al: Physiology of the lung in idiopathic pulmonary fibrosis. Eur Respir Rev 2018: **27**（147）. pii: 170062.

81) Jo HE, Glaspole I, Goh N, et al: Implications of the diagnostic criteria of idiopathic pulmonary fibrosis in clinical practice: Analysis from the Australian Idiopathic Pulmonary Fibrosis Registry. Respirology 2019; **24**: 361-368.

82) Collard HR, King TE Jr, Bartelson BB, et al: Changes in clinical and physiologic variables predict survival in idiopathic pulmonary fibrosis. Am J Respir Crit Care Med 2003; **168**: 538-542.

83) Egan J, Martinez F, Wells A, et al: Lung function estimates in idiopathic pulmonary fibrosis: the potential for a simple classification. Thorax 2005; **60**: 270-273.

84) Latsi PI, du Bois RM, Nicholson AG, et al: Fibrotic idiopathic interstitial pneumonia: the prognostic value of longitudinal functional trends. Am J Respir Crit Care Med 2003; **168**: 531-537.

85) Jegal U, Kim D, Shim T, et al: Physiology is a stronger predictor of survival than pathology in fibrotic interstitial pneumonia. Am J Respir Crit Care Med 2005; **171**: 639-644.

86) Ley B, Collard HR, King TE Jr. Clinical course and prediction of survival in idiopathic pulmonary fibrosis. Am J Respir Crit Care Med 2011; **183**: 431-40.

87) Richeldi L, du Bois RM, Raghu G, et al: Efficacy and safety of nintedanib in idiopathic pulmonary fibrosis. N Engl J Med 2014; **370**: 2071-2082.

88) Zappala CJ, Latsi PI, Nicholson AG, et al: Marginal decline in forced vital capacity is associated with a poor outcome in idiopathic pulmonary fibrosis. Eur Respir J 2010; **35**: 830-835.

89) Taniguchi H, Kondoh Y, Ebina M, et al: The clinical significance of 5% change in vital capacity in patients with idiopathic pulmonary fibrosis: extended analysis of the pirfenidone trial. Respir Res 2011; **12**: 93.

90) Richeldi L, Ryerson CJ, Lee JS, et al: Relative versus absolute change in forced vital capacity in idiopathic pulmonary fibrosis. Thorax 2012; **67**: 407-411.

91) du Bois RM, Nathan SD, Richeldi L, et al: Idiopathic pulmonary fibrosis: lung function is a clinically meaningful endpoint for phase III trials. Am J Respir Crit Care Med 2012; **186**: 712-725.

92) King TE Jr, Bradford WZ, Castro-Bernardini S, et al: A phase 3 trial of pirfenidone in patients with idiopathic pulmonary fibrosis. N Engl J Med 2014; **370**: 2083-2092.

93) Wuyts WA, Dahlqvist C, Slabbynck H, et al: Longitudinal clinical outcomes in a real-world population of patients with idiopathic pulmonary fibrosis: the PROOF registry. Respir Res 2019; **20**: 231.

94) Fernández-Fabrellas E, Molina-Molina M, et al: SEPAR-IPF National Registry. Demographic and clinical profile of idiopathic pulmonary fibrosis patients in Spain: the SEPAR National Registry. Respir Res 2019; **20**: 127.

95) Ley B, Ryerson CJ, Vittinghoff E, et al: A multidimensional index and staging system for idiopathic pulmonary fibrosis. Ann Intern Med 2012; **156**: 684-691.

96) Wells AU, Desai SR, Rubens MB, et al: Idiopathic pulmonary fibrosis: a composite physiologic index derived from disease extent observed by computed tomography. Am J Respir Crit Care Med 2003; **167**（7）: 962.

97) Zhang L, Zhang C, Dong F, et al: Combined pulmonary fibrosis and emphysema: a retrospective analysis of clinical characteristics, treatment and prognosis. BMC Pulm Med 2016; **16**（1）: 137.

98) Mura M, Porretta MA, Bargagli E, et al: Predicting survival in newly diagnosed idiopathic pulmonary fibrosis: a 3-year prospective study. Eur Respir J 2012; **40**（1）: 101.

99) Jacob J, Bartholmai BJ, Rajagopalan S, et al; Mortality prediction in idiopathic pulmonary fibrosis: evaluation of computer-based CT analysis with conventional severity measures. Eur Respir J 2017; **49**: 1601011.

100) Fulmer JD, Roberts WC, von Gal ER, et al: Morphologic-physiologic correlates of the severity of fibrosis and degree of cellularity in idiopathic pulmonary fibrosis. J Clin Invest 1979; **63**: 665-676.

101) Homma S, Sugino K, Sakamoto S, et al: The usefulness of a disease severity staging classification system for IPF in Japan: 20 years of experience from empirical evidence to randomized control trial enrollment. Respir Investig 2015; **53**: 7-12.

102) Kondoh Y, Taniguchi H, Kataoka K, et al: Disease severity staging system for idiopathic pulmonary fibrosis in Japan. Respirology 2017; **22**: 1609-1614.

103) Miki K, Maekura R, Hiraga T, et al: Impairments and prognostic factors for survival in patients with idiopathic pulmonary fibrosis. Respir Med 2003; **97**: 482-490.

104) Fell CD, Liu LX, Motika C, et al: The prognostic value of cardiopulmonary exercise testing in idiopathic pulmonary fibrosis. Am J Respir Crit Care Med 2009; **179**: 402-407.

105) Lederer DJ, Arcasoy SM, Wilt JS, et al: Six-minute-walk distance predicts waiting list survival in idiopathic pulmonary fibrosis. Am J Respir Crit Care Med 2006; **174**: 659-664.

106) du Bois RM, Weycker D, Albera C, et al: Six-minute-walk test

in idiopathic pulmonary fibrosis : test validation and minimal clinically important difference. Am J Respir Crit Care Med 2011 ; **183** : 1231-1237.
107) Lama VN, Flaherty KR, Toews GB, et al : Prognostic value of desaturation during a 6-minute walk test in idiopathic interstitial pneumonia. Am J Respir Crit Care Med 2003 ; **168** : 1084-1090.
108) Nishiyama O, Taniguchi H, Kondoh Y, et al : A simple assessment of dyspnea as a prognostic indicator in idiopathic pulmonary fibrosis. Eur Respir J 2010 ; **36** : 1067-1072.
109) Swigris JJ, Swick J, Wamboldt FS, et al : Heart rate recovery after 6-min walk test predicts survival in patients with idiopathic pulmonary fibrosis. Chest 2009 ; **136** : 841-848.
110) Hoeper MM, Bogaard HJ, Condliffe R, et al : Definitions and diagnosis of pulmonary hypertension. J Am Coll Cardiol 2013 ; **62**（25 Suppl）: D42-D50.
111) 日本循環器学会　日本肺高血圧・肺循環学会合同　肺高血圧症治療ガイドライン（2017年改訂版, JCS2017/JPCPH2017）, 2018.
112) Seeger W, Adir Y, Barberà JA, et al : Pulmonary hypertension in chronic lung diseases. J Am Coll Cardiol 2013 ; **62** : D109-116.
113) Lettieri CJ, Nathan SD, Barnett SD, et al : Prevalence and outcomes of pulmonary arterial hypertension in advanced idiopathic pulmonary fibrosis. Chest 2006 ; **129** : 746-752.
114) Seeger W, Adir Y, BarberàJA, et al : Pulmonary hypertension in chronic lung diseases. J Am Coll Cardiol 2013 ; **62**（25 Suppl）: 109-116.
115) Tanabe N, Taniguchi H, Tsujino I, et al : Current trends in the management of pulmonary hypertension associated with respiratory disease in institutions approved by the Japanese Respiratory Society. Respir Investig 2014 ; **52** : 167-172.
116) Hamada K, Nagai S, Tanaka S, et al : Significance of pulmonary arterial pressure and diffusion capacity of the lung as prognosticators in patients with idiopathic pulmonary fibrosis. Chest 2007 ; **131** : 650-656.
117) Suzuki A, Taniguchi H, Watanabe N, et al : Significance of pulmonary arterial pressure as a prognostic indicator in lung-dominant connective tissue disease. PLoS One 2014 ; **9** : e108339.
118) Collum SD, Amione-Guerra J, Cruz-Solbes AS, et al : Pulmonary Hypertension Associated with Idiopathic Pulmonary Fibrosis : Current and Future Perspectives. Can Respir J 2017 ; **2017** : 1430350.
119) Pitsiou G, Papakosta D, Bouros D : Pulmonary hypertension in idiopathic pulmonary fibrosis : a review. Respiration 2011 ; **82** : 294-304.
120) Galiè N, McLaughlin VV, Rubin LJ, et al : An overview of the 6th World Symposium on Pulmonary Hypertension. Eur Respir J 2019 ; **53** : pii : 1802148.
121) Kimura M, Taniguchi H, Kondoh Y, et al : Pulmonary hypertension as a prognostic indicator at the initial evaluation in idiopathic pulmonary fibrosis. Respiration 2013 ; **85** : 456-463.

4 特殊検査

❶気管支肺胞洗浄（BAL）

a）BAL の意義

気管支肺胞洗浄（bronchoalveolar lavage：BAL）は肺胞領域と気管支・細気管支上皮を被覆する液相を洗浄・回収する手技で，BAL により得られた検体を気管支肺胞洗浄液（bronchoalveolar lavage fluid：BALF）と総称する．BALF には肺胞および末梢気道に存在する細胞成分と非細胞（液性）成分が含まれるため，BAL は肺の末梢領域の検索を行える検査である．BAL は 1970 年代に間質性肺疾患の病態解析という研究的手技として導入されたが[1]，1980 年代に入ると，悪性腫瘍や各種感染症の診断的手技として臨床に応用されるようになった[2]．

b）BAL の適応

BALF 所見は重要な臨床情報となるが，診断的手技としての BAL の有用性および優先性は疾患により異なる．

特発性肺線維症（IPF）に関しては 2011 年の IPF 国際診断ガイドラインでは BAL の細胞分析は「大多数の患者において IPF の診断評価として施行すべきではない」とされていた[3]．さらに 2012 年の間質性肺疾患における BAL の有用性についての国際ガイドラインにおいても，特発性間質性肺炎（IIPs）に対しては，「BAL は補助的検査の域を出ず，予後を反映するものではない」とされ[4]，IIPs，特に IPF における BAL はあくまで除外診断という位置づけであった．しかし，2018 年に改訂された IPF 国際診断ガイドラインにおいては，高分解能 CT（high-resolution CT：HRCT）パターンによって「典型的 UIP パターンでなければ外科的肺生検（surgical lung biopsy：SLB）と同様に BAL の施行を検討する」よう変更された．すなわち，HRCT パターンが probable UIP，indeterminate for UIP，alternative Diagnosis の場合は SLB かつ/または BAL を施行することが提案され[5]，さらに 2019 年には probable UIP には必ずしも SLB は必要ではないとされとされたことで[6]，相対的に BAL の位置づけが上がった（表1）．

IIPs 以外のびまん性肺疾患では，肺胞蛋白症やびまん性肺胞出血における BALF の外観が診断に極めて有用であり，好酸球性肺炎やニューモシスチス肺炎などの感染症も BALF の細胞成分または非細胞（液性）成分の評価が診断に重要となる．また，画像所見で IPF との鑑別が極めて困難とされる慢性過敏性肺炎も，BALF のリンパ球増多が，IPF との鑑別に有用となることもある[4]．このように，BAL はあくまで IIPs 全体に対しては確定診断の検査ではなく，他疾患の除外目的として行われる．表2 に BALF の細胞分画による鑑別診断をまとめる．

c）BAL の合併症・禁忌・注意事項

BAL は比較的低侵襲な検査として位置づけられており，適切な状況下で施行すれば，一定の安全性は担保される．2010 年に日本で施行された気管支鏡検査に関する全国アンケート調査の結果，BAL による全合併症は

表1　IPF 国際診断ガイドラインにおける IPF に対する BAL の位置づけ

	HRCT パターン	画像所見	BAL（細胞分析）
IPF国際診断ガイドライン			
2018年[5]（新）	UIP	・胸膜直下，肺底部優位 ・蜂巣肺	「施行しない」ことを提案
	probable UIP	・胸膜直下，肺底部優位 ・末梢性の牽引性気管支拡張または細気管支拡張を伴う網状影 ・軽度のすりガラス影	「施行する」ことを提案
	indeterminate for UIP	・胸膜直下，肺底部優位 ・わずかな網状影（軽度のすりガラス影または変性の場合あり） ・他に特定の病因が示唆されない肺線維症の CT 所見や分布	
	alternative diagnosis	・他疾患が示唆される所見	
2011年[4]（旧）	UIP possible UIP inconsistent with UIP	—	大多数の患者で施行すべきではない（HRCT パターンによる区別なし）

表2 BALFの細胞分画による鑑別診断

リンパ球増多	好中球増多	好酸球増多
リンパ球＞15%	好中球＞3%	好酸球＞1%
特発性非特異性間質性肺炎（iNSIP） 膠原病に伴う間質性肺疾患 放射線肺炎 リンパ増殖性疾患	特発性肺線維症（IPF） 急性間質性肺炎（AIP） 膠原病に伴う間質性肺疾患 細菌，真菌感染症 気管支炎 石綿肺	剥離性間質性肺炎（DIP） 薬剤性肺障害 骨髄移植 気管支喘息，気管支炎 好酸球性多発血管炎性肉芽腫症 アレルギー性肺アスペルギルス症 細菌，真菌感染症 ニューモシスチス肺炎 Hodgkin病
リンパ球＞25%		
特発性器質化肺炎（COP） 特発性リンパ球性間質性肺炎（iLIP） 薬剤性肺障害		
	呼吸細気管支炎を伴う間質性肺疾患（RB-ILD）	
リンパ球＞50%	好中球＞50%	好酸球＞25%
cellular NSIP 過敏性肺炎 サルコイドーシス	急性呼吸促迫症候群（ARDS） 誤嚥性肺炎 化膿性呼吸器感染症	好酸球性肺炎

0.77％と報告されている．内訳として，呼吸不全（0.46％），肺炎・胸膜炎（0.19％），気管支喘息（0.06％），出血（0.02％），リドカイン中毒（0.02％），心血管イベント（0.02％），気胸（0.008％）と報告されている[7]．また，IIPsのなかでもIPFにおいて，BALによる急性増悪の合併率は1.99〜2.42％と報告されており[8,9]，特に重度の呼吸機能障害（%FVC＜65%，%DL$_{CO}$≦50%）や活動性の炎症（末梢血の白血球増多やCRP上昇，BALFの好中球増多）を危険因子としてあげている[8]．

BALの絶対的禁忌はないが，不安定な呼吸循環動態を呈している場合や重篤な出血傾向を有している場合は，相対的禁忌とされている[4]．また，心筋が虚血状態と判断される場合や心筋梗塞を発症後4〜6週間は気管支鏡検査自体を施行しないことが推奨されている[10]．

前述のとおり，IIPsに対するBALの有用性は原因の特定できる肺疾患の除外にある．比較的低侵襲な検査ではあるが，合併症や禁忌が存在することを念頭に置き，施行する症例を慎重に選択するよう心がけるべきである．

d) BALの手技

BALを施行する部位については，以前は高い回収率が期待できる中葉・舌区より行うことが一般的であったが，近年ではBAL予定日の6週間以内に施行したHRCTに基づいて病変部位を選択肢に含むように推奨されている[3]．

気管支鏡の先端を目的の区域〜亜々区域気管支に楔入し，洗浄液として生理食塩水を用手的に注入する．洗浄液の注入量や回数には様々な報告があるが，注入量は総量を100〜300mLとし，3〜5回に分割して注入する方法が推奨されている[4]．日本では1回量を50mLとし3回に分割して注入する方法が一般的である．洗浄液は陰圧をかけて分割回収する．回収率は50〜70％程度とされており，回収率が低い場合（30％未満，特に10％未満）にはその検体から得られた検査所見の信憑性が低くなる．また，回収率が5％未満と著しく低い場合には洗浄部位の伸展や傷害が生じる可能性があるため，BALそのものを中止することが推奨されている[4]．

回収したBALFはすべてを一括混和することが多いが，通常1本目の回収率は低く，肺胞領域ではなく気管支領域の成分が多く含まれているため1本目を除いた検体を混和する場合や，最後に回収したものだけを評価する場合など，その方法は統一されていない．

e) BALFの分析

(1) 細胞成分

光学顕微鏡を用い，対物40倍または100倍で細胞分画を算定する．最低でも400個の細胞を評価すべきとされているが[4]，可能な限り多くの細胞を含めることで1％以下の細胞分画の情報を得ることが可能となる．細胞分画としては，マクロファージ，リンパ球，好中球，好酸球，好塩基球，単球，形質細胞，肥満細胞などを算定する．上皮細胞は細胞分画に含めないが，5％以上が含まれている場合には，肺胞よりも気管支由来の成分が多いことを示している．

また，細胞浮遊液をフローサイトメトリーにかけることで，リンパ球サブセットを算定することができる．びまん性肺疾患においては，T細胞のサブセットであるCD4陽性細胞およびCD8陽性細胞を測定し，CD4/

表3 健常成人のBALF所見

	年	喫煙歴	症例数(人)	総細胞数(×10⁴/mL)	マクロファージ(%)	リンパ球(%)	好中球(%)	好酸球(%)	その他(%)	CD4/CD8比
BAL CooperativeGroup[16]	1990	never	77	12.9±2.0	85.2±1.6	11.8±1.1	1.6±0.07	0.2±0.06	—	—
		ex	50	13.9±1.1	86.0±1.4	11.4±1.2	2.1±0.5	0.5±0.2	—	—
		current	64	41.8±4.5	92.5±1.0	5.2±0.9	1.6±0.2	0.6±0.1	—	—
Nagai S, et al[17]	1992	never	96	6.1±3.6	88.0±9.9	11.0±9.3	0.7±1.6	0.3±0.6	—	2.80±1.68
		ex	32	8.1±5.8	87.2±11.7	11.3±10.8	1.0±3.6	0.2±0.3	—	3.01±2.12
		current	91	23.8±15.8	95.7±3.8	3.6±3.1	0.5±1.6	0.2±0.5	—	0.95±0.60
厚生労働省びまん性肺疾患調査研究班[18]	2008	never	272	12.72±8.42	87.75±7.27	10.69±6.99	0.94±1.31	0.27±0.64	0.34±0.65	—
Karimi R, et al[19]	2012	never	266〜284	9.19±4.17	88.1±8.2	9.66±7.7	1.85±1.96	0.29±0.63	0.02±0.06	—
		ex	40〜43	10.45±4.81	90.3±5.5	7.60±4.99	1.76±1.38	0.28±0.45	0.03±0.11	—
		current	128〜132	43.63±22.72	95.8±3.3	2.97±3.07	0.98±1.04	0.29±0.54	0.03±0.18	—
ATS[3]	2012	never	—	—	>85	10-15	≦3	≦1	上皮細胞≦5	0.9〜2.5

CD8比を検討することが臨床的に有用な場合もあるが，リンパ球が増加していない場合はルーチンに施行する必要性に乏しい[4]．

近年，IPF患者のBALF中のトランスクリプトーム解析を行い，あるコホートの予後の悪かった患者の遺伝子を抽出すると，他のコホートでも予後に差が出たという報告があり[11]，これまでの細胞分画や細胞診だけではなく，BALFの細胞成分の新たな評価が行われている．

(2) 非細胞(液性)成分

BALFの上清にはリン脂質，蛋白質，活性化酸素などの可溶性成分が含まれており，細胞成分と同様に肺胞領域の病態を評価する上での情報源となる．上清は凍結保存が可能であり，濃縮操作も可能であるため，可能な限りの上清を凍結保存しておくことが好ましい．

臨床診断に直接寄与する場面が少ないため，現段階では研究レベルでの解析が主である．日本においても以前より，IIPsにおけるBALF中のサイトカイン，フリーラジカル，サーファクタントなどに関して，様々な解析結果が報告されている[12]．また，IIPsのなかでもIPFに関する報告が散見され[13]，近年ではIPF急性増悪と肺マイクロバイオームの関係性が報告されている[14,15]．

f) 健常人のBALF所見

BALの施行部位やBALFの回収率が検査ごとに異なるため，健常人においてもBALFの正常値は一定とはならない．しかし，評価をする際に大まかな正常範囲を知っておくことは重要である．報告されている健常成人のBALF所見を表3にまとめる[3,16〜19]．喫煙がBALFに影響を及ぼす重要な因子であることが報告されており，BALFを評価する際には喫煙歴の確認が重要である．非喫煙者と比較して喫煙者では，マクロファージ主体の総細胞の増多，CD8陽性細胞の増多によるCD4/CD8比の低下を認める傾向がある．

g) IIPsのBALF所見

IIPsは2013年にAmerican Thoracic Society/European Respiratory Society (ATS/ERS)より報告されたATS/ERS国際分類に基づいて分類されている[20]．以下に分類されたIIPsごとのBALF所見を述べる．

(1) 特発性肺線維症 (IPF)

IPFのBALF所見は，健常者と比較しても特徴的変化はみられない．報告によっては好中球が軽度増多するとされている[4]．BALF中のリンパ球や好酸球が主に増多している場合は，IPF以外の疾患を考える必要がある．

前述のとおり，2018年に改訂されたIPF国際診断ガイドラインにおいて，HRCTパターンがUIP以外の場合は，以前よりもBALF所見によってIPFとそれ以外を鑑別することが勧められるようになった (表1)．

(2) 特発性非特異性間質性肺炎 (iNSIP)

iNSIPのBALF所見は，IPFと比較してリンパ球の増多を認める．なかでもCD8陽性リンパ球の増多を認めるため，CD4/CD8比の低下を認めることが多い[21,22]．iNSIPのなかで，cellular NSIPとfibrotic NSIPを比較すると，cellular NSIPのほうがリンパ球の増多を認める傾向がある[21,23]．また，リンパ球においてはfibrotic NSIPとIPFの比較にて有意差を認めなかったという報

告や[24]，好中球においてはiNSIPとIPFの比較にてIPFのほうが増多していたという報告がある[25]．しかしながら，2018年のIPFのガイドラインではiNSIPは慢性線維化に位置づけられており，これまでのcellular NSIPが含まれなくなるため，現在のガイドラインに合わせた診断でiNSIPがIPFよりリンパ球増多が優位であるかは不明である．

(3) 特発性器質化肺炎（COP）

COPのBALF所見は，リンパ球主体の総細胞数の増多を認め，CD4/CD8比の低下を伴うことが多い[21,26〜28]．リンパ球は25%以上となる場合が多いが，その際にはCOP以外の疾患も多く存在することに留意する必要がある[4]．好中球や好酸球の増多を認める報告もあり，好中球に関しては発症初期や急性経過時に増多がみられる．

(4) 急性間質性肺炎（AIP）

AIPのBALF所見は，好中球主体の総細胞数の増多を認める．好中球の増多が主体ではあるが，リンパ球の軽度増多を伴う場合もある[4,29,30]．また，肺障害による異型上皮や無構造物質を認めることも報告されている[29]．

(5) 剥離性間質性肺炎（DIP）

DIPのBALF所見は，好酸球増多を伴う総細胞数の増多（マクロファージ増多が主体）を認める．リンパ球の軽度増多を伴う場合もある[24,31,32]．また，喫煙関連の間質性肺炎に特徴的とされる，好酸性顆粒を細胞質内に含んだマクロファージ（褐色マクロファージ）が目立つことが報告されている[24]．

(6) 呼吸細気管支炎を伴う間質性肺疾患（RB-ILD）

RB-ILDのBALF所見は，軽度の好中球および好酸球の増多を認める．リンパ球の増多は伴わないとされる[24]．また，DIPと同様に喫煙関連の間質性肺炎として，褐色マクロファージを多数認める．

(7) 特発性リンパ球性間質性肺炎（iLIP）

iLIPのBALF所見は，中等度のリンパ球増多を伴う総細胞数の増多を認める[33]．しかし，特発性としての症例数が少なく，非特異的であることも多いため，診断的手技としてのBALの有用性は低い．

(8) 特発性PPFE（iPPFE）

iPPFEのBALF所見は極少数であり，現時点ではほぼない．症例数自体が極めて少ないこともあり，診断的手技としてのBALの有用性は現実的ではない．

❷肺生検（TBLB，TBLC，SLB）

a) 経気管支肺生検（transbronchial lung biopsy：TBLB）

肺生検法のなかで合併症リスクは最も低いと考えられるが，TBLBにより得られる検体は試料サイズが小さいため（1〜3mm），TBLB単独でIIPsの各病型，特にIPF/UIPの確定診断を得ることは困難とされている[34〜36]．しかしながら，TBLBでポリープ型腔内線維化巣などのOPパターンの所見や，硝子膜形成などのDADパターンの所見が示唆され，かつ典型的な臨床像と画像所見が存在する場合には，それぞれCOP, AIPとの診断可能な場合がある[35]．また，TBLBはIIPsから悪性疾患，肉芽腫性疾患，好酸球性肺炎，薬剤性肺障害，肺胞蛋白症，アミロイドーシスなどを鑑別および診断する場合に有用である[37]．

一般にびまん性肺疾患の病態の主座が末梢の肺胞レベルにあるので，同レベルの病変部位を採取するためにTBLBは胸膜直下で行う必要がある．患者に気管支鏡を挿入し，呼吸静止をさせた状態で，透視下に胸腔の最外側まで生検鉗子を進め，そのやや内側で生検を行う．極度の咳嗽，低酸素血症のために呼吸静止ができない場合には，TBLBは困難である．

TBLBで採取された組織片は，鉗子操作により多少とも圧挫されているため，組織片を無菌生理食塩水（生食）とともに注射器筒内に入れ，十分陰圧をかけて膨らませたあと，ホルマリンで固定する必要がある．固定液は通常10%緩衝ホルマリンが推奨される．

TBLBの診断的意義を表4に示す[35〜37]．

b) 経気管支クライオ肺生検（transbronchial lung cryobiopsy：TBLC）

通常の鉗子によるTBLBは採取検体が小さく，IIPsの各病型の確定診断は困難であり，ガイドラインでもSLBが病理診断に推奨されている．一方，間質性肺疾患に対するSLBの院内死亡率は1.7%といわれており[38]，その侵襲性・合併症リスクから検査の患者同意が得られず，分類不能型特発性間質性肺炎と分類をせざるを得ないこともしばしばある[39]．

TBLCは，気管支内視鏡下にクライオプローブを用いて肺組織を凍結させて採取する生検手技である[40]．TBLBよりも大きく挫滅の少ない検体が得られるが，出血や気胸のリスクがTBLBよりも高く[41〜44]，SLBよりも得られる検体は小さい[45]．TBLCで得られた検体はSLBに比べ，病理医間のUIP診断の一致率は低いが，画像・病理・臨床による集学的検討（multi-disciplinary discussion 診断：MDD診断）において，IPF診断への寄与はSLBと同等であるとの報告もある[46]．2018年のIPF診断ガイドラインでは，IPF診断におけるTBLCの位置づけは未確定である[5]が，その後の報告において同一患者におけるTBLCとSLBの診断一致率は，病理診断のみの両者の診断一致率は高くないが[47]，TBLC検体を用いたMDD診断で高い確診度が

表4 びまん性肺疾患におけるTBLBの診断的意義

1. TBLB所見で診断が確定する疾患	2. TBLB所見と臨床所見で診断可能な疾患	3. TBLB所見では病理学的に診断確定ができない疾患（SLBが必要）
悪性腫瘍（特に癌） 肺感染症 　クリプトコッカス症 　アスペルギルス症 　ノカルジア症 　ニューモシスチス肺炎 　抗酸菌症（結核，非結核性抗酸菌症） 　サイトメガロウイルス肺炎など リンパ脈管筋腫症 肺胞蛋白症 肺胞微石症	サルコイドーシス 急性過敏性肺炎 じん肺（珪肺，石綿肺，慢性ベリリウム肺） 鉄肺症 好酸球性肺炎 AIP* COP* 肺Langerhans細胞組織球症	IIPs（IPF, NSIP, RB-ILD, DIP, ほか） 膠原病に伴う間質性肺炎 閉塞性細気管支炎群 びまん性汎細気管支炎 多発血管炎性肉芽腫症（GPA） リンパ増殖性肺疾患

*：従来は診断にはSLBが必要とされてきたが，AIPにおけるDADパターンでは硝子膜が示唆された場合，COPでは器質化肺炎パターンを認めた場合で，臨床上，画像上も診断に矛盾しない場合にTBLBで診断可能．

得られた症例では，SLB検体によるMDD診断とほぼ一致しており[48]，今後の診断プロセスが変わりうると考えられる．またSLBと同様に，MDDでIPFと診断されたTBLCの症例は，非IPFと診断された症例と比べて予後が悪く，予後の推定にもTBLCは有用と考えられる[49]．

(1) TBLCの適応

2018年のIPF診断ガイドラインでは，臨床的に二次性間質性肺炎を疑う所見がなく，高分解能CT（HRCT）でUIPパターンならば，TBLCを行うべきでないとされている．それ以外の状況でのTBLCの適応は定まっていないが，SLBが行えない環境下においては適応となる場合がある．

SLBに比べると安全性が高いといわれており，SLBが行えない高齢者や合併症のある症例でも施行可能な場合がある．通常のTBLBと同様に血小板数が5万/μ未満の場合や，抗血小板薬・抗凝固剤が一定期間中止できない場合は禁忌であり，肺高血圧症，低肺機能（%FVC＜50%，%DLco＜35%）も相対的な禁忌と考えられる[50]．

(2) TBLCの部位と検体の取り扱い

HRCTで生検部位を十分に検討する．基本的にはSLBと標的病変は同一であるが，TBLCでは採取検体の長径が5 mm前後のため，構造破壊が進行した嚢胞・蜂巣肺の領域は病理診断には不向きである．TBLCは，出血・気胸のリスクを考え，胸膜から約1 cmの領域を採取するため，HRCTで同部位に病変がある部位を選択する．画像上の病変が同程度なら，透視で胸壁との距離がわかりやすい側胸壁に分布する気管支から採取する．仮想内視鏡で，責任気管支を同定しておくことも肝要である．SLBで採取しづらい外側小区の病変や，胸壁から離れた病変も採取可能である．気管支肺胞洗浄と同じ部位での採取は，未回収の生食によるTBLCへの影響が不明であるため避ける．これら条件をみたす異なる亜区域・区域支からアプローチし，異なる肺葉から計3～5個の組織採取が理想である[50]．通常の気管支鏡検査よりも深めの鎮静で，挿管下に検査を行い，出血の合併症対策として，止血用のバルンカテーテルをあらかじめ気管支内に留置することが推奨されている[50]．

(3) 病理組織診断上の注意点

i. 検体の取り扱いと病理標本作製

採取された検体は生食の入った容器で自然解凍し，20 mLのシリンジ内に生食5 mLとともに検体を丁寧に入れ，30～60秒，ゆっくり陰圧をかけて肺組織を膨張させる[51]．肺胞腔内を生食に置換するのが目的なので空気はシリンジ内になるべく残さない．その後，中性緩衝ホルマリンで一晩固定する．ホルマリン固定された組織の処理には，メスまたはカミソリで半割し，カセットに入れる．半割せずにそのままカセットに入れる施設もあるが，半割することによって，異なる面の切片が作製され，病変部位をより広く表出できる利点がある．脱水，包埋過程での検体の押さえは，厚みのあるスポンジでは組織が押されて虚脱するために使用せず，検体に濾紙をのせることにより，診断に良好な組織標本が作製できる．検鏡にて適切な病変がみられない場合には，深切り標本を作製することにより，診断に足りうる変化が現れることがある．

ii. TBLCとSLBの検体の比較

TBLCで得られる検体の大きさは手技の習熟によって径5～7 mmにも及び，TBLBで得られる直径1～2 mmの検体よりも大きいものの，SLBに比較すると約1/5以下の大きさである．TBLCの検体の組織染色はSLB，TBLBと同様に行われる．TBLCのパラフィン固定切片

でも通常の免疫染色や遺伝子検索は可能である．ただし，採取時に検体を凍結させるため微生物の培養検査には利用できない．

iii. TBLCによる病理診断
①TBLCで採取される部位
TBLCでは胸壁から約1cm中枢側で肺組織が採取され，気管支，細気管支，細葉（3〜5mm大）が観察される．病理診断の前に解剖学的な位置関係，小葉，細葉中心部にある呼吸細気管支，伴走する筋性肺動脈，細葉辺縁部を走行する静脈などの肺の既存構造を確認することは，びまん性肺疾患では重要である（図1）．病変が肺の既存構造にどのように生じているか，すなわち，呼吸細気管支を含む細葉中心性か，細葉辺縁性静脈沿いであるか，また気管支壁沿い（すなわち小葉・細葉辺縁性）であるか，といった既存構造との位置関係をまず把握し，さらに肺胞構造改変の有無，線維化の性状，浸潤する炎症細胞の種類などを確認する．

②TBLC病理検体の評価
びまん性肺疾患の病理診断に際しては，採取された検体と病理所見の評価基準を定めておくことはMDDを行う際の参考になる[52,53]．検体の量・質に関して：十分・不十分（気管支のみの場合など）などに分類し，病理診断の確信度に関してhigh confidenceもしくはlow confidenceの2段階で評価すると客観性が保たれる[48,52,54]．診断名を記載することに抵抗を感じる検体では，無理をして組織名を記載せず，所見診断のみとすることも時には必要である．TBLC病理検体を用いたMDDにおいては，検体の量，質の評価も加味してontologyに基づく診断確信度の表記を行う[55]．

③TBLC検体のアーティファクト
TBLC検体では肺組織を凍結させて，引きちぎってくる操作によってアーティファクトが生ずる．剥離された細気管支上皮や合併した出血が肺胞腔内に包含されたり，肺胞腔内に液状物質が貯留するなどのアーティファクトが報告されている[54,56]．臓側胸膜が採取されることもある[40,57]．TBLC検体は陰圧をかけて肺胞を膨らませるため，正常肺胞領域で肺胞毛細血管が拡張して見えることがある（図2）．得られた組織の剥離端部を観察する際に，気腫性変化があると誤って判断することがありうるので注意する．

iv. TBLCによる間質性肺炎の診断の注意点
基本的にはSLBにおける病理診断基準に準拠する[5,58]．汎小葉あるいは細葉全体に空間的，時間的に均質な病変を示すNSIPや，まだらであっても確実に病変部が採取されているOPのような例では，比較的診断は容易である．しかし，小さい組織では既存肺構造の認識が難しいため，TBLCによるUIPの病理診断は困難である．TBLCにおけるUIPの診断についてはpatchy fibrosis, fibroblastic foci with or without honeycombingがあればhigh confidenceとし，patchy fibrosis with honeycombingがあるも，fibroblastic fociがない場合にはUIP with low confidenceと評価される[56,59]．TBLCでは胸膜は採取できないため，小葉・細葉辺縁性の線維化は大きな気管支，血管沿い，小葉間あるいは細葉間隔壁（小葉間あるいは細葉間静脈周囲）に沿った部位を小葉の辺縁構造と理解し，同部の破壊を伴う線維化が存在し，正常肺へとabruptに移行する場合にはUIPと考える（図3）．移行部位に線維芽細胞巣をみることも少なくない[60]．

TBLCではSLBでは採取されない軟骨を有するレベルの気管支が採取されることが多い．膠原病における気管支病変はfollicular bronchiolitis/cellular bronchiolitisやconstrictive bronchiolitisなどを観察するなど，従来のSLBではえられなかった有用な所見を示す場合がある．また気管支に接する肺胞は小葉辺縁部（perilobular area）に相当するため，この領域の線維化は上記のUIPの診断にも適用できる．TBLCでは，UIPのガイドライン評価は概ね可能とされるが，その病態機序の推測や，UIP以外のびまん性肺疾患の診断ではSLB検体と一致しない可能性がある[61]．TBLCでは無理に診断せず，HRCT画像や臨床像と合致しない場合など，SLBによる確定診断を勧告することも病理医の重要な業務と言える．

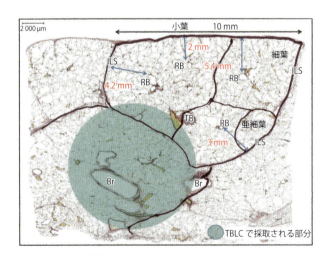

図1 TBLCで採取される肺組織

胸壁から1cm離して採取するため気管支を含む肺胞が含まれる（緑の円形の部分）．
Br：小葉内気管支，TB：終末細気管支，RB：呼吸細気管支，ILS：小葉間隔壁
茶色：小葉間，細葉間隔壁を示す
緑の円形内に小葉間，細葉間隔壁が認められる．

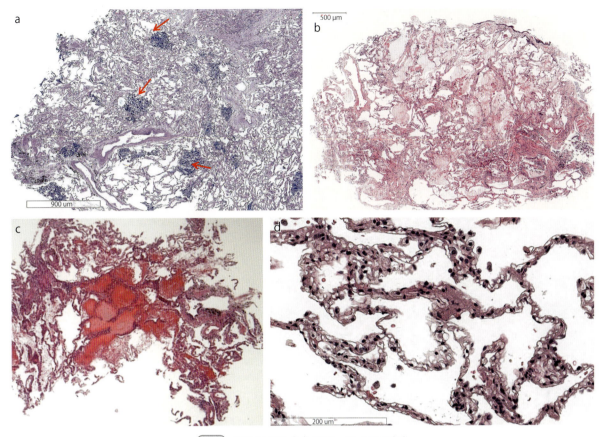

図2 TBLCでみられるアーティファクト
a：肺胞腔内に剥離した細気管支上皮が充填する（矢印）．（Alcian blue-PAS）
b：肺胞腔内の血漿成分の滲出（H-E染色）
c：肺胞腔内の出血（H-E染色）
d：肺胞毛細血管の拡張（H-E染色）

c）外科的肺生検（surgical lung biopsy：SLB）

(1) SLBの適応

SLBの方法としては，胸腔鏡下肺生検（video-assisted thoracoscopic lung biopsy：VATS肺生検）と開胸肺生検（open lung biopsy：OLB）がある．VATS肺生検はOLBに比べて合併症が少なく，ドレナージ期間が短く，入院期間も短いなどの理由から，選択されることが多い[62]．ただし，胸膜癒着が存在する症例や，高度の肥満患者，呼吸不全が高度な症例ではVATS肺生検は困難であり，OLBが選択される．

SLBは潜在的なリスクと経費を伴うので，臨床診断の精度，治療可能なタイプのびまん性肺疾患かを同定しうる可能性，および治療効果とのバランスから適応を検討する．合併症を高める危険因子（年齢＞70歳，極端な肥満，心疾患の合併，高度な呼吸障害）が存在する場合は注意を要する．

SLBは，TBLBやBALにて診断が確定し得ないびまん性肺疾患で，手術が禁忌ではない患者に推奨される．SLBで採取される組織のサイズは数cm単位で，TBLBの数百倍の大きさである．したがって，適切に実施されれば，病変の分布（斑状かびまん性か），程度，気道との関連性，肺胞構造の破壊，改築などの所見を認識することが可能である．これらの所見の観察はIIPsの病理組織パターンの鑑別に不可欠である．2018年のIPF診断ガイドラインでは，臨床的に二次性の間質性肺炎を疑う所見がなく，高分解能CT（HRCT）でUIPパターンであるならば，SLBを行うべきでないとされる[5]．しかし，臨床所見や画像所見が非典型的であるが，IPFの可能性を否定できない場合は，UIP以外の病理組織パターンがみられる場合も多く，予後や治療管理がIPFと異なるため確定診断が必要であり，SLBの適応となる．IIPsと鑑別が必要な，腫瘍性疾患，感染性疾患，肉芽腫性疾患，血管炎，好酸球性肺炎，過敏性肺炎，じん肺などでは，確定診断が高い確率で得られる．ステロイド治療後の症例では診断精度が低下するため，SLBはステロイド治療を開始する前に施行することが望ましい．急速進行性のIIPsの場合にはステロイド治療後の施行もやむを得ないが，硝子膜の消失や，気腔内肉芽組織形成の減少，炎症細胞の減少などの修飾が加わり，DAD，OP，NSIP間の鑑別が難しくなることもありうる．

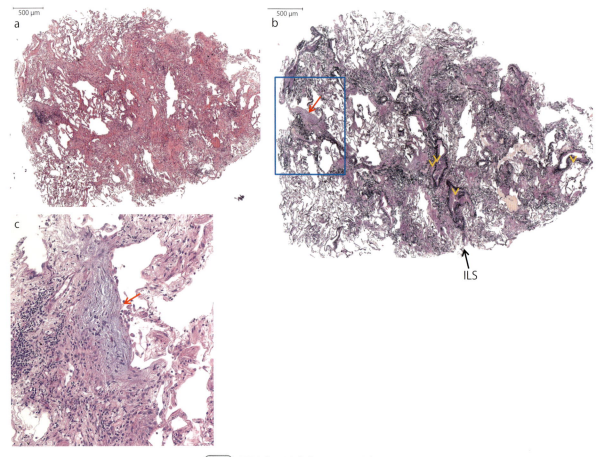

図3 TBLCでみられるUIPパターン

a：密な線維化病変が構造を混じて正常肺胞と斑状に分布する．
b：矢印は静脈が走行する小葉間隔壁（ILS）に相当する．小葉間隔壁や細静脈（v）沿いに線維化が目立つ．（EVG染色）
c：先行する線維化病変に隣接して線維芽細胞巣（→）がみられる．（Alcian blue-PAS染色）
ILS：小葉間隔壁

(2) SLBの部位と検体の取り扱い

　検体は複数の肺葉から採取するのが望ましい．SLB施行時にHRCT所見で蜂巣肺を伴う高度の線維化をみる部位のみからの生検は，種々の疾患における終末期像である蜂巣肺のみの所見を示し，確定診断に至らない可能性が高く，避ける必要がある．

　HRCTはSLBの部位決定に有用である．すなわち，①HRCTにて病変の強い部分，②最も初期変化があると思われる部分，③そしてその中間的な病変の，3箇所からの採取が望ましい．各葉の先端部，特に中葉あるいは舌区の先端部では非特異的な炎症所見を伴う場合が多いので，これらの部位の生検は避けるべきである[63,64]．検体の大きさは病変分布の把握に重要であるため，ステープラー部位をハサミで取り除いた後の，病理学的検討が可能な肺組織サイズが少なくとも1 cm大以上となるように検体採取することが望まれる．

　SLBで切除された肺組織は，無菌状態でステープラー部位をハサミで取り除く．取り除いた部分の肺組織の一部は，微生物学的検査に提出する．必要に応じて，一部の組織片で，免疫組織化学，分子生物学用の迅速凍結，電顕用の固定を行う．ホルマリン固定前に必要に応じてマクロ写真を撮影する．26〜28Gのツベルクリン注射針で，肺組織の切離面および胸膜面の数箇所から10％緩衝ホルマリンを注入し，肺を膨らませ，さらに，固定液に浸し固定する．ステープラー部分を外してから膨らませることで，吸気状態に近い元の形に膨らむ．

　一昼夜程度の固定後，切離面と直角に割を入れ，2〜3 mm幅の肺標本として枝番号をつけて，連続的な標本作製を行う．このとき，肺組織の割面を観察し，写真撮影をしておく．その後，パラフィン包埋，薄切した切片を作成し，Hematoxylin-Eosin（HE）染色，弾性線維染色，免疫染色などを行う．弾性線維染色では，Elastica-Masson染色，Weigert's Elastica van Gieson染色などを行う．線維芽細胞巣などの幼若線維化巣の確認にはAlcian blue-PAS染色が有用である．

(3) 病理組織診断上の注意点

　SLBによる病理組織学的所見が，現在の分類のいずれにも合致しない症例も存在する．このような場合は無理

に診断をつけず，2013年のATS/ERSの分類で記載されているように[20]，「分類不能（unclassifiable IP）」で，「UIPパターン優位の病変である」などと記述することが望ましい．採取部位により病理組織パターンが異なる症例も同様に「分類不能（unclassifiable IP）」としてその詳細を記載することが望ましい[65]．いずれの場合においても最終診断には十分なMDDが必要である．MDDでは疾患の確信度に関してconfident diagnosis（90〜100%），high confidence（70〜89%），low confidence（51〜69%），unclassifiable（50%以下）のontologyに基づく客観的な診断が今後必要になると考えられる[55]．さらに，当初の診断からの臨床経過，治療反応性などを含めて，当初の病理検体の再評価を行うことも重要である．

文献

1) Reynolds HY : Bronchoalveolar lavage. Am Rev Respir Dis 1987 ; **135** : 250-263.
2) Klech H, Hutter C : Clinical guidelines and indications for bronchoalveolar lavage（BAL）: report of the European Society of Pneumology Task Force on BAL. Eur Respir J 1990 ; **3** : 937.
3) Raghu G, Collard HR, Egan JJ, et al : An Official ATS/ERS/JRS/ALAT Statement : Idiopatic Pulmonary Fibrosis : Evidence-based Guidelines for Diagnosis and Management. Am J Respir Crit Care Med 2011 ; **183** : 788-824.
4) Meyer KC, Raghu G, Baughman RP, et al : An Official American Thoracic Society Clinical Practice Guideline : The Clinical Utility of Bronchoalveolar Lavage Cellular Analysis in Interstitial Lung Disease. Am J Respir Crit Care Med 2012 ; **185** : 1004-1014.
5) Raghu G, Remy-Jardin M, Myers JL, et al : Diagnosis of Idiopathic Pulmonary Fibrosis : An Official ATS/ERS/JRS/ALAT Clinical Practice Guideline. Am J Respir Crit Care Med 2018 ; **198** : e44-e68.
6) Raghu G : The 2018 Diagnosis of Idiopathic Pulmonary Fibrosis Guidelines : Surgical Lung Biopsy for Radiological Pattern of Probable Usual Interstitial Pneumonia Is Not Mandatory. Am J Respir Crit Care Med 2019 ; **200** : 1089-1092.
7) Asano F, Aoe M, Ohsaki Y, et al : Deaths and complications associated with respiratory endoscopy : a survey by the Japan Society for Respiratory Endoscopy in 2010. Respirology 2012 ; **17** : 478-485.
8) Sakamoto K, Taniguchi H, Kondoh Y, et al : Acute exacerbation of IPF following diagnostic bronchoalveolar lavage procedures. Respir Med 2012 ; **106** : 436-442.
9) Hiwatari N, Shimura S, Takishima T, et al : Bronchoalveolar lavage as a possible cause of acute exacerbation in idiopathic pulmonary fibrosis patients. Tohoku J Exp Med 1994 ; **174** : 379-386.
10) 日本呼吸器内視鏡学会安全対策委員会：手引書：呼吸器内視鏡診療を安全に行うために．気管支学 2013 ; **35** : 2-48.
11) Prasse A, Binder H, Schupp JC, et al : BAL Cell Gene Expression Is Indicative of Outcome and Airway Basal Cell Involvement in Idiopathic Pulmonary Fibrosis. Am J Respir Crit Care Med 2019 ; **199** : 622-630.
12) 岡本竜哉，彌永和宏，管守隆：特発性間質性肺炎の臨床：BALの意義．日胸臨 2003 ; **62** : S61-S68.
13) Nishikiori H, Chiba H, Ariki S, et al : Distinct compartmentalization of SP-A and SP-D in the vasculature and lungs of patients with idiopathic pulmonary fibrosis. BMC Pulm Med 2014 ; **14** : 196.
14) Molyneaux PL, Cox MJ, Wells AU, et al : Changes in the respiratory microbiome during acute exacerbations of idiopathic pulmonary fibrosis. Respir Res 2017 ; **18** : 29 : doi : 10. 1186/s12931-017-0511-3.
15) Takahashi Y, Saito A, Chiba H, et al : Impaired diversity of the lung microbiome predicts progression of idiopathic pulmonary fibrosis. Respir Res 2018 ; **19** : 34 : doi : 10.1186/s12931-018-0736-9.
16) The BAL Cooperative Group Steering Committee : Bronchoalveolar lavage constituents in healthy individuals, idiopathic pulmonary fibrosis, and selected comparison groups. Am Rev Respir Dis 1990 ; **141** : 169-202.
17) Nagai S, Aung H, Tanaka S, et al : Bronchoalveolar lavage cell findings in patients with BOOP and related diseases. Chest 1992 ; **102** : 32S-37S.
18) 日本呼吸器学会びまん性肺疾患学術部会，厚生労働省難治性疾患克服研究事業びまん性肺疾患調査研究班，気管支肺胞洗浄［BAL］法の手引き，克誠堂，東京，2008 ; 49-53.
19) Karimi R, Tornling G, Grunewald J, et al : Cell recovery in bronchoalveolar lavage fluid in smokers is dependent on cumulative smoking history. PLoS One 2017 ; **7** : e34232.
20) Travis WD, Costabel U, Hansell DM, et al : An Official American Thoracic Society/European Respiratory Society Statement : Update of the International Multidisciplinary Classification of the Idiopathic Interstitial Pneumonias. Am J Respir Crit Care Med 2013 ; **188** : 733-748.
21) Nagai S, Kitaichi M, Itoh H, et al : Idiopathic nonspecific interstitial pneumonia/fibrosis : comparison with idiopathic pulmonary fibrosis and BOOP. Eur Respir J 1998 ; **12** : 1010-1019.
22) Yoshioka S, Mukae H, Sugiyama K, et al : High-BAL fluid concentrations of RANTES in nonspecific interstitial pneumonia compared with usual interstitial pneumonia. Respir Med 2004 ; **98** : 945-951.
23) Park IN, Jegal Y, Kim DS, et al : Clinical course and lung function change of idiopathic nonspecific interstitial pneumonia. Eur Respir J 2009 ; **33** : 68-76.
24) Veeraraghavan S, Latsi PI, Wells AU, et al : BAL findings in idiopathic nonspecific interstitial pneumonia and usual interstitial pneumonia. Eur Respir J 2003 ; **22** : 239-244.
25) Ryu YJ, Chung MP, Han J, et al : Bronchoalveolar lavage in fibrotic idiopathic interstitial pneumonias. Respir Med 2007 ; **101** : 655-660.

26) Schildge J, Nagel C, Grun C : Bronchoalveolar lavage in interstitial lung diseases : dose the recovery rate affects the results? Respiration 2007 ; **74** : 553-557.

27) Jara-Palomares L, Gomez-Izquierdo L, Gonzalez-Vergara D, et al : Utility of high-resolution computed tomography and BAL in cryptogenic organizing pneumonia. Respir Med 2010 ; **104** : 1706-1711.

28) Yoo JW, Song JW, Jang SJ, et al : Comparison between cryptogenic organizing pneumonia and connective tissue disease-related organizing pneumonia. Rheumatology 2011 ; **50** : 932-938.

29) Bonaccorsi A, Cancellieri A, Chilosi M, et al : Acute interstitial pneumonia : report of a series. Eur Respir J 2003 ; **21** : 187-191.

30) Kondoh Y, Taniguchi H, Kataoka K, et al : Prognostic factors in rapidly progressive interstitial pneumonia. Respirology 2010 ; **15** : 257-264.

31) 石井　寛, 迎　寛, 松永　優子, ほか：剝離性間質性肺炎の1例：本邦報告例の臨床的検討. 日呼吸会誌　2002 ; **40** : 160-165.

32) Kawabata Y, Takemura T, Hebisawa A, et al : Eosinophilia in bronchoalveolar lavage fluid and architectural destruction are features of desquamative interstitial pneumonia. Histopathology 2008 ; **52** : 194-202.

33) Cha SI, Fessler MB, Cool CD, et al : Lymphoid interstitial pneumonia : clinical features, associations and prognosis. Eur Respir J 2006 ; **28** : 364-369.

34) Azuma A, Takahashi T, Kudoh S, et al : The value and limitation of transbronchial lung biopsy for the diagnosis of diffuse interstitial lung diseases. Bronchology & Bronchoesophagology State of the Art, Yoshimura H (ed), Elsevier Science, Tokyo, 2001 : p107-109.

35) American Thoracic Society ; European Respiratory Society : American Thoracic Society/European Respiratory Society International Multidisciplinary Consensus Classification of the Idiopathic Interstitial Pneumonias. Am J Respir Crit Care Med 2002 ; **165** : 277-304.

36) Wells AU, Hirani N : Interstitial lung disease guideline : the British Thoracic Society in collaboration with the Thoracic Society of Australia and New Zealand and the Irish Thoracic Society. Thorax 2008 ; **63** (Suppl V) : v1-v58.

37) Ensminger SA, Prakash UBS : Is bronchoscopic lung biopsy helpful ; in the management of patients with diffuse lung disease? Eur Respir J 2006 ; **28** : 1081-1084.

38) Hutchinson JP, Fogarty AW, McKeever TM, et al : In-Hospital Mortality after Surgical Lung Biopsy for Interstitial Lung Disease in the United States. 2000 to 2011. Am J Respir Crit Care Med 2016 ; **193** : 1161-1167.

39) Ryerson CJ, Urbania TH, Richeldi L, et al : Prevalence and prognosis of unclassifiable interstitial lung disease. Eur Respir J 2013 ; **42** : 750-757.

40) Lentz RJ, Argento AC, Colby TV, et al : Transbronchial cryobiopsy for diffuse parenchymal lung disease : a state-of-the-art review of procedural techniques, current evidence, and future challenges. J Thorac Dis 2017 ; **9** : 2186-2203.

41) Pajares V, Puzo C, Castillo D, et al : Diagnostic yield of transbronchial cryobiopsy in interstitial lung disease : a randomized trial. Respirology 2014 ; **19** : 900-906.

42) Hetzel J, Eberhardt R, Petermann C, et al : Bleeding risk of transbronchial cryobiopsy compared to tranbronchial forceps biopsy in interstitial lung disease. Respiratory Research 2019 ; **20** : 140.

43) Ravaglia C, Wells AU, Tomassetti S, et al : Diagnostic yield and risk/benefit analysis of trans-bronchial lung cryobiopsy in diffuse parenchymal lung diseases : a large cohort of 699 patients. BMC Pulm Med 2019 ; **19** : 16.

44) DiBardino DM, Haas AR, Lanfranco AR, et al : High complication rate after introduction of transbronchial cryobiopsy into clinical practice at an academic medical center. Ann Am Thorac Soc 2017 ; **14** : 851-857.

45) Ravaglia C, Bonifazi M, Wells AU, et al : Safety and Diagnostic Yield of Transbronchial Lung Cryobiopsy in Diffuse Parenchymal Lung Diseases : A Comparative Study versus Video-Assisted Thoracoscopic Lung Biopsy and a Systematic Review of the Literature. Respiration 2016 ; **91** : 215-227.

46) Tomassetti S, Wells AU, Costabel U, et al : Bronchoscopic Lung Cryobiopsy Increases Diagnostic Confidence in the Multidisciplinary Diagnosis of Idiopathic Pulmonary Fibrosis. Am J Respir Crit Care Med 2016 ; **193** : 745-752.

47) Romagnoli M, Colby TV, Berthet JP, et al : Poor Concordance between Sequential Transbronchial Lung Cryobiopsy and Surgical Lung Biopsy in the Diagnosis of Diffuse Interstitial Lung Diseases. Am J Respir Crit Care Med 2019 ; **199** : 1249-1256.

48) Troy LK, Grainge C, Corte TJ, et al : Diagnostic accuracy of transbronchial lung cryobiopsy for interstitial lung disease diagnosis (COLDICE) : a prospective, comparative study. Lancet Respir Med 2020 ; **8** : 171-181.

49) Tomassetti S, Ravaglia C, Wells AU, et al : Prognostic value of transbronchial lung cryobiopsy for the multidisciplinary diagnosis of idiopathic pulmonary fibrosis : a retrospective validation study. Lancet Respir Med 2020 ; **8** : 786-794.

50) Hetzel J, Maldonado F, Ravaglia C, et al : Transbronchial Cryobiopsies for the Diagnosis of Diffuse Parenchymal Lung Diseases : Expert Statement from the Cryobiopsy Working Group on Safety and Utility and a Call for Standardization of the Procedure. Respiration 2018 ; **95** : 188-200.

51) Takemura T, Baba T, Niwa T, et al : Histology for transbronchial lung cryobiopsy samples, In Transbronchial cryobiopsy in diffuse parenchymal lung disease. ed by Poletti V, Springer Nature Switzerland AG, 2019 : p67-p73.

52) 丹羽　崇, 武村民子, 田畑恵理奈, ほか. びまん性肺疾患に対する経気管支鏡下cryobiopsyの施行経験. 気管支学 JJSRE 2018 ; **40** : 453-458.

53) Kuse N, Inomata M, Awano N, et al : Management and utility of transbronchial lung cryobiopsy in Japan. Resp Investig 2019 ; **57** : 245-251.

54) Colby TV, Tomassetti S, Cavazza A, et al : Transbronchial cryobiopsy in diffuse lung disease. Update for the pathologist. Arch

Pathol Lab Med 2017 ; **141** : 891-900.
55) Ryerson CJ, Corte TJ, Lee JS, et al : A stadardized diagnostic ontology for fibrotic interstitial lung disease. An international working group perspective. Am J Respir Crit Care Med 2017 ; **196** : 1249-1254.
56) Casoni GL, Tomassetti S, Cavazza A, et al : Transbronchial lung cryobiopsy in the diagnosis of fibrotic interstitial lung diseases. Plos One 2014 ; **9** : e86716.
57) Iftikhar IM, Alghothani L, Sardi A, et al : Transbronchial lung cryobiopsy and video-assisted thoracoscopic lung biopsy in the diagnosis of diffuse parenchymal lung disease. A meta-analysis of diagnostic test accuracy. Ann Am Thorac Soc 2017 ; **14** : 1197-1211.
58) Travis WD, Costabel U, Hansell DM, et al : An official American thoracic Society/European Respiratory Society Statement : Update of the international multidisciplinary classification of the idiopathic interstitial pneumonias. Am J Respir Crit Care Med 2013 ; **188** : 733-748.
59) Ravaglia C, Wells AU, Tomassetti S, et al : Transbronchial lung cryobiopsy in diffuse parenchymal lung disease : Comparison between biopsy from 1 segment and biopsy from 2 segments-diagnostic yield and complications, Respiration 2017 ; **93** : 285-292.
60) Zaizen Y, Kohashi Y, Kuroda K, et al : Concordance between sequential transbronchial lung cryobiopsy and surgical lung biopsy in patients with diffuse interstitial lung disease. Diagn Pathol 2019 ; **14** : 131.
61) Zaizen Y, Fukuoka J : Pathology of Idiopathic Interstitial Pneumonias. Surg Pathol Clin 2020 ; **13** : 91-118.
62) Bensard DD, Mclntyre RC Jr, Waring BJ, et al : Comparison of video-thoracoscopic lung biopsy to open lung biopsy in the diagnosis of interstitial lung disease. Chest 1993 ; **103** : 765-770.
63) Berend N, Skoog C, Waszkiewicz L, et al : Maximum volumes in excised human lungs : effects of age, emphysema, and formalin inflation. Thorax 1980 ; **35** : 859-864.
64) Ludwig J : Laboratory suggestion : cascade system for space-saving perfusion-fixation of lungs. Am J Clin Pathol 1973 ; **59** : 117-118.
65) Flaherty KR, Travis WD, Colby TV, et al : Histopathologic variability in usual and nonspecific interstitial pneumonias. Am J Respir Crit Care Med 2001 ; **164** : 1722-1727.

5 間質性肺炎の病理組織総論

❶間質性肺炎総論

a）肺の解剖・組織
（1）小葉・細葉[1,2]

肺門から入り込んだ気管支は，分岐を繰り返して小葉内に達し膜性細気管支となり，小葉内では膜性細気管支がさらに分岐し終末細気管支にいたってすぐに，肺胞が壁の一部を構成する呼吸細気管支になる．呼吸細気管支は平均3回の分岐[3]をし，個々の呼吸細気管支は肺胞管・肺胞に連続し，肺胞管はさらに分岐を繰り返す．

小葉とは膜性細気管支以下，肺胞までを含む多面体構造であり，約8〜10 mmの径を有する．小葉と小葉の境界部には小葉間隔壁が存在するほか，太めの静脈や気管支，気管支に伴走する肺動脈が走行する．また，臓側胸膜も小葉・細葉の境界を構成している（図1）．

小葉は数個の細葉から成る．細葉は，一本の終末細気管支に支配される末梢領域と定義され，呼吸細気管支および肺胞管，肺胞から構成される．細葉と細葉との境界部には，小葉辺縁を走る構造物のほか，膜性細気管支やそれらに伴走する肺動脈，細めの静脈が分布する（図1）．

小葉外の肺動脈はほとんどが気管支に伴走するが，小葉内では細気管支とは関連性を持たずに分岐する肺動脈（supernumerary arteries）が増え，細気管支と伴走する肺動脈よりも多くなる[4]．

なお，小葉を二次小葉，細葉を一次小葉と称することもある．

（2）間質

肺胞領域は肺の容量のほとんどを占めており，ガス交換が行われる肺の一義的な構造である．肺胞領域は肺胞管・肺胞から成っているが，肺胞管は多数の肺胞が開口しているため，立体的には孔だらけの管のような構造を示している．肺胞管の壁は肺胞から成っていると捉えることもできる．

肺胞は，気腔である肺胞腔と，肺胞腔を境する肺胞壁で構成される．肺胞壁は隣り合う肺胞腔を境する隔壁で，両面の肺胞上皮の基底膜に挟まれた領域が肺胞壁の間質である．間質には，毛細血管網，肺胞の形を支える弾性線維網，わずかな膠原線維，支持細胞である線維芽細胞が認められるが，リンパ管は存在しない．肺胞壁の間質は，肺の一義的な構造ゆえに狭義の間質といわれる．対して，気管支・肺動脈周囲の間質や小葉間隔壁，胸膜などは，広義の間質と呼ばれ，これらの部には，種々の径の大循環系動脈（気管支動脈），静脈，リンパ

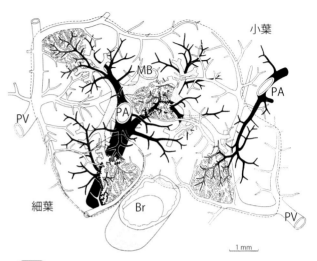

図1　組織学連続切片から再構築された小葉および細葉

小葉の境界部には肺静脈（PV）が認められるほか，気管支（Br）や伴走する肺動脈が走行する．細葉の境界部でも静脈が多く分布しているほか，膜性細気管支（MB）および伴走する肺動脈が細葉の境界部を走行する．小葉間間質・胸膜も小葉・細葉の境界部に存在する． （文献2から転載・一部改変）

管が分布している．

b）特発性間質性肺炎（IIPs）の定義

古くから間質性肺炎は，間質を病変の主座として引き起こされる炎症性疾患であり，肺胞腔の反応はあっても軽いと定義されてきた[5]．しかしIIPsに含まれる疾患群では，①usual interstitial pneumonia（UIP）パターンを代表とする慢性線維化性間質性肺炎において，肺胞腔に形成される線維化も重要な病変であることが確認されたほか[6]，②organizing pneumoniaパターンやpleuroparenchymal fibroelastosisのように，肺胞腔の器質化・線維化病変が優位な病態も含まれるようになった[7,8]．

国際ガイドライン[7]においては，IIPsは非腫瘍性びまん性肺実質性肺疾患（diffuse parenchymal lung disease）の一群であり，炎症もしくは線維化から成る種々の病理パターンによって肺実質が傷害される多様な疾患の集まりと捉えられている．病理総論的には，どの病理パターンにおいても一義的な病変は肺胞壁間質に存在するが，しばしば気腔や末梢気道，血管をおかす病態と定義されている[7]．なお，この場合の「実質」は，本邦で定義されてきた「肺胞壁に対する肺胞腔および肺胞上皮」ではなく，「ガス交換という肺本来の機能に関与する，肺胞壁・肺胞腔を含む肺胞領域」という意味合いで使われた用語と理解される．

c）病変の見方
（1）病変の分布

　間質性肺炎のパターンを認識するためには病変分布の把握が重要である．病変の肉眼的な分布では，病変がびまん性か巣状か，優勢な病変が上肺野に存在するか下肺野か，肺門側か胸膜側か，太めの気道・血管周囲に炎症が強いかなどの情報が必要となる．生検症例においても，CTなどの放射線画像で同様の情報を得ることができる．

　組織学的には病変の小葉内分布に関する検討が有用なことが多い．具体的には病変が小葉内で，①斑状（patchy）なのか，びまん性なのか，さらに，②斑状であれば，病変が小葉細葉辺縁に優位なのか，小葉細葉中心部か，一定の分布傾向を示さないのかを把握する．「小葉・細葉」の項で述べた小葉や細葉の境界部に存在する構造物（小葉間隔壁，臓側胸膜，太めの静脈，気管支（細葉の場合は膜性細気管支），これらに伴走する肺動脈など）の近傍の肺胞領域に炎症の主体があれば，小葉辺縁性（perilobular）もしくは細葉辺縁性の炎症と捉えることができる（図2a，b）．対して，末梢細気管支，特に呼吸細気管支を中心として病変が広がっている場合には小葉中心性もしくは細葉中心性，airway-centeredの分布を示す炎症と捉えることができる（図2c，d）．

（2）病変および時相
i. 滲出・器質化病変

　間質性肺炎群には急性から慢性まで種々の経過を示す疾患が含まれている．急性群では硝子膜やフィブリン，炎症細胞浸潤などの滲出性病変が主体の組織像を呈する．亜急性群では，肺胞壁の炎症細胞浸潤とともに器質化病変（図3）が認められることが多い．器質化とは，滲出性病変が遊走細胞により吸収・融解されながら肉芽組織に置換される反応のことをいい，間質との位置的関連性から，ポリープ型（図3a，b），壁在型（図3c），閉塞型（図3d）に分けられる[6]．ポリープ型の肉芽組

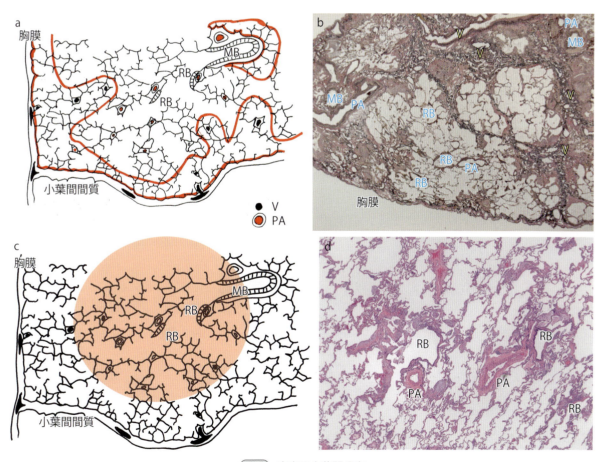

図2 病変の小葉間分布

a：小葉細葉辺縁部の肺胞領域（赤線で囲んだ領域）．胸膜や小葉間間質，膜性細気管支（MB），伴走する肺動脈（PA），静脈（V）周囲の肺胞が細葉辺縁部にあたる．
b：小葉細葉辺縁部の病変（UIPパターン）（elastic van Gieson染色 対物×2）．小葉細葉の境界を形成する構造周囲の肺胞領域が線維化に陥っており，小葉細葉中心部にあたる呼吸細気管支（RB）および周囲の胞隔には著変がみられない．
c：小葉中心部の肺胞領域．呼吸細気管支を中心とした肺胞領域に当たる．
d：小葉中心部の病変（慢性過敏性肺炎の一部）（HE染色，対物×2.5）．呼吸細気管支を囲む胞隔の線維性肥厚や肺胞腔の器質化病変が認められる．呼吸細気管支から離れるに従い病変は軽微となる．

織は肺胞管および肺胞，時に呼吸細気管支の内腔に存在しており，壁在性での肉芽組織は肺胞腔にも認められるが，主として肺胞壁の肥厚をきたす．閉塞型では複数の肺胞腔が肉芽組織で充填される．どの器質化病変に当たるかは，弾性線維染色で肺胞壁と肺胞腔を意識しながら観察することで区別が可能である．形成当初の器質化病変は内部に滲出物の遺残を伴うことがあり，肉芽組織も膠原線維の密度が低く，myxoid change や水腫を伴うことが多く，myxoid change の目立つ器質化病変は alcian blue 染色で青紫色に染まる．しかし，時間経過とともに膠原線維が密となり HE 染色で好酸性が強くなる．

ii. 線維化

慢性間質性肺炎は線維化が病変の主体を成すが，肺胞壁のみの線維化のほか，複数の肺胞を巻き込んだ線維化も存在する．後者は器質化，特に閉塞型を経由して慢性の線維化に陥ったものであり[5]，弾性線維染色標本をみると線維化による縮みが高度となっているため肺胞弾性線維が線維化内に何層にも畳み込まれている．線維化内に平滑筋が増生することもまれでない．炎症細胞浸潤は病態により様々である．慢性炎症においても病態は持続的に進展しているため，炎症の最終段階である線維化だけでなく，新鮮な病変もみられることがある．線維芽細胞巣（fibroblastic foci）は新鮮な病変の一例であり，微小な滲出に対する幼若な器質化病変と考えられており[9,10]，内部に筋線維芽細胞の増殖を伴っている．

蜂巣肺（honeycomb lung）[11~14]は UIP パターンに特徴的な（特異的ではない）線維化病変であり，線維化過程の最終段階を表している．肉眼的には線維性の壁を有

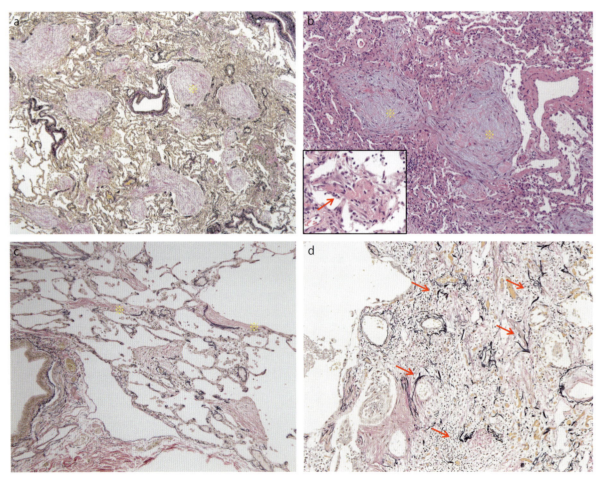

図3 器質化病変・器質化肺炎パターン

- **a**：ポリープ型肺胞腔器質化病変（elastic van Gieson 染色 対物×5）．この症例では呼吸細気管支内腔から肺胞領域にかけて器質化病変（※）が形成されている．
- **b**：ポリープ型肺胞腔器質化病変（HE 染色 対物×10）．新しい器質化病変の多くは myxoid change を示し（※），HE 染色では紫〜青色調，alcian blue 染色では青色に染まる．フィブリンなどの滲出物（矢印）が器質化され始める初期像をみることもある（inset）．
- **c**：壁在型器質化病変（elastic van Gieson 染色 対物×10）．肺胞腔器質化病変が間質に取り込まれたものであり，器質化病変は肺胞弾性線維に沿って認められる（※）．
- **d**：閉塞性器質化病変（elastic van Gieson 染色 対物×10）．複数の肺胞道・肺胞を巻き込む器質化病変であり，おかされた肺胞領域の弾性線維（矢印）が内部に確認される．

する直径2〜10 mm前後の囊胞が密に集簇する像を呈する（図4a）．小葉もしくは細葉を単位として形成され，囊胞の壁は，UIPパターンの特徴である「小葉細葉辺縁部の肺胞領域に形成された線維化病変」から成っている（図4b）．囊胞内部には断裂した肺組織が残存していることがまれでなく，小葉細葉深部の肺組織が断裂・消失して囊胞が形成されるとの意見[12,13]もある．囊胞内面が細気管支から伸びてきた線毛円柱上皮で覆われ，細気管支類似の構造を呈することがあり，bronchiolizationと称される．なお，蜂巣肺の囊胞から区別すべき病変として牽引性細気管支拡張[15]（traction bronchiolectasis）がある．牽引性細気管支拡張は，蜂巣肺に混在するが，ほかの慢性線維化性間質性肺炎でもよく認められる病変である．周囲の肺胞領域の線維化による収縮などで細気管支腔が二次的に拡張をきたした状態であり，線毛円柱上皮で内面を覆われた蜂巣肺の囊胞との区別が時に困難となる．このような場合，弾性線維染色で観察すると，鑑別が比較的容易である．牽引性細気管支拡張では，その壁に平滑筋と弾性線維が上皮の外層に連続性に保持されているが，UIPパターンの蜂巣肺では，肺胞弾性線維を伴う線維化病変が上皮に接して確認される（図4c）．

iii. 病変の時相

間質性肺炎の鑑別には，「病変の時相」ということがしばしば問題となる．急性や亜急性間質性肺炎では，滲出および器質化，炎症細胞浸潤などの新鮮な病変が一様に観察される．このように，形成された時期がほぼ同じ病変が広がっている場合には時相が一様あるいは均一と表現される．

他方，慢性線維化性間質性肺炎群でみられる病理像，特にUIPパターンでは，慢性線維化巣とともに小器質化病変であるfibroblastic fociが認められ，異なる形成時期を示す病変が混在する（図5a）．このような場合は時相が多彩もしくは不均一と評価される．また，fibrotic NSIPパターンは，ほぼ一様の時相を示す線維化が小葉内びまん性に広がるとされていたが[16]，最近ではこの病態においてもUIPパターンほどではないがfibroblastic fociが形成されることが確認されている[10,17,18]（図5b）．

❷ IIPsおよび鑑別疾患の形態像

a）IIPsの分類と形態学的特徴[7,8]

IIPsの概念は変遷してきたが，2013年に発表されたATS/ERSガイドライン[8]では主要なIIPsを，慢性経過を取り線維化を伴いながら進展する疾患群（慢性線維化性間質性肺炎），喫煙との関連が強く疑われる疾患群，急性・亜急性疾患群の3群に分類した．

慢性線維化性間質性肺炎群には，特発性肺線維症（IPF）と特発性非特異性間質性肺炎（iNSIP）が含まれ，それぞれの病理像はUIPパターンおよびfibrotic NSIPパターンである．両者はともに線維化を伴うが，小葉・細葉単位での病変分布および線維化に陥る肺胞構造に違いがある．UIPパターンでは，斑状の線維化巣が主として小葉・細葉辺縁部に形成され，線維化は複数の肺胞を巻き込んでいる．線維化近傍には著変のない（もしくは変化の軽い）胞隔が認められる[7]．UIPパ

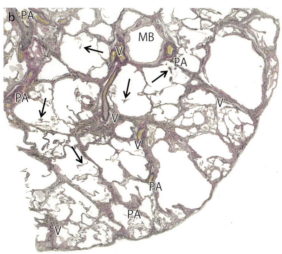
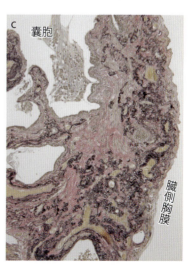

図4 IPF症例にみられた蜂巣肺（剖検側）

a：IPF症例にみられた蜂巣肺（肉眼像）．径5〜10 mm大までの囊胞が下葉肺底部から上方にびまん性に形成されている．
b：同一症例の蜂巣肺（elastic van Gieson染色，ルーペ像）．小葉細葉辺縁部，すなわち臓側胸膜や静脈（V），膜性細気管支（MB），伴走する肺動脈（PA）周囲の肺胞領域が強い線維化に陥り，囊胞が形成されている．囊胞内に断裂した胞隔（→）が散見される．周囲の線維化に伴い膜性細気管支（MB）が拡張している（traction bronchiolectasis）．
c：蜂巣肺の囊胞壁（elastic van Gieson染色 対物×10）．拡張した細気管支壁とは異なり，線維性の壁に肺胞弾性線維が残存している．

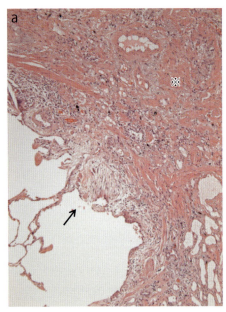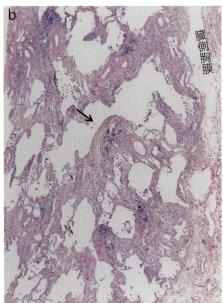

図5 fibroblastic foci

a：UIPパターンにおけるfibroblastic foci（HE染色 対物×10）．平滑筋の増加を伴う線維化病変（※）と正常肺の間にfibroblastic foci（→）が形成されている．
b：fibrotic NSIPパターン（HE染色 対物×10）．小葉のほぼびまん性に胞隔が線維性に肥厚している．fibroblastic foci（→）が確認されるが，数は少ない．

ターンを呈する症例の多くは経過が進むに従い組織破壊を伴うことによって，高度の構造改変，すなわち蜂巣肺を呈するにいたる[19]．一方，fibrotic NSIPパターンの線維化は，小葉の胞隔にほぼびまん性に認められ，著変のない胞隔が同一小葉内に混在することは少ない[20]．複数の肺胞が巻き込まれた斑状線維化巣のみられる頻度はUIPパターンに比し低く[10]，組織破壊は軽度であり，UIPパターンにみられるような厚い線維性壁に囲まれた蜂巣肺が形成されることはまれである．

喫煙関連間質性肺炎としては剝離性間質性肺炎（DIP）および呼吸細気管支炎を伴う間質性肺疾患（RB-ILD）が含まれ，それぞれDIPおよびrespiratory bronchiolitis（RB）の病理パターンを呈する．両者は類似した炎症反応を伴うが，小葉内分布に大きな特徴を有する．DIPパターンでは小葉のほぼ全体がびまん性におかされ，胞隔壁が線維化もしくは小円形細胞を中心とする炎症細胞浸潤により肥厚し，肺胞腔内にマクロファージが集簇する．一方，RBパターンの病変は呼吸細気管支壁および周囲の肺胞領域から成る小葉細葉中心部に認められ，気道壁・胞隔に軽度の線維化・炎症細胞浸潤を伴い，肺胞腔にマクロファージが種々の程度に集簇する．

急性・亜急性間質性肺炎には，急性間質性肺炎（AIP）および特発性器質化肺炎（COP）が含まれる．前者の形態像は硝子膜を主体とする滲出が広範囲に広がるびまん性肺胞傷害（DAD）もしくは硝子膜が器質化されたorganizing DADを示す．COPは器質化肺炎像（organizing pneumonia pattern：OPパターン）を呈し，ポリープ状の気腔内器質化病変が多発し，周囲の胞隔に小円形細胞浸潤が認められる．さらに，cellular NSIPを呈する症例もこのカテゴリーに含まれる[7,8]．cellular NSIPにおける組織像の特徴は，小葉内びまん性に小円形細胞が胞隔へ浸潤する点にあり，器質化病変も混在するが壁在性の器質化病変であることが多い．

上記の主要な間質性肺炎群のほかに，まれな間質性肺炎群として特発性リンパ球性間質性肺炎（idiopathic lymphocytic interstitial pneumonia）およびidiopathic pleuroparenchymal fibrosisがIIPsのなかに含まれている．さらに，以上の分類に当てはまらない病理像を呈する間質性肺炎および複数のパターンの混在している間質性肺炎は分類不能型特発性間質性肺炎と分類される[8]．

b）二次性間質性肺炎との鑑別

二次性間質性肺炎で，IIPsと類似した形態を示す疾患が少なくない[19]．そのなかでも，膠原病連間質性肺炎および慢性過敏性肺炎との鑑別がよく問題となる．

膠原病関連間質性肺炎は，IIPsの慢性線維化性間質性肺炎から亜急性間質性肺炎までのどの病理パターンも取りうる[21,22]．そのなかでもNSIPパターン[23,24]やOPパターン[25]，複数の病理パターンの混在を呈する症例[8]は膠原病に関連している頻度が高いとされる．また，どの病理パターンであっても，胚中心を有するリンパ濾胞が多発していたり，形質細胞・リンパ球がびまん性に浸

潤しているなどの所見が病変内に確認された場合や，肺胞領域以外の領域での病変，すなわち胸膜炎を含む漿膜炎や，細気管支炎や気管支拡張などの気道病変が併存していた場合には膠原病の存在を疑ってみる必要がある[21〜24]．しかし，膠原病に関連した間質性肺炎であれば上記のごとき病理パターンもしくは病理所見を必ず伴うわけではない．また，リンパ濾胞や小円形細胞浸潤がめだつ間質性肺炎が生検で確認されたにもかかわらず膠原病を発症しない症例も経験される．特異的な所見（たとえば，リウマチ結節）のない限り，病理像のみで膠原病関連間質性肺炎か IIP かを区別することは困難である．

なお近年，間質性肺炎を有する患者のなかで，肺以外の臨床・身体所見および自己抗体などの血清検査所見，画像・病理像から自己免疫機序が示唆されるが，膠原病の診断基準を満たさない症例群を interstitial pneumonia with autoimmune features（IPAF）と名づけてグループ化しようとする意見がある[26]．ここでいう膠原病関連を疑わせる病理像としては先の段落で述べた所見があげられている．ただし，IPAF は今後の研究に役立つように作成された学問的な分類であり，実臨床に用いられる診断名としては扱われない．

慢性過敏性肺炎では，急性過敏性肺炎とは異なり抗原の明らかとなる症例が少なく，病理学的には肉芽腫のほとんどが小さく不明瞭なため容易には見出せない．そのうえ，UIP もしくは NSIP 類似の線維化を伴うことが多いため，IIPs との鑑別が困難なことが多い．鑑別点としては，慢性過敏性肺炎では IIPs に類似した病理パターンのほかに，呼吸細気管支を中心とした小葉細葉中心部の線維化巣・器質化病変や bridging fibrosis と呼ばれる線維化（小葉中心部と辺縁部とに形成された線維化巣が連続する像，または近接小葉に存在する小葉中心部の線維化巣が互いに連続する像）があげられており[27,28]，最近報告された本疾患に関する国際診断ガイドラインにおいても，診断に際しこれら病理所見が重要視されている[29]．しかし，慢性過敏性間質性肺炎の診断に，吸入抗原や抗体検査，症状の経過，BAL などの臨床的事項がより重要であること[30〜32]は間違いのないところである．

上記 2 疾患のほかにも，石綿肺[33,34]や超硬合金肺[35]，珪肺症[36]などの職業性肺疾患のなかでも慢性経過を取った症例では，それぞれに特異的な所見のほかに，UIP や NSIP，DIP[37]に類似した病理像を呈する症例のあることが知られている．また薬剤性間質性肺炎には，IIPs における慢性線維化性間質性肺炎（特に fibrotic NSIP）から急性・亜急性間質性肺炎に類似した形態像を呈する症例までが存在するといわれている[38,39]．

IIPs に類似した形態を示す二次性間質性肺炎を呈する疾患は数多く存在しており，その原因疾患をうかがわせる病理所見が提示されているものもあるが，それらのほとんどは特異的な所見ではない．かえって，診断に際し，臨床所見が病理像に優先して考慮されるべき二次性間質性肺炎のほうが多い．IIPs が二次的間質性肺炎を除外してはじめて診断しうることを考えるとき，どのような間質性肺炎であれ病理所見のみで診断を行ってはならず，臨床情報および画像所見を含めて総合的に検討（multidiciplinary discussion：MDD）を行ったのちに最終診断をする必要がある[7,8,14,20]．

文献

1) Miller WS : The lung 2nd ed., Thomas CC, Illinois, 1947.
2) 松本 武四郎：肺．岩波講座 現代生物科学 10，組織と器官 II，岩波書店，東京，1977, p 315-372.
3) Weibel ER : Morphometry of the human lung, Springer-Verlag, Berlin, 1963.
4) Elliot FM, Reid L : Some new facts about the pulmonary artery and its branching pattern. Clin Radiol 1965 ; **16** : 193-198.
5) Liebow AA : Definition and classification of interstitial pneumonias in human pathology. Progr Respir Res 1975 ; **8** : 1-33.
6) Basset F, Ferrans VJ, Soler P, et al : Intraluminal fibrosis in interstitial lung disorders. Am J Pathol 1986 ; **122** : 443-461.
7) American Thoracic Society, European Respiratory Society : American Thoracic Society/European Respiratory Society international multidisciplinary consensus classification of the idiopathic interstitial pneumonias. Am J Respir Crit Care Med 2002 ; **165** : 277-304.
8) Travis WD, Costabel U, Hansell DM, et al : An official American Thoracic Society/ European Respiratory Society statement : update of the international multidisciplinary classification of the idiopathic pulmonary fibrosis. Am J Respir Crit Care Med 2013 ; **188** : 733-748.
9) Katzenstein AA : Idiopathic interstitial pneumonia, In surgical pathology of non-neoplastic lung disease, 4th ed., Saunders, Elsevier, 2006 : p 51-84.
10) Churg A, Bilawich A : Confluent fibrosis and fibroblast foci in fibrotic non-specific interstitial pneumonia. Histopathology 2016 ; **69** : 128-135.
11) Hepplestone AG : The pathology of honeycomb lung. Thorax 1956 ; 11 : 77-93
12) 斎木 茂樹：蜂窩肺の病理形態像．第 50 回間質性肺疾患研究会討議録，1994 : p39-50.
13) 蛇澤 晶，木谷 匡志，田村 厚久，ほか：Usual interstitial pneumonia（UIP）pattern．病理と臨床 2014 ; **32** : 970-975.
14) Raghu G, Jardin RM, Myers JL, et al : Diagnosis of idiopathic pulmonary fibrosis. An official ATS/ERS/JRS/ALAT clinical practice guideline. Am J Respir Crit Care Med 2018 ; **198** : e44-e68.

15) Westcott JL, Cole SR : Traction bronchiectasis in end-stage pulmonary fibrosis. Radiology 1986 ; **161** : 665-669.
16) Katzenstein AL, Fiorelli RF : Nonspecific interstitial pneumonia/fibrosis. Histologic features and clinical significance. Am J Surg Pathol 1994 ; **18** : 136-147.
17) Nagai S, Kitaichi M, Itoh H, et al : Idiopathic nonspecific interstitial pneumonia/fibrosis : comparison with idiopathic pulmonary fibrosis and BOOP. Eur Respir J 1998 ; **12** : 1010-1019.
18) 北市 正則, 玉舎 学, 中間 貴弘, ほか : 非特異性間質性肺炎（NSIP）の病理. 病理と臨床 2006 ; **24** : 828-834.
19) Yamauchi H, Bando M, Baba T, et al : Clinical course and changes in high resolution computed tomography findings in patients with idiopathic pulmonary fibrosis without honeycombing. PLoS One 2016 ; **11** : e0166168.
20) Travis WD, Hunninghake G, King TE Jr, et al : Idiopathic nonspecific intersrtitial pneumonia ; a report of American Thoracic Society project. Am J Respir Crit Care Med 2008 ; **177** : 1338-1347.
21) Fukuoka J, Leslie KO : Chronic diffuse lung disease. Leslie KO & Wick MR（eds）, Churchill Livingstone, Philadelphia, 2005 ; p181-258.
22) Nicholson AG, Colby TV, Wells AU : Histopathological approach to patterns of interstitial pneumonia in patients with connective tissue disorders. Sarcoidosis Vasc Diffuse Lung Dis 2002 ; **19** : 10-17.
23) Leslie KO, Trahan S, Gruden J : Pulmonary pathology of the rheumatic disease. Sminar Respir Crit Care Med 2007 ; **28** : 369-378.
24) Kono M, Namura Y, Yoshimura K, et al : Nonspecific interstitial pneumonia preceding diagnosis of collagen vascular disease. Respir Med 2016 ; **117** : 40-47.
25) 近藤康博, 谷口博之, 横井豊治, ほか : 外科的肺生検の組織学的分類に基づく膠原病随伴間質性肺疾患の臨床的特徴と予後. 日呼吸会誌 2003 ; **38** : 259-266.
26) Flecher A, Antoniou KM, Brown KK, et al : An official ERS/ATS research statement : interstitial pneumonia with autoimmune features. Eur Respir J 2015 ; **46** : 976-987.
27) Ohtani Y, Saiki S, Kitaichi M, et al : Chronic bird fancier's lung ; histopathological and clinical correlation. An application of the 2002 ATS/ERS consensus classification of the idiopathic interstitial pneumonia. Thorax 2005 ; **60** : 665-671.
28) Takemura T, Akashi T, Kamiya H, et al : Pathological differentiation of chronic hypersensitivity pneumonitis from idiopathic pulmonary fibrosis/usual interstitial pneumonia. Histopathology 2012 ; **61** : 1026-1035.
29) Raghu G, Jardin MR, Ryerson CJ, et al : Diagnosis of hypersensitivity pneumonitis in adults : an official ATS/JRS/JLAT clinical practice guideline. Am J Respir Crit Care Med 2020 ; **202** : e36-e69.
30) Yoshizawa Y, Ohtani Y, Hayakawa H, et al : Chronic hypersensitivity pneumonitis in Japan : a nation wide epidemiologic survey. J Allergy Clin Immunol 1999 ; **103** : 315-320.
31) Ohtani Y, Kojima K, Sumi Y, et al : Inhalation provocation test in chronic bird fancier's lung. Chest 2000 ; **118** : 1382-1389.
32) Tsutsui T, Miyazaki Y, Kuramochi J, et al : The amount of avian antigen in household dust predicts the prognosis of chronic bird-related hypersensitivity pneumonitis. Ann Am Thorac Soc 2015 ; **7** : 1013-1021.
33) Kawabata Y, Shimizu Y, Hoshi E, et al : Asbestos exposure increases the incidence of histologically confirmed usual interstitial pneumonia. Histopathology 2016 ; **68** : 339-346.
34) 岡本 賢三 : 職業性肺疾患. 病理と臨床 2014 ; **32** : 1117-1126.
35) Tanaka J, Moriyama H, Terada M, et al : An observational study of giant cell interstitial pneumonia and lung fibrosis in hard metal lung disease. BMJ Open 2014 ; **4** : e004407.
36) Arakawa H, Johkoh T, Honma K, et al : Chronic interstitial pneumonia in silicosis and mix-dust pneumoconiosis. Chest 2007 ; **131** : 1870-1876.
37) Godbert B, Wissler MP, Vignaud JM : Desquamative interstitial pneumonia : an analytic review with an emphasis on aetiology. Eur Respir Rev 2013 ; **22** : 117-123.
38) Flieder DB, Travis WD : Pathologic characteristics of drug-induced lung disease. Clin Chest Med 2004 ; **25** : 37-48.
39) Myers JL, Limper AH, Swensen SJ : Drug-induced disease : a pragmatic classification incorporating HRCT appearances. Semin Respir Crit Care Med 2003 ; **24** : 445-453.

6 鑑別診断

IIPsは原因不明の間質性肺炎であり，I章の表1にあるような原因が明らかな，あるいは全身性疾患に伴う多くのびまん性肺疾患群が鑑別の対象となる．実臨床では，表1に示すように職業歴，環境調査，使用薬剤，身体所見などからこれらの疾患を除外することになるが，実際は難しいことも少なくない．

鑑別のポイントとしては，①病歴を詳細に聴取する：薬剤の服用歴，居住環境や職場環境などについて，発症との関連を含め詳しく問診する，②身体所見をしっかりとみる：皮膚・関節所見などの膠原病を疑わせる身体所見をチェックし，必要であれば皮膚科，眼科，膠原病リウマチ科などの専門医の診断を受ける，③自己抗体などの血清学的な検索を行う：自己抗体についてはどこまで網羅的にチェックするかの問題はあるが，少なくとも症状，身体所見などから特定の膠原病が疑われた場合は，関連する自己抗体を検索する，④いったん，IIPsと診断しても経過中に膠原病を発症する場合もあるので，これらのことを念頭に置いた注意深い経過観察を行う，などがある．

❶膠原病および関連疾患，IPAF

膠原病および関連疾患に伴う間質性肺炎を表2に示す．その合併頻度は報告により大きく異なるが，頻度の高いものは強皮症（SSc），関節リウマチ（RA），多発筋炎/皮膚筋炎（PM/DM），顕微鏡的多発血管炎（MPA）である．疾患の母数の多さからはRAが，予後の悪さからはDMが注目される．IIPsの組織パターンに準じて分類すると，膠原病全体ではNSIPパターンが最も多いが，RA，MPAでは比較的UIPパターンの頻度が高い[1〜3]．膠原病に伴うUIPパターンにおいては，IPFでは通常認められない副所見として，軽微な浸潤影や気管支壁肥厚，嚢胞，蜂巣肺周囲や牽引性気管支拡張周囲の濃度上昇などを伴っていることがある[3]．また，AIPに類似した急性経過を呈するDADパターンは皮膚筋炎（DM），特に筋症状の乏しいCADM（clinically amyopathic dermatomyositis）でみられることが多い．

病理学的・画像的に，膠原病に合併した間質性肺炎とIIPsの各亜型との決定的な鑑別点はないが，IPFと膠原病関連UIPを比較した検討では[4]，膠原病に伴う間質性肺炎を示唆する所見として，病理組織ではリンパ濾胞，胞隔の炎症が目立ち，線維芽細胞巣（fibroblastic foci）に乏しく，画像所見ではすりガラス影が優位で蜂巣肺所見が少ない傾向をあげている．さらに，膠原病関連の間質性肺炎では，細気管支炎などの気道病変や胸膜病変の合併も少なくない．実臨床では，特に生検にてNSIPパターンを得た場合，膠原病の鑑別に十分留意する必要がある[5,6]．

予後に関しては，一般にDADは予後不良であるが，IIPsとは異なりUIPとNSIPに違いはないと考えられ

表1 IPFと診断される可能性を生じる職業・疾患

職業歴：農夫（慢性過敏性肺炎も含む），家畜飼育，理容・美容業，鳥飼育（慢性過敏性肺炎も含む），石工（切削，研磨），大工，化学・石油化学製造，絶縁・断熱作業，鉱山作業・トンネル作業，木工作業（慢性過敏性肺炎も含む），金属作業（慢性過敏性肺炎も含む），塗装業（慢性過敏性肺炎も含む），印刷業，電気工事
常用薬物など
膠原病など全身性疾患

（Baumgartner KB, et al. Am J Epidemiol 2000 ; 152 を参考に作成）

表2 IIPsと鑑別すべき間質性肺疾患

疾患名	関連する疾患，職業，抗原など
膠原病	関節リウマチ，強皮症，皮膚筋炎/多発性筋炎，全身性エリテマトーデス，Sjögren症候群，混合性結合組織病，ANCA関連血管炎（顕微鏡的多発血管炎）など
急性および慢性過敏性肺炎	家屋（夏型過敏性肺炎），鳥飼育（鳥飼病），農作業（農夫肺），塗装業（イソシアネート過敏性肺炎），キノコ栽培（キノコ栽培肺）など
じん肺	鉱山業，トンネル作業など（珪肺など），断熱・絶縁作業，電気工事，配管工事，解体業など（石綿肺），溶接業（溶接工肺）金属ヒューム吸入，金属研磨（超合金肺），ベリリウム（慢性ベリリウム肺）など
薬剤性肺炎	
感染症	細菌性肺炎，ウイルス性肺炎，ニューモシスチス肺炎など
その他	急性および慢性好酸球性肺炎，サルコイドーシス，肺Langerhans細胞組織球症，リンパ脈管筋腫症（LAM），肺胞蛋白症など

ている．これは膠原病関連 UIP が IPF より予後が良好なことが理由であり，この要因として膠原病関連 UIP では fibroblastic foci が少ないことが指摘されている[7,8]．一方，膠原病関連 NSIP と iNSIP の予後には差はない．しかし，RA に限れば，UIP は NSIP と比較し予後不良であり，IPF と同等であることが示されている[9]．

膠原病の診断は各々の膠原病の診断基準に基づいて行う（各疾患の診断基準を参照）．膠原病の診断において，各疾患を疑わせる徴候や身体所見を見逃さないことは，リウマチ因子や抗核抗体などの自己抗体の検索よりも重要である．一方で，SSc における抗 Scl-70 抗体，PM/DM での抗 Jo-1 抗体を含む抗アミノアシル tRNA 合成酵素抗体（抗 ARS 抗体）や抗 melanoma differentiation-associated gene 5 抗体（抗 MDA5 抗体），RA での抗 CCP 抗体，Sjögren 症候群での抗 SS-B 抗体，MPA での MPO-ANCA などの疾患標識抗体といえる特異性の高い自己抗体は各膠原病の診断において有用ではあるが，どこまでルーチンに検索するかは難しいところである．

実臨床において，膠原病関連の間質性肺炎と IIPs の鑑別を難しくしている原因として，①肺野病変が先行する膠原病肺，②特定の膠原病の診断基準は満たさないが，膠原病と関連した症候，身体所見，自己抗体などを認める膠原病的背景を持つ間質性肺炎の存在がある．①の肺野病変先行型の膠原病肺として，iNSIP と診断された症例から PM/DM が発症することや[10]，IPF と診断された症例から RA や MPA が発症することが報告されている[11]．PM/DM に合併した間質性肺炎では肺野病変先行型が 8～23% と比較的頻度が高く，先行期間は 2～15 ヵ月との報告がある[12,13]．また，RA では先行期間は 1.1～7.0 年と比較的長期間であることが知られている[11,14]．

一方，②に関しては，本来，全身の臓器を系統的におかす炎症性疾患である膠原病のなかに肺主体に病変を示す症例があって，これを確立した膠原病あるいは IIPs とは区別して扱うべきであるとする考え方である．これまで，分類不能型結合組織病（undifferentiated connective tissue disease：UCTD）[15,16]，肺病変優位型の結合組織病（lung-dominant connective tissue disease：LD-CTD）[17]，自己免疫性の間質性肺炎（autoimmune-featured interstitial lung disease：AIF-ILD）[18]など，複数の診断基準が提唱されてきたが，それら膠原病的背景を持つ間質性肺炎を包括した概念として IPAF（interstitial pneumonia with autoimmune features）が 2015 年に ATS/ERS より提唱された[19]．IPAF の分類基準には，臨床的ドメイン（膠原病に関連する臨床所見），血清学的ドメイン（自己抗体などの血清学的な所見），形態学的ドメイン（組織学的・画像的な所見）の3つが含まれ（表3），これらのうち2つ以上のドメインを満たすことが求められる．IPAF は国際的な合議にて提唱された概念であるが，エビデンスに基づいて作成された疾患名ではなく，その臨床的意義や妥当性は検証されるべきものと位置づけられている．これまで IPAF 基準を用いた主に後ろ向き研究において，IPAF は IPF と比較して若年で女性の頻度が高いこと，レイノー症状や抗核抗体陽性が高頻度に認められること，NSIP パターンが多いことなどが報告されている[20〜25]．IPAF は慢性線維化性間質性肺炎における予後良好因子であったとするものなど[23]が報告されているが，対照コホートにより様々で一定の見解は得られていない．IPAF 分類基準の問題点として，形態学的ドメインにおいて UIP が含まれていないことが指摘されている[26]．画像・病理が UIP パターンを呈する症例で IPAF 基準を満たすには，臨床的ドメインと血清学的ドメインの両者が必須となり IPAF 基準を満たしにくくなるが，UIP 症例から RA や MPA の発症も時に経験される．また，自己抗体については，比較的疾患特異性の高いものが記載されているものの ANCA は IPAF 基準に含まれていない．ANCA 陽性間質性肺炎の 20～30% において，経過中に MPA を発症したと報告されており[27,28]，IPAF 基準を満たす症例と同様に血管炎の発症に注意深く経過観察を行う必要がある．IPAF の予後に関しては，膠原病に伴う間質性肺炎より有意に予後不良であったが IPF と比較してよい傾向にあったとするもの[20]，IPF と変わらなかったとするもの[22]などが報告されている．以上のごとく，IPAF はいまだ暫定的な分類基準であり，その妥当性については更なる検証が望まれる．

❷過敏性肺炎

急性過敏性肺炎は，抗原回避により自然軽快することや特徴的な画像所見から IIPs との鑑別が比較的容易であるが，呼吸不全を呈する重症例で AIP との鑑別が問題となることがある．日本での急性過敏性肺炎の約7割は *Trichosporon* が原因抗原となる夏型過敏性肺炎であり[29]，日当たりの悪い家屋において夏から秋に発症する．その他には，夏型以外の住居関連過敏性肺炎，鳥飼病（鳥関連過敏性肺炎），農夫肺，塗装工肺，キノコ栽培肺，加湿器肺などがある．HRCT では，小葉中心性粒状影とモザイク分布のすりガラス影が特徴的であり，BALF では，リンパ球が著増，TBLB では，類上皮細胞肉芽腫，Masson 体，リンパ球性胞隔炎を認める．免疫学的には，原因抗原に対する特異抗体やリンパ球増殖試験が陽性となり，環境誘発あるいは吸入誘発により臨床像の再現が得られれば診断が確定的となる．

表3 IPAF (interstitial pneumonia with autoimmune features) の分類基準

以下4項目の全てを満たす．
1. HRCTあるいは外科的肺生検にて間質性肺炎が存在する．
2. 他の原因による間質性肺炎が否定されている．
3. 確立した膠原病の診断基準を満たさない．
4. 以下のドメインの中で「1つ以上の項目を満たすドメイン」が2つ以上ある．

臨床的ドメイン
1. 手指遠位部の亀裂（mechanic handなど）
2. 手指遠位端の潰瘍
3. 関節炎または60分間以上続く多関節の朝のこわばり
4. 手掌の血管拡張
5. レイノー現象
6. 原因不明の手指の腫脹
7. 原因不明の手指伸側の皮疹（Gottron's sign）

血清学的ドメイン
1. 抗核抗体≧320倍（diffuse, speckled, homogeneous型），あるいは 　　a. nucleolar型（抗体価を問わない） 　　b. centromere型（抗体価を問わない）
2. RA因子≧正常範囲の2倍
3. 抗CCP抗体
4. 抗ds-DNA抗体
5. 抗SS-A/Ro抗体
6. 抗SS-B/La抗体
7. 抗RNP抗体
8. 抗Sm抗体
9. 抗Scl-70抗体
10. 抗ARS抗体
11. 抗PM-Scl抗体
12. 抗MDA5抗体

形態学的ドメイン
1. HRCTによる画像パターン 　　a. NSIP 　　b. OP 　　c. NSIP with OP overlap 　　d. LIP
2. 外科的肺生検による病理パターン 　　a. NSIP 　　b. OP 　　c. NSIP with OP overlap 　　d. LIP 　　e. 胚中心を伴った間質のリンパ濾胞 　　f. びまん性のリンパ球・形質細胞浸潤（リンパ濾胞の形成は問わない）
3. 間質以外の病変 　　a. 原因不明の胸水あるいは胸膜肥厚 　　b. 原因不明の心嚢水あるいは心膜肥厚 　　c. 原因不明の気道病変（呼吸機能検査，画像，病理検査による） 　　d. 原因不明の血管病変

NSIP：nonspecific interstitial pneumonia, OP：organizing pneumonia, LIP：lymphocytic interstitial pneumonia

(Fischer A, et al：Eur Respir J 2015；**46**：976-987[19] を参考に作成)

慢性過敏性肺炎はIIPsとの鑑別が最も困難な疾患のひとつである．抗原曝露に関連して発熱を伴う症例（再燃症状軽減型）は診断が比較的容易だが，発熱など急性症状を伴わず潜在性に進行する症例（潜在性発症型）は診断が困難である[30,31]．原因抗原として最も多いのが鳥抗原（鳥糞，羽毛）であり[31,32]，過去から現在までの鳥飼育歴や，鳥抗原曝露に関する問診（ダウンコート，羽毛布団，鶏糞肥料の使用など）が必要である．たとえば，羽毛布団使用の有無[33]，野鳥の飛来が多いか，隣人の鳥飼育，鶏糞肥料使用歴などを含めて詳細に問診を行う．鳥抗原による慢性過敏性肺炎は臨床病型として潜在性発症型をとることが多く[31]，IPFとの鑑別が困難であり[34]，正しく診断されていない症例が多い．一方，夏型過敏性肺炎や住居関連過敏性肺炎では，臨床病型として再燃症状軽減型が多く，環境誘発が診断の参考となる[35]．農夫肺も慢性化する例がみられるが[36]，職業歴から本疾患を疑うことは比較的容易である．その他，小麦粉を扱う菓子職人・パン職人，塗装業やプラスチック加工業などイソシアネートを扱う職業での慢性例の報告もみられる[37]．さらに，木工職人，材木伐採などの作業では，湿った木屑に付着する *Rizopus*, *Alternaria*, *Cryptostroma corticale*, *Penicillium*, *Saccharopolyspora rectivirgula* など真菌や好熱性放線菌による慢性過敏性肺炎も含まれ[38]，職業歴の聴取が重要である．

慢性過敏性肺炎の画像上の陰影分布の特徴は，下肺野優位でなく上肺野を含めた分布と左右差である[39]．HRCTでは，小葉中心性粒状影，小葉間隔壁肥厚，不整形斑状影，すりガラス影，浸潤影，蜂巣肺，牽引性気管支拡張，小葉内網状影など多彩な所見を認めるが（**図1**），急性過敏性肺炎ほど目立たないものの，小葉中心性粒状影が鑑別のポイントとなる[40]．BALFでは急性過敏性肺炎と比較してリンパ球増多が軽度にとどまる[41]．病理学的にはUIPやfibrotic NSIPと類似する症例が多い[42]．特に進展期においては広範な蜂巣肺を伴うためIPF/UIPとの鑑別が困難である[34]．急性過敏性肺炎では類上皮細胞肉芽腫が特徴的所見であるが，慢性過敏性肺炎においては出現頻度が大幅に下がる[30,42]．一方，多核巨細胞やコレステリン結晶（cholesterol cleft），リンパ濾胞の頻度は高く，小葉中心性あるいは細気管支周囲の線維化が慢性過敏性肺炎の特徴とされる[43]．また，小葉中心性の線維化と胸膜下の線維化が併存し，架橋線維化（bridging-fibrosis）を認めることも多い[44]．免疫学的検査として，原因抗原に対する特異抗体，リンパ球増殖試験，環境誘発試験があるが，陽性率はいずれも急性過敏性肺炎より低い．吸入誘発試験が決め手になるが[45]，増悪のリスクがあるため，本試験に不慣れな施設では施行が困難である．

慢性過敏性肺炎では，経過中にIPFと同様の急性増悪を発症することが報告されている[46]．また，背景の臨床病型のほとんどが潜在性発症型であり，ステロイドの不適切な減量や不十分な抗原回避が誘因となる．IPFと同様に治療抵抗性で，死亡率が約8割と，予後不良とされている[47]．2020年に発表されたATS/JRS/ALATの過敏性肺炎の診断ガイドラインでは，急性や慢性といった発症様式による分類は定義が明確でなく，また予後との関連も一貫性がないことから，このような分類は行わず，画像的・病理学的に非線維性過敏性肺炎と線維性過敏性肺炎に分類することを推奨している[48]．

❸じん肺

じん肺はIIPsとの鑑別が重要な疾患である．代表的なじん肺として石綿肺（アスベスト肺）と珪肺があるが，特に石綿肺の進行例においては，IPFとの鑑別が困難である．石綿製品工場以外でも，建築，造船，車両製造において，絶縁・断熱作業，電気工事，配管工事，大工，解体作業などで石綿曝露の危険がある．一方，珪肺をきたす職業には，石工，鉱山，トンネル作業がある．これらの疾患を疑うには，数十年の潜伏期を考慮した職

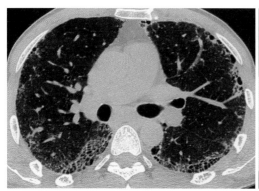
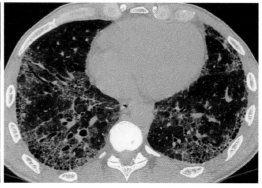

図1 慢性過敏性肺炎のHRCT像

牽引性気管支拡張，蜂巣肺，すりガラス影，粒状影を認める．

業歴の詳細な聴取が重要であり，趣味で使うアスベストを含む外材（断熱材）の使用の有無にも注意する．庭園業者，土を扱う農業などでの土埃吸入，その他，陶磁器の作業や家具職人，漆職人あるいは趣味で塗り物をつくる作業（砥の粉使用）などでも珪酸吸入の危険性がある[49]．また，金属作業や溶接工などでは，金属ヒューム吸入が原因と考えられる場合と，金属作業工程で使用する洗浄液に生育する真菌や好熱性放線菌による過敏性肺炎の可能性も考慮する[50～52]．

石綿肺の画像上の陰影分布は，下肺野・胸膜下優位でIPFと類似する．早期のHRCT所見として，胸膜下粒状影（subpleural dot-like lesion），胸膜下曲線様陰影（subpleural curvilinear shadow）が重要である[53,54]．肺線維化の進行とともに，小葉間隔壁肥厚，小葉内網状影，牽引性気管支拡張，蜂巣肺を認めるが，肺実質内索状影（parenchymal band）は石綿肺に特徴的であり[55,56]，IPFで認める細気管支拡張と蜂巣肺の組み合わせが，石綿肺ではまれとされる[57]．進行した石綿肺とIPFの鑑別は困難であるが，過去の石綿曝露を示す胸膜プラークが参考となる[58]．珪肺の画像は，上肺野優位の小結節影，石灰化を伴う肺門リンパ節腫大，大陰影など特徴的な所見が多く，診断は比較的容易である．

❹薬剤性肺炎

薬剤性肺炎は，すべての薬剤が肺障害を起こす可能性があること，既存の間質性肺炎が薬剤性肺炎の危険因子であること[59]などから，IIPsとの鑑別には常に念頭に置くべき疾患である．しかし，薬剤性肺炎の画像パターン分類においても，IIPs分類の名称が用いられており[60]，鑑別は必ずしも容易ではない．原因薬剤として比較的頻度の高いものとしては，抗悪性腫瘍薬，関節リウマチ治療薬，漢方薬などがあげられる．また様々な分子標的治療薬や免疫チェックポイント阻害薬も原因薬剤となることが多い．薬剤性肺炎の診断で最も重要な点は，詳細な問診および調査によって被疑薬の投与と肺障害発症との時間的な関連性を把握することである．その際，投与終了後にも発症する症例があることにも注意を要する．各種の臨床検査では，薬剤性肺炎に特徴的な所見はないが，HRCTを含む画像検査をはじめ，血液検査，気管支鏡検査（BALを含む）などは，特に他疾患を除外するうえで有用である．薬剤負荷試験は原因薬剤の同定に有用であるが，倫理的な問題もあり施行の是非については一定の見解は得られていない．また，薬剤リンパ球刺激試験（DLST）については，日本において広く受け入れられてきたが，非特異的な反応も少なくなく，本症の診断における有用性には否定的なデータ・見解も多い[61]．薬剤性の間質性肺炎を含め，投与薬剤による副作用が疑われた場合の文献検索の方法として，特にインターネットの利用は有用である．医薬品医療機器情報提供ホームページ（本邦）http://www.pmda.go.jp/，やPneumotox（フランス）http://www.pneumotox.comなどがある[59]．

❺慢性および急性好酸球性肺炎

好酸球性肺疾患は，末梢血，BALF，組織における好酸球増多を特徴とし，急性好酸球性肺炎（acute eosinophilic pneumonia：AEP）と慢性好酸球性肺炎（chronic eosinophilic pneumonia：CEP）が知られる．おのおのの臨床的特徴を加味すれば，IIPsとの鑑別は比較的容易である．

AEPはAllenらにより最初に報告され[62]，発熱，急性呼吸不全を呈し，胸部画像では両肺野のびまん性すりガラス影，小葉間隔壁肥厚，胸水を主要所見とする[63]．比較的若年の男性に多いとされ，薬剤，喫煙開始や喫煙習慣の変化が発症に関連することも報告されている[64]．AEPは，臨床経過が急性であることからAIPとの鑑別が問題となる場合があるが，ステロイドに対する治療反応性は良好である．末梢血好酸球は，初期には正常であることが多く回復期に増加する．

一方，CEPは，中年の女性に好発し，喘息，アレルギー性鼻炎などのアトピー性疾患を高頻度に合併する[65]．胸部画像所見では肺野末梢優位の浸潤影を特徴とし，COPのそれと類似しているため[66]，末梢血，BALFでの好酸球数が高度に上昇していない症例では，COPと鑑別が困難な症例もみられる．ステロイドに対する治療反応性は良好であるが，ステロイドの漸減や中止に伴い約半数で再燃がみられる[66,67]．喘息を合併した難治例では抗IL-5抗体製剤が用いられることがある[68]．

❻感染症

感染症としては，細菌性肺炎，非定型肺炎（クラミドフィラ，マイコプラズマ，レジオネラ），日和見感染症（ニューモシスチス肺炎，サイトメガロウイルス肺炎），ウイルス性肺炎，粟粒結核，肺真菌症などが鑑別疾患にあげられる．種々の病原体によって胸部画像上，多発性，びまん性陰影を呈することがあり，急性および亜急性間質性肺炎（COP，AIP）などとの鑑別を要する．臨床症状や検査所見などから鑑別が比較的容易な場合もあるが，起因微生物が同定できず，抗菌薬の診断的治療にて臨床的に判断される場合も少なくない．また，感染を契機とした間質性肺炎の増悪にも注意を要する．診断には各種培養検査や血清抗原抗体検査，遺伝子学的検査などを行い，可能であれば積極的にBALを施行する[69]．日和見感染症が疑われる場合には，β-D-グルカン，喀

痰または気管支洗浄液でのニューモシスチスPCR，サイトメガロウイルス抗原などの検査が有用である．

2019年から世界的な流行をみたSARS-CoV2による新型コロナウイルス感染症（COVID-19）では，飛沫曝露の観点から原因検索としてのBALは推奨されない．COVID-19の重症例では，AIP，NSIP，OPに酷似した胸部画像所見もしばしばみられる．これまでにIIPsとみなされていた症例のなかに，未知もしくは未検査のウイルスが原因であった例も含まれていた可能性もあり，急性/亜急性の経過をたどる間質性肺炎の診断時には感染症を常に念頭に置く必要がある．

❼サルコイドーシス

サルコイドーシスは全身性の肉芽腫性疾患であるが，胸郭内では肺門，縦隔リンパ節腫大を高頻度に認める．肺病変は非乾酪性類上皮細胞肉芽腫を基本とし，画像では，粒状影，すりガラス影，結節影，塊状影を上肺野優位に認める．肺病変が気管支血管束，小葉間隔壁，胸膜などリンパ路に沿って形成されることを反映して，HRCTでは小葉辺縁性粒状影，気管支血管束の不整な肥厚，小葉間隔壁肥厚を認める．進展期には気管支血管束に沿った線維化により肺が収縮傾向を示し，まれには牽引性気管支拡張，蜂巣肺，囊胞形成を認めるが，多くが上肺野優位である[70]．特徴的な胸部画像を呈することが多く，IIPsとの鑑別は比較的容易であるが，難治例の進展期においては鑑別が困難な場合がある．

なお，わが国におけるサルコイドーシスの診断・治療は，日本サルコイドーシス/肉芽腫性疾患学会編集「サルコイドーシス診療の手引き2020」[71]を参照のこと．また，ATSから2020年に公式診療ガイドラインが発表されている[72]．

❽その他

肺Langerhans細胞組織球症，リンパ脈管筋腫症（LAM），肺胞蛋白症，肺胞微石症などは，画像や病理学的な特徴があるためIIPsとの鑑別診断は比較的容易である．

文献

1) Park IN, Kim DS, Shim TS, et al : Acute exacerbation of interstitial pneumonia other than idiopathic pulmonary fibrosis. Chest 2007 ; **132** : 214-220.
2) Solomon JJ, Ryu JH, Tazelaar HD, et al : Fibrosing interstitial pneumonia predicts survival in patients with rheumatoid arthritis-associated interstitial lung disease（RA-ILD）. Respir Med 2013 ; **107** : 1247-1252.
3) Suzuki A, Sakamoto S, Kurosaki A, et al, ; for Japan Research Committee of the Ministry of Health, Labour, and Welfare for Intractable Vasculitis and Research Committee of Intractable Renal Disease of the Ministry of Health, Labour, and Welfare of Japan : Chest high-resolution CT findings of microscopic polyangiitis : A Japanese first nationwide prospective cohort study. AJR Am J Roentgenol 2019 ; **213** : 104-114.
4) Song JW, Do KH, Kim MY, et al : Pathologic and radiologic differences between idiopathic and collagen vascular disease-related usual interstitial pneumonia. Chest 2009 ; **136** : 23-30.
5) Travis WD, Hunninghake G, King TE, Jr, et al : Idiopathic nonspecific interstitial pneumonia : report of an American Thoracic Society project. Am J Respir Crit Care Med 2008 ; **177** : 1338-1347.
6) Park IN, Jegal Y, Kim DS, et al : Clinical course and lung function change of idiopathic nonspecific interstitial pneumonia. Eur Respir J 2009 ; **33** : 68-76.
7) Flaherty KR, Colby TV, Travis WD, et al : Fibroblastic foci in usual interstitial pneumonia : idiopathic versus collagen vascular disease. Am J Respir Crit Care Med 2003 ; **167** : 1410-1415.
8) Enomoto N, Suda T, Kato M, et al : Quantitative analysis of fibroblastic foci in usual interstitial pneumonia. Chest 2006 ; **130** : 22-29.
9) Kim EJ, Elicker BM, Maldonado F, et al : Usual interstitial pneumonia in rheumatoid arthritis-associated interstitial lung disease. Eur Respir J 2010 ; **35** : 1322-1328.
10) Kono M, Nakamura Y, Yoshimura K, et al : Nonspecific interstitial pneumonia preceding diagnosis of collagen vascular disease. Respir Med 2016 ; **117** : 40-47.
11) Kono M, Nakamura Y, Enomoto N, et al : Usual interstitial pneumonia preceding collagen vascular disease : a retrospective case control study of patients initially diagnosed with idiopathic pulmonary fibrosis. PLoS One 2014 ; **9** : e94775.
12) Ji SY, Zeng FQ, Guo Q, et al : Predictive factors and unfavourable prognostic factors of interstitial lung disease in patients with polymyositis or dermatomyositis : a retrospective study. Chin Med J（Engl）2010 ; **123** : 517-522.
13) Marie I, Hatron PY, Dominique S, et al : Short-term and long-term outcomes of interstitial lung disease in polymyositis and dermatomyositis : a series of 107 patients. Arthritis Rheum 2011 ; **63** : 3439-3447.
14) Lee HK, Kim DS, Yoo B, et al : Histopathologic pattern and clinical features of rheumatoid arthritis-associated interstitial lung disease. Chest 2005 ; **127** : 2019-2027.
15) Kinder BW, Collard HR, Koth L, et al : Idiopathic nonspecific interstitial pneumonia : lung manifestation of undifferentiated connective tissue disease? Am J Respir Crit Care Med 2007 ; **176** : 691-697.
16) Corte TJ, Copley SJ, Desai SR, et al : Significance of connective tissue disease features in idiopathic interstitial pneumonia. Eur Respir J 2012 ; **39** : 661-668.
17) Fischer A, West SG, Swigris JJ, et al : Connective tissue disease-associated interstitial lung disease : a call for clarification. Chest 2010 ; **138** : 251-256.
18) Vij R, Noth I, Strek ME : Autoimmune-featured interstitial

lung disease: a distinct entity. Chest 2011; **140**: 1292-1299.
19) Fischer A, Antoniou KM, Brown KK, et al: An official European Respiratory Society/American Thoracic Society research statement: interstitial pneumonia with autoimmune features. Eur Respir J 2015; **46**: 976-987.
20) Oldham JM, Adegunsoye A, Valenzi E, et al: Characterisation of patients with interstitial pneumonia with autoimmune features. Eur Respir J 2016; **47**: 1767-1775.
21) Chartrand S, Swigris JJ, Stanchev L, et al: Clinical features and natural history of interstitial pneumonia with autoimmune features: A single center experience. Respir Med 2016; **119**: 150-154.
22) Ahmad K, Barba T, Gamondes D, et al: Interstitial pneumonia with autoimmune features: Clinical, radiologic, and histological characteristics and outcome in a series of 57 patients. Respir Med 2017; **123**: 56-62.
23) Yoshimura K, Kono M, Enomoto Y, et al: Distinctive characteristics and prognostic significance of interstitial pneumonia with autoimmune features in patients with chronic fibrosing interstitial pneumonia. Respir Med 2018; **137**: 167-175.
24) Graney BA, Fischer A: Interstitial pneumonia with autoimmune features. Ann Am Thorac Soc 2019; **16**: 525-533.
25) Sambataro G, Sambataro D, Torrisi SE, et al: Clinical, serological and radiological features of a prospective cohort of interstitial pneumonia with autoimmune features（IPAF）patients. Respir Med 2019; **150**: 154-160.
26) Sambataro G, Vancheri A, Torrisi SE, et al: The morphological domain does not affect the rate of progression to defined autoimmune diseases in patients with interstitial pneumonia with autoimmune features. Chest 2020; **157**: 238-242.
27) Hozumi H, Oyama Y, Yasui H, et al: Clinical significance of myeloperoxidase-anti-neutrophil cytoplasmic antibody in idiopathic interstitial pneumonias. PLoS One 2018; **13**: e0199659.
28) Liu GY, Ventura IB, Achtar-Zadeh N, et al: Prevalence and clinical significance of antineutrophil cytoplasmic antibodies in North American patients with idiopathic pulmonary fibrosis. Chest 2019; **156**: 715-723.
29) Ando M, Arima K, Yoneda R, et al: Japanese summer-type hypersensitivity pneumonitis: geographic distribution, home environment, and clinical characteristics of 621 cases. Am Rev Respir Dis 1991; **144**: 765-769.
30) Hayakawa H, Shirai M, Sato A, et al: Clinicopathological features of chronic hypersensitivity pneumonitis. Respirology 2002; **7**: 359-364.
31) Ohtani Y, Saiki S, Sumi Y, et al: Clinical features of recurrent and insidious chronic bird fancier's lung. Ann Allergy Asthma Immunol 2003; **90**: 604-610.
32) Hanak V, Golbin JM, Hartman TE, et al: High-resolution CT findings of parenchymal fibrosis correlate with prognosis in hypersensitivity pneumonitis. Chest 2008; **134**: 133-138.
33) Inase N, Ohtani Y, Sumi Y, et al: A clinical study of hypersensitivity pneumonitis presumably caused by feather duvets. Ann Allergy Asthma Immunol 2006; **96**: 98-104.

34) Morell F, Villar A, Montero MAm et al: Chronic hypersensitivity pneumonitis in patients diagnosed with idiopathic pulmonary fibrosis: a prospective case-cohort study. Lancet Respir Med 2013; **1**: 685-694.
35) Yoshizawa Y, Ohtani Y, Hayakawa H, et al: Chronic hypersensitivity pneumonitis in Japan: a nationwide epidemiologic survey. J Allergy Clin Immunol 1999; **103**: 315-320.
36) Barbee RA, Callies Q, Dickie HA, et al: The long-term prognosis in farmer's lung. Am Rev Respir Dis 1968; **97**: 223-231.
37) 千田金吾，佐藤篤彦，本田和徳，ほか：小麦が原因と推定された慢性型の過敏性肺炎の1例．日胸疾会誌 1985; **23**: 1472-1479.
38) Dykewicz MS, Laufer P, Patterson R, et al: Woodman's disease: hypersensitivity pneumonitis from cutting live trees. J Allergy Clin Immunol 1988; **81**: 455-460.
39) Adler BD, Padley SPG, Muller NL, et al: Chronic hypersensitivity pneumonitis: high-resolution CT and radiographic features in 16 patients. Radiology 1992; **185**: 91-95.
40) Buschman DL, Gamsu G, Waldron JA Jr, et al: Chronic hypersensitivity pneumonitis: use of CT in diagnosis. AJR 1992; **159**: 957-960.
41) Ohtani Y, Saiki S, Sumi Y, et al: Clinical features of recurrent and insidious chronic bird fancier's lung. Ann Allergy Asthma Immunol 2003; **90**: 604-610.
42) Ohtani Y, Saiki S, Kitaichi M, et al: Chronic bird fancier's lung: histological and clinical correlation. An application of the 2002 ATS/ERS consensus classification of the idiopathic interstitial pneumonias. Thorax 2005; **60**: 665-671.
43) Churg A, Müller NL, Flint J, et al: Chronic hypersensitivity pneumonitis. Am J Surg Pathol 2006; **30**: 201-208.
44) Takemura T, Akashi T, Ohtani Y, et al: Pathology of hypersensitivity pneumonitis. Curr Opinion Pulm Med 2008; **14**: 440-454.
45) Ishizuka M, Miyazaki Y, Tateishi T, et al: Validation of inhalation provocation test in chronic bird-related hypersensitivity pneumonitis and new prediction score. Ann Am Thorac Soc 2015; **12**: 167-173.
46) Churg A, Müller NL, Silva IS, et al: Acute exacerbation（acute lung injury of unknown cause）in UIP and other forms of fibrotic interstitial pneumonias. Am J Surg Pathol 2007; **31**: 277-284.
47) Miyazaki Y, Tateishi T, Akashi T, et al: Clinical predictors and histologic appearance of acute exacerbation chronic hypersensitivity pneumonitis. Chest 2008; **134**: 1265-1270.
48) Raghu G, Remy-Jardin M, Ryerson CJ, et al: Diagnosis of Hypersensitivity Pneumonitis in Adults. An Official ATS/JRS/ALAT Clinical Practice Guideline. Am J Respir Crit Care Med 2020; **202**: e36-e69.
49) 田中 暁，岩崎貞三，村上隼夫，ほか：家具塗装従業員にみられた"との粉"による珪肺症．日胸疾会誌 1976; **14**: 321-327.
50) Hubbard R, Cooper M, Antoniak M, et al: Risk of cryptogenic fibrosing alveolitis in metal workers. Lancet 2000; **355**: 466-467.

51) Hubbard R, Lewis S, Richards K, et al : Occupational exposure to metal or wood dust and aetiology of cryptogenic fibrosing alveolitis. Lancet 1996 ; **347** : 284-289.

52) Zacharisen MC, Kadambi AR, Schlueter DP, et al : The spectrum of respiratory disease associated with exposure to metal working fluids. J Occup Environ Med 1998 ; **40** : 640-647.

53) Yoshimura H, Hatakeyama Y, Otsuji H, et al : Pulmonary asbestosis : CT study of subpleural curvilinear shadow. Radiology 1986 ; **158** : 653-658.

54) Akira M, Yokoyama K, Yamamoto S, et al : Early asbestosis : Evaluation of high-resolution CT. Radiology 1991 ; **178** : 409-416.

55) Akira M, Yamamoto S, Yokoyama K, et al : Asbestosis : High-resolution CT-pathological correlation. Radiology 1990 ; **176** : 389-394.

56) Aberle DR, Gamus G, Ray CS, et al : Asbestosis-related pleural and parenchymal fibrosis : Detection with high-resolution CT. Radiology 1988 ; **166** : 729-734.

57) Akira M, Yamamoto S, Inoue Y, et al : High-resolution CT of asbestosis and idiopathic pulmonary fibrosis. AJR 2003 ; **181** : 163-169.

58) Al-Jarad N, Strickland B, Pearson MC, et al : High-resolution computed tomographic assessment of asbestosis and cryptogenic fibrosing alveolitis : a comparative study. Thorax 1992 ; **47** : 645-650.

59) Kudoh S, Kato H, Nishiwaki Y, et al : Interstitial lung disease in Japanese patients with lung cancer : a cohort and nested case-control study. Am J Respir Crit Care Med 2008 ; **177** : 1348-1357.

60) 日本呼吸器学会薬剤性肺障害の診断・治療の手引き第2版作成委員会（編）：薬剤性肺障害の診断・治療の手引き，第2版，メディカルレビュー社，大阪，2018.

61) Miwa S, Suzuki Y, Shirai M, et al : Drug lymphocyte stimulation test is not useful for side effects of anti-tuberculosis drugs despite its timing. Int J Tuberc Lung Dis 2012 ; **16** : 1265-1269.

62) Allen JN, Pacht JE, Gadek JE, et al : Acute eosinophilic pneumonia as a reversible cause of noninfectious respiratory failure. N Engl J Med 1989 ; **321** : 569-574.

63) Johkoh T, Müller NL, Akira M, et al : Eosinophilic lung diseases : diagnostic accuracy of thin-section CT in 111 patients. Radiology 2000 ; **216** : 773-780.

64) Uchiyama H, Suda T, Nakamura Y, et al : Alterations in smoking habits are associated with acute eosinophilic pneumonia. Chest 2008 ; **133** : 1174-1180.

65) Marchand E, Reynaud-Gaubert M, Lauque D, et al : Idiopathic chronic eosinophilic pneumonia. A clinical and follow-up study of 62 cases. The Groupe d'Etudes et de Recherche sur les Maladies "Orphelines" Pulmonaires（GERM "O" P）. Medicine（Baltimore）1998 ; **77** : 299-312.

66) Arakawa H, Kurihara Y, Niimi H, et al : Bronchiolitis obliterans with organizing pneumonia versus chronic eosinophilic pneumonia : high-resolution CT findings in 81 patients. AJR Am J Roentgenol 2001 ; **176** : 1053-1058.

67) Cottin V, Cordier JF : Eosinophilic pneumonias. Allergy 2005 ; **60** : 841-857.

68) Lin RY, Santiago TP, Patel NM : Favorable response to asthma-dosed subcutaneous mepolizumab in eosinophilic pneumonia. J Asthma 2019 ; **56** : 1193-1197.

69) Meyer KC, Raghu G, Baughman RP, et al : An official American Thoracic Society clinical practice guideline : the clinical utility of bronchoalveolar lavage cellular analysis in interstitial lung disease. Am J Respir Crit Care Med 2012 ; **185** : 1004-1014.

70) Kuhlman JE, Fishman EK, Hamper UM, et al : The computed tomographic spectrum of thoracic sarcoidosis. Radiographics 1989 ; **9** : 449-466.

71) サルコイドーシス診療の手引き 2020　https://www.jssog.com/journal#journal-guide

72) Crouser ED, Maier LA, Wilson KC, et al : Diagnosis and detection of sarcoidosis. An official American Thoracic Society Clinical Practice Guideline. Am J Respir Crit Care Med 2020 ; **201** : e26-e51.

7 家族性間質性肺炎

❶疾患概念

家族性間質性肺炎（familial interstitial pneumonia：FIP）は，1家系内（生物学的血縁家系）に2名以上に間質性肺炎が認められる疾患を総称するが，Hermansky-Pudlak症候群などの全身性疾患の肺合併症，じん肺，肺Langerhans細胞組織球症や過敏性肺炎などの原因が明らかなものは除外したものを指している[1〜3]．家族性間質性肺炎の有病率は，日本では明確にされていないが，欧米においてはどんな間質性肺炎の分類でも遺伝子異常と関連がある家族性として発現し，特発性肺線維症全体の0.5から9.5%は家族性であり[4〜6]，IIPsのなかに占める家族性は10〜19.5%と高めであること[7,8]が示されている．また，家族性間質性肺炎患者の80%は特発性肺線維症と診断されており，10%は非特異性間質性肺炎（NSIP），残りの10%は分類不能（unclassifiable）などのほかの分類のIIPsとして診断されている[9〜11]．常染色体優性遺伝のパターンをとるが浸透率は低いことが明らかになっており[1,6,8,12]，家族性間質性肺炎の原因遺伝子で現在までに明らかになっているものは，surfactant protein C（SP-C）遺伝子[9]，ATP-binding cassette transporter A3（ABC-A3）遺伝子[10]，テロメア関連遺伝子（TERT, TERC）[11]がある．SP-C遺伝子変異，テロメア関連遺伝子，ELMOD2遺伝子変異は，小児から成人までの間質性肺炎で報告があるが，ABC-A3遺伝子変異を伴う間質性肺炎は，成人では報告がない．

❷臨床像と検査

発症年齢は，成人ではIIPsよりも若く，小児では，新生児期から10歳代までとかなり幅が認められる[1,13,14]．臨床症状は，成人では孤発性（非家族性）間質性肺炎と区別できない[1]．小児例では，生後比較的早期に呼吸促迫，体重増加の遅れが認められるが，10歳代になって慢性咳嗽，胸部X線写真ではじめて発見されることもある[13,14]．病状の進行は，比較的急速に進行するものから緩徐に進行するものまで認められる．テロメア関連遺伝子変異を有するもののなかには，皮膚の角化症状を有するものもある[11]．生理機能検査，血液検査における間質性肺炎マーカーなどで孤発性のIIPsと区別はできない[1]．

❸画像所見

CT像は，すりガラス影，網状影，蜂巣肺，小葉・細葉辺縁性分布といった線維化に相当する所見を様々な程度で含むとされ，特徴的なパターンはないが，IIPsに類似するとされてきた[15〜17]．また，遺伝子異常によるものはNSIPに類似するとされてきた[18]．頭尾方向での分布では，下肺野優位でIPF/UIPと区別がつかないものがあるという報告がある半面[15]，IPF/UIPよりも下肺野優位の分布が少ないとの報告もある[16]．また，横断面内では胸膜直下優位の分布を示すものの，内層までびまん性に分布する網状影が見られることや，頭尾方向では分布に偏りがなく，典型的なIPF/UIPやNSIPには当てはめにくい画像所見を示すことも報告されている[17,19]．これらの検討は3親等内に2名以上の原因不明の間質性肺炎を有する患者を対象としており，遺伝性疾患以外に生活環境が同じことを反映して未確診の慢性過敏性肺炎の家族発症が混在している可能性もある．遺伝性のものでは，新生児から乳児期の場合，比較的全肺野にわたるすりガラス影，一部網状影を伴うすりガラス影を認め，成人のような特徴ある陰影を呈さないことが多い[20]．一方，若年期にはIPFやNSIPに類似しているが，年齢を重ねるうちにほぼ均等な分布を示し，小葉・細葉辺縁性分布を表す，小葉内網状影，広義間質の肥厚様所見が広範になる症例[19]もあり（図1），同じく遺伝性である肺胞微石症（図2）と石灰化を除いてほぼ同一な所見を示すのは今後の検討のヒントとなろう．

❹病理

家族性間質性肺炎と孤発性間質性肺炎を病理学的に区別することは現状ではできない．外科的肺生検，剖検例での検討では，UIP, NSIP, DIP, OP, unclassifiedパ

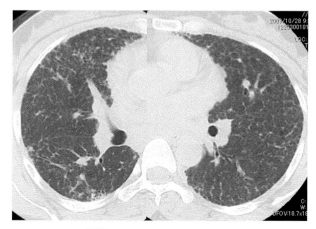

図1 家族性肺線維症のCT像

ほぼ均等に小葉内網状影，広義間質肥厚様所見，囊胞が分布している．

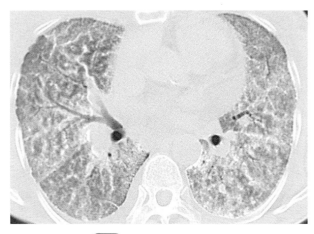

図2 肺胞微石症のCT像

微石を除いて，前述の家族性肺線維症のCT像に類似する．

ターンが報告されている[8,9]．DIP，NSIPパターンは，小児例に認められ，一部肺胞蛋白症と類似の所見をとるものも報告されている[8,9]．成人における病理組織学的パターンは，UIP（86％），NSIP（10％），OP（2.5％），unclassified（1.3％）と報告されている[8]．遺伝子発現のprofilingでは，UIPとNSIPは著しく類似しており，孤発性の特発性肺線維症とは異なっていることから家族性間質性肺炎では，NSIPからUIPへの移行も考慮されるとの意見もある[19,21,22]．Leslieらは，30例の家族性間質性肺炎の組織学的検討で，UIPと類似する平滑筋の増生，蜂巣肺，fibroblastic fociなどが高頻度でみられるものの，よりびまん性の変化やより強い炎症細胞浸潤を示すなど，not UIPと判断されるものが多いと報告している[23]．近年遺伝学的検索により，間質性肺疾患におけるgermlineの遺伝子異常についての報告が複数あるが[9〜11,24,25]，現時点で家族性間質性肺炎を疑うと認識されている組織学的因子はない．

❺治療と予後

現在のところ特別な治療法は，確立しておらず，IIPsの治療法に準じて行われている．小児間質性肺炎のなかでSP-C遺伝子変異を伴う一部の症例にハイドロキシクロロキン（日本未承認）に効果を認めたという報告がある．予後は明らかになっていない[26]．小児間質性肺炎発症例のなかには，慢性に経過し，妊娠出産にいたっているものも報告されているが，新生児に母親同様の間質性肺炎の報告がある[9]．

文献

1) Marshall RP, Puddicombe A, Cookson WO, et al : Adult familial cryptogenic fibrosing alveolitis in the United Kingdom. Thorax 2000 ; **55** : 143-146.

2) Woodhead FA, Du Bois RM : Genetics of ILD. Interstitial Pulmonary and Bronchiolar Disorders, Lynch JP III（ed），Informa Healthcare, New York, 2008 : p 43-91.

3) Lynch JP III, Hahidhara RS, Fishbein MC, et al : Idiopathic pulmonary fibrosis. Interstitial Pulmonary and Bronchiolar Disorders, Lynch JP III（ed），Inform Healthcare, New York, 2008 : p 333-364.

4) Marshall H : Researchers identify mutations in familial pulmonary fibrosis. Lancet Respir Med 2015 ; **3** : 428.

5) Hodgson U, Laitinen T, Tukiainen P : Nationwide prevalence of sporadic and familial idiopathic pulmonary fibrosis : evidence of founder effect among multiplex families in Finland. Thorax 2002 ; **57** : 338-342.

6) Guenther A, Krauss E, Tello S, et al : The European IPF registry（eurIPFreg）: baseline characteristics and survival of patients with idiopathic pulmonary fibrosis. Respir Res 2018 ; **19** : 141.

7) Snetselaar R, van Moorsel CHM, Kazemier KM, et al : Telomere length in interstitial lung diseases. Chest 2015 ; **148** : 1011-1018.

8) Loyd JE : Pulmonary fibrosis in families. Am J Respir Cell Mol Biol 2003 ; **29** : S47-S50.

9) van Moorsel CHM, van Oosterhout MFM, Barlo NP, et al : Surfactant protein C mutations are the basis of a significant portion of adult familial pulmonary fibrosis in a dutch cohort. Am J Respir Crit Care Med 2010 ; **182** : 1419-1425.

10) Nogee LM, Dunbar AE 3rd, Wert SE, et al : A mutation in the surfactant protein C gene associated with familial interstitial lung disease. N Engl J Med 2001 ; **344** : 573-579.

11) Bullard JE, Wert SE, Whitsett JA, et al : ABCA3 mutations associated with pediatric interstitial lung disease. Am J Respir Crit Care Med 2005 ; **172** : 1026-1031.

12) Fernandez BA, Fox G, Bhatia R, et al : A Newfoundland cohort of familial and sporadic idiopathic pulmonary fibrosis patients : clinical and genetic features. Respir Res 2012 ; **13** : 64.

13) Armanios MY, Chen JJ, Cogan JD, et al : Telomerase mutations in families with idiopathic pulmonary fibrosis. N Engl J Med 2007 ; **356** : 1317-1326.

14) Nogee LM : Genetics of pediatric interstitial lung disease. Curr Opin Pediatr 2006 ; **18** : 287-292.

15) Lee HH, Ryu JH, Wittener MH, et al : Familial idiopathic pulmonary fibrosis : clinical features and outcomes. Chest 2005 ; **127** : 2034-2031.

16) Nishiyama O, Taniguchi H, Kondoh Y, et al : Familial idiopathic pulmonary fibrosis : serial high-resolution CT findings in 9 patients. J Comput Assist Tomogr 2004 ; **28** : 443-448.

17) Lee HY, Seo JB, Steel MP, et al : High-resolution CT scan findings in familial interstitial pneumonia do not conform to those of idiopathic interstitial pneumonia. Chest 2012 ; **142** : 1577-1583.

18) Reddy TL, Tominaga M, Hansell DM, et al : Pleuroparenchymal fibroelastosis : a spectrum of histopathological and imaging phenotypes. Eur Respir J 2012 ; **40** : 377-385.

19) Setoguchi Y, Ikeda T, Fukuchi Y : Clinical features and genetic analysis of surfactant protein C in adult-onset familial intersti-

20) Kurland G, Deterding RR, Hagood JS, et al : American Thoracic Society Committee on Childhood Interstitial Lung Disease (child) and the child Research Network. An official American Thoracic Society clinical practice guideline : classification, evaluation, and management of childhood interstitial lung disease in infancy. Am J Respir Crit Care Med 2013 ; **188** : 376-394.
21) Yang IV, Burch LH, Steele MP, et al : Gene expression profiling of familial and sporadic interstitial pneumonia. Am J Respir Crit Care Med 2007 ; **175** : 45-54.
22) Kaminski N : Microarray analysis of idiopathic pulmonary fibrosis. Am J Respir Cell Mol Biol 2003 ; **29** : S32-S36.
23) Leslie KO, Cool CD, Sporn TA, et al : Familial Idiopathic Interstitial Pneumonia : Histopathology and Survival in 30 Patients. Arch Pathol Lab Med 2012 ; **136** : 1366-1376.
24) Takezaki A, Tsukumo S, Setoguchi Y, et al : A homozygous SFTPA1 mutation drives necroptosis of type II alveolar epithelial cells in patients with idiopathic pulmonary fibrosis. J Exp Med 2019 ; **216** : 2724-2735.
25) Nathan N, Giraud V, Picard C, et al : Germline SFTPA1 mutation in familial idiopathic interstitial pneumonia and lung cancer. Hum Mol Genet 2016 ; **25** : 1457-1467.
26) Rosen DM, Waltz DA : Hydroxychloroquine and surfactant protein C deficiency. N Engl J Med 2005 ; **352** : 207-208.

8 進行性線維化を伴う間質性肺疾患（PF-ILD）/進行性フェノタイプを示す慢性線維化性間質性肺疾患

❶背　景

間質性肺疾患（ILDs）には，特発性間質性肺炎（IIPs），自己免疫性ILDs，職業環境性ILDs，医原性ILDs，その他のILDsと200以上の疾患が含まれる（図1）[1]．ILDsは疾患によって線維化病態の関与は様々で治療選択にも影響する（図2）[1]．IIPsのなかでも最も多くを占める特発性肺線維症（IPF）は，予後不良（中央生存期間3〜5年）であり，ILDsのなかでも最も重要な疾患である[2]．

一方，IPF以外のILDsのなかにも，ステロイドや免疫抑制薬などによる原疾患の標準的治療や管理を行っても，IPFと類似した経過をたどり，徐々に線維化が進行し，呼吸機能が低下し，QOLが障害され，予後不良の臨床像を呈する，という進行性線維化性フェノタイプが存在することが経験されていた[3]．また，IPF以外の進行性線維化性フェノタイプを呈するILDs患者はIPFと同様に努力肺活量（FVC）が低下する（図3）ことも報告されている[4]．こうしたことから，進行性線維化性フェノタイプに対してIPFの治療薬である抗線維化薬の効果が期待されるものの，患者数が少なく大規模な臨床試験は困難であったが，最近2つの臨床試験の成績が発表された[5,6]．

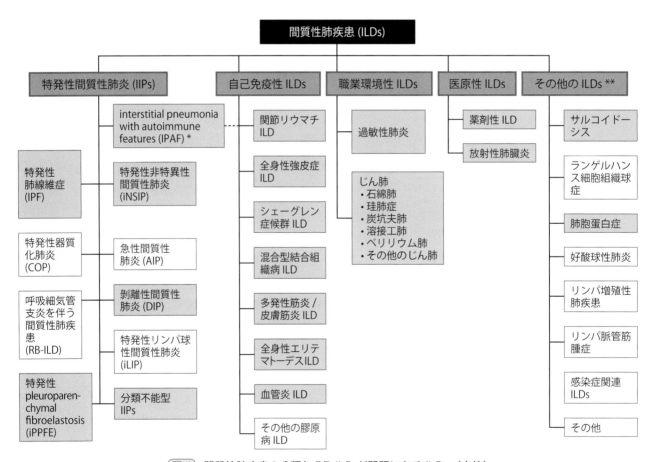

図1　間質性肺疾患の分類とPF-ILDが問題になるILDs（太枠）

グレー色のボックス内の疾患は「慢性線維化性間質性肺疾患の進行性フェノタイプ」を伴うことが問題になることの多いILDsである.
*interstitial pneumonia with autoimmune features（IPAF）は，研究用カテゴリーであり，管理上，特発性間質性肺炎として扱われるが，研究的には自己免疫性ILDsに分類されることもある.
**「その他のILDs」はサルコイドーシス，囊胞性疾患，好酸球性肺炎，感染症関連ILDsなどを含む．欧米の分類ではサルコイドーシスは別ボックスで特別に扱うことが多い．肺胞蛋白症（PAP）は成人例の95%以上は自己免疫性PAPであるがその他のILDsに分類した．職業環境性ILDs，医原性ILDs，感染症関連ILDsなどを合わせて曝露関連ILDsとカテゴリー化されることもある.
（日本呼吸器学会，日本リウマチ学会（編）：膠原病に伴う間質性肺疾患診断・治療指針，メディカルレビュー社，2020[1]を参考に作成）

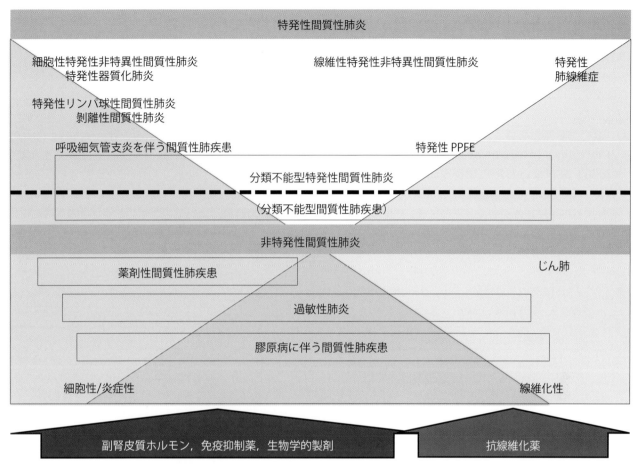

図2 細胞性/炎症性と線維化性の観点からみた間質性肺疾患

(日本呼吸器学会,日本リウマチ学会(編):膠原病に伴う間質性肺疾患診断・治療指針,メディカルレビュー社,2020[1])を参考に作成)

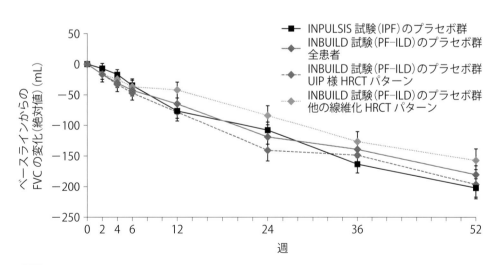

図3 INPULSIS試験(IPF)のプラセボ群とINBUILD試験(PF-ILD)のプラセボ群のベースラインからのFVCの変化(絶対値)

PF-ILDではUIP様HRCTパターンでも,他の線維化HRCTパターンでも,IPFと同様にFVCは低下する.

(文献4より改変)

❷進行性線維化性フェノタイプに対する臨床試験とその成績

IPF以外の進行性線維化性フェノタイプに対する臨床試験を**表1**に示し、結果が報告された2試験を以下に紹介する。

a)「進行性線維化を伴う間質性肺疾患：Progressive Fibrosing Interstitial Lung Disease（PF-ILD）」を対象としたニンテダニブを用いた試験（NCT02999178, PhaseⅢ, INBUILD®)[5]

IPF以外のPF-ILDを対象として、52週間のニンテダニブ投与の有効性および安全性を検討した試験である。ニンテダニブ150 mgあるいはプラセボを1日2回52週間投与した。進行性の基準は**表1**のとおりである。

主要評価項目はFVCの年間減少率（mL/年）で、全体集団と通常型間質性肺炎（UIP）様線維化パターンで評価された。

663例登録され、内訳は過敏性肺炎26.1%、自己免疫性ILD 25.6%、特発性非特異性間質性肺炎（iNSIP）18.9%、分類不能型IIPs 17.2%、その他のILD 12.2%であった[7]。

本試験の結果、ニンテダニブ群ではプラセボ群に比べFVCの低下が有意に抑制された（$p<0.0001$）。また、

表1 IPF以外の進行性線維化性フェノタイプに対する臨床試験（RCT, 出版済み）およびErice ILD作業グループ声明における病名（臨床試験，当局）と進行性の定義

臨床試験, 出典	臨床試験での呼称	当局の病名	進行性の定義
ニンテダニブ NCT02999178（INBUILD, PhaseⅢ），文献（5）	Progressive fibrosing ILD（PF-ILD）（進行性線維化を伴う間質性肺疾患）	・FDA（米国），EMA（ヨーロッパ）など Chronic fibrosing ILDs with a progressive phenotype（進行性フェノタイプを示す慢性線維化性間質性肺疾患）	標準的治療（管理）を行ったにもかかわらず，24ヵ月以内に，以下のILDの進行性の基準の少なくとも，ひとつに該当する患者 ・%FVC（FVCの予測値に対する割合，%）の10%以上の減少（相対変化量）がみられる ・%FVCの5%以上，10%未満の減少（相対変化量）がみられ，かつ，呼吸器症状の悪化がある ・%FVCの5%以上，10%未満の減少（相対変化量）がみられ，かつ，胸部画像上での線維化変化の増加がみられる
		・PMDA（日本）承認 PF-ILDs	・呼吸器症状の悪化および胸部画像上での線維化変化の増加がみられる
ピルフェニドン NCT03099187（PhaseⅡ） 文献（6）	Unclassifiable PF-ILD Unclassifiable ILD（uILD）	・FDA（未承認）	過去6ヵ月に以下のいずれか ・%FVCの絶対的低下＞5% ・過去6ヵ月に明らかな症状の悪化で，心臓，肺，血管あるいは他の原因によらない
ピルフェニドン EudraCT 2014-000861-32（RELIEF, PhaseⅡ），文献（8）	Progressive, non-IPF lung fibrosis	未承認	治療にもかかわらず進行．あるいは特異的治療なくとも進行 ・6ヵ月から24ヵ月間に少なくとも3点のFVC測定でFVCの低下が年間最低5%（予測値の絶対値）
Erice ILD作業グループの声明（the 3rd International Summit for Interstitial Lung Diseases, Italy）文献（9）	PF-ILD	該当せず	治療にもかかわらず，24ヵ月で； ・FVCが10%以上相対的低下 ・FVCが5%以上相対的に低下し，DLcoが15%以上の相対的低下 ・FVCが5%以上相対的に低下し，HRCTで線維化が進行 ・FVCが5%以上相対的に低下し，症状が悪化する場合． ・HRCTで線維化が進行し，症状が悪化する場合．

（文献5, 6, 8, 9を参考に作成）

高分解能CT（HRCT）でUIP様線維化パターンがみられた患者集団においてもFVCの低下を有意に抑制した．第1データベースロックまでの期間において初回急性増悪または死亡をきたした患者は，ニンテダニブ群で12.3%，プラセボ群で17.8%（ハザード比0.68，95% CI 0.46〜1.01）であった[5]．また，QOL質問票（K-BILD）では有意な変化を認めなかった[5]．試験期間52週間と中断例では最終投与28日後までを試験期間とした場合，最も頻度の多い有害事象としてニンテダニブ群で下痢（66.9%）を認めた[5]．

本試験結果を踏まえ，2020年，米国Food and Drug Administration（FDA），European Medicines Agencyは「進行性フェノタイプを示す慢性線維化性 ILDs（Chronic Fibrosing Interstitial Lung Diseases with a Progressive Phenotype）」の治療薬として，また日本の医薬品医療機器総合機構（PMDA）は臨床試験で用いられた病名である「進行性線維化を伴う間質性肺疾患（PF-ILD）」に対する効能・効果のある薬剤として，ニンテダニブを承認した．

b）「分類不能型PF-ILD」対象のピルフェニドンを用いた試験（NCT03099187, Phase II）[6]

分類不能型PF-ILDを対象としたピルフェニドン投与二重盲検，ランダム化，プラセボ対照第II相試験である．進行性の基準は**表1**に示すとおりで，INBUILD試験と異なっていた．253例の患者がピルフェニドン2,403 mg経口投与（127例）あるいはプラセボ（126例）を24週服用した．

主要評価項目はホームスパイロメトリで毎日測定した在宅FVCで，ベースラインから24週後のFVCの変化の平均とされた．ただし，ホームスパイロメトリのFVCの変化は問題が生じたため事前に決定された統計モデルでの解析は困難であった．施設スパイロメトリではピルフェニドン群はプラセボ群に比べて有意に%FVC減少が抑制された（$p=0.002$）．%FVCが5%以上，15%以上低下する患者の割合も有意差を認めた．QOLに有意な変化はなかった．有害事象は胃腸障害，倦怠感，湿疹であった[6]．

❸進行性線維化性フェノタイプの概念，用語および定義

INBUILD試験の結果，ニンテダニブの効能・効果は，日本では「進行性線維化を伴う間質性肺疾患」に対して，米国やヨーロッパほかでは「進行性フェノタイプを示す慢性線維化性間質性肺疾患」に対して，と異なっているので注意が必要である．ピルフェニドンを用いた臨床試験でも異なる用語が用いられており，進行性の定義は試験によって異なる（**表1**）[5,6,8]．

INBUILD試験におけるPF-ILDの進行性フェノタイプの定義は，標準的治療・管理を行ったにもかかわらず24ヵ月以内に，以下の少なくとも1つに該当する場合とされている[5]．

① %FVCの10%以上の減少（相対変化量）がみられる．
② %FVCの5%以上，10%未満の減少（相対変化量）がみられ，かつ，呼吸器症状の悪化がある．
③ %FVCの5%以上，10%未満の減少（相対変化量）がみられ，かつ，胸部画像上での線維化変化の増加がみられる．
④ 呼吸器症状の悪化および胸部画像上での線維化変化の増加がみられる．

最近，第3回国際ILDサミットのErice ILD作業部会から声明文が発表され，そこでは進行性線維化性フェノタイプ（PF-ILD）の基準としてINBUILD試験における4つの基準に加えて「24ヵ月で%FVCの5%以上の低下と%DLcoの15%以上の低下」があげられている．現在，国際学会レベルで，肺の進行性線維化の定義，用語の統一が進められている[9]．

❹病因，病態

背景疾患の病因，病態は異なるものの，肺の進行性線維化に関連する共通の病態，分子，遺伝子機構が関連することが基礎的研究で示唆されている．INBUILD試験では血小板由来増殖因子（PDGF）受容体，線維芽細胞増殖因子（FGF）受容体，血管内皮増殖因子（VEGF）受容体に対して強力な阻害活性を示すニンテダニブがPF-ILDの進行を疾患横断的に抑制した[5,7]．PDGF，VEGF，FGF-2は肺の線維化では重要と考えられている．PF-ILDの初期段階では背景疾患特異的な様々な病態，機序が存在すると考えられ特異的治療が必要であるが，線維化が進行すると，共通する機序でIPF類似の進行性肺線維症を来すのではないかと考えられている[10]．また，肺の進行性線維化の分子病態に基づく特異的な各種バイオマーカーの開発も進められている[11〜15]．

❺診断と必要な検査

PF-ILDの診断は，背景疾患の特異的診断および疾患横断的な肺の進行性線維化の評価，診断で行われる．まず，背景疾患の特異的診断は，国際的に確立された診断基準に従って，病歴，職歴，薬剤投与歴，身体所見を慎重に検討し，必要な検査［血液，画像検査（HRCTなど），生理機能検査，気管支鏡検査，病理検査など］を行う．多くの場合，全身性疾患であり，肺外病変の評価も忘れないことが肝要である．

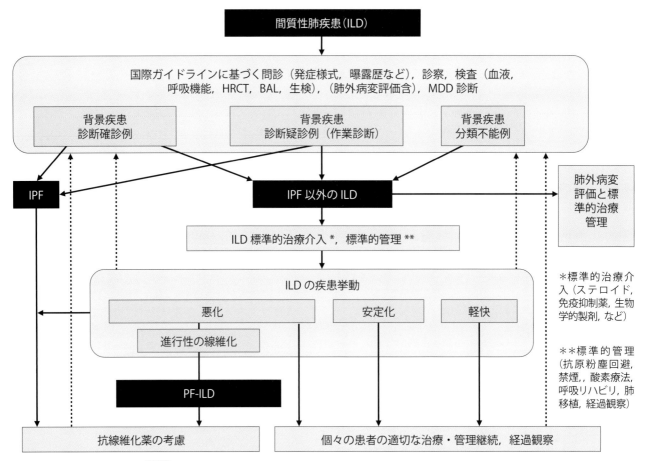

図4 進行性線維化を伴う間質性肺疾患（PF-ILD）の診断と管理の流れ

(文献 8, 10, 15 を参考に作成)

診断は，呼吸器科医，放射線科医，そして必要に応じて病理医，膠原病内科医で実施する多分野集学的検討/診断（MDD）で総合診断するのが望ましい．しかしMDDを行っても確診度の高い確定診断が得られるとは限らず，分類不能型ILDあるいは分類不能型特発性間質性肺炎の診断にとどめ，疾患挙動，経過をみながら必要であれば再度MDDで診断を見直し最適化を行う．また確診度にはいたらない場合，疑診例（あるいは仮診断名，作業診断名）として方針決定をする（図4)[9,10,16,17]．

進行性の定義はまだ公式に定められていないが，背景疾患診断後，標準的治療・管理を行い，呼吸器症状，生理検査（FVC，DLco），胸部HRCTによる線維性病変の拡がりの変化（疾患挙動）から進行性線維化性の判断を行う．（表1）（図4)[9,10,16]．

❻ リスクファクター

Erice ILD作業部会からの声明文（position paper）では，一般的な進行性線維化性リスクファクターとして，①UIPパターン，②HRCTでの広範な牽引性細気管支拡張，③急速な疾患進行，④初期治療で疾患の回復，安定化がみられない，⑤short telomere syndromeの存在，⑥高齢，があげられている．さらに特定の疾患での特異的リスクファクターとして，全身性強皮症で診断時に高齢，疾患経過が早い，米国黒人，胃食道逆流，関節リウマチでは喫煙，関節リウマチと全身性強皮症ではHRCTでのILDの広範な拡がり，慢性過敏性肺炎では抗原が不明，高齢が記載されている[9]．リスクファクターのある患者の抗線維化治療導入の時期については議論が必要である．

❼ PF-ILD の治療・管理

PF-ILDの代表であるIPFの治療管理は，2015年ATS/ERS/JRS/ALAT公式国際診療ガイドライン，2017年のJRS IPF治療ガイドラインに従って治療を行う[18,19]．国際ガイドラインでは慢性安定期のIPF患者にはステロイド，免疫抑制薬の投与を行わないことが強く推奨され，抗線維化薬（ニンテダニブとピルフェニドン）は条件付使用が推奨された[18]．JRSではステロイド，免疫抑制薬は行わないことを推奨（推奨の強さ1），抗線維化薬は提案（推奨の強さ2）であった．急性増悪発症時はステロイドパルス療法を含めたステロイド療

を行うことを提案（推奨の強さ 2），免疫抑制薬の併用を行うことを提案（推奨の強さ 2）された．IPF が非可逆性疾患で急性増悪をきたすと予後は極めて悪いため，IPF の治療介入は基本的に早期診断早期介入が重要とされている．また治療に伴う副作用対策も重要である（図4）[19]．

IPF 以外の PF-ILD においては，職業環境性肺疾患では，抗原や粉塵曝露が明らかであるか，あるいは疑われる場合その回避，喫煙関連肺疾患では禁煙を行い，改善がなければステロイドなどを用いる．ほかの IPF 以外の PF-ILD では，ガイドライン，指針に基づいて，ステロイド，免疫抑制薬，生物学的製剤などの治療を行う．以上の標準的治療・管理にもかかわらず線維化が悪化する場合，PF-ILD として，抗線維化薬の投与を考慮する（図4）[9,10,16]．またそれまでの標準的治療が十分かつ適切に行われていたかどうかの検討も必要である．

なお，現在の臨床試験の症例数や試験数は限られており，治療法や予後が異なる疾患の治療管理を画一的に決定するには議論が必要である．PF-ILD の患者にとって最善の管理が，免疫抑制を強化すべきなのか，抗線維化療法を導入すべきなのか，あるいは併用すべきなのか決定するプロセスは単純ではない．また，抗線維化薬の治療介入の適切な時期についても今後の検討が必要である．

非薬物療法として，鎮咳剤などの対症療法，呼吸不全患者では呼吸リハビリテーション，長期酸素療法を必要に応じて開始する．基準を満たす一部の患者は肺移植の対象となる．様々な治療にもかかわらず進行する場合，緩和ケアの考慮も必要である．

❽その他

PF-ILD を示す患者の予後は IPF に準じて不良であり，診断，治療に遅れがあってはならない．一方，薬剤は副作用があり高額である．患者の負担を考慮し，過剰治療にならない注意も必要である．PF-ILD の多くの疾患は指定難病である．利用できる社会資源の情報を含めて，正確で適切な情報を患者，家族に提供し，意思決定プロセスの中心である患者の希望を踏まえながら，個別かつ包括的な方針を決定する．

文献

1) 日本呼吸器学会，日本リウマチ学会（編）：膠原病に伴う間質性肺疾患診断・治療指針 2020，メディカルレビュー社，東京，2020．
2) Raghu G, Remy-Jardin M, Myers JL, et al：Diagnosis of Idiopathic Pulmonary Fibrosis. An Official ATS/ERS/JRS/ALAT Clinical Practice Guideline. Am J Respir Crit Care Med 2018；**198**：e44-e68.
3) Wijsenbeek M, Kreuter M, Olson A, et al：Progressive fibrosing interstitial lung diseases：current practice in diagnosis and management. Curr Med Res Opin 2019；**35**：2015-2024.
4) Brown KK, Martinez FJ, Walsh SLF, et al：The natural history of progressive fibrosing interstitial lung diseases. Eur Respir J 2020；**55**：2000085.
5) Flaherty KR, Wells AU, Cottin V, et al：Nintedanib in Progressive Fibrosing Interstitial Lung Diseases. N Engl J Med 2019；**381**：1718-1727.
6) Maher TM, Corte TJ, Fischer A, et al：Pirfenidone in patients with unclassifiable progressive fibrosing interstitial lung disease：a double-blind, randomised, placebo-controlled, phase 2 trial. Lancet Respir Med 2020；**8**：147-157.
7) Wells AU, Flaherty KR, Brown KK, et al：Nintedanib in patients with progressive fibrosing interstitial lung diseases-subgroup analyses by interstitial lung disease diagnosis in the INBUILD trial：a randomised, double-blind, placebo-controlled, parallel-group trial. Lancet Respir Med 2020；**8**：453-460.
8) Behr J, Neuser P, Prasse A, et al：Exploring efficacy and safety of oral Pirfenidone for progressive, non-IPF lung fibrosis（RELIEF）-a randomized, double-blind, placebo-controlled, parallel group, multi-center, phase II trial. BMC Pulm Med 2017；**17**：122.
9) George PM, Spagnolo P, Kreuter M, et al：Progressive fibrosing interstitial lung disease：clinical uncertainties, consensus recommendations, and research priorities. Lancet Respir Med 2020；**8**：925-934.
10) Wijsenbeek M, Cottin V：Spectrum of Fibrotic Lung Diseases. N Engl J Med 2020；**383**：958-968.
11) Inoue Y, Kaner RJ, Guiot J, et al：Diagnostic and Prognostic Biomarkers for Chronic Fibrosing Interstitial Lung Diseases with a Progressive Phenotype. Chest 2020；**158**：646-659.
12) Maher TM, Stowasser S, Nishioka Y, et al：Biomarkers of extracellular matrix turnover in patients with idiopathic pulmonary fibrosis given nintedanib（INMARK study）：a randomised, placebo-controlled study. Lancet Respir Med 2019；**7**：771-779.
13) Hoffmann-Vold AM, Weigt SS, Saggar R, et al：Endotype-phenotyping may predict a treatment response in progressive fibrosing interstitial lung disease. EBioMedicine 2019；**50**：379-386.
14) Wong AW, Ryerson CJ, Guler SA：Progression of fibrosing interstitial lung disease. Respir Res 2020；**21**：32.
15) Okamoto M, Izuhara K, Ohta S, et al：Ability of Periostin as a New Biomarker of Idiopathic Pulmonary Fibrosis. Adv Exp Med Biol 2019；**1132**：79-87.
16) Cottin V, Hirani NA, Hotchkin DL, et al：Presentation, diagnosis and clinical course of the spectrum of progressive-fibrosing interstitial lung diseases. Eur Respir Rev 2018；**27**：180076.
17) Travis WD, Costabel U, Hansell DM, et al：An official American Thoracic Society/European Respiratory Society statement：

Update of the international multidisciplinary classification of the idiopathic interstitial pneumonias. Am J Respir Crit Care Med 2013 ; **188** : 733-748.
18) Raghu G, Rochwerg B, Zhang Y, et al An Official ATS/ERS/JRS/ALAT Clinical Practice Guideline : Treatment of Idiopathic Pulmonary Fibrosis. An Update of the 2011 Clinical Practice Guideline. Am J Respir Crit Care Med 2015 ; **192** : e3-e19.
19) 日本呼吸器学会（監）: 特発性肺線維症の治療ガイドライン 2017, 南江堂, 東京, 2017.

第Ⅲ章
IIPs 各疾患の概念と診断・治療

A. 慢性の線維化をきたす間質性肺炎

1 特発性肺線維症（IPF）

❶疾患概念

特発性肺線維症（idiopathic pulmonary fibrosis：IPF）は慢性かつ進行性の経過をたどり，高度の線維化が進行して不可逆性の蜂巣肺形成をきたす予後不良で原因不明の肺疾患である[1〜5]．主に高齢者に発生し，病変は肺に限局する．特発性間質性肺炎（idiopathic interstitial pneumonias：IIPs）のなかで，呼吸困難と呼吸機能が進行性に悪化することで特徴づけられる主要病型である．

IPF の診断には，まず，間質性肺疾患（interstitial lung disease：ILD）の様々な原因や基礎疾患，たとえば，過敏性肺炎や石綿肺などの環境・職業性曝露に起因する疾患，膠原病，薬剤性肺障害などを除外する必要がある．また，外科的肺生検（surgical lung biopsy：SLB）で得られた病理組織所見および/または画像パターンが通常型間質性肺炎（usual interstitial pneumonia：UIP）に合致することが必要であり，症状や呼吸機能検査で異常がなくても，IPF と診断することができる．HRCT 所見で典型的な UIP パターン（蜂巣肺の存在が必須）を示す場合には，確定診断に SLB は基本的には不要である．SLB が実施された症例では，HRCT 所見と SLB 所見の組み合わせで判断する．その場合，経験を積んだ臨床医・画像診断医・病理医による集学的検討（multidisciplinary discussion：MDD）が正確な診断を導き出すうえで重要である[2]．MDD に関する研究も行われ，その結果も報告されている[6,7]．

IPF の予後は不良であるが，その自然経過は様々であり予測が困難である（図1）[8]．多くの患者では，呼吸機能の悪化は年単位で徐々に進行する一方で，進行が遅く極めて安定している患者から急速に悪化する患者まで様々である．また，過去に安定していても呼吸不全が急速進行する患者も経験される．疾患の進行上の特徴は，呼吸器症状の増悪，呼吸機能の悪化，HRCT 上の線維化の進行，急速な呼吸器症状の悪化あるいは死亡である．IPF 患者は肺高血圧，胃食道逆流，閉塞性睡眠時無呼吸，肥満，循環器疾患，糖尿病，気腫を併存することがある．肺高血圧の併存は IPF の予後不良因子であるが，それ以外の病態の併存が IPF の予後に与える影響については明らかでない．日本での IPF の死因の最多は，急性増悪（acute exacerbation：AE）である[9,10]．また，IPF 患者では肺癌を合併しやすく，癌化学療法，外科治療，放射線治療によって AE の発症リスクが高まるため，治療方針が制限される場合が多く，重要な死因となっている．近年，厚労省びまん性肺疾患調査研究班において間質性肺炎合併肺癌の手術例の検討が行われ，AE を術前に予測するスコアが発表され臨床応用されている[11]．

IPF を治癒に導く確立された治療法がない現状において，治療の目標は長期悪化を防ぐことである．線維化の進行による拘束性換気障害の悪化を抑制する抗線維化薬の投与が推奨される．進行例においては肺移植も考慮されるべき治療法である．最近では IPF 研究において世界中の国と地域で registry が盛んに行われており[12]，日本でも JIPS registry（NCT03041623）が始まっている．

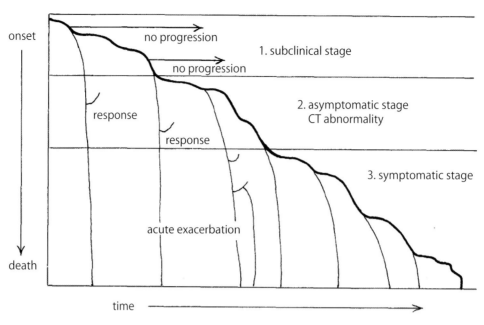

図1 IPFの臨床経過（自然史）

IPFの発症から死亡までの臨床経過は症例毎に様々である．CT上異常所見を認めない時期（subclinical stage）から，無症状ではあるがCT上の特徴的所見を有する時期（asymptomatic stage）を経て，咳嗽や呼吸困難などの自覚症状を呈する時期（symptomatic stage）へと進行し死を迎える症例が存在する一方で，ほとんど進行することなく極めて良好な経過をたどる症例が存在する．また，すべての時期において，極めて高い致死率を示す急性増悪（acute exacerbation）へと進展するリスクを有し，予後予測が困難である．

(Katoh T, et al : Intern Med 1995 ; **34** : 388-392[8])より引用)

❷疫　学

日本におけるIPFの発症率と有病率に関する調査結果が「厚生労働科学研究難治性疾患克服研究事業びまん性肺疾患に関する調査研究班」によって報告されている[10,13,14]．いずれの報告も，特定疾患医療受給者証交付の調査票（付3参照）をもとに分析されたものである．

2008年の北海道地方での調査報告[14]によると，IPFの発症率は10万人対2.23，有病率は10万人対10.0であった[10]．IPFの重症度（付2参照）別内訳は，Ⅰ度36.3％，Ⅱ度12.4％，Ⅲ度24.8％，Ⅳ度26.5％であった[14]．

一方，欧米での年間発症率は10万人対4.6～8.8[15~17]，有病率は10万人対14.0～27.9[15,17]と報告されている．日本の結果が，欧米に比較して発症率・有病率が低いことについては，特定疾患医療受給者を対象にしていることから，診断されても申請にいたらない患者の存在や，欧米における調査が，保険レセプト情報より国際疾病分類（ICDコード）を用いて抽出しており，IPF以外の疾患も混在する可能性があるのに比べ，日本では診断基準に基づいた厳正な診断に基づいていたことが一因と考えられる．

欧米からの報告では，男性の発症リスクは女性に比較し1.5倍高く[15,16]，日本では2.7倍とさらに高い数字を示した[10,18,19]．発症年齢は，欧米，日本ともに高齢発症でいずれの報告も70歳前後となっている[10,13~18]．社会の高齢化に伴い，発生率の増加も予想されている．先述の米国の報告では，2003年から2005年の間に観察された年齢別発生率および米国の将来の予測人口統計に基づいた検討において，2050年までに発生率は徐々に増加し，10万人対8.8人から20.8人まで増加すると推定されている[20]．

IPF患者の生存期間中央値は，特定疾患登録時を起点にした日本の553症例の報告では，35ヵ月（約3年）であった[10,18]．欧米の報告では，診断確定後の平均生存期間は28～52ヵ月である[15,21~24]．ただし，患者間での差は大きく，正確な予測はできない．これまでに報告されている様々な予後規定因子のなかで，FVCの経時的低下速度が最も重要とされている[25~27]．その他に，年齢[9,10]，性差（男性のほうが予後不良）[28]，観察開始時の呼吸困難の程度[29,30]，VC低下[9,10]，FVC低下[29,31]，DL_{CO}低下[9,10,29]，労作時低酸素血症[32,33]，肺高血圧の合併[34,35]，胸部HRCT所見上の線維性変化[31]，病理組織所見でのfibroblastic fociの広がり[29]，バイオマーカーとしては，日本で臨床応用されているKL-6[36]，SP-A[37,38]，SP-D[38~40]の著明な高値があげられる．また，ペリオスチンやMMP-7と予後との相関が報告されている[41,42]．複数のパラメーターを組み合わせた予後

されている．呼吸機能におけるパラ
〔略〕，%FVC, %FEV₁を組み合わせた
〔composite〕physiologic index）は，IPF患者の
〔線維〕化の程度との関連が示されている[43]．
〔肺気腫〕変化を合併する場合があり，その場
〔合は疾患の〕趨勢を反映しないことが多いが，CPI
〔は〕有効な予後予測モデルになりうる．
〔しかし〕予後との相関は示されていない．
〔新たに〕提唱されたGAPモデルは，Gen-
〔der（性別），Age（年〕齢），Physiology（呼吸機能；
〔％FVC, %DLCO）を〕評価項目としてスコア化し，そのスコアに応じて I からⅢの3群に分類するものであり，ステージごとの1年，2年，3年の予測〔生存率が示されている〕[44]．現在，世界中で活用されて〔いる．日本に〕おける検証では，ステージⅠおよびⅡでもオリジナルの予測値より不良であり[45,46]，今後の検討課題である．

〔急性増悪は重要な予後規定因子である[9,47,48]〕．〔その頻度は欧米の〕報告（18％）と異なり[15]，日〔本や韓国の〕調査では急性増悪が最多（約40％）である[10,18]．〔中〕国においても同様に高く，東アジア圏と非アジア圏で〔差〕がないという報告もあり，今後の検討課題である．また，IPFでは原発性肺癌が高率に合併し予後規定因子のひとつである．5年ないし10年の経過中に原発性肺癌が発生する確率はおのおの15.4％と54.7％であると報告されている[49]．

❸危険因子

世界各地でのケースコントロール・スタディによると，喫煙常習者のIPF発症オッズ比（OR）は1.6〜2.9であり，喫煙はIPFの危険因子とされている[50〜52]．胃食道逆流が肺線維症の発症に影響するとの報告がある[53]．また，明らかなじん肺が認められない患者においても，様々な環境曝露により肺線維症の発症リスクが上昇すると報告されている[51〜55]．その他，日本の調査では，クリーニング業，理髪業，なども剖検例で多い職業とされている[52]．金属や木の粉じん曝露は，喫煙とは関係なく最も顕著に肺線維症発症リスクの上昇に関与するとの報告がある[51,54,56]．しかしながら，過去の多くの研究ではHRCTや肺生検によるUIPパターンの確認はなされておらず，これらの報告は慎重に評価する必要がある．もちろん，原因が特定できる場合は，生検肺病変がUIPパターンを呈しても，二次性の肺線維症であって，IPFとは診断できない．

感染性因子としてEBV, CMV, HHV-7, HHV-8などのヘルペスウィルス科による慢性ウイルス感染は，IPFの発症リスクを増加させる，との報告がある[57,58]．

一方，IPF患者のBALFから検出されるStreptococcus, Haemophilus, Neisseria, Veillonellaなどの細菌量が呼吸機能の低下や死亡リスクに関連する，との報告がある[59]．また，IPFでは「家族性肺線維症」と呼ばれる家族性発症の報告があり[60,61]，SP-C（surfactant protein C）遺伝子の異常との関連が報告されている[62,63]．ゲノムワイド関連研究も行われ，MUC5B, TOLLIPおよびテロメラーゼ関連遺伝子などの複数のマイナーアレルと発症との関連が注目されている[64,65]．ヒト白血球抗原（HLA）との明らかな関連はない[66〜69]．

栄養との関係では，飽和脂肪酸と肉類の摂取は有意にリスクを高め，炭水化物，果実類の摂取などはリスクを下げる傾向がみられた[70]．また，高血糖や糖尿病はIPFのリスクを高める[71]．

❹臨床症状

IPFの進行は通常緩徐で，発症時の主症状は乾性咳嗽や労作時呼吸困難である．呼吸困難は一般に進行性で，来院する6ヵ月以上前から労作時の息切れを自覚していることが多い．呼吸困難はIPF患者の健康関連QOLの低下に大きく関与している[72]．また，乾性咳嗽は鎮咳薬では効果が不十分なことも多い．

聴診上，肺底部の捻髪音（fine crackles）は90％前後に認め[73,74]，IPFの早期診断にも有用とされる[75]．疾患が進行し，病変が広がるにつれ，捻髪音が聞かれる領域も肺底部から上方へと広がっていく．ばち指は，日本の報告では30〜60％前後に認められる[74,76]．

チアノーゼ，肺性心，末梢性浮腫は，IPFの末期にいたった患者で認められる．上記の呼吸器系の症状に加え，体重減少や倦怠感，疲労感を訴えることがある．発熱があるときは感染症の併発，あるいは急性増悪を疑う．膠原病に伴う間質性肺炎を除外するため，膠原病を示唆する症状や徴候については問診と身体所見の観察を入念に行う必要がある．

❺臨床検査と血清検査

血液検査には，IPFの確定診断に有用なものはないが，本疾患を疑うきっかけや病態のモニタリング，治療反応の評価に有用なもの，また，除外すべき原因疾患の鑑別に有用なものがある（Ⅱ-2-3「血液検査」参照）．

IPFでのKL-6, SP-D, SP-Aの異常高値率は87〜93％であり，重症度Ⅰ，Ⅱ度の軽症例においても高率（77〜87％）である[14]．また，血清LDH活性の異常高値率は約52％，軽症例に限定すると約41％である[14]．KL-6, SP-D, SP-Aの著明高値例は予後不良である[36〜40,77]．著明高値の目安は，おのおののマーカーのカットオフ値の2倍値である．IPFの急性増悪時には上

記の血清マーカーが同時に上昇することが多い．治療反応の評価には，陽性率の高い KL-6，SP-D が有用である[78～80]．ニューモシスチス肺炎やサイトメガロウイルス（CMV）肺炎において KL-6，SP-D，SP-A が上昇することがあるので，急激な上昇時にはニューモシスチス肺炎や CMV 肺炎の合併も考慮し，β-D-グルカンや CMV 抗原も同時に検索すべきである[81～83]．CRP の上昇はまれで，あっても軽微な上昇にとどまる．CRP 高値となったときは，急性増悪の発症や感染症の合併を疑う．CEA，CA19-9，SLX などの腫瘍マーカーが IPF の存在で軽度の上昇を示すことがある[84,85]．自己抗体では，IPF 患者の 18％ にリウマチ因子が[86]，4.0～8.5％ に MPO-ANCA が陽性であったとの報告がある[87,88]．また，IPF の経過観察中に陽転化する例もあり，のちに血管炎などを発症することもあるため留意する．また，IPF 患者において，血清ペリオスチンは呼吸機能の低下や，放射線学的な線維化の増加，長期予後を予測する良好なバイオマーカーである，との報告がある[89,90]．

❻画像所見

胸部 X 線写真では，びまん性網状影が両側中下肺野，末梢側優位に広がり，多くは肺の容積減少を伴う．蜂巣肺は小～粗大輪状陰影としてみられる（**図2**）[90～92]．IPF では consolidation はまれで，それがみられる場合，COP，AIP などのほかの IIPs を疑う．一般に胸膜病変はみられない．肺気腫と IPF が合併している患者では肺容量に減少がみられないこともあり，上葉の血管影減少が認められる[93]．

UIP の病理学上の hallmark は，①1 つの二次小葉内で正常の肺胞領域から，進行した線維化所見までの，新旧の病変が混在する temporal or spatial heterogeneity（空間的時間的多彩さ）と②病変が小葉（細葉）の辺縁に強いこと（小葉・細葉辺縁性分布）の 2 点である．蜂巣肺は進行した病変でみられる所見とされているに過ぎないが，画像診断では歴史的に蜂巣肺ばかりが取り上げられてきた．2018 年に改訂された ATS，ERS，JRS（日本呼吸器学会），ALAT 合同事業である IPF の新しい診療ガイドラインでは，組織診断がなくても，臨床像，HRCT 像から UIP は診断可能である場合があることが再確認された[94]．そのなかで，HRCT 像は今回 4 段階に分けられ（**表1**），①胸膜直下優位で不均等な分布を示すこと，②蜂巣肺（牽引性気管支拡張を伴う場合もない場合も）の 2 つを満たすものは UIP パターン（**図2**），①胸膜直下優位で不均等な分布を示すこと，②牽引性気管支拡張を伴う網状影を示すこと，の 2 つを持つものを probable UIP パターンとされた[94]（**図3**）．indeterminate for UIP には胸膜直下優位な分布を示す，軽微な網状影を持ついわば"early UIP パターン"としてよいものと，線維化の pattern，分布がどの type にもあてはまらない，"truly indeterminate パターン"の 2 型が含まれる．また，他の疾患を示唆するものは alternative diagnosis と分類された．

IPF/UIP の線維化が進行すると，牽引性気管支拡張や 1 cm 以下の比較的大きさの揃った囊胞性病変（蜂巣肺）を認める[95～98]．従来，蜂巣肺は胸膜下に多層性に配列する壁厚の囊胞の集合であり，連続的または斑状に分布するものとされたが[99～101]（**図2**），最近特に欧米では水平断方向に単層でも頭尾方向に重層していれば，蜂

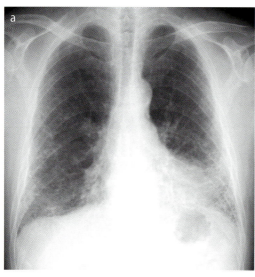 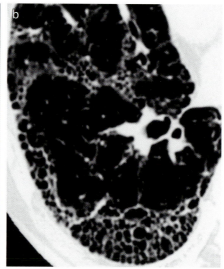

図2 IPF（UIP パターン）

a：胸部 X 線像．両側下肺野に網状影，輪状影を認め，強い容積減少を伴う．
b：CT 像．背側胸膜直下優位に蜂巣肺，網状影を認める．

表1 2018年改訂 ATS/ERS/JRS/ALAT による IPF 診断ガイドラインの CT パターン

HRCT パターン			
UIP	**Probable UIP**	**Indeterminate for UIP**	**Alternative Diagnosis**
・胸膜下肺野優位；分布はしばしば heterogeneous* ・蜂巣肺±牽引性気管支・細気管支拡張 *分布は様々： -しばしばびまん性 -非対称のこともある **Superimpose する CT 像： -軽微なすりガラス影 -網状影 -肺骨化	・胸膜下肺野優位；分布はしばしば heterogeneous* ・末梢牽引性気管支・細気管支拡張を伴う網状影 ・軽微なすりガラス影を伴うこともある	・胸膜下肺野優位 ・軽微な網状影；軽微なすりガラス影ないし構造改変を示しうる（"early UIP パターン"） ・線維化のパターン，分布がどの疾患にもあてはまらない（"truly indeterminate"）	・他の疾患を示唆する所見： -CT 像： 　○囊胞 　○顕著なモザイク attenuation 　○すりガラス影主体 　○多数の微小結節 　○小葉中心性粒状影 　○結節 　○浸潤影 ・優位な分布： 　○気管支血管周囲 　○リンパ路に沿った分布 　○上中肺野優位 -Other： 　○胸膜プラーク（石綿肺） 　○食道拡張（CTD） 　○遠位鎖骨端の erosions（RA） 　○多発 LNs 腫脹（other etiologies） 　○胸水，胸膜肥厚（GD，薬剤）

(Reghu G, et al：Am J Respir Crit Care Med 2018；**198**：e44-e68[5]) を参考に作成)

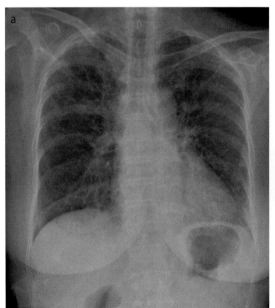
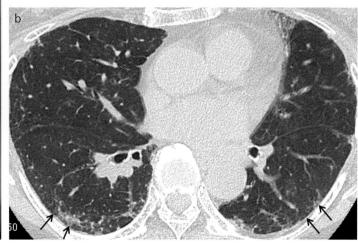

図3 IPF（probable UIP パターン）

a：胸部 X 線像．両側下肺野に網状影を認める．
b：CT 像．左右肺の背側胸膜直下優位に網状影を認める．蜂巣肺は伴っていないが牽引性細気管支拡張がみられる．

巣肺とする傾向がある[94,102]．IPF の画像診断上，蜂巣肺の有無は非常に重要な所見である．しかしながら，病理組織学的に顕微鏡下のみでみられる蜂巣肺形成，いわゆる顕微鏡的蜂巣肺（microscopic honeycombing）は，HRCT では単に斑状の高吸収域としか認識されない場合もあり，また基礎に肺気腫の存在している症例では蜂巣肺の有無の判断が難しいこともある[103]（**図4**）．こういった事情もあり，熟練した読影医でも蜂巣肺診断の再現性は必ずしも高くなく，蜂巣肺のみを判定基準において IPF/UIP を診断することには限界がある[104]．

この点からも，前述した UIP の病理学上の hallmark の2点を画像で読みとるための検討が必要であろう[105]．

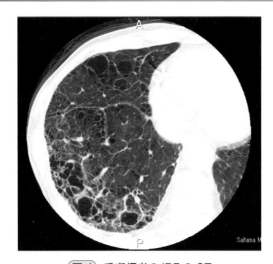

図4 重喫煙者のIPFのCT
気腫性嚢胞と蜂巣肺の識別は容易ではない.

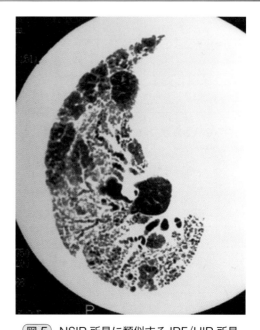

図5 NSIP所見に類似するIPF/UIP所見
CT像.網状影が気管支に沿って扇型に広がり,牽引性気管支拡張と容積減少を伴っている.

HRCTの重要な意義として,UIPの予後の推定があげられる.多変量解析を用いた検討から,網状影と蜂巣肺および牽引性気管支拡張が広範であればあるほど予後不良であることが示された[106,107].

IPFをその他のIIPsと鑑別することは重要である.特にIPFとならんで頻度の高いNSIPとの鑑別は重要である.多変量解析による検討から,UIPのほうがNSIPよりも胸膜直下優位でpatchyな分布を示し,すりガラス影の範囲は狭く,蜂巣肺は広範にみられる[108,109].しかしながら,外科的生検でUIPと診断されたもののうち20～30%がNSIPに類似しており(図5)[107,110],NSIPが経過中UIP類似の画像を示すこともあり[111],両者の鑑別は容易ではない.重喫煙患者におけるNSIPとの鑑別はさらに困難であり,NSIPで気腫性嚢胞にすりガラス影が重なって蜂巣肺様になることなど様々な理由から,蜂巣肺が両者の鑑別には役立たず,UIPのほうが牽引性気管支拡張が広範であることが鑑別のポイントである[112].HRCTでは,IPF/UIPと,アスベスト肺(石綿肺)や膠原病肺に伴うUIPとの鑑別も容易ではない.石綿肺のときには胸膜プラークがみられることが多く,画像から推定可能なものもあるが[113],慢性過敏性肺炎[114～116]や,日本ではまれだが,サルコイドーシスの終末像[117]では鑑別が不可能なものもあり,臨床経過やほかの検査データが必要となる[118].

❼呼吸機能検査

一般的にIPFでは拘束性換気障害[肺活量(VC)や全肺気量(TLC)の減少]が認められる[119].肺拡散能(DL_{CO})は低下することが多く,通常DL_{CO}の低下はVCやTLCの減少よりも先にみられる.喫煙歴を有する患者では,非喫煙者に比べ,気腫性病変を併発し,肺の縮小をきたさないことから比較的肺気量が保たれ,拘束性換気障害を呈さないことがある一方で,DL_{CO}低下が著しい傾向がある.

病状が進行したIPF患者では,換気と血流の不均衡が生じ,安静時にも低酸素血症を認める.安静時動脈血ガス交換が正常域にあるIPF患者でも,歩行などの運動によって著しい低酸素血症が顕在化することがある.これは,運動することによって,肺胞気-動脈血酸素分圧較差($A\text{-}aDO_2$)が開大し,動脈血酸素分圧(PaO_2)および動脈血酸素飽和度(SaO_2)が低下するためである.また,健常人での軽い運動時の換気量増加は,呼吸数の増加ではなく1回換気量の上昇で代償されるのに対し,IPF患者では主に呼吸数の増加により分時換気量増加が生じる.安静時に認められる動脈血ガス交換障害から,運動時にみられる動脈血ガス交換障害の程度を正確に予測することはできない.運動時の心肺機能検査のほうが安静時の生理学的検査よりも感度が高い[120].特に,運動時の低酸素血症は予後不良の指標となる[121～123].

軽症のIPF患者では,安静時に肺高血圧がみられることはまれであるが,運動負荷時でのみみられることがある.病状が進行し,VCが予測値の50%未満,あるいはDL_{CO}が予測値の45%未満に低下した患者では,安静時肺高血圧の発症リスクが上昇する[124].一般に安静時平均肺動脈圧が25 mmHgを超えると予後不良である[123]が,17 mmHg以上でも予後不良との報告[125]や,境界型肺高血圧(21～24 mmHg)でも予後不良と

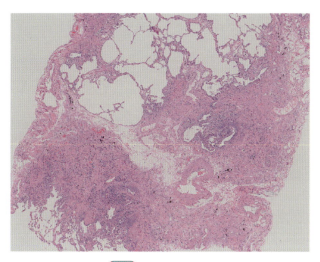

図6 UIP の組織像

正常肺を介在する密な線維化が小葉辺縁優位にみられる．

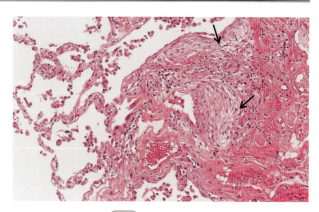

図7 UIP の組織像

密な線維化巣（右側）と隣接して線維芽細胞が増殖する線維芽細胞巣（黒矢印）がみられ，正常肺（左側）へと移行する．

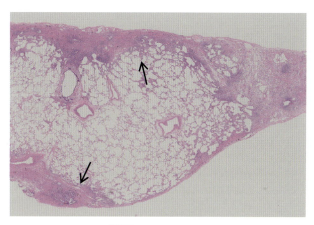

図8 UIP の組織像

UIP にみられる線維化は胸膜下を生体として小葉辺縁部に繰り返し観察される．

❽気管支肺胞洗浄（BAL）

IPF 症例での BAL 液中リンパ球比率の増加は，組織所見では活動性の胞隔炎を反映し，ステロイドに良好な反応性を示すと報告されてきたが[127]，リンパ球増加を示す多くの症例は，現在の組織分類では IPF/UIP ではなく，NSIP や COP であったと推測されている[128]．また，好中球比率の増加は，急性呼吸窮迫症候群と類似病態とされる IPF 急性増悪発症時にみられるほか，線維化所見の程度とも関連し，好中球，好酸球比率の増加は予後不良との報告もある[129,130]．

現時点で，IPF の診断・予後推定・経過の評価に BAL が有効であるとはされないが，ほかの疾患を除外するために有効な場合がある．なお，IPF に限った日本での検討では，NSIP や COP に比べ，BAL 液の細胞分画ではリンパ球比率が正常に近いことがむしろ特徴的と報告されている[131]．近年，BAL の microbiome 研究が盛んに行われるようになり，研究成果も報告されてきている[86,132,133]．

IPF において，BAL 施行後に急性増悪が顕在化することがあるので[134]，検査後数日間の慎重な観察と発症時の適切な治療介入が必要である．

❾病　理

a）病理組織学的特徴

IPF/UIP では，肺の構造破壊を伴う密な線維化が胸膜下もしくは小葉の辺縁優位にみられ，斑状に分布する．病変間には正常肺が介在し，慢性に経過したと考えられる密な線維化病変の辺縁部と正常肺との境界部には，活動性の病変と考えられる線維芽細胞巣（fibroblastic foci）が散在する（**図6**）．慢性に経過したと考えられる密な線維化病変と活動性の病変と考えられる線維芽細胞巣が連続的に存在することから，病変の時相が多彩（temporal heterogeneity）であると表現される（**図7**）．弱拡大ではこれら多彩な時相の線維化病変が比較的狭い範囲で繰り返しみられ，介在する正常肺と線維化病変は急峻に変化すること（abrupt change）が特徴である（**図8**）．密な線維化病変では，正常肺胞構造は破壊消失，改築され，膠原線維の増生が主体となり，炎症細胞成分も乏しく，しばしば平滑筋の増生を伴う．蜂巣肺や牽引性の気道拡張が高頻度にみられる．蜂巣肺形成は密な線維化病変の部分に終末像としてみられる末梢気腔の嚢胞性拡張で，通常は径2〜10 mm くらいのものが多い（**図9**）．径が2 mm 以下のものでは，腔が小さいことに加え，内腔に粘液や蛋白物質の充満することがあり，CT では認識できないことが多いため，顕微鏡的蜂巣肺と呼ばれることもある（**図10**）[135,136]．炎症細胞浸潤は軽度なことが多いが，蜂巣肺から離れた部位に強く

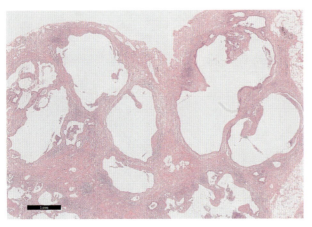

図9 UIPにみられる蜂巣肺

小葉辺縁部の肺胞虚脱を伴う線維化と末梢気腔の囊胞病変の集合からなる．囊胞内面は細気管支上皮で被覆される（上部が臓側胸膜）．

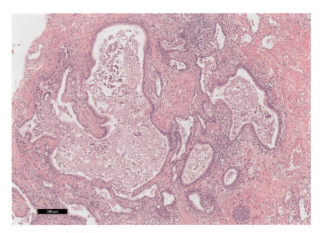

図10 UIPにみられる顕微鏡的蜂巣肺

粘液が充満していて，CT画像では蜂巣肺として観察されないことが多い．

表2 2018年ATS/ERS/JRS/ALATによるIPFガイドラインにおけるIPF/UIPの病理診断基準

UIP	Probable UIP	Indeterminate for UIP	Alternative diagnosis
・肺の構造改築を伴う密な線維化病変 ・胸膜直下および/または小葉辺縁優位の線維化病変 ・斑状に分布する線維化病変 ・線維芽細胞巣 ・他の疾患を示唆する所見がない	・ある程度のUIP所見があるものの，UIP/IPFと断定できない ・他の疾患を示唆する所見がない または ・蜂巣肺のみ	・UIPパターン以外の線維化病変，二次性のUIPパターンを支持する線維化病変（肉芽腫，著明な気道中心性変化など） ・ある程度のUIP所見があるが，副所見として異なる診断を示唆する病理所見を有する（胚中心を含む著明なリンパ濾胞形成，明瞭な細気管支中心性病変など）	・全生検検体でUIP以外の組織学的パターンを示す（線維芽細胞巣がまったくない，全体がlooseな線維化よりなるものなど） ・異なる疾患を示す組織学的病変（過敏性肺炎，LCH，サルコイドーシス，LAMなど）

観察される場合は過敏性肺炎や膠原病関連の間質性肺炎またはNSIPなど違った病態を考慮する必要がある．部分的にⅡ型肺胞上皮の腫大増生や扁平上皮化生がみられることもある[135,136]．2011年に示され，その後2018年に改訂されたATS/ERS/JRS/ALATによるIPFのガイドライン[5]では，病理診断としてのUIPに加え，その確診度を付記することが推奨されている．UIPと診断するクライテリアとして，①構造破壊を伴う顕著で密な線維化病変，②胸膜直下及び小葉辺縁の分布，③斑状分布する線維化病変，④線維芽細胞巣，⑤他疾患を示唆する所見がないことの5つが示されている．このうち，①〜④の所見がある程度（2つ以上）あり，かつ⑤を満たすが，UIP/IPFとは確実にはいえない状態，もしくは蜂巣肺のみの終末期像しか確認できないものをprobable UIPとしている．構造改築の有無にかかわらず，UIP/IPF以外の慢性の線維化病変を有するものや，UIP所見を有するが他疾患を示唆する所見を有するものを，indeterminate for UIPとしている．なお，UIP/IPF以外の慢性の線維化病変を示唆する所見として，複数の肉芽腫，硝子膜（ただし，IPFの急性増悪と考えられる場合はこの限りではない），気道中心性優位の線維化病変，線維化を伴わない間質の炎症細胞浸潤，顕著な線維性胸膜炎，器質化肺炎があげられている．また，他疾患を示唆する所見として，蜂巣肺部以外の炎症細胞浸潤，胚中心を有するリンパ濾胞，顕著なperibronchiolar metaplasiaなどの明瞭な気道中心性の病変があげられている．このガイドラインでは，fibrotic NSIPなど他疾患を疑う場合でも慢性の線維化病変が含まれていればindeterminate for UIPと判断されるが，その場合は組織型の診断とIPFガイドラインに準じた診断を併記して，臨床医および画像医とのコンセンサスによるMDD診断を行うことが望ましい．

IPF/UIPの組織診断基準を**表2**に示す．

b）鑑別診断（表3）

IPF/UIPの主な鑑別診断にはIIPsのほかの病型，特にNSIPがあげられる[129,137,138]．二次性のものとしては関節リウマチや強皮症などの膠原病，石綿肺，慢性過敏性肺炎，Hermansky-Pudlak症候群，薬剤性肺炎などが

表3 HRCTと肺生検を組み合わせたIPF診断（MDDを要する）

IPF suspected		Histopathology pattern			
		UIP	Probable UIP	Indeterminate for UIP	Alternative diagnosis
HRCT pattern	UIP	IPF	IPF	IPF	Non-IPF Dx
	Probable UIP	IPF	IPF	IPF（Likely）	Non-IPF Dx
	Indeterminate	IPF	IPF（Likely）	Indeterminate	Non-IPF Dx
	Alternative diagnosis	IPF（Likely）/ non-IPF Dx	Non-IPF Dx	Non-IPF Dx	Non-IPF Dx

含まれ，ときに無気肺硬化病変であるPPFE（pleuroparenchymal fibroelastosis）が鑑別対象となる場合がある．NSIP[129,138]では，病変は胸膜下から肺内側までびまん性で，病変間に完全な正常肺は含まれず，正常肺が含まれたとしてもabrupt changeはみられない．また，線維化病変は線維成分が疎なものから密なものまで症例により差がみられるが，同一症例では比較的時相が一様で，蜂巣肺の形成や線維芽細胞巣は極めて少ないことなどが鑑別の要点となる．上述のごとく，多くのNSIPはindeterminate for UIPパターンと判断されると考えられるので臨床所見・画像所見を含めた総合判断が必要である．

病理像から，二次性のUIPパターンとIPF/UIPとの区別を正確に鑑別することは困難であるが，しばしばおのおのの原因に特徴的な組織像をみるために原因を推測できることがある．膠原病に合併するUIPパターンでは，線維化病変内での形質細胞中心の細胞浸潤が強く，胚中心を有するリンパ濾胞形成が目立つ．密な線維化病変がIPF/UIPの場合よりもびまん性で，さらに気道病変，胸膜病変，血管病変を伴うことが多い（図11）．臨床的に膠原病の診断基準を満たさない症例に種々の程度でこういった所見が観察されることがある．このような自己免疫疾患の性格を有する間質性肺炎について，IPAF（interstitial pneumonia with autoimmune features）[140]という概念が提唱されているが，これらの病変を膠原病として取り扱うことを強く推奨する検証データはないため，現時点ではIPAFはIIPsの一群として理解されているが，特発性として扱うべきか膠原病の亜群として扱うべきなのかはいまだ議論の余地がある．石綿肺[141,142]では病変が小葉中心部に優勢であること，線維化病変内に石綿小体を認めること，壁側胸膜に胸膜プラークを認めることが鑑別点となる．慢性過敏性肺炎[143〜147]では線維化病変内に存在するコレステリン結晶を伴う複数の多核巨細胞，肉芽腫性病変の存在，小葉中心部に優勢の線維化が鑑別の要点となる．小葉中心部から辺縁部につながるようなbridging fibrosisと呼ばれ

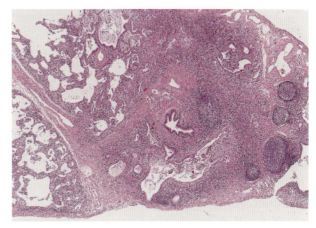

図11 関節リウマチに合併した間質性肺炎

胚中心を持つリンパ濾胞や形質細胞浸潤，慢性細気管支炎，胸膜炎などが目立つ．

る線維化病変も鑑別の要点となると報告されている．ANCA関連肺疾患では半数以上の症例においてUIPが観察され，IPFの重要な鑑別疾患となるが，ANCA関連肺疾患ではNSIP病変の混在や間質の炎症細胞浸潤，胚中心を有する豊富なリンパ濾胞，末梢気道や血管の炎症所見を伴うことなどが鑑別点となりうる[148,149]．Hermansky-Pudlak症候群[150]ではⅡ型細胞上皮の著明な泡沫状の腫大，また線維化病変内に鉄染色では陰性の黄色顆粒（セロイド）を細胞質に持つマクロファージがみられることが鑑別の要点である．薬剤性肺炎では線維化病変がIPF/UIPよりもびまん性の傾向があり，器質化肺炎を高頻度に伴う．肉芽腫を認めることもまれにある．PPFEなどの無気肺硬化では，弾性線維染色で観察すると肺胞壁弾性線維が保たれた状態で畳み込まれ密集し，種々の程度のコラーゲン線維が腔内を充塡するようにみえるが，IPF/UIPでは線維化病変内で肺胞壁弾性線維の不規則な凝集，断裂，融解消失傾向がみられる．

❿ IPFの診断

IPFの診断の流れについては，基本的に「IPF診断のフローチャート」（p.5）のとおりである．まず，原因

の特定できるほかの間質性肺疾患を臨床的に除外する必要がある．そのうえで，HRCT 所見で典型的な UIP パターンを示す場合には，確定診断に SLB は必要ではない．また HRCT で probable UIP の場合でも SLB を実施せずに診断を確定することも許容される．SLB が実施された症例では，HRCT 所見と SLB 所見の組み合わせで判断する（表4）．HRCT 所見で indeterminate for UIP パターンの場合で，生検検体が適切に採取されている場合には，その根拠，つまり UIP パターン以外の組織型であればその組織型，もしくは IPF 以外の UIP パターンを疑う場合は想定される病態とその根拠の記載が望まれる．これを参照して間質性肺疾患の診断経験を積んだ呼吸器専門医，画像診断医ならびに病理診断医が MDD を行い，総合的に判断することが IPF の正確な診断を導き出すうえで重要である．

表4 IPF/UIP の主な鑑別診断

IIPs のほかの病型，特に fibrotic iNSIP
膠原病に伴う間質性肺疾患
慢性過敏性肺炎
石綿肺
Hermansky-Pudlak 症候群
薬剤性肺炎
PPFE

⓫ 治 療（表5）

IPF の病因に対する研究の進展は，IPF の病態における炎症の重要性を否定するものであった．また，実際にも IPF に対して過去に試みられたステロイド単独療法は，有効性に乏しい[151～153]．IPF でステロイドが有効であったという従来の報告には，IPF/UIP 以外の病型（NSIP，OP）や IIPs 以外の疾患が含まれていた可能性が高い[153]．

現在では IPF の中心的な主要病態として，気道上皮細胞に対する慢性的な傷害から，慢性の線維化が生じてくる過程が考えられている．このため，IPF に対しての第一選択薬として，日本発で世界初の抗線維化薬であるピルフェニドン[154]および 2015 年 7 月に認可されたニンテダニブ[155]が用いられる．いずれの薬剤も 2015 年に発行された ATS/ERS/JRS/ALAT のガイドライン[156]では"Conditional recommendation for use"，2017 年に発行されたわが国の特発性肺線維症の治療ガイドライン[20,157]においては「慢性安定期の IPF 患者に投与することを提案する」と推奨されている．ただし，IPF は基本的に非可逆性に進行する疾患であるから，これらの新薬の使用に際しては，進行の抑制効果はあるにせよ完治は期待できないとのインフォームドコンセントが必要である．超高齢者や重篤な合併症を有する患者では積極的

表5 IPF ガイドライン（ATS/ERS/JRS/ALAT）：2015 年と 2011 年の比較

治療薬	2015 年ガイドライン	2011 年ガイドライン
ステロイド単剤療法	変更（記載）なし	使用しないことを強く推奨
シクロスポリン A	変更（記載）なし	使用しないことを強く推奨
ステロイド＋免疫抑制剤併用療法	変更（記載）なし	使用しないことを強く推奨
抗凝固療法（ワルファリン）	使用しないことを強く推奨*	使用しないことを条件付き推奨‡
プレドニゾロン＋アザチオプリン＋N-アセチルシステイン（経口）併用療法	使用しないことを強く推奨†	使用しないことを条件付き推奨†
選択的エンドセリン受容体拮抗薬（アンブリセンタン）	使用しないことを強く推奨†	記述なし
イマチニブ	使用しないことを強く推奨*	記述なし
ニンテダニブ	使用を条件付き推奨*	記述なし
ピルフェニドン	使用を条件付き推奨*	使用しないことを条件付き推奨†
非選択的エンドセリン受容体拮抗薬（マシテンタン，ボセンタン）	使用しないことを条件付き推奨†	使用しないことを強く推奨*
ホスホジエステラーゼ 5 阻害薬（シルデナフィル）	使用しないことを条件付き推奨*	記述なし
N-アセチルシステイン（経口）単剤療法	使用しないことを条件付き推奨†	使用しないことを条件付き推奨

＊：推定効果の確信度が中等度，†：推定効果の確信度が低い
‡：推定効果の確信度がきわめて低い
Raghu G et al：Am J Respir Crit Care Med 2011；183：788-824.
Raghu G et al：Am J Respir Crit Care Med 2015；192：e3-e19. より作成

な薬物治療を行わない場合もありうるが，それも十分な治療経験を持つ専門医による判断が必要である．

ステロイドや免疫抑制薬は基本的には用いない．わが国の特発性肺線維症の治療ガイドライン[20,157]においても「使用しないことを強く推奨する」とされている．ただし，IPFを疑ったが，BAL液中のリンパ球増加が著しい場合，生検所見にてNSIPやCOPなど他のIIPsの病理所見と診断が紛らわしい場合などは，MDDではIPFではなく分類不能型と診断される場合がある．このような症例ではステロイドや免疫抑制薬による治療が検討される場合がある．また，症状緩和を目的としてステロイドが使われる場合がありうるが，エビデンスレベルの高い大規模研究が行われていないため[158]，十分なインフォームドコンセントが必要である．

肺移植は，確立された治療法のない本疾患では，考慮される治療法である（IV-6参照）．適応基準を満たせば，脳死肺移植と生体肺移植のどちらにも登録・実施が可能である．

a）IPFの薬物治療例
（1）ピルフェニドン（pirfenidone）

2つの国内臨床試験の結果を受けて，2008年12月から本剤によるIPF患者の治療が可能となり，臨床での使用経験も蓄積されている[159,160]．2017年に発行された日本の特発性肺線維症の治療ガイドライン[20,157]においても，「慢性安定期のIPF患者にピルフェニドンを投与することを提案する」とされている．200 mg×3回/日から開始し，2週間後，400 mg×3回/日へ増量，さらに2週間後600 mg×3回/日へ増量し，以後継続内服する．なお，副作用にて継続内服が困難な場合は減量とする．臨床試験では，肺活量の低下を抑制し，無増悪生存期間を延長し，また，急性増悪を抑制し死亡リスクを軽減させる可能性が示唆されている．主な有害事象として，消化器症状（約49％），光線過敏症（約14％）があり[161]，有効性と有害事象とのバランスを見極めながら治療する必要がある．光線過敏症対策には，帽子・日傘など紫外線遮断の工夫を施すほか，紫外線遮断薬（サンスクリーン）の塗布が勧められ，一定の効果が得られている．消化器症状は悪心，食欲不振が多く，ピルフェニドンの減量や制吐薬などの併用を考慮する．特に呼吸機能高度低下例には有害事象が高頻度に認められる傾向があり，有効性も呼吸機能低下が高度になると期待薄になることから，特に進行の速い症例では，速やかに本薬の導入を検討する[162〜164]．

進行期IPF患者におけるピルフェニドンとNAC吸入療法の併用効果を示す報告があり[165]，厚労省びまん性肺疾患調査研究班において国内第III相比較試験が行われたが，有効性は示されなかった[166]．

（2）ニンテダニブ（nintedanib）

日本人が126名参加した第III相INPULSIS試験の結果を受けて，2015年8月末から本剤によるIPF患者の治療が可能となっている．150 mgを1日2回内服するが，臨床試験では，肺活量の低下を抑制し，急性増悪を抑制する可能性が示されている．有害事象の中心は下痢であるが，対応策として，補液や止瀉薬（ロペラミドなど）の投与が推奨され，効果があれば投与を継続する．効果が不十分であれば，投薬を中断するか，1回100 mg 1日2回に減量し，改善すれば150 mg 1日2回へ戻すということも示されている．高度の下痢の場合は投与を中止し，再投与は行わない．最近，日本から低用量ニンテダニブによる有効性を示唆する報告もされている[167]．また，消化器毒性が生命予後のリスクファクターとなるという報告もあり[168]，リスク・ベネフィットを考慮した投与計画が重要となると考えられる．

（3）N-アセチルシステイン（N-acetylcysteine：NAC）

欧州を中心とした経口薬による臨床試験結果からVC，DL_{CO}の低下抑制が期待されたが，2014年のPANTHER試験ではnegativeな結果となった[169]．その後，PANTHER試験症例のsingle-nucleotide polymorphisms（SNPs）の解析で，*TOLLIP*遺伝子多型でTT genoypeの症例ではNAC療法の有効性が示唆されており，症例選択によっては有効な可能性が残されている[170]．日本では吸入薬のみ入手可能で，投与法が異なることから有効性が期待され，厚生労働省びまん性肺疾患調査研究班においてピルフェニドンとの併用の効果を検証する国内第III相比較試験が行われたが，有効性は示されなかった[166]．

b）効果判定と治療期間

IPFは，基本的に進行性の予後不良の線維化性肺疾患であるので，進行を抑制し，長期間悪化を防ぐことを目標とすべきである．

IPFの治療効果判定としては，努力肺活量（FVC）もしくは肺活量（VC）が広く用いられている．IPFでは，平均すると年間約150〜200 mLのFVC，VC低下が認められる．治療によりFVC，VCの低下を抑えられるようであれば有効性があると判断される．他にはHRCT，肺拡散能（DL_{CO}），PaO_2，6分間歩行負荷試験（6mWT）なども用いられるが，客観的指標以外にも，歩行時の呼吸困難感や咳嗽の軽減などが認められる場合は，治療継続を考慮する．

効果判定は治療開始から3〜6ヵ月後に行う．参考としてATS/ERSによる以前の（2000年）効果判定基準を**表6**に示す[3]．悪化がなければ治療を継続し以後3〜6ヵ月ごとに効果判定を行い，悪化，あるいは副作用が問題とならなければ治療継続を基本とする[3]．

表6 治療効果判定基準

治療開始後 3～6 ヵ月後に評価する

改善：以下の 3 項目のうち 2 項目以上を満たす場合
1	症状の改善：特に呼吸困難，あるいは咳嗽
2	画像所見の改善：胸部 X 線あるいは HRCT での陰影の減少
3	呼吸機能の改善（以下の 2 項目以上） ・TLC あるいは VC の 10% 以上の改善（あるいは 200 mL 以上の改善） ・DLco の 15% 以上の改善（あるいは 3 mL/分/mmHg 以上の改善） ・運動負荷試験時の酸素飽和度 4% 以上，あるいは PaO$_2$ 4 mmHg 以上の改善あるいは正常化

安定：以下の 3 項目のうち 2 項目以上を満たす場合（6 ヵ月後に評価）
1	TLC あるいは肺活量 VC の変化 10% 未満，あるいは 200 mL 未満
2	DLco の変化 15% 未満，あるいは 3 mL/分/mmHg 未満
3	運動負荷試験時の酸素飽和度の変化 4% 未満，あるいは PaO$_2$ の変化 4 mmHg 未満

悪化：以下の 3 項目のうち 2 項目以上を満たす場合（6 ヵ月後に評価）
1	症状の悪化：特に呼吸困難，あるいは咳嗽
2	画像所見の悪化（特に蜂巣肺への進行）あるいは肺高血圧の徴候
3	呼吸機能の悪化（以下の 2 項目以上） ・TLC あるいは VC の 10% 以上の悪化，あるいは 200 mL 以上の悪化 ・DLco の 15% 以上の悪化，あるいは 3 mL/分/mmHg 以上の悪化 ・安静時あるいは運動負荷時の酸素飽和度の 4% 以上，あるいは PaO$_2$ 4 mmHg 以上の悪化

(Raghu G, et al：Am J Respir Crit Care Med 2011；**183**：788-824[1]) を参考に作成)

文献

1) Raghu G, Collard HR, Egan JJ, et al：An official ATS/ ERS/ JRS/ ALAT statement：idiopathic pulmonary fibrosis：evidence-based guidelines for diagnosis and management. Am J Respir Crit Care Med 2011；**183**：788-824.
2) Travis WD, Costabel U, Hansell DM, et al：An official American Thoracic Society/ European Respiratory Society statement：Update of the international multidisciplinary classification of the idiopathic interstitial pneumonias. ATS/ ERS Committee on Idiopathic Interstitial Pneumonias. Am J Respir Crit Care Med 2013；**188**：733-748.
3) American Thoracic Society：Idiopathic pulmonary fibrosis：diagnosis and treatment. International consensus statement. American Thoracic Society (ATS), and the European Respiratory Society (ERS). Am J Respir Crit Care Med 2000；**161**：646-664.
4) Katzenstein AL, Myers JL：Idiopathic pulmonary fibrosis：clinical relevance of pathologic classification. Am J Respir Crit Care Med 1998；**157**：1301-1315.
5) Raghu G, Remy-Jardin M, Myers JL, et al：Diagnosis of Idiopathic Pulmonary Fibrosis. An Official ATS/ERS/JRS/ALAT Clinical Practice Guideline. Am J Respir Crit Care Med 2018；198：e44-e68.
6) Walsh SL, Wells AU, Desai SR, et al：Multicentre evaluation of multidisciplinary team meeting agreement on diagnosis in diffuse parenchymal lung disease：a case-cohort study. Lancet Respir Med 2016；**4**：557-565.
7) Fujisawa T, Mori K, Mikamo M, et al：Nationwide cloud-based integrated database of idiopathic interstitial pneumonias for multidisciplinary discussion. Eur Respir J 2019；**53**：1802243.
8) Katoh T, Ohishi T, Ikuta N, et al：A rapidly progressive case of interstitial pneumonia. Intern Med 1995；**34**：388-392.
9) Kondoh Y, Taniguchi H, Kawabata Y, et al：Acute exacerbation in idiopathic pulmonary fibrosis. Analysis of clinical and pathologic findings in three cases. Chest 1993；**103**：1808-1812.
10) Natsuizaka M, Chiba H, Kuronuma K, et al：Epidemiologic survey of Japanese patients with idiopathic pulmonary fibrosis and investigation of ethnic differences. Am J Respir Crit Care

Med 2014 ; **190** : 773-779.
11) Sato T, Kondo H, Watanabe A, et al : A simple risk scoring system for predicting acute exacerbation of interstitial pneumonia after pulmonary resection in lung cancer patients. Gen Thorac Cardiovasc Surg 2015 ; **63** : 164-172.
12) Culver DA, Behr J, Belperio JA, et al : Patient Registries in Idiopathic Pulmonary Fibrosis. Am J Respir Crit Care Med 2019 ; **200** : 160-167.
13) 中屋孝清，坂東政司，杉山幸比古：臨床調査個人票に基づく特発性間質性肺炎の全国疫学調査 2007．厚生労働科学研究難治性疾患克服研究事業びまん性肺疾患に関する研究班平成 20 年度報告書，2009 ; p 35-38.
14) 千葉弘文，林　伸好，髙橋弘毅：北海道における臨床調査個人票に基づく特発性間質性肺炎の疫学調査．厚生労働科学研究難治性疾患克服研究事業びまん性肺疾患に関する研究班平成 20 年度報告書，2009 ; p 39-46.
15) Fernández Pérez ER, Daniels CE, et al : Incidence, prevalence, and clinical course of idiopathic pulmonary fibrosis : a population-based study. Chest 2010 ; **137** : 129-137.
16) Gribbin J, Hubbard RB, Le Jeune I, et al : Incidence and mortality of idiopathic pulmonary fibrosis and sarcoidosis in the UK. Thorax 2006 ; **61** : 980-985.
17) Raghu G, Weycker D, Edelsberg J, et al : Incidence and prevalence of idiopathic pulmonary fibrosis. Am J Respir Crit Care Med 2006 ; **174** : 810-816.
18) 千葉弘文，夏井坂元基，髙橋弘毅：北海道における臨床調査個人票に基づく特発性間質性肺炎の疫学調査．厚生労働科学研究難治性疾患克服研究事業びまん性肺疾患に関する研究班平成 25 年度報告書，2014.
19) American Thoracic Society/ European Respiratory Society International Multidisciplinary Consensus Classification of the Idiopathic Interstitial Pneumonias. Am J Respir Crit Care Med 2002 ; **165** : 277-304.
20) 厚生労働科学研究費補助金難治性疾患政策研究事業「びまん性肺疾患に関する調査研究」班：特発性肺線維症の治療ガイドライン作成委員会：特発性肺線維症の治療ガイドライン 2017，南江堂，東京，2017
21) Bioraker JA, Ryu JH, Edwin MK, et al : Prognostic significance of histopathologic subsets in idiopathic pulmonary fibrosis. Am J Respir Crit Care Med 1998 ; **157** : 199-203.
22) King TE Jr, Tooze JA, Schwarz MI, et al : Predicting survival in idiopathic pulmonary fibrosis : scoring system and survival model. Am J Respir Crit Care Med 2001 ; **164** : 1171-1181.
23) Mapel DW, Hunt WC, Utton R, et al : Idiopathic pulmonary fibrosis : survival in population based and hospital based cohorts. Thorax 1998 ; **53** : 469-476.
24) Schwartz DA, Helmers RA, Galvin JR, et al : Determinants of survival in idiopathic pulmonary fibrosis. Am J Respir Crit Care Med 1994 ; **149** : 450-454.
25) Collard HR, King TE Jr, Bartelson BB, et al : Changes in clinical and physiologic variables predict survival in idiopathic pulmonary fibrosis. Am J Respir Crit Care Med 2003 ; **168** : 538-542.
26) Flaherty KR, Mumford JA, Murray S, et al : Prognostic implications of physiologic and radiographic changes in idiopathic interstitial pneumonia. Am J Respir Crit Care Med 2003 ; **168** : 543-548.
27) Latsi PI, du Bois RM, Nicholson AG, et al : Fibrotic idiopathic interstitial pneumonia : the prognostic value of longitudinal functional trends. Am J Respir Crit Care Med 2003 ; **168** : 531-537.
28) Ley B, Ryerson CJ, Vittinghoff E, et al : A multidimensional index and staging system for idiopathic pulmonary fibrosis. Ann Intern Med 2012 ; **156** : 684-691.
29) King TE Jr, Schwarz MI, Brown K, et al : Idiopathic pulmonary fibrosis : relationship between histopathologic features and mortality. Am J Respir Crit Care Med 2001 ; **164** : 1025-1032.
30) Nishiyama O, Taniguchi H, Kondoh Y, et al : A simple assessment of dyspnea as a prognostic indicator in idiopathic pulmonary fibrosis. Eur Respir J 2010 ; **36** : 1067-1072.
31) Best AC, Meng J, Lynch AM, et al : Idiopathic pulmonary fibrosis : physiologic tests, quantitative CT indexes, and CT visual scores as predictors of mortality. Radiology 2008 ; **246** : 935-940.
32) Lama VN, Flaherty KR, Toews GB, et al : Prognostic value of desaturation during a 6-minute walk test in idiopathic interstitial pneumonia. Am J Respir Crit Care Med 2003 ; **168** : 1084-1090.
33) Lettieri CJ, Nathan SD, Browning RF, et al : The distance-saturation product predicts mortality in idiopathic pulmonary fibrosis. Respir Med 2006 ; **100** : 1734-1741.
34) Lettieri CJ, Nathan SD, Barnett SD, et al : Prevalence and outcomes of pulmonary arterial hypertension in advanced idiopathic pulmonary fibrosis. Chest 2006 ; **129** : 746-752.
35) Kimura M, Taniguchi H, Kondoh Y, et al : Pulmonary hypertension as a prognostic indicator at the initial evaluation in idiopathic pulmonary fibrosis. Respiration 2013 ; **85** : 456-463.
36) Yokoyama A, Kondo K, Nakajima M, et al : Prognostic value of circulating KL-6 in idiopathic pulmonary fibrosis. Respirology 2006 ; **11** : 164-168.
37) Kinder BW, Brown KK, McCormack FX, et al : Serum surfactant protein-A is a strong predictor of early mortality in idiopathic pulmonary fibrosis. Chest 2009 ; **135** : 1557-1563.
38) Takahashi H, Fujishima T, Koba H, et al : Serum surfactant proteins A and D as prognostic factors in idiopathic pulmonary fibrosis and their relationship to disease extent. Am J Respir Crit Care Med 2000 ; **162** : 1109-1114.
39) Greene KE, King TE Jr, Kuroki Y, et al : Serum surfactant proteins-A and-D as biomarkers in idiopathic pulmonary fibrosis. Eur Respir J 2002 ; **19** : 439-446.
40) Takahashi H, Shiratori M, Kanai A, et al : Monitoring markers of disease activity for interstitial lung diseases with serum surfactant proteins A and D. Respirology 2006 ; **11** : S51-S54.
41) Tajiri M, Okamoto M, Fujimoto K, et al : Serum level of periostin can predict long-term outcome of idiopathic pulmonary fibrosis. Respir Investig 2015 ; **53** : 73-81.
42) Song JW, Do KH, Jang SJ, et al : Blood biomarkers MMP-7 and SP-A : predictors of outcome in idiopathic pulmonary fi-

brosis. Chest 2013 ; **143** : 1422-1429.
43) Wells AU1, Desai SR, Rubens MB, et al : Idiopathic pulmonary fibrosis : a composite physiologic index derived from disease extent observed by computed tomography. Am J Respir Crit Care Med 2003 ; **167** : 962-969.
44) Ley B, Ryerson CJ, Vittinghoff E, et al : A multidimensional index and staging system for idiopathic pulmonary fibrosis. Ann Intern Med 2012 ; **156** : 684-691.
45) Kondoh S, Chiba H, Nishikiori H, et al : Validation of the Japanese disease severity classification and the GAP model in Japanese patients with idiopathic pulmonary fibrosis. Respir Investig 2016 ; **54** : 327-333.
46) Kim ES, Choi SM, Lee J, et al : Validation of the GAP score in Korean patients with idiopathic pulmonary fibrosis. Chest 2015 ; **147** : 430-437.
47) Collard HR, Moore BB, Flaherty KR, et al : Acute exacerbations of idiopathic pulmonary fibrosis. Am J Respir Crit Care Med 2007 ; **176** : 636-643.
48) Hyzy R, Huang S, Myers J, et al : Acute exacerbation of idiopathic pulmonary fibrosis. Chest 2007 ; **132** : 1652-1658.
49) Ozawa Y, Suda T, Naito T, et al : Cumulative incidence of and predictive factors for lung cancer in IPF. Respirology 2009 ; **14** : 723-728.
50) Baumgartner KB, Samet JM, Stidley CA, et al : Cigarette smoking : a risk factor for idiopathic pulmonary fibrosis. Am J Respir Crit Care Med 1997 ; **155** : 242-248.
51) Hubbard R, Lewis S, Richards K, et al : Occupational exposure to metal or wood dust and aetiology of cryptogenic fibrosing alveolitis. Lancet 1996 ; **347** : 284-289.
52) Iwai K, Mori T, Yamada N, et al : Idiopathic pulmonary fibrosis : epidemiologic approaches to occupational exposure. Am J Respir Crit Care Med 1994 ; **150** : 670-675.
53) Tobin RW, Pope CE 2nd, Pellegrini CA, et al : Increased prevalence of gastroesophageal reflux in patients with idiopathic pulmonary fibrosis. Am J Respir Crit Care Med 1998 ; **158** : 1804-1808.
54) Baumgartner KB, Samet JM, Coultas DB, et al : Occupational and environmental risk factors for idiopathic pulmonary fibrosis : a multicenter case-control study. Am J Epidemiol 2000 ; **152** : 307-315.
55) Lee SH, Kim DS, Kim YW, et al : Association between occupational dust exposure and prognosis of idiopathic pulmonary fibrosis : a Korean national survey. Chest 2015 ; **147** : 465-474.
56) Scott J, Johnston I, Britton J, et al : What causes cryptogenic fibrosing alveolitis? : a case-control study of environmental exposure to dust. BMJ 1990 ; **301** : 1015-1017.
57) Tang YW, Johnson JE, Browning PJ, et al : Herpesvirus DNA is consistently detected in lungs of patients with idiopathic pulmonary fibrosis. J Clin Microbiol 2003 ; **41** : 2633-2640.
58) Sheng G, Chen P, Wei Y, et al : Chest 2019 ; **12** : pii : S0012-3692（19）34200-X.（We analyzed 20 case-control studies from 10 countries with 1,287 participants.）
59) Molyneaux PL, et al : The role of bacteria in the pathogenesis and progression of idiopathic pulmonary fibrosis. Am J Respir Crit Care Med 2014 ; **190** : 906-913.
60) Raghu G, Mageto YN : Genetic predisposition of interstitial lung disease. Interstitial Lung Disease, 3rd Ed, King TE Jr, Schwarz MI（eds）, BC Decker, Hamilton, 1998 : p119-134.
61) Rosenberg DM : Inherited forms of interstitial lung disease. Clin Chest Med 1982 ; **3** : 635-641.
62) Nogee LM, Dunbar AE 3rd, Wert SE, et al : A mutation in the surfactant protein C gene associated with familial interstitial lung disease. N Engl J Med 2001 ; **344** : 573-579.
63) Thomas AQ, Lane K, Phillips J 3rd, et al : Heterozy-gosity for a surfactant protein C gene mutation associated with usual interstitial pneumonitis and cellular nonspecific interstitial pneumonitis in one kindred. Am J Respir Crit Care Med 2002 ; **165** : 1322-1328.
64) Fingerlin TE, Murphy E, Zhang W, et al : Genome-wide association study identifies multiple susceptibility loci for pulmonary fibrosis. Nat Genet 2013 ; **45** : 613-620.
65) Noth I, Zhang Y, Ma SF, et al : Genetic variants associated with idiopathic pulmonary fibrosis susceptibility and mortality : a genome-wide association study. Lancet Respir Med 2013, **1** : 309-317.
66) Fulmer JD, Sposovska MS, von Gal ER, et al : Distribution of HLA antigens in idiopathic pulmonary fibrosis. Am Rev Respir Dis 1978 ; **118** : 141-147.
67) Libby DM, Gibofsky A, Fotino M, et al : Immunogenetic and clinical findings in IPF association with the B-cell alloantigen HLA-DR2. Am Rev Respir Dis 1983 ; **127** : 618-622.
68) Turton CWG, Morris LM, Lawler SD, et al : HLA in cryptogenic fibrosing alveolitis. Lancet 1978 ; **i** : 507-508.
69) Watters LC : Genetic aspects of idiopathic pulmonary fibrosis and hypersensitivity pneumonitis. Semin Respir Med 1986 ; **7** : 317-325.
70) 三宅吉博，小橋　元，阪本尚正，ほか：特発性肺線維症の症例対照研究結果．厚生科学研究特定疾患対策研究事業特定疾患の疫学に関する研究班　平成 13 年度研究業績集，2002 : p 70-85.
71) Enomoto T, Usuki J, Azuma A, et al : Diabetes mellitus may increase risk for idiopathic pulmonary fibrosis. Chest 2003 ; **123** : 2007-2011.
72) Nishiyama O, et al : Health-related quality of life in patients with idiopathic pulmonary fibrosis. What is the main contributing factor? Respir Med 2005 ; **99** : 408-414
73) 田口善夫：特発性肺線維症―日常生活管理．日医師会誌 2002 ; **128** : 244-247.
74) Bando M, et al : A prospective survey of idiopathic interstitial pneumonias in a web registry in Japan. Respir Investig 2015 ; **53** : 51-59.
75) Cottin V, et al : Velcro crackles : the key for early diagnosis of idiopathic pulmonary fibrosis? Eur Respir J 2012 ; **40** : 519-521.
76) 田口善夫，井上哲郎：臨床診断基準における主要症状および身体所見について．厚生科学研究特定疾患対策研究事業びまん性肺疾患研究班　平成 12 年度研究報告書，2001 : p 96-99.

77) Song JW, Do KH, Jang SJ, et al : Blood biomarkers MMP-7 and SP-A : predictors of outcome in idiopathic pulmonary fibrosis. Chest 2013 ; **143** : 1422-1429.
78) Kohno N : Serum marker KL-6/Muc1 for the diagnosis and management of interstitial pneumonia. J Med Invest 1999 ; **46** : 151-158.
79) Yokoyama A, Kohno N, Hamada H, et al : Circulating KL-6 predicts the outcome of rapidly progressive idiopathic pulmonary fibrosis. Am J Respir Crit Care Med 1998 ; **158** : 1680-1684.
80) 高橋弘毅, 白鳥正典, 北田順也, ほか : 間質性肺炎に対する Cyclosporin A 長期使用例の検討. 厚生科学研究 特発性肺線維症の予後改善を目指したサイクロスポリン＋ステロイド療法ならびにＮアセチルシステイン吸入療法に関する臨床研究 平成 19 年度報告書, 2008 : p 39-46.
81) Shimizu Y, Sunaga N, Dobashi K, et al : Serum markers in interstitial pneumonia with and without Pneumocystis jirovecii colonization : a prospective study. BMC Infect Dis 2009 ; **9** : 47.
82) Nakamura H, Tateyama M, Tasato D, et al : Clinical utility of serum beta-D-glucan and KL-6 levels in Pneumocystis jirovecii pneumonia. Intern Med 2009 ; **48** : 195-202.
83) Tanaka M, Tanaka K, Fukahori S, et al : Elevation of serum KL-6 levels in patients with hematological malignancies associated with cytomegalovirus or Pneumocystis carinii pneumonia. Hematology 2002 ; **7** : 105-108.
84) Fujita J, Obayashi Y, Yamadori I, et al : Marked elevation of CA19-9 in a patient with idiopathic pulmonary fibrosis : CA19-9 as a bad prognostic factor. Respirology 1998 ; **3** : 211-214.
85) Takahashi H, Nukiwa T, Matsuoka R, et al : Carcinoembryonic antigen in bronchoalveolar lavage fluid in patients with idiopathic pulmonary fibrosis. Jpn J Med 1985 ; **24** : 236-243.
86) O'Dwyer DN, Ashley SL, Gurczynski SJ, et al : Lung Microbiota Contribute to Pulmonary Inflammation and Disease Progression in Pulmonary Fibrosis. Am J Respir Crit Care Med 2019 ; **199** : 1127-1138.
87) Kagiyama N, Takayanagi N, Kanauchi T, et al : Antineutrophil cytoplasmic antibody-positive conversion and microscopic polyangiitis development in patients with idiopathic pulmonary fibrosis. BMJ Open Respir Res 2015 ; **2** : e000058.
88) Hozumi H, Oyama Y, Yasui H, Suzuki Y, et al : Clinical significance of myeloperoxidase-anti-neutrophil cytoplasmic antibody in idiopathic interstitial pneumonias. PLoS One 2018 ; **13** : e0199659.
89) Tajiri M, et al : Serum level of periostin can predict long-term outcome of idiopathic pulmonary fibrosis. Respir Investig 2015 ; **53** : 73-81.
90) Grenier P, Valeyre D, Cluzel P, et al : Chronic diffuse interstitial lung disease : diagnostic value of chest radiography and high-resolution CT. Radiology 1991 ; **179** : 123-132.
91) Müller NL, Guerry-Force ML, Staples CA, et al : Differential diagnosis of bronchiolitis obliterans with organizing pneumonia and usual interstitial pneumonia : clinical, functional, and radiologic findings. Radiology 1987 ; **162** : 151-156.
92) Staples CA, Müller NL, Vedal S, et al : Usual interstitial pneumonia : correlation of CT with clinical, functional, and radiologic findings. Radiology 1987 ; **162** : 377-381.
93) Epler GR, McLoud TC, Gaensler EA, et al : Normal chest roentgenograms in chronic diffuse infiltrative lung disease. N Engl J Med 1978 ; **298** : 934-939.
94) Raghu G, Collard HR, Egan JJ, et al : An official ATS/ERS/JRS/ALAT statement : idiopathic pulmonary fibrosis : evidence-based guidelines for diagnosis and management. Am J Respir Crit Care Med 2011 ; **183** : 788-824.
95) Nishimura K, Kitaichi M, Izumi T, et al : Usual interstitial pneumonia : histologic correlation with high-resolution CT. Radiology 1992 ; **182** : 337-342.
96) Chan TY, Hansell DM, Rubens MB, et al : Cryptogenic fibrosing alveolitis and the fibrosing alveolitis of systemic sclerosis : morphological differences on computed tomographic scans. Thorax 1997 ; **52** : 265-270.
97) Muller NL, Miller RR, Webb WR, et al : Fibrosing alveolitis : CT-pathologic correlation. Radiology 1986 ; **160** : 585-588.
98) Tung KT, Wells AU, Rubens MB, et al : Accuracy of the typical computed tomography appearances of fibrosing alveolitis. Thorax 1993 ; **48** : 334-338.
99) Hartman TE, Primack SL, Kang EY, et al : Disease progression in usual interstitial pneumonia compared with desquamative interstitial pneumonia : assessment with serial CT. Chest 1996 ; **110** : 378-382.
100) Mino M, Noma S, Kobashi Y, et al : Serial changes of cystic air spaces in fibrosing alveolitis : a CT-pathological study. Clin Radiol 1995 ; **50** : 357-363.
101) Wells AU, Rubens MB, du Bois RM, et al : Serial CT in fibrosing alveolitis : prognostic significance of the initial pattern. AJR Am J Roentgenol 1993 ; **161** : 1159-1165.
102) Hansell DM, Bankier AA, MacMahon H, et al : Fleischner Society : glossary of terms for thoracic imaging. Radiology 2008 ; **246** : 697-722.
103) 野間恵之, 久保 武, 黒田康正, ほか : HRCT における蜂巣肺の定義と顕微鏡的蜂巣肺. 臨床放射線 1999 ; **44** : 73-77.
104) Watadani, Sakai F, Johkoh T, et al : Interobserver variability in the CT assessment of honeycombing in the lungs. Radiology 2013 ; **266** : 936-944.
105) 酒井文和, 上甲 剛, 野間恵之 (編) : 特発性肺線維症の画像診断 蜂巣肺, IPF/UIP の画像診断の理解のために, メディカル・サイエンス・インターナショナル, 東京, 2015.
106) Lynch DA, Godwin JD, Safrin A, et al : High-resolution computed tomography in idiopathic pulmonary fibrosis : diagnosis and prognosis. Am J Repir Crit Care Med 2005 ; **172** : 488-493.
107) Sumikawa H, Johkoh T, Colby TV, et al : Computed tomography findings in pathological usual interstitial pneumonia : Relationship to survival. Am J Respir Crit Care Med 2007 ; **177** :

433-439.
108) Elliot TL, Lynch DA, Newell JD Jr, et al : High-resolution computed tomography features of nonspecific interstitial pneumonia and usual interstitial pneumonia. JCAT 2005 ; **29** : 339-345.
109) Sumikawa H, Johkoh T, Ichikado K, et al : Usual interstitial pneumonia and chronic idiopathic interstitial pneumonias : Analysis of CT appearance in 92 patients. Radiology 2006 ; **241** : 258-266.
110) Sverzellati N, Wells AU, Tomassetti S, et al : Biopsy-proved idiopathic pulmonary fibrosis : spectrum of nondiagnostic thin-section CT diagnoses, Radiology 2010 ; **254** : 957-964.
111) Silva CIS, Muller NL, Hansell DM, et al : Nonspecific interstitial pneumonia and idiopathic pulmonary fibrosis : changes in pattern and distribution of disease over time. Radiology 2008 ; **247** : 251-259.
112) Akira M, Inoue Y, Kitaichi M, et al : Usual interstitial pneumonia and nonspecific interstitial pneumonia with and without concurrent emphysema : thin-section CT findings. Radiology 2009 ; **251** : 271-279.
113) Akira M, Yamamoto S, Inoue Y, et al : High-resolution CT of asbestosis and idiopathic pulmonary fibrosis. AJR Am J Roentgenol 2003 ; **181** : 163-169.
114) Lynch DA, J Roent Newell JD, Logan PM, et al : Can CT distinguish hypersensitivity pneumonitis from idiopathic pulmonary fibrosis? AJR Am Genol 1995 ; **165** : 807-811.
115) Perez-Padilla R, Salas J, Chapela R, et al : Mortality in Mexican patients with chronic pigeon breeder's lung compared with those with usual interstitial pneumonia. Am Rev Respir Dis 1993 ; **148** : 49-53.
116) 大谷義夫, 稲瀬直彦, 吉澤靖之：慢性鳥飼病の種々相とその急性増悪. 日胸 2003；**62**：134-144.
117) Padley SP, Padhani AR, Nicholson A, et al : Pulmonary sarcoidosis mimicking cryptogenic fibrosing alveolitis on CT. Clin Radiol 1996 ; **51** : 807-810.
118) 井上義一：特発性間質性肺炎と紛わしい周辺疾患. 呼吸器科 2002；**1**：461-469.
119) Wells AU, Hansell DM, Rubens MB, et al : Functional impairment in lone cryptogenic fibrosing alveolitis and fibrosing alveolitis associated with systemic sclerosis : a comparison. Am J Respir Crit Care Med 1997 ; **155** : 1657-1664.
120) Kornbluth RS, Turino GM : Respiratory control in diffuse interstitial lung disease and diseases of the pulmonary vasculature. Clin Chest Med 1980 ; **1** : 91-102.
121) Nishiyama O, Taniguchi H, Hondoh Y, et al : A simple assessment of dyspnea as a prognostic indicator in idiopathic pulmonary fibrosis. Eur Respir J 2010 ; **36** : 1067-1072.
122) Fell CD, Liu LX, Motika C, et al : The prognostic value of cardiopulmonary exercise testing in idiopathic pulmonary fibrosis. Am J Respir Crit Care Med 2009 ; **179** : 402-407.
123) Lama VN, Flaherty KR, Toews GB, et al : Prognostic value of desaturation during a 6-minute walk test in idiopathic interstitial pneumonia. Am J Respir Crit Care Med 2003 ; **168** : 1084-1090.
124) Campbell EJ, Harris B : Idiopathic pulmonary fibrosis. Arch Intern Med 1981 ; **141** : 771-774.
125) Hamada K, Nagai S, Tanaka S, et al : Significance of pulmonary arterial pressure and diffusion capacity of the lung as prognosticator in patients with idiopathic pulmonary fibrosis. Chest 2007 ; **131** : 650-656.
126) Kimura M, Taniguchi H, Kondoh Y, et al : Pulmonary hypertension as a prognostic indicator at the initial evaluation in idiopathic pulmonary fibrosis. Respiration 2013 ; **85** : 456-463.
127) Watters LC, Schwarz MI, Cherniack RM, et al : Idiopathic pulmonary fibrosis : pretreatment bronchoalveolar lavage cellular constituents and their relationships with lung histopathology and clinical response to therapy. Am Rev Respir Dis 1987 ; **135** : 696-704.
128) Bjoraker JA, Ryu JH, Edwin MK, et al : Prognostic significance of histopathologic subsets in idiopathic pulmonary fibrosis. Am J Respir Crit Care Med 1998 ; **157** : 199-203.
129) Rudd RM, Haslam PL, Turner-Warwick M : Cryptogenic fibrosing alveolitis relationships of pulmonary physiology and bronchoalveolar lavage to treatment and prognosis. Am Rev Respir Dis 1981 ; **124** : 1-8.
130) Kinder BW, Brown KK, Schwarz MI, et al : Baseline BAL neutrophilia predicts early mortality in idiopathic pulmonary fibrosis. Chest 2008 ; **133** : 226-232.
131) Nagai S, Kitaichi M, Itoh H, et al : Idiopathic nonspecific interstitial pneumonia/fibrosis : comparison with idiopathic pulmonary fibrosis and BOOP. Eur Respir J 1998 ; **12** : 1010-1019.
132) Molyneaux PL, Cox MJ, Willis-Owen SA, et al : The role of bacteria in the pathogenesis and progression of idiopathic pulmonary fibrosis. Am J Respir Crit Care Med 2014 ; **190** : 906-913.
133) Han MK, Zhou Y, Murray S, et al : Lung microbiome and disease progression in idiopathic pulmonary fibrosis : an analysis of the COMET study. Lancet Respir Med 2014 ; **2** : 548-556.
134) Sakamoto K, Taniguchi H, Kondoh Y, et al : Acute exacerbation of IPF following diagnostic bronchoalveolar lavage procedures. Respir Med 2012 ; **106** : 436-442.
135) Fukuda Y, Basset F, Ferrans VJ, et al : Significance of early intra-alveolar fibrotic lesions and integrin expression in lung biopsy specimens from patients with idiopathic pulmonary fibrosis. Hum Pathol 1995 ; **26** : 53-61.
136) Kawanami O, Ferrans VJ, Crystal RG : Structure of alveolar epithelial cells in patients with fibrotic lung disorders. Lab Invest 1982 ; **46** : 39-53.
137) Raghu G, Remy-Jardin M, Myers J, et al : The 2018 Diagnosis of Idiopathic Pulmonary Fibrosis Guidelines : Surgical Lung Biopsy for Radiological Pattern of Probable Usual Interstitial Pneumonia Is Not Mandatory. Am J Respir Crit Care Med 2019 ; **200** : 1089-1092.
138) Fukuda Y, Mochimaru H, Terasaki Y, et al : Mechanisms of structural remodeling in pulmonary fibrosis. Chest 2001 ; **120** : S41-S43.
139) Travis WD, Matsui K, Moss J, et al : Idiopathic nonspecific interstitial pneumonia : prognostic significance of cellular and fi-

brosing patterns: survival comparison with usual interstitial pneumonia and desquamative interstitial pneumonia. Am J Surg Pathol 2000; **24**: 19-33.
140) Fischer A, Antoniou KM, Brown KK, et al: An official European Respiratory Society/American Thoracic Society research statement: interstitial pneumonia with autoimmune features. Eur Respir J 2015; **46**: 976-987.
141) Yamamoto S: Histopathological features of pulmonary asbestosis with particular emphasis on the comparison with those of usual interstitial pneumonia. Osaka City Med J 1997; **43**: 225-242.
142) Roggli VL, Gibbs AR, Attanoos R, et al: Pathology of asbestosis-An update of the diagnostic criteria: report of the asbestosis committee of the college of american pathologists and pulmonary pathology society. Arch Pathol Lab Med 2010; **134**: 462-480.
143) Hayakawa H, Shirai M, Sato A, et al: Clinicopathological features of chronic hypersensitivity pneumonitis. Respirology 2002; **7**: 359-364.
144) Ohtani Y, Saiki S, Kitaichi M, et al: Chronic bird fancier's lung. histopathological and clinical correlation. an application of the 2002 ATS/ERS consensus classification of the idiopathic interstitial pneumonias. Thorax 2005; **60**: 665-671.
145) Churg A, Müller NL, Flint J, et al: Chronic hypersensitivity pneumonitis. Am J Surg Pathol 2006; **30**: 201-208.
146) Trahan S, Hanak V, Ryu JH, et al: Role of surgical lung biopsy in separating chronic hypersensitivity pneumonia from usual interstitial pneumonia/idiopathic pulmonary fibrosis. Chest 2008; **134**: 126-132.
147) Akashi T, Takemura T, Ando N, et al: Histopathologic analysis of sixteen autopsy cases of chronic hypersensitivity pneumonitis and comparison with idiopathic pulmonary fibrosis/usual interstitial pneumonia. Am J Clin Pathol 2009; **131**: 405-415.
148) Tanaka T, et al: Interstitial pneumonia associated with MPO-ANCA: Clinicopathological features of nine patients. Respir Med 2012; **106**: 1765-1770.
149) Alba MA, Flores-Suarez LF, Henderson AG, et al: Interstitial lung disease in ANCA vasculitis. Autoimmun Rev 2017; **16**: 722-729.
150) Nakatani Y, Nakamura N, Sano J, et al: Interstitial pneumonia in Hermansky-Pudlak syndrome: significance of florid foamy swelling/degeneration (giant lamellar body degeneration) of type-2 pneumocytes. Virchows Arch 2000; **437**: 304-313.
151) Douglas WW, Ryu JH, Schroeder DR: Idiopathic pulmonary fibrosis: impact of oxygen and colchicine, prednisone, or no therapy on survival. Am J Respir Crit Care Med 2000; **161**: 1172-1178.
152) Nagao T, Nagai S, Hiramoto Y, et al: Serial evaluation of high-resolution computed tomography findings in patients with idiopathic pulmonary fibrosis in usual interstitial pneumonia. Respiration 2002; **69**: 413-419.
153) 泉 孝英: 特発性肺線維症の臨床. 日内会誌 1995; **84**: 1396-1406.
154) Taniguchi H, Ebina M, Kondoh Y, et al: Pirfenidone in idiopathic pulmonary fibrosis. Eur Respir J 2010; **35**: 821-829.
155) Richeldi L, du Bois RM, Raghu G, et al: Efficacy and safety of nintedanib in idiopathic pulmonary fibrosis. N Engl J Med 2014; **22**: 2071-2082.
156) Raghu G, Rochwerg B, Zhang Y, et al: An Official ATS/ERS/JRS/ALAT Clinical Practice Guideline: Treatment of Idiopathic Pulmonary Fibrosis. An Update of the 2011 Clinical Practice Guideline. Am J Respir Crit Care Med 2015; **192**: e3-e19.
157) Homma S, Bando M, Azuma A, et al: Japanese guideline for the treatment of idiopathic pulmonary fibrosis. Respir Investig 2018; **56**: 268-291.
158) Davies HR, Richeldi L, Walters EH: Immunomodulatory agents for idiopathic pulmonary fibrosis. Cochrane Database Syst Rev 2003; **3**: CD003134.
159) Bando M, Sugiyama Y, Azuma A, et al: A prospective survey of idiopathic interstitial pneumonias in a web registry in Japan. Respir Investig 2015; **53**: 51-59.
160) Bando M, Yamauchi H, Ogura T, et al: Clinical Experience of the Long-term Use of Pirfenidone for Idiopathic Pulmonary Fibrosis. Intern Med 2016; **55**: 443-448.
161) Ogura T, Azuma A, Inoue Y, et al: All-case post-marketing surveillance of 1371 patients treated with pirfenidone for idiopathic pulmonary fibrosis. Respir Investig 2015; **53**: 232-241.
162) Azuma A, Nukiwa T, Tsuboi E, et al: Double-blind, placebo-controlled trial of pirfenidone in patients with idiopathic pulmonary fibrosis. Am J Respir Crit Care Med 2005; **171**: 1040-1047.
163) Taniguchi H, Ebina M, Kondoh Y, et al: Pirfenidone in idiopathic pulmonary fibrosis. Eur Respir J 2010; **35**: 821-829.
164) Azuma A: Invited review. pirfenidone. antifibrotic and anti-inflammatory agent for idiopathic pulmonary fibrosis. Exp Rev Respir Med 2010; **4**: 301-310.
165) Sakamoto S, Muramatsu Y, Satoh K, et al: Effectiveness of combined therapy with pirfenidone and inhaled N-acetylcysteine for advanced idiopathic pulmonary fibrosis: a case-control study. Respirology 2015; **20**: 445-452.
166) Sakamoto S, Kataoka K, Kondo Y, et al: Pirfenidone plus inhaled N-acetylcysteine for idiopathic pulmonary fibrosis: a randomised trial. Eur Respir J 2021; **57**: 2000348.
167) Ikeda S, Sekine A, Baba T, et al: Low starting-dosage of nintedanib for the reduction of early termination. Respir Investig 2019; **57**: 282-285.
168) Kato M, Sasaki S, Nakamura T, et al: Gastrointestinal adverse effects of nintedanib and the associated risk factors in patients with idiopathic pulmonary fibrosis. Sci Rep 2019; **9**: 12062.
169) Idiopathic Pulmonary Fibrosis Clinical Research Network, Martinez FJ, de Andrade JA, et al: Randomized trail of acetylcysteine in idiopathic pulmonary fibrosis. N Engl J Med 2014; **370**: 2093-2101.
170) Oldham JM, Ma SF, Martinez FJ, et al: TOLLIP, MUC5B, and the Response to N-Acetylcysteine among Individuals with Idiopathic Pulmonary Fibrosis. Am J Respir Crit Care Med 2015; **192**: 1475-1482.

2 特発性非特異性間質性肺炎（iNSIP）

❶疾患概念

非特異性間質性肺炎（nonspecific interstitial pneumonia：NSIP）は，間質性肺炎における多数の外科的肺生検（SLB）標本の検討から，UIPなどの既存の組織診断に分類できない組織パターンとして，Katzensteinらによって提唱された[1]．組織学的には，空間的，時相的に均一な病変分布を示すことが特徴であり，不均一な線維化病変をきたすUIPとは大きく異なる．

組織所見としてのNSIPパターンは，IIPs以外にも，膠原病に伴う間質性肺疾患や，過敏性肺炎，薬剤性肺炎，ARDSの治癒期，肺感染症などの種々の病態でみられることから，当初，NSIPはひとつの組織パターンとして認識されていた．しかし，その後の研究によって，IIPsのなかの独立した疾患単位として特発性NSIP（idiopathic NSIP：iNSIP）を捉えようとする考え方が広まってきた[2]．

2002年，ATSとERSが合同で提唱したIIPsに関する共同声明では，iNSIPは，IIPsのなかの暫定的な独立した疾患概念として位置づけられた[3]．さらに，その後に行われたiNSIP 305例を対象とした検証作業（ATS Project）によって，2008年，iNSIPは，IPFなどとは臨床像，予後が異なるIIPsのなかの独立した疾患単位として認められた[4]．特にこの研究では，iNSIPと診断された症例の5年生存率は82.3%と報告され，IPFと比較し予後が良好であることが強調された．ATS Projectにおいては，同時に，NSIPが種々の疾患でみられる組織パターンであることから，iNSIPの診断においては，それらの疾患を除外するために，呼吸器専門医，放射線専門医，病理専門医が互いにかかわり合って総合的に診断を行うことが推奨された（clinical-radiologic-pathologic diagnosis：CRP diagnosis）．

これらの知見をもとに2013年，ATS/ERSによって改訂されたIIPsに関する共同声明においては，以下の点が強調されている[5]．①前述のように，iNSIPとして独立した疾患単位であることが再確認され，IPFと同様に慢性経過の線維化を伴うIIPs（chronic fibrosing IP）に分類された．②CRP diagnosisがMDD（multidisciplinary discussion）という用語になったが，同様に総合的に診断することが推奨された．③iNSIPの臨床経過は，治療が奏効し可逆性の症例から治療抵抗性で線維化が進行する予後不良な症例まで多彩であり，本症はIIPsのなかでは特にdisease behaviorに基づいた診療が有用であるとされた（Ⅳ章-1の表1を参照）．④IPFと同様にiNSIPでも急性増悪の病態があることが確認された．

しかし，一方で，iNSIPと診断した症例の3〜17%に経過観察中に膠原病が発症すること[4,6〜8]や，膠原病に合併したNSIPとiNSIPとの間に臨床像や予後に違いがみられないことから[9,10]，iNSIPと膠原病との関連を指摘する報告も少なくない．Kinderらは，分類不能型結合組織病（undifferentiated connective tissue disease：UCTD）の診断基準を作成し，iNSIPの大部分の症例（88%）がその診断基準を満たすことから，iNSIPがUCTDの肺病変であると報告した[11]．この報告については，UCTDの疾患概念自体がまだ確立したものではないこと，UIPも高頻度にみられるという報告があること[12,13]，Kinderらの提唱したUCTDの診断基準の妥当性も検討されていないことなどから，批判的な意見もある[14]．しかし，ATS Projectの報告においても，iNSIPと膠原病との関連については，将来さらに検証すべき課題として明記されており，本症と，肺病変が先行する膠原病やUCTDなどとの関係について今後検討していく必要がある[15]．

また，NSIPは，組織学的に炎症と線維化の程度により細分類されており，その細分類と予後が関連することが示されている．当初，Katzensteinらは，NSIPを，炎症細胞浸潤が強く，線維化がごく軽度なGroup 1から，両者が混在するGroup 2，炎症細胞浸潤が乏しく，線維化が強いGroup 3に分類した[1]．その後，2002年のATS/ERSの共同声明では，NSIPを，cellular NSIPとfibrotic NSIPに分類した[3]．iNSIPのなかでは，cellular NSIPの頻度は11〜17%と少なく，大部分はfibrotic NSIPであり[4,14,16〜20]，さらに，cellular NSIPは，fibrotic NSIPと比較しても極めて予後が良好であることが報告されている[19,20]．また，iNSIPの予後は，全体としてはIPFと比較すると良好ではあるが[21]，予後不良群が存在し[22,23]，線維化が強く，呼吸機能が低下したfibrotic NSIPの予後はIPFと同程度であるとする報告もある[24]．fibrotic NSIPの一部には，IPF/UIPと同様に線維化が進行し，HRCT上，蜂巣肺所見が顕在化し，予後不良となるものがある[6]．また，2015年に膠原病の基準は満たさないが臨床・血清・形態面で一定の特徴を持つ疾患群をinterstitial pneumonia with autoimmune features（IPAF）という概念として捉える提唱がなされ，該当する大部分の症例は形態面でNSIPの特徴を持ち合わせている[25]．IPAFに含有される群の予後はIPFと膠原病関連間質性肺炎の間といわれているがIPAFの臨床面の所見があると予後が良く，多臓器にまたがる臨

床像があると予後不良ともいわれている[26].

❷臨床像と検査所見

平均年齢は50歳前後，男女比は以前は同等と考えられていたが，最近の報告では，特にアジアにおいては，約3：7で女性に多いとされている[4,6]．never smoker（喫煙未経験者）が約6～7割を占め，IPFと比較し，非喫煙者が多い．

呼吸器症状では，咳嗽，労作時呼吸困難がみられることが多く，発熱や体重減少を認めることもある．身体所見では，大部分の症例でfine cracklesを聴取する．ばち指は，8～52%で認められるが，IPFより頻度は低い[4,27~29]．膠原病様の症状を呈することも少なくなく，関節痛・関節腫脹や，レイノー現象，皮疹（機械工の手・指尖部潰瘍・Gottoron徴候など），筋肉痛などが，数～13%に認められる[4,6]．IPAFを満たす群で最も頻度の多い臨床症状はレイノー現象と報告されている[26].

発症様式は，当初，亜急性の経過（1～3ヵ月）で発症する症例が多いとされてきたが，最近の多数例の検討では，発症から診断までの期間は，平均，中央値ともに6ヵ月前後と報告され，数年の経過を示す症例も少なくない[4,6]．

検査所見では，亜急性に発症する症例は，白血球増多，赤沈亢進，CRP上昇などの炎症所見を認めることがある．しかし，慢性の経過で発症する症例では炎症所見に乏しいことが多い．LDHの上昇や，自己抗体が陽性となる場合がある．自己抗体では，抗核抗体（10～57%），リウマトイド因子（10～33%）などが検出されることが多い[14,18,20]．間質性肺炎の血清マーカーであるKL-6，SP-A，SP-Dなどが上昇し，特にfibrotic NSIPではKL-6は線維化と相関すると報告されている[30]．IPAFの血清学的な項目では320倍以上の抗核抗体・抗CCP抗体・抗MDA-5抗体などが挙げられている[25].

呼吸機能検査では，肺活量（VC）や全肺気量（TLC）の低下を認め，拘束性換気障害を示す．また，肺拡散能（DL_{CO}）の低下もみられる．なお，fibrotic NSIPでは運動耐容能の低下には大腿四頭筋力の低下も関連している[31].

BAL液の所見においては，一般に，総細胞数の増加，細胞分画ではリンパ球比率の上昇（平均30～60%）を認める[6,17,27]．NSIPとIPF/UIPのBAL液の所見の比較では，好中球はIPF/UIPで高く，リンパ球はNSIPで高い[32]．しかし，欧米では，特にfibrotic NSIPにおいてリンパ球比率は上昇しないとする報告もある[33,34]．BAL液のリンパ球CD4/CD8比は低値となることが多い[35]．また，軽度の好中球，好酸球比率の増加もみられる．

❸画像所見

NSIPの胸部X線像の特徴は両側下肺野優位のすりガラス影と細かい網状影で，容積減少を伴うことが多い（図1a）．X線で正常である症例もあるが，多くは（94%）X線写真で病変が検出される[36,37].

NSIPの主要なCT像は，両側下葉優位のすりガラス影，細かい網状影，牽引性気管支拡張像である[38~40]．すりガラス影と網状影は混在することが多くその程度は

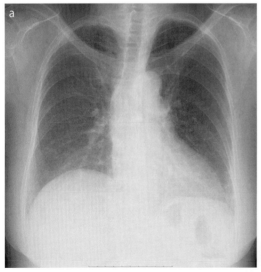
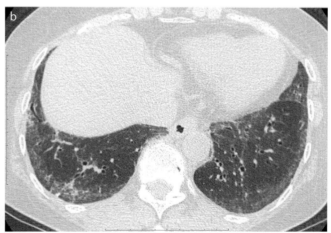

図1 68歳男性 NSIP

a：胸部X線写真．両側下肺野に淡いすりガラス影を認める．Volume lossを伴っている．
b：両側下肺野末梢側優位にすりガラス影や網状影を認め，牽引性気管支拡張像を伴う．胸膜下の肺野は保たれている（subpleural sparing）．

様々で，純粋なすりガラス影のみのときもあれば，網状影のみのときもある．これらの所見が連続的に均質に広がるのが特徴である（図1b）．他には線状影や小葉間隔壁の肥厚や囊胞などがある[41]．蜂巣肺がみられることもあるが，その頻度は5〜30%と低く範囲も限られたものとなる[42〜45]．consolidationがみられた場合 organizing pneumonia（OP）的要素の存在が疑われ，collagen vascular disease（CVD）に関連したNSIPを考える所見となる[46]．

頭尾側方向の分布は下葉分布を示すことがほとんどであるが，時にびまん性にみられることもある[44,47,48]．軸位断の分布では気管支血管周囲優位の分布が特徴的であるが，びまん性や胸膜直下優位に分布することも多い[42,44,49]．また，胸膜直下の病変が相対的に弱く肺野が保たれている所見がみられることがあり（subpleural sparing），NSIPに特徴的な所見とされている[44]．縦隔や肺門部のリンパ節腫大はIPFより高頻度に認められ，81%で腫大を認めたと報告されている[50]．

画像上，UIPパターンとの鑑別が問題になるが，UIPに比べると所見が肺全体において連続的で均一であることが特徴である．また，二次小葉内でも単調で均一な所見を示しIPFの小葉辺縁性分布と異なっている．すりガラス影と網状影はNSIPとUIPの両者で認められる所見であるが，NSIPのほうがすりガラス影が多い傾向がある[51]．ただし肺気腫合併症例ではすりガラス影が気腫に重なって網状影や蜂巣肺に類似した所見となり，UIPとの鑑別が困難となる[51]．また，画像上NSIPパターンを示す症例でも病理像はUIPパターンであり，最終的にIPFと診断される症例があるため注意が必要である[52]．

治療に対する画像の変化は，すりガラス影は改善するが線維化病変主体と考えられる網状影や囊胞性陰影は変化に乏しいのはIPFと同様である[45]．ただしその変化はIPFより多く，画像上ほぼ完全に陰影が消失する症例もあり，牽引性気管支拡張像が改善するときもある（図2）[39]．治療後のNSIPはすりガラス影が減少し網状影の割合が増加し，UIPに類似した画像になるため注意が必要である[44]．その後の経過でもすりガラス影は減少し，網状影や牽引性気管支拡張像が増強する傾向にあり，時に蜂巣肺形成もみられUIP類似の画像所見を呈することがある[44]．また，急性増悪が発生することがあり，IPFの急性増悪と類似した既存の間質性肺炎像に加え両肺にすりガラス影が広がり，時にconsolidationを伴うような画像となる[53]．

画像上の鑑別診断は多岐にわたり，IIPsのなかではUIPやCOP，DIP，LIPが鑑別にあがる．また，臨床経過は異なるが，AIPもNSIPと類似した画像所見となることがある．二次性の間質性肺炎はNSIPパターンの画像所見をとることが多く，膠原病関連の間質性肺炎，慢性過敏性肺炎，薬剤性肺障害などが鑑別にあがる．

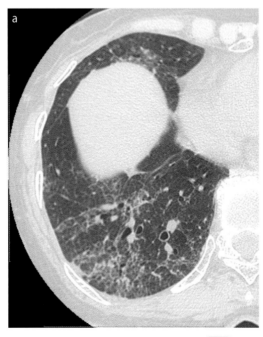
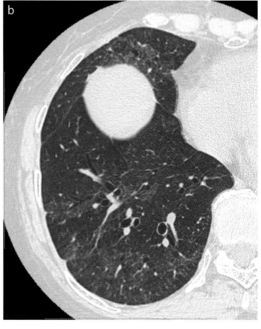

図2 71歳女性 NSIP

a：初診時CT．両側下葉気管支血管周囲に優位に網状影やすりガラス影，牽引性気管支拡張像を認める．
b：治療1年後CT．陰影は著明に改善．一部すりガラス影が残存している．

❹ 病　理

a）病理組織学的特徴[1,2,20]（表1）

NSIPでは，病変は胸膜側から肺内側にかけて比較的均一，びまん性に分布し，小葉内でもびまん性の広がりを示す肺胞壁のリンパ球主体の炎症細胞浸潤もしくは線維化を特徴とする（図3a）．肺の基本構造は比較的保たれ，個々の症例では病変は比較的一様で時相も揃っている．症例により細胞性（cellular）と線維性（fibrotic）に分けられるが[2,4,20]，線維性が多い[54]．2018年の分類[55]では，NSIPは慢性線維化性間質性肺炎に分類されている．

表1　NSIPの主要な組織学的所見

1	病変は胸膜側から肺内側にまで比較的均一かつびまん性に分布し，小葉内でもびまん性に存在する
2	cellular NSIPでは，肺構造はよく保たれ，間質にリンパ球，形質細胞がびまん性に浸潤する
3	幼若な線維化としては壁在型腔内線維化が主体で，時にポリープ型腔内線維化巣が散見されるが数は少なく，分布範囲も狭い
4	fibrotic NSIPでは，間質は様々な程度に線維性びまん性肥厚を示すが，時相は一様で，正常肺胞の介在はみられない
5	肺構造の改築は軽度で，線維化は壁在型および閉塞型が主体で，疎なものが多い
6	時に小型の蜂巣肺形成を伴うが，限局しており平滑筋の増生は少ない

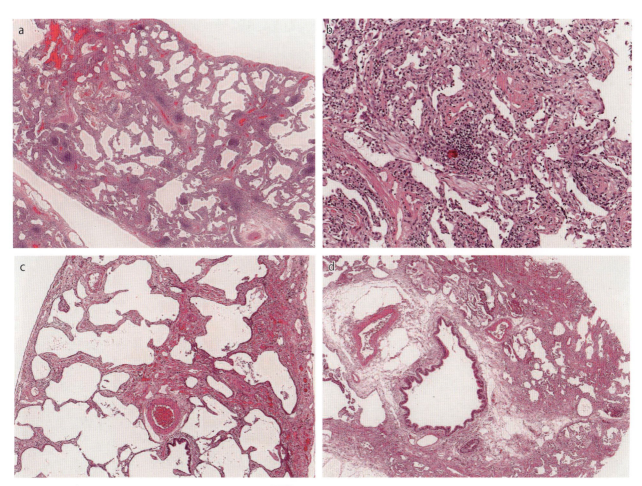

図3　NSIPの組織像

a：小葉内にびまん性に分布する．
b：cellular NSIPには，散在性にマッソン小体様の腔内器質化を伴うこともある．
c：fibrotic NSIP．びまん性に時相の一致した線維化が認められる．
d：牽引性細気管支拡張がみられることもある．

cellular NSIPでは背景の肺構造はよく保たれており，肺胞隔壁あるいは小血管周囲などの間質にリンパ球，形質細胞などが浸潤し，Ⅱ型肺胞上皮の腫大，増生も目立つが，膠原線維成分は少なく，少数のポリープ型腔内線維化巣が認められることもある（図3b）．

fibrotic NSIPでは，肺胞壁を主とした間質に線維化による肥厚がみられ，細胞浸潤は比較的少ない．平滑筋の増生は少なく，範囲も一部に限定される[56]．間質の線維化は程度の差はあるもののびまん性にみられ，正常肺胞が介在することはほとんどない．線維芽細胞巣はまれに認められる．線維化部における膠原線維の量はUIPと比較して少なく，基本の肺胞構造を比較的保ちながら，肺胞壁の線維性肥厚を伴い，増生したⅡ型肺胞上皮で被覆される（図3c）．弾性線維染色などでみると，広く線維化を示す部分に本来の肺胞構造の保持が確認されることが多い[2]．症例によっては構造改築のやや目立つ線維化病変，あるいは小型の囊胞よりなる顕微鏡的蜂巣肺がみられることがある[4,57]．線維化の目立つNSIPでは牽引性細気管支拡張をみることも少なくない（図3d）．

b）鑑別診断（表2）

NSIPの鑑別診断としてIIPsのほかのすべての病型が鑑別となるが，特にOPとUIPが臨床上重要である．iNSIPの鑑別には，二次性間質性肺炎である膠原病や過敏性肺炎，好酸球性肺炎，薬剤性肺炎，放射線肺炎，ウイルス性肺炎，リンパ増殖性疾患などがあげられる．

cellular NSIPでは一部にOPと類似したポリープ型腔内器質化がみられるものがあり，OPとの鑑別が必要となる．なお，NSIPでは壁在型器質化の頻度が高い．ポリープ型腔内器質化巣は全体の10%以下の範囲とされるが[1]，20%に達するものまでNSIPとして考えるとする報告もある[4,56]．OPがみられる場合には背景に広範な間質の細胞浸潤があることを確認することが，cellular NSIPの診断に必要である．

fibrotic NSIPはUIPとの鑑別が特に重要である[29]．NSIPは，UIPに比べ病変の分布はびまん性で正常肺の介在はなく，病変の強弱はみられるものの，なだらかに移行している．線維成分の量，程度が比較的均一で平滑筋の増生は目立たず，線維芽細胞巣も少なく病変の時相は比較的揃っている．NSIPを示す症例において，ほかの部位にUIPが存在することがあり，そのような症例ではUIPに近い臨床経過を示すことが報告されている[18]．NSIPの組織像であっても，生検部位が肺全体の病変を反映しているかどうかの判断が重要となる．

また，cellular NSIP，fibrotic NSIPともに鑑別として二次性の間質性肺炎，特に膠原病が最も重要である[58,59]．膠原病ではcellularからfibroticまで様々な

表2 NSIPの主な鑑別診断

IIPsのほかの病型，特にIPF，COP
膠原病に伴う間質性肺疾患
過敏性肺炎
好酸球性肺炎
薬剤性肺炎
放射線肺炎
ウイルス性肺炎

NSIPのバリエーションがみられ，形態学的には単一の組織型として診断することに困難を感じる症例も多い．また，膠原病では胚中心を伴うリンパ濾胞形成，形質細胞浸潤，気道病変，胸膜病変，血管病変を伴うことが多い[60,61]．同様に，過敏性肺炎でも急性型はcellular NSIPと，慢性型はfibrotic NSIPとの鑑別が問題で，気道病変，小葉中心性の病変分布あるいは肉芽腫形成が明らかでない例では組織学的にiNSIPとの鑑別は困難である．NSIPは二次性の病変をはじめ，様々な間質性肺炎でみられるため[1]，診断は臨床経過および画像情報を総合したMDDによってなされる必要がある．

❺ 診 断

病理の「鑑別診断」の項でも解説したように，NSIPは，組織学的には，IIPs以外にも，表2に示すような種々の疾患でも認められるひとつの組織パターンにすぎない．したがって，特発性，つまり原因不明のNSIPの診断においては，これらの疾患を除外することが肝要である．膠原病を疑わせる症状や症候，過敏性肺炎の発症と関連する環境，薬剤の服用歴などを詳細に検討したうえで，本症を診断すべきである．また，iNSIPの診断においては，臨床像，組織所見，画像所見などの個々の所見が，すべて本症の診断に一致しない場合もあるので，特に，呼吸器専門医，放射線専門医，病理専門医によるMDD診断が特に重要である[5]．

また，iNSIPのなかには，経過中に膠原病を発症する患者も存在するため，注意深い経過観察が必要である．特にARS抗体症候群関連の間質性肺炎の約半数にNSIPパターンがみられるとの報告があり[62]，関節痛・対称性の近位筋の痛み・脱力などを伴う場合に鑑別疾患にあげるべきである．

なお，発熱や呼吸困難が数週から数ヵ月の経過で進行し，ARDS/ALIの臨床像を呈する急性/亜急性のNSIPが報告されている[62,63]．前述したように，2013年のATS/ERSによって改訂されたIIPsに関する共同声明においてはiNSIPはchronic fibrosing IPに分類されたわけであるが，このような急性/亜急性経過のiNSIPをどう取り扱うかは今後の課題である．また，慢性に経過す

る iNSIP においても IPF や膠原病に伴う間質性肺炎でみられるような急性増悪が生じることが知られている[64,65]．このような場合は速やかに専門施設に紹介する．

❻ 治 療

一般に，iNSIP はステロイドが有効な症例が多く，その予後は IPF に比較し良好と考えられている．実際，最近の多数例の検討では，ATS Project は 5 年生存率 82.3%，10 年生存率 73.2%[4]，Park らは 5 年生存率 74% と報告している[6]．また，iNSIP における予後予測因子はいまだ十分明らかになっていないが，組織学的な細分類（cellular NSIP と fibrotic NSIP），初診時の呼吸機能や年齢，6 分間歩行テストの desaturation，経時的（6〜12 ヵ月）な呼吸機能の低下などが予後と関連すると考えられている[6,17,24,66]．

現時点で，iNSIP の治療に関する質の高いエビデンスはない．しかし，実地臨床では，cellular NSIP と fibrotic NSIP を区別して治療を考えるべきと思われる．現在までの報告では，cellular NSIP はほとんど死亡例がなく，ステロイド単独治療に対する反応もよく，予後は極めて良好と報告されている．したがって，cellular NSIP に対しては，ステロイドの単独治療が選択されることが多く，ステロイドの減量・早期漸減目的で免疫抑制薬が併用されることもある．

一方，fibrotic NSIP は，その一部には，ステロイドの初期治療効果は良好であっても，経過中しばしば再増悪を繰り返し，30% に原病関連死がみられている[6]．さらに，前述したように呼吸機能が低下した fibrotic NSIP は，IPF と予後に差がないとする報告もある[24]．fibrotic NSIP における免疫抑制薬の有用性についての報告は少ないが[67]，日本では膠原病に伴う線維化性の間質性肺炎同様に[68] シクロスポリンやタクロリムスの併用も有効との報告がある[69,70]．また，control study（対照試験）ではないものの，fibrotic NSIP に対するステロイドとシクロホスファミドの併用療法の有効性が明らかにされている[71]．また，抗線維化薬の適用も考慮される．IPF 以外の進行性線維化を伴う間質性肺疾患患者を対象に行われたニンテダニブの二重盲検プラセボ対照第Ⅲ相試験（INBUILD 試験）では登録症例の約 20% が iNSIP であったことよりニンテダニブは fibrotic NSIP の治療選択肢のひとつとなったが（2020 年 5 月に適応追加承認），fibrotic NSIP におけるステロイドと免疫抑制薬の併用療法と抗線維化薬の有効性を比較したデータは現時点ではない．治療抵抗性で呼吸不全にいたる重症例は，IPF と同様に肺移植の適応となる（別項「Ⅳ章-7．肺移植」を参考）[72,73]．

以上より，fibrotic NSIP には，ステロイド単独で治療される場合もあるが，ステロイドと免疫抑制薬との併用や抗線維化薬（ニンテダニブ）の適用が考慮される．**図 4** に治療指針を示す．

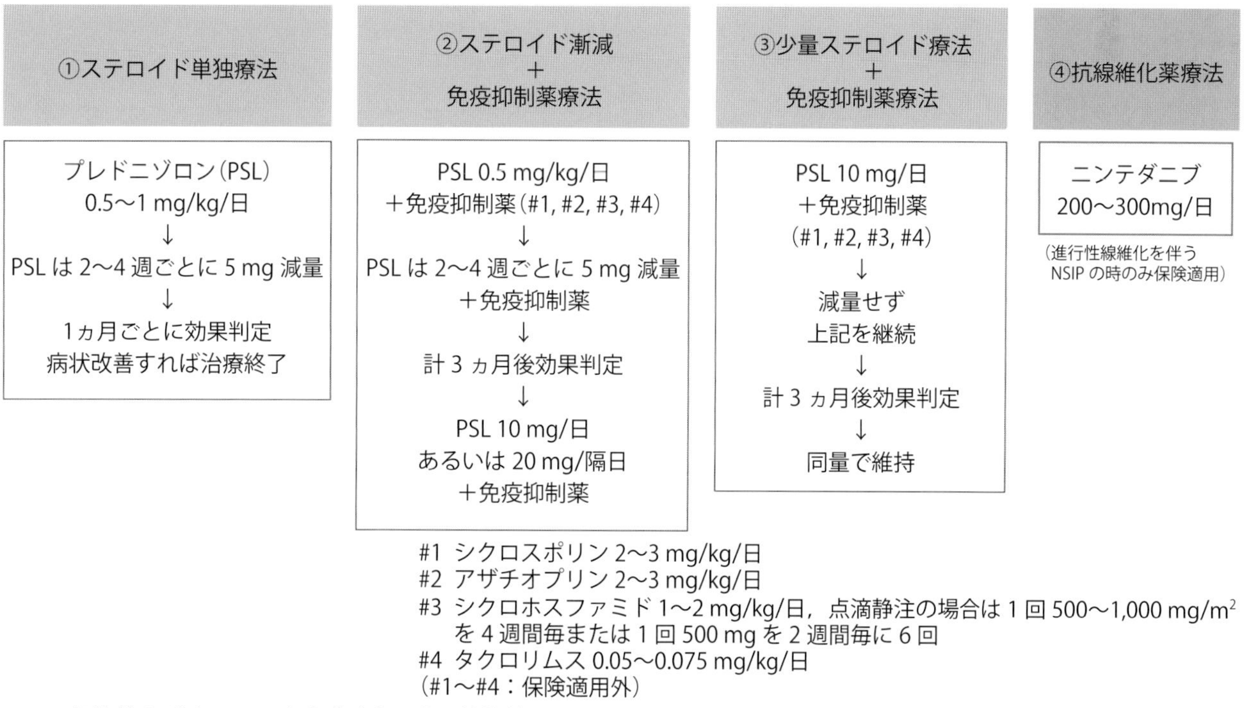

①ステロイド単独療法	②ステロイド漸減＋免疫抑制薬療法	③少量ステロイド療法＋免疫抑制薬療法	④抗線維化薬療法
プレドニゾロン（PSL）0.5〜1 mg/kg/日 ↓ PSL は 2〜4 週ごとに 5 mg 減量 ↓ 1 ヵ月ごとに効果判定 病状改善すれば治療終了	PSL 0.5 mg/kg/日＋免疫抑制薬（#1, #2, #3, #4） ↓ PSL は 2〜4 週ごとに 5 mg 減量＋免疫抑制薬 ↓ 計 3 ヵ月後効果判定 ↓ PSL 10 mg/日あるいは 20 mg/隔日＋免疫抑制薬	PSL 10 mg/日＋免疫抑制薬（#1, #2, #3, #4） ↓ 減量せず上記を継続 ↓ 計 3 ヵ月後効果判定 ↓ 同量で維持	ニンテダニブ 200〜300mg/日 （進行性線維化を伴う NSIP の時のみ保険適用）

#1 シクロスポリン 2〜3 mg/kg/日
#2 アザチオプリン 2〜3 mg/kg/日
#3 シクロホスファミド 1〜2 mg/kg/日，点滴静注の場合は 1 回 500〜1,000 mg/m² を 4 週間毎または 1 回 500 mg を 2 週間毎に 6 回
#4 タクロリムス 0.05〜0.075 mg/kg/日
（#1〜#4：保険適用外）

細胞性 (cellular NSIP) なら①または②，線維性 (fibrotic NSIP) なら②〜④を基本とする．

図 4 iNSIP の治療例

a）cellular NSIP の治療
（1）ステロイド単独療法
　プレドニゾロン 0.5～1 mg/kg/日を初期量とし，治療反応性を評価しつつ 2～4 週ごとに 5 mg ずつ減量する．
（2）ステロイド漸減＋免疫抑制薬療法
　プレドニゾロン 0.5 mg/kg/日で 4 週間，次いで再燃に注意しつつ 2～4 週ごとに 5 mg 減量し，10 mg/日，または 20 mg 隔日投与で維持する．
　併用する免疫抑制薬は，以下の 4 剤のうちいずれかを用いる：
　シクロスポリン 2～3 mg/kg/日
　アザチオプリン 2～3 mg/kg/日
　シクロホスファミド 1～2 mg/kg/日（点滴静注の場合は 1 回 500～1,000 mg/m^2 を 4 週間毎，または 1 回 500 mg を 2 週間毎，に 6 回）
　タクロリムス 0.05～0.075 mg/kg/日

b）fibrotic NSIP の治療
（1）ステロイド漸減＋免疫抑制薬療法
　a）cellular NSIP の治療（2）と同じ．
（2）ステロイド少量/隔日＋免疫抑制薬療法
　ステロイドを減量せずに，はじめからプレドニゾロン 10 mg/日，あるいは 20 mg/隔日を投与する．併用する免疫抑制薬は上記のとおりである．
（3）抗線維化薬
　ニンテダニブ 200 または 300 mg/日

c）急性増悪時の治療
　薬物治療は「Ⅲ章-A-3．急性増悪」の治療に準じる．

文献

1) Katzenstein AL, Fiorelli RF：Nonspecific interstitial pneumonia / fibrosis：histologic features and clinical significance. Am J Surg Pathol 1994；**18**：136-147.
2) Nagai S, Kitaichi M, Itoh H, et al：Idiopathic nonspecific interstitial pneumonia/fibrosis：comparison with idiopathic pulmonary fibrosis and BOOP. Eur Respir J 1998；**12**：1010-1019.
3) American Thoracic Society / European Respiratory Society International Multidisciplinary Consensus Classification of the Idiopathic Interstitial Pneumonias. Am J Respir Crit Care Med 2002；**165**：277-304.
4) Travis WD, Hunninghake G, King TE Jr, et al：Idiopathic nonspecific interstitial pneumonia：report of an American Thoracic Society project. Am J Respir Crit Care Med 2008；**177**：1338-1347.
5) Travis WD, Costabel U, Hansell DM, et al：An Official American Thoracic Society / European Respiratory Society Statement：Update of the international multidisciplinary classification of the idiopathic interstitial pneumonias. Am J Respir Crit Care Med 2013；**188**：733-748.
6) Park IN, Jegal Y, Kim DS, et al：Clinical course and lung function change of idiopathic nonspecific interstitial pneumonia. Eur Respir J 2009；**33**：68-76.
7) Sato T, Fujita J, Yamadori I, et al：Non-specific interstitial pneumonia；as the first clinical presentation of various collagen vascular disorders. Rheumatol Int 2006；**26**：551-555.
8) Cottin V, Donsbeck AV, Revel D, et al：Nonspecific interstitial pneumonia：individualization of a clinicopathologic entity in a series of 12 patients. Am J Respir Crit Care Med 1998；**158**：1286-1293.
9) Fujita J, Ohtsuki Y, Yoshinouchi T, et al：Idiopathic non-specific interstitial pneumonia：as an "autoimmune interstitial pneumonia". Respir Med 2005；**99**：234-240.
10) Park JH, Kim DS, Park IN, et al：Prognosis of fibrotic interstitial pneumonia：idiopathic versus collagen vascular disease-related subtypes. Am J Respir Crit Care Med 2007；**175**：705-711.
11) Kinder BW, Collard HR, Koth L, et al：Idiopathic nonspecific interstitial pneumonia：lung manifestation of undifferentiated connective tissue disease? Am J Respir Crit Care Med 2007；**176**：691-697.
12) Kim HC, Ji W, Kim MY, et al：Interstitial pneumonia related to undifferentiated connective tissue disease：pathologic pattern and prognosis. Chest 2015；**147**：165-172
13) Kondoh Y, Johkoh T, Fukuoka J, et al：Broader criteria of undifferentiated connective tissue disease in idiopathic interstitial pneumonias. Respir Med 2015；**109**：389-396.
14) Kim DS, Nagai S：Idiopathic nonspecific interstitial pneumonia：an unrecognized autoimmune disease? Am J Respir Crit Care Med 2007；**176**：632-633.
15) Nunes H, et al：Eur Respir J. 2014 Dec 23. pii：ERJ-01486-2013.［Epub ahead of print］
16) Flaherty KR, Toews GB, Travis WD, et al：Clinical significance of histological classification of idiopathic interstitial pneumonia. Eur Respir J 2002；**19**：275-283.
17) Jegal Y, Kim DS, Shim TS, et al：Physiology is a stronger predictor of survival than pathology in fibrotic interstitial pneumonia. Am J Respir Crit Care Med 2005；**171**：639-644.
18) Flaherty KR, Travis WD, Colby TV, et al：Histopathologic variability in usual and nonspecific interstitial pneumonias. Am J Respir Crit Care Med 2001；**164**：1722-1727.
19) Nicholson AG, Colby TV, du Bois RM, et al：The prognostic significance of the histologic pattern of interstitial pneumonia in patients presenting with the clinical entity of cryptogenic fibrosing alveolitis. Am J Respir Crit Care Med 2000；**162**：2213-2217.
20) Travis WD, Matsui K, Moss J, et al：Idiopathic nonspecific interstitial pneumonia：prognostic significance of cellular and fibrosing patterns：survival comparison with usual interstitial pneumonia and desquamative interstitial pneumonia. Am J Surg Pathol 2000；**24**：19-33.
21) Nakamura Y, Chida K, Suda T, et al：A comparative study of the prognosis for Japanese patients with idiopathic interstitial pneumonia or BOOP based on histopathologic subsets. Nihon

22) Fujita J, Yamadori I, Bandoh S, et al : Clinical features of three fatal cases of non-specific interstitial pneumonia. Intern Med 2000 ; **39** : 407-411.
23) Nakamura Y, Chida K, Suda T, et al : Clinical analysis of idiopathic nonspecific interstitial pneumonia with unfavorable outcome. Nihon Kokyuki Gakkai Zasshi 2004 ; **42** : 293-298.
24) Latsi PI, du Bois RM, Nicholson AG, et al : Fibrotic idiopathic interstitial pneumonia : the prognostic value of longitudinal functional trends. Am J Respir Crit Care Med 2003 ; **168** : 531-537.
25) Fischer A, Antoniou KM, Brown KK, et al : An official European Respiratory Society/American Thoracic Society research statement : interstitial pneumonia with autoimmune features. Eur Respir J 2015 ; **46** : 976-987.
26) Fernandes L, Nasser M, Ahmad K, et al : Interstitial pneumonia with autoimmune features（IPAF）. Front MED（Lausanne）2019 ; **6** : 209.
27) Nagai S, Handa T, Tabuena R, et al : Nonspecific interstitial pneumonia : a real clinical entity? Clin Chest Med 2004 ; **25** : 705-715, vi.
28) Riha RL, Duhig EE, Clarke BE, et al : Survival of patients with biopsy-proven usual interstitial pneumonia and nonspecific interstitial pneumonia. Eur Respir J 2002 ; **19** : 1114-1118.
29) Bjoraker JA, Ryu JH, Edwin MK, et al : Prognostic significance of histopathologic subsets in idiopathic pulmonary fibrosis. Am J Respir Crit Care Med 1998 ; **157** : 199-203.
30) Sakamoto K, Taniguchi H, Kondoh Y, et al : Serum KL-6 in fibrotic NSIP : correlations with physiologic and radiologic parameters. Respir Med 2010 ; **104** : 127-133.
31) Watanabe F, Taniguchi H, Sakamoto K, et al : Quadriceps weakness contributes to exercise capacity in nonspecific interstitial pneumonia. Respir Med 2013 ; **107** : 622-628.
32) Ryu YJ, Chung MP, Han J, et al : Bronchoalveolar lavage in fibrotic idiopathic interstitial pneumonias. Respir Med 2007 ; **101** : 655-660.
33) Daniil ZD, Gilchrist FC, Nicholson AG, et al : A histologic pattern of nonspecific interstitial pneumonia is associated with a better prognosis than usual interstitial pneumonia in patients with cryptogenic fibrosing alveolitis. Am J Respir Crit Care Med 1999 ; **160** : 899-905.
34) Veeraraghavan S, Latsi PI, Wells AU, et al : BAL findings in idiopathic nonspecific interstitial pneumonia and usual interstitial pneumonia. Eur Respir J 2003 ; **22** : 239-244.
35) Yamadori I, Fujita J, Kajitani H, et al : Lymphocyte subsets in lung tissues of non-specific interstitial pneumonia and pulmonary fibrosis associated with collagen vascular disorders : correlation with CD4／CD8 ratio in bronchoalveolar lavage. Lung 2000 ; **178** : 361-370.
36) Park JS, Lee KS, Kim JS, et al : Nonspecific interstitial pneumonia with fibrosis : radiographic and CT findings in seven patients. Radiology 1995 ; **195** : 645-648.
37) American Thoracic Society : Idiopathic pulmonary fibrosis : diagnosis and treatment. International consensus statement. American Thoracic Society（ATS）, and the European Respiratory Society（ERS）. Am J Respir Crit Care Med 2000 ; **161** : 646-664.
38) American Thoracic Society ; European Respiratory Society : American Thoracic Society/European Respiratory Society International Multidisciplinary Consensus Classification of the Idiopathic Interstitial Pneumonias. This joint statement of the American Thoracic Society（ATS）, and the European Respiratory Society（ERS）was adopted by the ATS board of directors, June 2001 and by the ERS Executive Committee, June 2001. Am J Respir Crit Care Med 2002 ; **165** : 277-304.
39) Akira M, Inoue G, Yamamoto S, et al : Non-specific interstitial pneumonia : findings on sequential CT scans of nine patients. Thorax 2000 ; **55** : 854-859.
40) Hartman TE, Swensen SJ, Hansell DM, et al : Nonspecific interstitial pneumonia : variable appearance at high-resolution chest CT. Radiology 2000 ; **217** : 701-705.
41) Sumikawa H, Johkoh T, Ichikado K, et al : Usual interstitial pneumonia and chronic idiopathic interstitial pneumonia : analysis of CT appearance in 92 patients. Radiology 2006 ; **241** : 258-266.
42) Johkoh T, Muller NL, Cartier Y, et al : Idiopathic interstitial pneumonias : diagnostic accuracy of thin-section CT in 129 patients. Radiology 1999 ; **211** : 555-560.
43) Travis WD, Hunninghake G, King TE, et al : Idiopathic nonspecific interstitial pneumonia : report of an American Thoracic Society project. Am J Respir Crit Care Med 2008 ; **177** : 1338-1347.
44) Silva CIS, Müller NL, Hansell DM, et al : Nonspecific Interstitial Pneumonia and Idiopathic Pulmonary Fibrosis : Changes in Pattern and Distribution of Disease over Time1. Radiology 2008 ; **247** : 251-259.
45) Screaton NJ, Hiorns MP, Lee KS, et al : Serial high resolution CT in non-specific interstitial pneumonia : prognostic value of the initial pattern. Clin Radiol 2005 ; **60** : 96-104.
46) Travis WD, Costabel U, Hansell DM, et al : An official American Thoracic Society/European Respiratory Society statement : Update of the international multidisciplinary classification of the idiopathic interstitial pneumonias. Am J Respir Crit Care Med 2013 ; **188** : 733-748.
47) Sumikawa H, Johkoh T, Ichikado K, et al : Nonspecific interstitial pneumonia : histologic correlation with high-resolution CT in 29 patients. Eur J Radiol 2009 ; **70** : 35-40.
48) Johkoh T, Muller NL, Colby TV, et al : Nonspecific interstitial pneumonia : correlation between thin-section CT findings and pathologic subgroups in 55 patients. Radiology 2002 ; **225** : 199-204.
49) Elliot TL, Lynch DA, Newell JD Jr, et al : High-resolution computed tomography features of nonspecific interstitial pneumonia and usual interstitial pneumonia. J Comput Assist Tomogr 2005 ; **29** : 339-345.
50) Souza CA, Muller NL, Lee KS, et al : Idiopathic Interstitial Pneumonias : Prevalence of Mediastinal Lymph Node Enlargement in 206 Patients. Am J Roentgenol 2006 ; **186** : 995-999.

51）Akira M, Inoue Y, Kitaichi M, et al：Usual Interstitial Pneumonia and Nonspecific Interstitial Pneumonia with and without Concurrent Emphysema：Thin-Section CT Findings1. Radiology 2009；**251**：271-279.
52）Sumikawa H, Johkoh T, Fujimoto K, et al：Pathologically proved nonspecific interstitial pneumonia：CT pattern analysis as compared with usual interstitial pneumonia CT pattern. Radiology 2014；**272**：549-556.
53）Park IN, Kim DS, Shim TS, et al：Acute exacerbation of interstitial pneumonia other than idiopathic pulmonary fibrosis. Chest 2007；**132**：214-220.
54）Kligerman SJ, Groshong S, Brown KK, et al：Nonspecific interstitial pneumonia：radiologic, clinical, and pathologic considerations. Radiographics 2009；**29**：73-87.
55）Raghu G, Remy-Jardin M, Myers JL, et al；American Thoracic Society ERSJRS, Latin American Thoracic S：Diagnosis of idiopathic pulmonary fibrosis. An Official ATS/ERS/JRS/ALAT clinical practice guideline. Am J Respir Crit Care Med 2018；**198**：e44-e68.
56）Fukuda Y, Mochimaru H, Terasaki Y, et al：Mechanisms of structural remodeling in pulmonary fibrosis. Chest 2001；**120**：S41-S43.
57）Travis WD, Colby TV, Koss MN, et al：Idiopathic interstitial pneumonia and other diffuse parenchymal lung diseases. Non-Neoplastic Disorders of the Lower Respiratory Tract, 1st Ed, Travis WD, Colby TV, Koss MN, et al（eds）, American Registry of Pathology and Armed Forces Institute of Pathology, Washington DC, 2002：p49-232.
58）近藤康博，谷口博之，横井豊治，ほか：外科的生検肺の組織学的分類に基づく膠原病随伴間質性肺疾患の臨床的特徴と予後．日呼吸会誌 2003；**38**：259-266.
59）早川啓史，白井正浩，中村裕太郎，ほか：膠原病性肺病変の臨床および病理組織像．呼吸 1999；**18**：1264-1269.
60）Honda T, Imaizumi K, Yokoi T, et al：Differential Th1／Th2 chemokine expression in interstitial pneumonia. Am J Med Sci 2010；**339**：41-48.
61）本間　栄：膠原病肺の病理．日胸疾会誌 1985；**23**：332-347.
62）Ishioka S, Nishisaka T, Maeda A, et al：A case of group II non-specific interstitial pneumonia developed during corticosteroid therapy after acute respiratory distress syndrome. Respirology 1999；**4**：283-285.
63）Kondoh Y, Taniguchi H, Kataoka K, et al：Prognostic factors in rapidly progressive interstitial pneumonia. Respirology 2010；**15**：257-264.
64）Suda T, Kaida Y, Nakamura Y, et al：Acute exacerbation of interstitial pneumonia associated with collagen vascular diseases. Respir Med 2009；**103**：846-853.
65）Park IN, Kim DS, Shim TS, et al：Acute exacerbation of interstitial pneumonia other than idiopathic pulmonary fibrosis. Chest 2007；**132**：214-220.
66）Flaherty KR, Mumford JA, Murray S, et al：Prognostic implications of physiologic and radiographic changes in idiopathic interstitial pneumonia. Am J Respir Crit Care Med 2003；**168**：543-548.
67）Nanki N, Fujita J, Yamaji Y, et al：Nonspecific interstitial pneumonia/fibrosis completely recovered by adding cyclophosphamide to corticosteroids. Intern Med 2002；**41**：867-870.
68）Watanabe N, Sakamoto K, Taniguchi H, et al：Efficacy of combined therapy with cyclosporin and low-dose prednisolone in interstitial pneumonia associated with connective tissue disease. Respiration 2014；**87**：469.
69）Homma S, Kawabata M, Kishi K, et al：Cyclosporin A treatment of interstitial pneumonia. Nihon Kokyuki Gakkai Zasshi 2003；**41**：427-433.
70）谷口博之，近藤康博，木村智樹，ほか：fibrotic NSIP に対するステロイドパルス療法およびシクロスポリン＋少量ステロイド療法の多面的評価．厚生労働科学研究特発性肺線維症の予後改善を目指したサイクロスポリン＋ステロイド療法ならびに N アセチルシステイン吸入療法に関する臨床研究　平成 18 年度研究報告書，2007：p73-79.
71）Kondoh Y, Taniguchi H, Yokoi T, et al：Cyclophosphamide and low-dose prednisolone in idiopathic pulmonary fibrosis and fibrosing nonspecific interstitial pneumonia. Eur Respir J 2005；**25**：528-533.
72）Orens JB, Estenne M, Arcasoy S, et al：International guidelines for the selection of lung transplant candidates：2006 update：a consensus report from the Pulmonary Scientific Council of the International Society for Heart and Lung Transplantation. J Heart Lung Transplant 2006；**25**：745.
73）Date H, Tanimoto Y, Goto K, et al：A new treatment strategy for advanced idiopathic interstitial pneumonia：living-donor lobar lung transplantation. Chest 2005；**128**：1364.

3 急性増悪

急性増悪は，特発性肺線維症（idiopathic pulmonary fibrosis：IPF）の慢性経過中に両肺野に新たな浸潤影の出現とともに急速な呼吸不全の進行がみられる病態として認識されている．急性増悪の病態メカニズムについては未解明であるが，同様の病態はIPF以外の慢性間質性肺炎にも起こることが報告されている[1〜4]．

IPF以外の間質性肺炎の急性増悪については，明確な診断基準が定まっておらず，知見はいまだ乏しいため，以下の記載は特に前置きがない場合，IPFについての記載とする．

日本の疫学的研究によると，急性増悪はIPFの死因の約4割を占めると報告されている[5]．急性増悪の頻度は，報告によって差があるが，年間5〜15%程度といわれている[6〜8]．また，急性増悪はIPF自体の予後を規定する因子のひとつでもある[9〜11]．

❶疾患概念

「IPFの急性増悪」とは，IPFの慢性経過中に両肺野に新たな浸潤影の出現とともに急速な呼吸不全の進行がみられる病態であり，日本で提唱された概念である[9,12〜14]．IPFの急性増悪は慢性進行性であるIPFにびまん性肺胞傷害（diffuse alveolar damage：DAD）が合併した病態と考えると理解しやすい．後述するように，病理学的にはIPFの特徴的所見であるUIP所見に加え，ARDSや急性間質性肺炎（acute interstitial pneumonia：AIP）の特徴的所見であるDAD所見のオーバーラップが認められる．元来，欧米では，急性増悪はIPFの自然経過もしくは，単に肺炎の合併として理解されてきたが，2002年のATS/ERSにおけるIIPsのInternational Multidisciplinary Consensus Classificationにおいて"acute exacerbation"という言葉がはじめて明記された．2007年には各国からのエキスパートオピニオンが集約され，IPFの急性増悪は国際的に広く認められる病態に位置づけられるようになった[15〜20]．2016年には，それまでに蓄積されてきたエビデンスのレビューが行われ，国際的なワーキンググループにより新たなIPFの急性増悪の診断フローチャートが提唱されている（図1）[21]．

急性増悪の病態メカニズムは未解明であるが，いくつかの病因論がある．発症が比較的冬季に多いこと，網羅的検索にてウイルスなどの病原微生物を検出する症例が存在すること[22]，下気道のmicrobiomeが関連するという報告，剖検にて潜在的な感染症が検出される症例が存在することから[23]，通常診療のレベルでは診断感度以下の病原微生物が関与しているという説がある．また，少数のコホート研究[24]では急性増悪時の気管支肺胞洗浄液のペプシン濃度が高い症例もあることから，胃食道逆流による下気道への胃酸逆流の関与も示唆されており，この説を裏付けるように発症予防にプロトンポンプ阻害薬が有効という報告がある[25]．ほかにも肺手術や気管支鏡操作や人工呼吸管理による刺激が原因となって，肺への直接刺激，圧ストレス，伸展ストレス，低酸素ストレスが引き金になるという機序などが提唱されている[26〜28]．

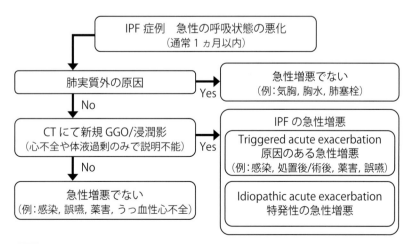

図1 国際ワーキンググループ提唱の新たなIPF急性増悪の診断フローチャート

(Collard HR, et al：Am J Respir Crit Care Med 2016；**194**：265-275[21] を参考に作成)

❷危険因子

急性増悪発症の危険因子についてはいくつかの報告がある[29,30]．呼吸機能障害がより強い（低FVC，低DLco）症例で起こりやすいと報告されている[31]．そのほかに，6分間歩行距離が短い，PaO_2が低い，呼吸困難が強い，FVC低下スピードが速い，肺高血圧合併，KL-6が高値，HRCTでのすりガラス影と線維化病変の領域が広い[32]，過去に急性増悪歴あり，などが危険因子として報告されている[10,11,33~40]．なお，日本人ではチロシンキナーゼ阻害薬などの薬剤や手術後，BALなどによる急性増悪の頻度が欧米人に比べ高く，IPFの急性増悪頻度が高いということが論じられてきたが，近年のIPFを対象とした前向き無作為化臨床試験の結果，国際的な発生割合も差がないことが示されている[31]．

❸臨床像と検査所見

急性増悪の症状としては，咳，発熱や白血球増多など，肺感染症と紛らわしい所見がしばしばみられる．また，検査所見としては，CRP，LDH，KL-6，SP-A，SP-D，high mobility group box-1（HMGB-1）の上昇を認めることが多い[41,42]．これらは特異性に乏しいが，慢性経過の患者にこれらの検査所見を認めるときには急性増悪を鑑別することを念頭に置く必要がある．

同一条件下でのPaO_2は急性増悪前と比較して低下する（日本の診断基準では10 Torr以上，国際的な診断基準では定義されていない）．急性増悪を対象とした多くのコホートでは増悪診断時のPaO_2は独立した予後指標になっている[10,21,43,44]．

BALは各種の肺感染症の評価に有用とされるが，急性増悪時の適応は専門施設において慎重に判断されるべきで，検査による呼吸不全の悪化には十分留意する必要がある．一般に，慢性期のIPFのBAL液所見では，むしろ細胞分画にほとんど異常を認めないことが特徴的であるとされるが，急性増悪時にはリンパ球，好中球，好酸球などの分画が，種々の割合で上昇する[45]．また，BAL液ではD-dimerの上昇やトロンビンの活性化などの凝固系異常や，肺血管内皮障害を反映してトロンボモジュリン高値が認められている[46]．

感染による肺炎もIPF急性増悪と類似の臨床像を呈するので，感染症の否定を慎重に行う必要がある．特にステロイドや免疫抑制薬の治療中では，日和見感染に留意する[47]．すなわちニューモシスチス肺炎（β-D-グルカン，誘発痰，BALFのPCRなど），サイトメガロウイルス（抗原），インフルエンザウイルス（迅速検査），アスペルギルス（β-D-グルカン），レジオネラ（ヒメネス染色，BCYEα培地，尿中抗原，血清抗体価）などによる感染症の除外に努める．プロカルシトニンは，細菌感染症の除外に有用との報告がある[48]が絶対的な指標とはしにくく，個々の症例ごとの判断が必要である．

❹画像所見

胸部X線写真では，慢性経過の間質性肺炎に認められる両下肺野主体の網状影，容積減少所見に加え，新た

急性増悪3ヵ月前　　　急性増悪時

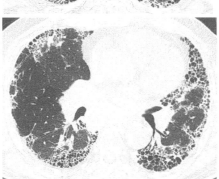
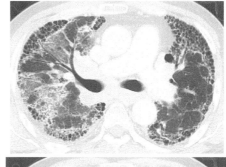
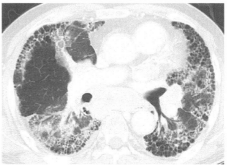

図2　画像所見

に両側性すりガラス影，浸潤影の出現を認める[49]．

HRCT所見は，既存の慢性経過の間質性肺炎を示唆する網状影や蜂巣肺所見に加えて，新たに両側性にすりガラス影や浸潤影などの濃度上昇域が加わる（**図2**）．また，HRCT所見は，急性増悪の診断だけでなく，予後予測にも有用である[49~51]．IPF急性増悪の病理像には，既存のUIPパターンの間質性肺炎像に，DADが合併する場合と，器質化肺炎類似の所見が合併する場合が知られている[49]．画像所見と予後との関連については，新たに出現したすりガラス影や浸潤影を，peripheral, multifocal, diffuseの3型に分類し，ほかの臨床的因子と多変量解析を行って，DADを示唆するdiffuseおよびmultifocalパターンが独立した予後不良因子とする報告がある．また，HRCT所見がDADの病理学的病期（滲出期，増殖期，線維化期）を反映することから，病理学的病期に対応したHRCT所見の広がりを半定量化したCTスコアを独立した予後因子とする報告もある[51]．増殖期への進行を示唆する気管支拡張像を呈する濃度上昇域の広がり（**図2**）と蜂巣肺の広がりが最も重要な所見であり，CTスコアが高い症例では，DADの線維増殖性病変が高度であり，治療反応性が乏しいことを示している．

❺ 病　理

急性増悪の病理像は，基本的には背景となるIPFを反映するUIPに急性の変化であるDADが加わった像で，DADの所見は蜂巣肺などの線維化病変部以外の，比較的正常な肺胞領域に広く，あるいは局所的に出現する（**図3a**）．DADの組織変化はUIPを背景としないDADと変わるところはなく，発症からの時期により滲出期，増殖期（器質化期），線維化期の病変を呈し，時相は一様であることが多いが，増悪を繰り返す例などでは，時相の混在がみられることがある．一部の生検された症例では[12,29]，硝子膜など滲出期の病変が明らかでなく，時には気腔内器質化病変が多数出現したOPに類似するパターンもみられる（**図3b**）．このようなOPに類似したIPF急性増悪の組織診断においては，fibrosing OPや皮膚筋炎合併間質性肺炎（特に抗ARS抗体陽性例），薬剤性や放射線性の肺炎などが鑑別にあがる．DADは慢性線維化病変内ではなく，隣接する正常肺部分に観察されることが多いため，病理検体によってはUIPと診断可能な慢性病変が含まれていないことがあるので注意が必要である．

❻ 診　断

a) 臨床診断基準

従来，IPFの急性増悪は，「IIPの慢性型（現在の臨床診断基準ではIPF）において，1ヵ月以内の経過で，①呼吸困難の増強，②胸部X線における両側性すりガラス影，浸潤影の出現や増加，③動脈血酸素分圧の有意な低下，のすべてを満たし，明らかな肺感染症や心不全を除外する」と定義されてきた[52]．

2004年に，谷口らの「びまん性肺疾患調査研究班」報告書[53]に基づき，急性増悪の診断基準案が，以下のように定義され，後に本邦の診断基準となった．

「IPFの経過中に，1ヵ月以内の経過で，①呼吸困難の増強，②HRCT所見で蜂巣肺所見＋新たに生じたすりガラス影・浸潤影，③動脈血酸素分圧の低下（同一条件下でPaO$_2$ 10 mmHg以上），のすべてがみられる場合を"急性増悪"とする．明らかな肺感染症，気胸，悪性腫瘍，肺塞栓や心不全を除外する」．

参考所見：(1) CRP, LDHの上昇，(2) KL-6, SP-A, SP-Dなどの上昇（**表1**）．

この診断基準の妥当性について検討した報告によれば，診断基準①，②，③の陽性率はそれぞれ95％，83％，58％であった[54]．なお，過去にIPFと診断されておらず，IPFの急性増悪で発症した症例に遭遇するが，原因不明で1ヵ月以内の経過で呼吸困難が増強し，HRCT上，IPFとして典型的な蜂巣肺所見＋新たに生じたすりガラス影・浸潤影が認められ，低酸素血症が認められれば，急性増悪と診断可能と考えられる．また，IPFとしての慢性の臨床経過を有さず，初診時に急性呼吸不全を呈し，HRCTでも蜂巣肺所見がはっきりしない症例で，外科的肺生検（SLB）によりUIP＋DADパターンが確認された症例も報告されている[30]．このような場合，AIPやその他の急性進行性間質性肺炎との鑑別は，臨床像や画像所見からは極めて困難である[55]．

2007年の国際的な診断基準の改訂を目的に，2016年にIPF急性増悪に関する国際的ワーキンググループによるレビュー内で新たな診断基準が提案された[21]．これによれば，IPFの急性増悪とは，「新たな広範な肺胞陰影を特徴とする，急性で，臨床的に有意な呼吸状態の悪化」と，定義され，①過去，あるいは増悪時のIPFの診断，②通常1ヵ月以内の急性の悪化，あるいは，呼吸困難の進行，③HRCTでは背景のUIPパターンに矛盾しない所見の存在と，新たなすりガラス影かつ/あるいは浸潤影の出現，④心不全，あるいは，体液過剰のみでは説明できない悪化，のすべてを認めた場合を急性増悪，欠損データがある場合は，急性増悪疑いとすることとなった．そして，病因論的には，誘因のある急性増悪（例：感染，処置後/術後，薬剤性，誤嚥など）と誘因が認められない急性増悪を，それぞれ，triggered acute exacerbation, idiopathic acute exacerbationとし，両者とも急性増悪として扱う診断基準を提唱している．

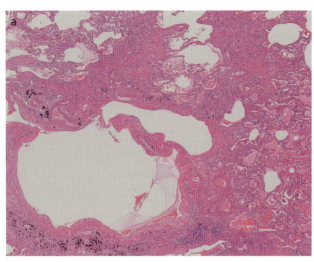
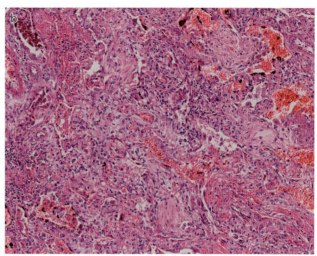

図3 UIPの急性増悪
a：左下に蜂巣肺に一致する慢性の線維化病変があり，周囲には滲出期のDAD病変が分布する．
b：急性増悪には器質化肺炎類似の組織像を示すものもある．

表1 IPFの急性増悪の診断基準

1	IPFの経過中に，1ヵ月以内の経過で
	①呼吸困難の増強
	②HRCT所見で蜂巣肺所見＋新たに生じたすりガラス影・浸潤影
	③動脈血酸素分圧の低下（同一条件下でPaO$_2$ 10 mmHg以上）のすべてがみられる場合を「急性増悪」とする
2	明らかな肺感染症，気胸，悪性腫瘍，肺塞栓や心不全を除外する
	参考所見：(1) CRP，LDHの上昇 (2) KL-6，SP-A，SP-Dなどの上昇

過去にIPFと診断されておらず，IPFの急性増悪で発症した症例に遭遇するが，原因不明で1ヵ月以内の経過で呼吸困難が増強し，HRCT上，IPFとして典型的な蜂巣肺所見＋新たに生じたすりガラス影・浸潤影が認められ，低酸素血症が認められれば，急性増悪と診断可能と考えられる．
（文献34より引用）

この国際的ワーキンググループの新たな診断基準の妥当性につき検証した報告によると，triggered acute exacerbationとidiopathic acute exacerbation間には予後に差が認められず[56,57]，肺炎や亜急性のIPF進行などの肺実質の異常を伴う急性増悪でない病態と比較して急性増悪は予後不良であった．

❻治療

薬物治療についても，呼吸管理についても急性増悪に対して，良質なエビデンスを有する治療法は確立していない．現在，推奨されている治療法の多くがエキスパートオピニオンや小規模な試験をもとに提唱されているものになる．

a）薬物治療
(1) ステロイドおよび免疫抑制薬

高用量のステロイド全身投与は十分なエビデンスがあるわけではないが，急性増悪に対して最も一般的に用いられる薬物療法である．用量としては，パルス療法（メチルプレドニゾロン500～1,000 mg/日の3日間点滴静注を，病状の安定化が得られるまで1週間隔で1～4コース投与）で用いられることが多い[12,13]．MeduriらによるARDSでのステロイド療法[58]に準じて，メチルプレドニゾロン1 mg/kg/日を2週間，次いで2週間で0.5 mg/kg/日より漸減する方法も用いられることがある[59]．しかしながら，適切な用量や投与期間については確定的なデータが得られていない．その一方で，ステロイドに関しては否定的な見解もある．米国単施設入院症例を対象とした約8年間の病名コードなどからの後方視的アルゴリズム解析によると高用量のステロイド使用例は院内死亡割合が高い傾向があった[25]．

ステロイド療法に加え，免疫抑制薬の併用も試みられている．シクロスポリン併用療法[60~62]，タクロリムス併用療法[63]が有効との報告もある．一方，シクロスポリンの併用に関しては，有用性を見出せなかったとの報告と[64,65]，有効であったとの報告がある[66]．また，重症例において，ステロイドに上乗せしてシクロホスファミド静脈投与が行われることもあるが，傾向スコアマッチングを用いた後方視的研究によると上乗せのメリットはないと報告されている[67]．さらにフランスで行われた第Ⅲ相試験であるEXAFIPの結果が2021年に報告され，シクロホスファミド上乗せの有用性は見い出せな

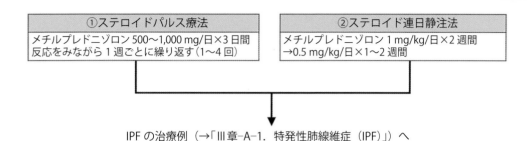

図4　薬物療法の例

かった[68].

ステロイド療法にて軽快した症例に対する維持療法の必要性や具体的方法に関しては，現時点では統一的見解が得られていない．薬物治療の例を図4に示す．

日本の特発性肺線維症の治療ガイドライン2017[32]では，急性増悪に対して，パルス療法を含めたステロイド療法も，免疫抑制薬の併用投与についても「行うことを提案する」と記載されている．ただし，国際的にはステロイド療法に関して否定的な報告も存在することから，一部の少数の患者にはこの治療法が合理的な選択肢でない可能性があり，個々のリスクも勘案したうえで，十分なインフォームドコンセントを行い，検討すべきである[25,69].

(2) 好中球エラスターゼ阻害薬

好中球エラスターゼ（NE）は，好中球の活性化に伴い放出される蛋白分解酵素の一種であり，肺組織傷害や血管透過性亢進を惹起する．IPFの血漿中NEは健常者に比較して高値を示し，急性増悪時はさらに上昇する．

シベレスタットナトリウム（注射用エラスポール®）はNE特異的阻害薬であり，IPFの急性増悪に対してP/F比（PaO_2/FIO_2）の改善効果が認められている[70]．また，IPF急性増悪により挿管・人工呼吸管理を受けた患者においても，ステロイドパルス療法と本剤の併用により救命が可能であった症例の報告がみられる[71]．人工呼吸管理中の全身性炎症反応症候群（SIRS）に伴う急性肺傷害に保険適用があり，0.2 mg/kg/時を投与する[72].

これまでに報告されている臨床試験では生存率の改善に関する有用性は統計学的に証明されておらず，日本のガイドライン2017[32]によると，現時点では，IPFの急性増悪に対して好中球エラスターゼ阻害薬療法を行わないことが提案されているが，一部の患者には合理的な選択肢になりうると考えられる．

(3) リコンビナントトロンボモジュリン

リコンビナントトロンボモジュリン（rhTM）は，播種性血管内凝固症候群（DIC）治療薬として承認を受けている．rhTMは，抗凝固活性のみならず，抗炎症，抗線維化作用を有していることも知られている．複数の後方視的検討において，rhTM治療は，通常治療群と比べ有意に予後が良好と報告されたことを受け[46,72,73]，第Ⅲ相臨床試験が行われ，結果が2019年に公表された[66]．この試験は日本国内多施設共同で行われた急性増悪に対する世界ではじめての無作為化比較試験として注目されたが，今回の対象群においては先行研究とは異なり，rhTM治療の有効性は確認できなかった．

(4) アジスロマイシン

マクロライド療法は古くから，急性増悪時に行われてきた．有効性を示す機序としては，抗菌活性としての効果よりも，マクロライドの持つ抗炎症作用と免疫調整作用によるものと考えられている．急性増悪85例を対象としてアジスロマイシン静脈内投与（500 mg/日5日間使用）群はキノロン使用群に比較して60日死亡率を減少させるという国内の単施設の研究がある[74]．現時点では，急性増悪に対するアジスロマイシン療法の，十分なデータが集積されていないため，日本の特発性肺線維症の治療ガイドライン2017では，クリニカルクエスチョンにあげられていない．

(5) 抗線維化薬による急性増悪の抑制

薬物による急性増悪の発症予防効果については，ピルフェニドンがIPFの急性増悪の発生頻度を減少させたと報告があったが[6]，その後の国内第Ⅲ相プラセボ対照二重盲検比較試験ではプラセボ群との差は認められなかった[7]．ニンテダニブの国際共同第Ⅲ相試験において，副次解析項目であった施設判定の急性増悪の発生頻

度減少効果は一定しなかったが，より厳格な基準で中央判定された急性増悪の発生頻度はプラセボに比較してニンテダニブ群で有意に抑えられた[75]．

後ろ向き研究結果に基づいて遂行された前向き研究，多施設非無作為化非盲検試験（先進医療B）の結果を統括報告書として厚労省へ提出した．現在，「革新的医療機器条件付き早期承認制度」による難治病態への有用性検討が行われている．今後，日本呼吸器学会の当該部会や班研究との連携を通して，有効対象の探索が進められる予定である．

b）呼吸管理

急性増悪の呼吸管理については，エビデンスが乏しく，ARDSを参考に管理される場合が多い．PaO_2は60 mmHg以上に保ち，挿管下の人工呼吸管理では1回換気量は可及的に制限し（6〜8 mL/kg），プラトー圧は35 cmH$_2$O以下とする．また，PEEPは心拍出量・血圧の低下がなければ10〜15 cmH$_2$O程度の中等量を用いる[76]とする報告もあるが，PEEPが予後を悪化させたとの報告[77]もある．

また，IPFの急性増悪では，ステロイドや免疫抑制薬を使用することが多く，このため，挿管・人工呼吸管理下では人工呼吸器関連肺炎（ventilator-associated pneumonia：VAP）のリスクが高くなる．非侵襲的陽圧換気療法（noninvasive positive pressure ventilation：NPPV）は，免疫抑制状態にある呼吸不全患者に対し，VAPの頻度を減少させ死亡率を改善することが報告されている[78]．NPPVについては，間質性肺炎に伴う急性呼吸不全においての報告も増えつつあり[79〜84]，長期生存が得られたとの報告があることより[85]，積極的に試みてもよいと思われる．最近の米国の全国調査では，IPF入院患者17,770例のうち約14%で人工呼吸管理が施行され，院内死亡率は挿管人工呼吸管理52%，NPPV 31%と従来の報告と比べると良好な結果となっている[86]．

なお，高流量鼻カニュラ酸素療法（ハイフローネーザルカニュラ：HFNC）が間質性肺炎の急性増悪に有効であったとの報告がある[87,88]．

肺移植が頻繁に行われている海外においては，肺移植への橋渡しとして一時的な生命維持を目的としてveno-venous Extracorporeal membrane oxygenation（V-V ECMO）（静脈脱血-静脈送血体外式膜型人工肺）による管理が行われることがある．超重症呼吸不全症例の呼吸管理法としては，単なるガス交換維持という目的のみならず，人工呼吸器損傷から肺を保護するという観点から注目すべき管理ではあるものの，ECMOは侵襲度が高く，後方治療として肺移植を期待しにくい日本においては，本病態に対して一般適応しにくい[89]．

ATS/ERS/JRS/ALATのガイドラインでは，IPF患者の呼吸不全に対する人工呼吸管理の予後が極めて不良[90,91]であることから，"人工呼吸管理は過半数の症例に対しては勧められないが，一部では行ってもよい"とされている．人工呼吸管理を行わないという決断の前には個々の症例で慎重な検討が必要で，死亡率が高い点を考慮し，患者や家族と治療目標を相談のうえで決定する必要がある．できれば，安定期にliving willを検討しておくのが望ましいが，現実的には安定期に検討することは困難な場合が多い．一般的には広範囲に高度の線維化病変や蜂巣肺が完成したIPFの急性増悪における挿管・人工呼吸管理症例は離脱不能もしくは救命不能である場合が多い．NPPVについては，検討してもよいとされ，肺移植への橋渡しのための呼吸管理にも言及している．

c）PMX-direct hemoperfusion（PMX-DHP）療法

ポリミキシン（polymyxin）B固定化線維（polymyxin B-immobilized fiber column：PMX）カラムは血中のエンドトキシンを除去する目的で開発された血液浄化デバイスであるが，最近ではIPFの急性増悪をはじめとするDAD病態に対して酸素化や予後の改善などの有用性が報告されている[92〜96]．エンドトキシン吸着以外のPMXの作用機序として活性化好中球の吸着のほか，血中MMP-9，MCP-1，HMGB-1など炎症性メディエーターに対する効果が期待されている[94〜98]．

PMX-DHP療法が施行されたIPF急性増悪症例に関する全国的な後ろ向き研究では，治療前と比較してP/F比の有意な改善を認め，さらに急性増悪の予後についても生存率の改善が見込まれる結果であった[44]．別の後ろ向き研究では，PMX-DHP療法のタイミングがステロイドパルス療法から48時間以内であった群，また増悪前の修正GAPが8未満の群の生存率が良好と報告されている[99]．IPF急性増悪に対するPMX-DHP療法は2014〜2019年に前向き観察研究（先進医療B）が行われ，有効性としては，4週生存率が40.3%であり，既定の従来治療の上限生存率40.0%と同等以上と判定された．現在，オーファン機器開発承認となっており，多施設市販後調査に向けて当局と学会部会との連携を模索中である．

複数の報告により有効性は示唆されるものの，この治療法については，無作為化比較試験は行われておらず，エビデンスレベルが十分でないため，日本のガイドライン2017[32]では，「IPF急性増悪に対してPMX-DHP療法を行わないことを提案するが，少数の患者にはこの治療法が合理的な選択肢である可能性がある（エビデンスレベルC）」とされている．将来，この治療法がIPF急性増悪に対して適応拡大されるためには，どのような患者に有益性をもたらすのか，適切な導入タイミング，最

良の施行時間，回数や施行間隔をどうするのか，などの問題点の解決が必要と考えられており，複数施設において，先進医療としての取り組みが進行中である．

❼急性増悪の予後

日本における本病態は，従来の報告[9]では初回急性増悪での死亡率約80％，改善例でも平均6カ月で死亡するとされており，一般に予後不良と認識されてきた．また，厚生労働省調査での2006年のWeb登録の結果では，MSTは1.3カ月と報告されている[65]．急性増悪の予後不良因子としては，CRP高値，KL-6高値，LDH高値，PaO_2/FIO_2低値，CTでのパターン分類や線維化の広がり，BALFでの好中球高値・リンパ球低値などが報告されている[34〜40]．一方で，治療有効例には比較的軽症例，ステロイド未治療例が多いとの報告もある[100]．最近の後ろ向き検討では生存率が50％程度との報告も多く，また，最近の前向き比較試験においては，生存率89.2％との報告があり，過去と比較して格段によいデータも報告されている[101]．

文献

1) Suda T, Kaida Y, Nakamura Y : Acute exacerbation of interstitial pneumonia associated with collagen vascular diseases. Respir Med 2009 ; **103** : 846-853.
2) Park IN, Kim DS, Shim TS, et al : Acute exacerbation of interstitial pneumonia other than idiopathic pulmonary fibrosis. Chest 2007 ; **132** : 214-220.
3) Miyazaki Y, Tateishi T, Akashi T, et al : Clinical predictors and histologic appearance of acute exacerbations in chronic hypersensitivity pneumonitis. Chest 2008 ; **134** : 1265-1270.
4) Suzuki A, Kondoh Y, Brown KK, et al : Acute exacerbations of fibrotic interstitial lung diseases. Respirology 2020 ; **25** : 525-534.
5) Natsuizaka M, Chiba H, Kuronuma K, et al : Epidemiologic survey of Japanese patients with idiopathic pulmonary fibrosis and investigation of ethnic differences. Am J Respir Crit Care Med 2014 ; **190** : 773-779.
6) Azuma A, Nukiwa T, Tsuboi E, et al : Double-blind, placebo-controlled trial of pirfenidone in patients with idiopathic pulmonary fibrosis. Am J Respir Crit Care Med 2005 ; **171** : 1040-1047.
7) Taniguchi H, Ebina M, Kondoh Y, et al : Pirfenidone in idiopathic pulmonary fibrosis. Eur Respir J 2010 ; **35** : 821-829.
8) Ryerson CJ, Cottin V, Brown KK, et al. : Acute exacerbation of idiopathic pulmonary fibrosis : shifting the paradigm. Eur Respir J 2015 ; **46** : 512-520.
9) Kondo A, Saiki S : Acute exacerbation in idiopathic interstitial pneumonia. Interstitial Pneumonia of Unknown Etiology, Harasawa M, Fukuchi Y et al（eds）, University of Tokyo Press, Tokyo, 1989 : p 34-42.
10) Song JW, Hong SB, Lim CM, et al : Acute exacerbation of idiopathic pulmonary fibrosis : incidence, risk factors and outcome. Eur Respir J 2011 ; **37** : 356-363.
11) Kondoh Y, Taniguchi H, Katsuta T, et al : Risk factors of acute exacerbation of idiopathic pulmonary fibrosis. Sarcoidosis Vasc Diffuse Lung Dis 2010 ; **27** : 103-110.
12) Kondoh Y, Taniguchi H, Kawabata Y, et al : Acute exacerbation in idiopathic pulmonary fibrosis : analysis of clinical and pathological findings in three cases. Chest 1993 ; **103** : 1808-1812.
13) 谷口博之，近藤康博，横井豊治：間質性肺炎―急性増悪の臨床．井村裕夫（ほか監修），最新内科学体系，プログレス11，呼吸器疾患，中山書店，東京，1997：p 206-216.
14) 吉村邦彦，中谷龍王，中森祥隆，ほか：特発性間質性肺炎の急性増悪に関する臨床的検討ならびに考案．日胸疾会誌 1984 ; **22** : 1012-1020.
15) Ambrosini V, Cancellieri A, Chilosi M, et al : Acute exacerbation of idiopathic pulmonary fibrosis : report of a series. Eur Respir J 2003 ; **22** : 821-826.
16) Rice AJ, Wells AU, Bouros D, et al : Terminal diffuse alveolar damage in relation to interstitial pneumonias : an autopsy study. Am J Clin Pathol 2003 ; **119** : 709-714.
17) American Thoracic Society, European Respiratory Society : American Thoracic Society/ European Respiratory Society international multidisciplinary consensus classification of the idiopathic interstitial pneumonias. Am J Respir Crit Care Med 2002 ; **165** : 277-304.
18) Martinez FJ, Safrin S, Weycker D, et al : The clinical course of patients with idiopathic pulmonary fibrosis. Ann Intern Med 2005 ; **142** : 963-967.
19) Kim DS, Park JH, Park BK, et al : Acute exacerbation of idiopathic pulmonary fibrosis : frequency and clinical features. Eur Respir J 2006 ; **27** : 143-150.
20) Collard HR, Moore BB, Flaherty KR, et al : Acute exacerbations of idiopathic pulmonary fibrosis. Am J Respir Crit Care Med 2007 ; **176** : 636-643.
21) Collard HR, Ryerson CJ, Corte TJ, et al : Acute exacerbation of idiopathic pulmonary fibrosis : An International Working Group Report. Am J Respir Crit Care Med 2016 ; **194** : 265-275.
22) Wootton SC, Kim DS, Kondoh Y, et al : Viral infection in acute exacerbation of idiopathic pulmonary fibrosis. Am J Respir Crit Care Med 2011 ; **183** : 1698-1702.
23) Oda K, Ishimoto H, Yamada S, et al : Autopsy analyses in acute exacerbation of idiopathic pulmonary fibrosis. Respir Res 2014 ; **15** : 109.
24) Lee JS, Song J, Wolters PJ, et al : Bronchoalveolar lavage pepsin in acute exacerbation of idiopathic pulmonary fibrosis. Eur Respir J 2012 ; **39** : 352-358.
25) Lee JS, Collard HR, Anstrom KJ, et al : Anti-acid treatment and disease progression in idiopathic pulmonary fibrosis : an analysis of data from three randomised controlled trials. Lancet Respir Med 2013 ; **1** : 369-376.
26) 日本呼吸器学会びまん性肺疾患学術部会・厚生労働省

難治性疾患克服研究事業びまん性肺疾患調査研究班（編）：気管支肺胞洗浄（BAL）法の手引き，克誠堂出版，東京，2008.

27) Hiwatari N, Shimura S, Takishima T, et al : Bronchoalveolar lavage as a possible cause of acute exacerbation in idiopathic pulmonary fibrosis patients. Tohoku J Exp Med 1994 ; **174** : 379-386.

28) Sakamoto K, Taniguchi H, Kondoh Y, et al : Acute exacerbation of IPF following diagnostic bronchoalveolar lavage procedures. Respir Med 2012 ; **106** : 436-442.

29) Parambil JG, Myers JL, Ryu JH : Histopathologic features and outcome of patients with acute exacerbation of idiopathic pulmonary fibrosis undergoing surgical lung biopsy. Chest 2005 ; **128** : 3310-3315.

30) Sakamoto K, Taniguchi H, Kondoh Y, et al : Acute exacerbation of idiopathic pulmonary fibrosis as the initial presentation of the disease. Eur Respir Rev 2009 ; **112** : 129-132.

31) Azuma A, Hagiwara K, Kudoh S : Basis of acute exercerbation of idiopathic pulmonary fibrosis in japanese patients. Am J Respir Crit Care Med 2008 ; **177** : 1397-1398.

32) Hirano C, Ohshimo S, Horimasu Y, et al : Baseline High-Resolution CT Findings Predict Acute Exacerbation of Idiopathic Pulmonary Fibrosis : German and Japanese Cohort Study. J Clin Med 2019 ; **8** : pii : E2069.

33) Ohshimo S, Ishikawa N, Horimasu Y, et al : Baseline KL-6 predicts increased risk for acute exacerbation of idiopathic pulmonary fibrosis. Respir Med 2014 ; **108** : 1031-1039.

34) 谷口博之，近藤康博：特発性肺線維症の急性増悪の新しい診断基準について．厚生労働科学研究費補助金難治性疾患克服研究事業びまん性肺疾患調査研究班，平成 saikindehashibouritu50%teido 年度研究報告書，2004：p 14-119.

35) 谷口博之，海老名雅仁，田口善夫，ほか：特発性肺線維症の急性増悪に関する2次アンケート調査研究．厚生労働科学研究費補助金難治性疾患克服研究事業びまん性肺疾患調査研究班，平成19年度研究報告書，2008：p 67-72.

36) Akira MH, Hamada M, Sakatani C, et al : CT findings during phase of accelerated deterioration in patients with idiopathic pulmonary fibrosis. AJR 1997 ; **168** : 79-83.

37) Akira M, Kozuka T, Yamamoto S, et al : Computed tomography findings in acute exacerbation of idiopathic pulmonary fibrosis. Am J Respir Crit Care Med 2008 ; **178** : 372-378.

38) Fujimoto K, Taniguchi H, Johkoh T, et al : Acute exacerbation of idiopathic pulmonary fibrosis : high-resolution CT scores predict mortality. Eur Radiology 2012 ; **22** : 83-92.

39) Song JW, Hong SB, Lim CM, et al : Acute exacerbation of idiopathic pulmonary fibrosis : incidence, risk factors and outcome. Eur Respir J 2011 ; **37** : 356-363.

40) Kishaba T, Tamaki H, Shimaoka Y, et al : Staging of acute exacerbation in patients with idiopathic pulmonary fibrosis. Lung 2014 ; **192** : 141-149.

41) Abe S, Hayashi H, Seo Y, et al : Reduction in serum high mobility group box-1 level by polymyxin B-immobilized fiber column in patients with idiopathic pulmonary fibrosis with acute exacerbation. Blood Purif 2011 ; **32** : 310-316.

42) Yan Y, Du S, Ji Y, Su N, et al : Discovery of enzymatically depolymerized heparins capable of treating Bleomycin-induced pulmonary injury and fibrosis in mice. Carbohydr Polym 2017 ; **174** : 82-88.

43) Kataoka K, Taniguchi H, Hasegawa Y, et al : Interstitial lung disease associated with gefitinib. Respir Med 2006 ; **100** : 698-704.

44) Abe S, Azuma A, Mukae H, et al : Polymyxin B-immobilized fiber column (PMX) treatment for idiopathic pulmonary fibrosis with acute exacerbation : a multicenter retrospective analysis. Intern Med 2012 ; **51** : 1487-1491.

45) 近藤康博，谷口博之：開胸肺生検で確認し，ステロイド療法が効果的であったUIP急性増悪・亜急性増悪例の臨床病理学的検討．厚生省特定疾患びまん性肺疾患調査研究班平成4年度研究報告書，1993：p 162-164.

46) Kataoka K, Taniguchi H, Kondoh Y, et al : Recombinant Human Thrombomodulin in Acute Exacerbation of Idiopathic Pulmonary Fibrosis. Chest 2015 ; **148** : 436-443

47) Tamm M, Traenkle P, Grilli B, et al : Pulmonary cytomegalovirus infection in immunocompromised patients. Chest 2001 ; **119** : 838-843.

48) Nagata K, Tomii K, Otsuka K, et al : Serum procalcitonin is a valuable diagnostic marker in acute exacerbation of interstitial pneumonia. Respirology 2013 ; **18** : 439-446.

49) An official ATS/ ERS/ JRS/ ALAT statement : idiopathic pulmonary fibrosis : evidence-based guidelines for diagnosis and management. Am J Respir Crit Care Med 2011 ; **183** : 788-824.

50) Akira M, Kozuka T, Yamamoto S, et al : Computed tomography findings in acute exacerbation of idiopathic pulmonary fibrosis. Am J Respir Crit Care Med 2008 ; **178** : 3728.

51) Fujimoto K, Taniguchi H, Johkoh T, et al : Acute exacerbation of idiopathic pulmonary fibrosis : high-resolution CT scores predict mortality. Eur Radiol 2012 ; **22** : 83-92.

52) 佐藤篤彦：特発性間質性肺炎と関連疾患分科会総括報告．厚生省特定疾患びまん性肺疾患調査研究班平成6年度研究報告書，1995：p 9-11.

53) 谷口博之，近藤康博：特発性肺線維症の急性増悪の新しい診断基準について．厚生労働科学研究費補助金難治性疾患克服研究事業びまん性肺疾患調査研究班平成15年度研究報告書，2004：p 114-119.

54) 谷口博之，海老名雅仁，田口善夫，ほか：特発性肺線維症の急性増悪に関する2次アンケート調査の解析結果報告．厚生労働科学研究費補助金難治性疾患克服研究事業びまん性肺疾患に関する調査研究班　平成17年度報告書，2005：p 67-72.

55) Kondoh Y, Taniguchi H, Kataoka K, et al : Prognostic factors in rapidly progressive interstitial pneumonia. Respirology 2010 ; **15** : 257-264.

56) Teramachi R, Kondoh Y, Kataoka K, et al : Outcomes with newly proposed classification of acute respiratory deterioration in idiopathic pulmonary fibrosis. Respir Med 2018 ; **143** : 147-

57) Yamazoe N, Tomioka H : Acute exacerbation of idiopathic pulmonary fibrosis : a 10-year single-centre retrospective study. BMJ Open Resp Res 2018 ; **5** ; e000342.

58) Meduri GU, Golden E, Freire AX, et al : Methylprednisolone infusion in early severe ARDS : results of a randomized controlled trial. Chest 2007 ; **131** : 954-963.

59) Nishiyama O, Shimizu M, Ito Y, et al : Effect of prolonged low-dose methylprednisolone therapy in acute exacerbation of idiopathic pulmonary fibrosis. Respir Care 2001 ; **46** : 698-701.

60) Inase N, Sawada M, Ohtani Y, et al : Cyclosporin A followed by the treatment of acute exacerbation of idiopathic pulmonary fibrosis with corticosteroid. Intern Med 2003 ; **42** : 565-570.

61) Homma S, Sakamoto S, Kawabata M, et al : Cyclosporin treatment in steroid-resistant and acutely exacerbated interstitial pneumonia. Intern Med 2005 ; **44** : 1144-1150.

62) Sakamoto S, Homma S, Miyamoto A, et al : Cyclosporin A in the treatment of acute exacerbation of idiopathic pulmonary fibrosis. Intern Med 2010 ; **49** : 109-115.

63) Horita N, Akahane M, Okada Y, et al : Tacrolimus and steroid treatment for acute exacerbation of idiopathic pulmonary fibrosis. Intern Med 2011 ; **50** : 189-195.

64) 岡本竜哉, 一安秀範, 一門和哉, ほか：特発性肺線維症（IPF）の臨床的検討　急性増悪例の解析. 日呼吸会誌　2006；**44**：359-367.

65) 田口善夫, 海老名雅仁, 菅 守隆, ほか：WEB 登録による IPF 急性増悪症例のレトロスペクティブ調査の解析結果報告. 厚生科学特定疾患対策研究事業びまん性肺疾患研究班平成 18 年度報告書, 2006：p39-45.

66) 石井芳樹, 北村 諭：特発性間質性肺炎急性悪化症例に対する好中球エラスターゼ阻害剤 ONO5046 の効果―後期第 II 相試験の成績―. 厚生省特定疾患呼吸器系疾患調査研究班びまん性肺疾患分科会平成 8 年度研究報告書, 1997：p240-244.

67) Hozumi H, Hasegawa H, Miyashita K, et al : Efficacy of corticosteroid and intravenous cyclophosphamide in acute exacerbation of idiopathic pulmonary fibrosis : A propensity score-matched analysis. Respirology 2019 ; **24** : 792-798.

68) Naccache JM, Jouneau S, Didier M, et al : Cyclophosphamide added to glucocorticoids in acute exacerbation of idiopathic pulmonary fibrosis (EXAFIP) : a randomised, double-blind, placebo-controlled, phase 3 trial. Lancet Respir Med 2021 ; September 7, 2021.

69) Cuerpo S, Moisés J, Hernández-González F, et al : Acute exacerbations of idiopathic pulmonary fibrosis : Does clinical stratification or steroid treatment matter? Chron Respir Dis 2019 ; **16** : 1479973119869334.

70) 中村万里, 小倉高志, 宮沢直幹, ほか：高度呼吸不全を呈した特発性肺線維症急性増悪におけるシベレスタットナトリウム使用成績と予後因子の検討. 日呼吸会誌 2007；**45**：455-459.

71) 谷口博之, 近藤康博, 西山 理：急速進行性の間質性肺炎の管理. 呼吸　2002；**21**：738-746.

72) Isshiki T, Sakamoto S, Kinoshita A, et al : Recombinant human soluble thrombomodulin treatment for acute exacerbation of idiopathic pulmonary fibrosis : a retrospective study. Respiration 2015 ; **89** : 201-207.

73) Abe M, Tsushima K, Matsumura T, et al : Efficacy of thrombomodulin for acute exacerbation of idiopathic pulmonary fibrosis and nonspecific interstitial pneumonia : a nonrandomized prospective study. Drug Des Devel Ther 2015 ; **9** : 5755-5762

74) Kawamura K, Ichikado K, Yasuda Y, et al : Azithromycin for idiopathic acute exacerbation of idiopathic pulmonary fibrosis : a retrospective single-center study. BMC Pulm Med 2017 ; **17** : 94.

75) Richeldi L, du Bois RM, Raghu G, et al : INPULSIS Trial Investigators. Efficacy and safety of nintedanib in idiopathic pulmonary fibrosis. N Engl J Med 2014 ; **370** : 2071-2082.

76) 谷口博之, 近藤康博：特発性間質性肺炎の臨床：急性増悪への対応. 日胸　2003；**62**：S107-S113.

77) Fernández-Pérez ER, Yilmaz M, Jenad H, et al : Ventilator settings and outcome of respiratory failure in chronic interstitial lung disease. Chest 2008 ; **133** : 1113-1119

78) Hilbert G, Gruson D, Vargas F, et al : Noninvasive ventilation in immunosuppressed patients with pulmonary infiltrates, fever, and acute respiratory failure. N Engl J Med 2001 ; **344** : 481-487.

79) 近藤康博, 谷口博之：NPPV の拡大. 呼吸 2002；**21**：463-469.

80) Tomii K, Seo R, Tachikawa R, et al : Impact of noninvasive ventilation (NIV) trial for various types of acute respiratory failure in the emergency department ; decreased mortality and use of the ICU. Respir Med 2009 ; **103** : 67-73.

81) 近藤康博, 谷口博之, 木村智樹, ほか：間質性肺炎に対する NPPV 療法. 厚生労働科学研究特発性間質性肺炎の画期的治療法に関する臨床研究平成 16 年度研究報告書, 2005：p660-665.

82) Mollica C, Paone G, Conti V, et al : Mechanical ventilation in patients with end-stage idiopathic pulmonary fibrosis. Respiration 2010 ; **79** : 209-215.

83) Yokoyama T, Tsushima K, Yamamoto H, et al : Potential benefits of early continuous positive pressure ventilation in patients with rapidly progressive interstitial pneumonia. Respirology 2012 ; **17** : 315-321.

84) Güngör G, Tatar D, Saltürk C, et al : Why do patients with interstitial lung diseases fail in the ICU? A 2-center cohort study. Respir Care 2013 ; **58** : 525-531.

85) Yokoyama T, Kondoh Y, Taniguchi H, et al : Noninvasive ventilation in acute exacerbation of idiopathic pulmonary fibrosis. Intern Med 2010 ; **49** : 1509-1514.

86) Rush B, Wiskar K, Berger L, et al : The use of mechanical ventilation in patients with idiopathic pulmonary fibrosis in the United States : A nationwide retrospective cohort analysis. Respir Med 2016 ; **111** : 72-76

87) Horio Y, Takihara T, Niimi K, et al : High-flow nasal cannula oxygen therapy for acute exacerbation of interstitial pneumonia : a case series. Respir Investig 2016 ; **54** : 125-129

88) Ito J, Nagata K, Morimoto T, et al : Respiratory management of acute exacerbation of interstitial pneumonia using high-flow nasal cannula oxygen therapy : a single center cohort study. J Thorac Dis 2019 ; **11** : 103-112.
89) Kida Y, Ohshimo S, Kyo M, Hosokawa K, et al : Retrospective immunohistological study of autopsied lungs in patients with acute exacerbation of interstitial pneumonia managed with extracorporeal membrane oxygenation. J Thorac Dis 2019 ; **11** : 4436-4443.
90) Blivet S, Philit F, Sab JM, et al : Outcome of patients with idiopathic pulmonary fibrosis admitted to the ICU for respiratory failure. Chest 2001 ; **120** : 209-212.
91) Stern JB, Mal H, Groussard O, et al : Prognosis of patients with advanced idiopathic pulmonary fibrosis requiring mechanical ventilation for acute respiratory failure. Chest 2001 ; **120** : 213-219.
92) Seo Y, Abe S, Kurahara M, et al : Beneficial effect of Polymyxin B-immobilized fiber column (PMX-DHP) hemoperfusion treatment on acute exacerbation of idiopathic pulmonary fibrosis. Results of a pilot study. Intern Med 2006 ; **45** : 1033-1038.
93) Enomoto N, Suda T, Uto T, et al : Possible therapeutic effect of direct haemoperfusion with a polymyxin B immobilized fibre column (PMX-DHP) on pulmonary oxygenation in acute exacerbation of interstitial pneumonia. Respirology 2008 ; **1** : 452-460.
94) Hara S, Ishimoto H, Sakamoto N, et al : Direct Hemoperfusion using immobilized Polymyxin B in patients with rapidly progressive interstitial pneumonias : a retrospective study. Respiration 2011 ; **81** : 107-117.
95) Oishi K, Mimura-kimura Y, Miyasho T, et al : Association between cytokine removal by polymyxin B hemoperfusion and improved pulmonary oxygenation in patients with acute exacerbation of idiopathic pulmonary fibrosis. Cytokine 2013 ; **61** : 84-89.
96) Noma S, Matsuyama W, Mitsuyama H, et al : Two cases of acute exacerbation of interstitial pneumonia treated with polymyxin B-immobilized fiber column hemoperfusion treatment. Intern Med 2007 ; **46** : 1447-1454.
97) Abe S, Seo Y, Hayashi H, et al : Neutrophil adsorption by polymyxin B-immobilized fiber column (PMX) for acute exacerbation in patients with interstitial pneumonia : a pilot study. Blood Purifi 2010 ; **29** : 321-326.
98) Abe S, Hayashi H, Seo Y, et al : Reduction in serum high mobility group box-1 level by polymyxin B (PMX)-immobilized fiber column in patients with idiopathic pulmonary fibrosis with acute exacerbation. Blood Purifi 2011 ; **32** : 310-316.
99) Oishi K, Azuma A, Abe S, et al : Improved prognostic prediction by combination of early initiation of polymyxin B hemoperfusion with modified Gender-Age-Physiology index in acute exacerbation of idiopathic pulmonary fibrosis. Blood Purif 2021 Sep 9 : 1-7. doi : 10.1159/000518705. Online ahead of print.
100) 高橋　亨, 棟方　充, 大塚義紀, ほか：特発性間質性肺炎の急性増悪に対するステロイドパルス療法施行例の予後. 日胸疾会誌 1997；**39**：9-15.
101) Kondoh Y, Azuma A, Inoue Y, et al : Thrombomodulin alfa for Acute Exacerbation of Idiopathic Pulmonary Fibrosis : A Randomized, Double-blind, Placebo-controlled Trial. Am J Respir Crit Care Med 2020 ; **201** : 1110-1119.

B. 急性または亜急性の間質性肺炎

1 特発性器質化肺炎（COP）

❶疾患概念

特発性器質化肺炎（cryptogenic organizing pneumonia：COP）は，組織学的に肺胞腔内の器質化病変を主体とし，ステロイド治療によく反応する病態としてDavisonらによって提唱された臨床病理学的疾患概念である[1]．Epperら[2]により提唱されたbronchiolitis obliterans organizing pneumonia（BOOP）と同一疾患と認識されているが，2002年のATS/ERS International Multidisciplinary Consensus[3]ではCOPの名称使用が望ましいとされ，日本でもCOPが受け入れられている．

COPを間質性肺炎の範疇に入れるかどうかは議論があるが，特発性であるということ，肺胞間質にリンパ球を主とした炎症があること，ときにほかのIIPsと紛らわしい病態を呈することから，IIPsの分類に含められている[3]．膠原病や薬剤，環境曝露，悪性疾患などに合併する肺病変としてCOPと同様の臨床病理所見（器質化肺炎，organizing pneumonia：OP）を呈することがあり，本疾患の診断にはそれら原因になりうる疾患や曝露の影響を除外することが必要である．

❷臨床像と検査所見

COPは，臨床的には市中肺炎様の症状および画像所見[4〜6]を呈するが，抗菌薬に反応せず，典型例では画像所見において再発性，遊走性の陰影[6]を認め，ステロイドへの反応性が良好な間質性肺炎と特徴づけられる．

発症の平均年齢は50歳代で，男女差はなく，喫煙のリスクは否定的である[5,7,8]．経過は急性もしくは亜急性で発症から受診までの期間は中央値で3ヵ月未満である[9]．臨床症状として咳，息切れ，発熱，倦怠感，疲労，体重減少を認める．胸部聴診上，吸気時の捻髪音を聴取することがあり，ばち指は認めない．赤沈の亢進，CRP上昇，好中球増加を認めることが多い．呼吸機能では拘束性換気障害や拡散障害を認め，安静時および運動時の低酸素血症を呈することが典型例だが，これら異常を認めない軽症例も多く診断されている[1,4〜7,10,11]．気管支肺胞洗浄（BAL）液において，リンパ球比率の増加とCD4/CD8比の減少を認める．

❸画像所見

a）胸部X線所見

両側性または，一側性の浸潤影を呈し，通常は斑状分布や気管支血管影に沿った分布（図1a，2a）を呈するが，胸膜下優位に分布する場合もある．結節状陰影を呈する場合も10〜50%に報告され，10mmを超える結節影も15%の症例に認める[7,12,13]．

b）HRCT所見

HRCT所見の特徴は，中下肺野領域に優位な斑状影であり，気管支血管束に沿うか，または胸膜下優位に分布する（図2b）場合が，60〜80%の症例に認められる[7,12,14,15]．隣接する正常領域との境界が，陰影側に凹であり（図1b：矢印），容積減少を伴う．陰影内部には，牽引性細気管支拡張像はみられることがあるが，中枢側の牽引性気管支拡張像は通常伴わない（図2b）．またもうひとつの所見として，小葉辺縁性分布の特徴を示す症例が60%の頻度で報告されている[16]．小葉辺縁性分布は，小葉間隔壁や胸膜直下の二次小葉辺縁を縁取るように気腔内器質化物の貯留を反映したものである[16〜18]．COP症例の約20%に，中心部のすりガラス影をリング状に取り囲むように周囲の高吸収域を認められる"reversed halo sign"が認められる[19]（図1c）．30〜50%の症例に1〜10mm大の結節影が報告されている[15]．免疫正常者に発症するCOPのなかで，浸潤影を呈する症例は90〜95%と大多数であるが，免疫不全症例では約半数と少ない[14]．

❹病理

a）病理組織学的特徴（表1）

肺胞腔内において，種々の程度の浮腫と疎な線維化を伴って線維芽細胞が増生し，気腔を閉塞する病態をOPと呼ぶ．特発性のOPであるCOPでは，病変は弱拡大による観察で複数の小葉にわたって斑状に分布し，正常部との境界は比較的明瞭である．病変部内の肺構造はよく保たれ，病変部では小葉中心部の末梢気腔内にポリープ型器質化病変（ポリープ型腔内線維化）があり，周囲の肺胞壁に軽度から中等度のリンパ球・形質細胞の浸潤が認められる．しばしば肺胞腔内には泡沫状マクロ

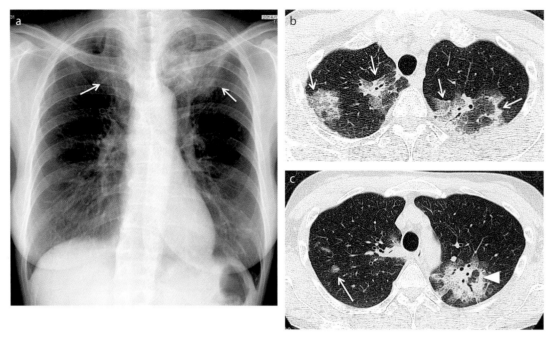

図1 65歳女性．COP

a：胸部X線写真．両側上肺野，左優位に，容積減少を伴うすりガラス影から浸潤影を認める（→）．
b：両側肺尖レベルのHRCT．気管支血管周囲から胸膜下に数小葉単位で広がるすりガラス影と一部浸潤影を認める．細気管支透亮像がみられ，陰影と隣接する正常境界部は，陰影側に凹であり（→），容積減少を示唆する．
c：上行大動脈上端部レベルのHRCT．左上区は結節状の浸潤影があり，内部がすりガラス状を呈するreversed halo sign（矢頭）を呈する．同レベルの右上葉にも結節状のすりガラス影（→）を認める．

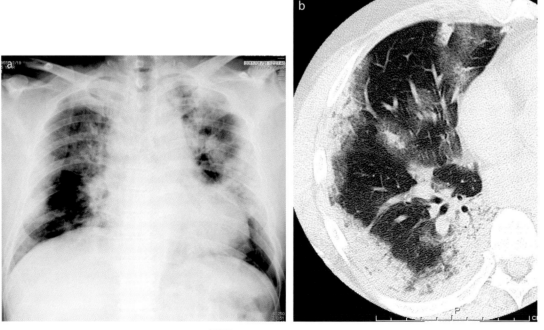

図2 55歳男性．COP

a：胸部X線所見．両側肺野に気管支血管束に沿って，収縮を伴う浸潤影を認める．
b：中・下葉レベルのHRCT所見．胸膜直下に非区域性に広がる浸潤影を認め，気管支血管影に沿ったすりガラス影もみられる．

ファージの滲出もみられる[2]（図3b）．ポリープ型器質化病変の多くは肺胞管を中心に形成され，それより末梢の肺胞囊にも散在するが，中枢側の呼吸細気管支腔内にみられることは比較的少ない．周囲の肺胞壁を含め器質化病変の表面はⅡ型あるいはⅠ型肺胞上皮で覆われることが多い[20]（図3b）．また，時に肺胞壁に軽度の壁在型の器質化病変がみられるが，線維性肥厚や構造改築は目立たない．しかし，個々の症例では器質化病変の時相は一様で，亜急性期のものが多く，構造改築を伴った慢性の密な線維化巣は認められない．また，ポリープ型腔内器質化巣の終末像とも考えられているコラーゲンの球状構造（collagen globule）がみられることもある[20]．気腔内器質化病変が吸収されたあとにも，胞隔の肥厚や軽度の炎症細胞浸潤を残すこともあるが，非病変部の組織はほぼ正常である．また，器質化病変が吸収されずに瘢痕化し，構造改築こそ伴わないもののUIP病変にも類似した線維化病変を呈する事が報告されているが，その臨床的意義については明らかではなく，COPの一病型とすべきか否かは現時点では不明瞭である（図3c）[21〜23]．

表1　COP/OPの主要な組織学的所見

1	病変は斑状で，正常肺との境界は比較的明瞭である
2	背景の肺胞構造は保たれ，病変の時相は一様で肺胞構造の消失を伴う線維化病巣はみられない．ときに時間の経過したコラーゲンの球状構造をみる
3	線維化は末梢気腔のポリープ型腔内線維化が主体で，肺胞管を中心に存在し，肺胞囊，時に呼吸細気管支内腔に及ぶ
4	間質にはリンパ球あるいは形質細胞が軽度から中等度に浸潤し，肺胞腔内には泡沫状マクロファージの滲出がみられる

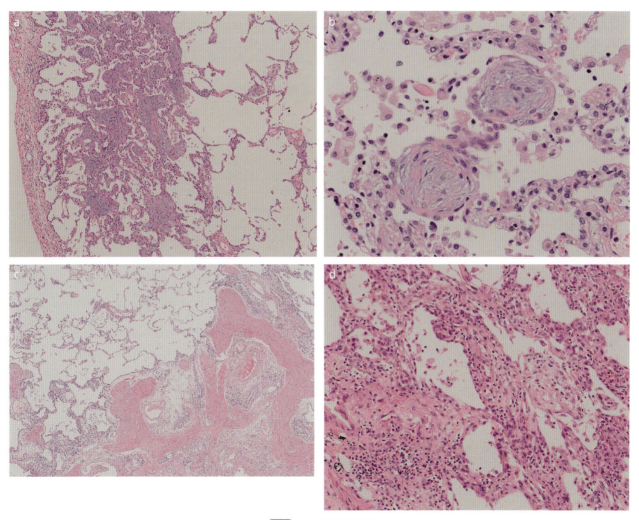

図3　COPの組織像

a：境界の比較的明瞭な器質化病変．気腔内にポリープ状に認められる．
b：ポリープ状の器質化病変はⅡ型肺胞上皮にて被覆されている．気腔内には泡沫状マクロファージが認められる．
c：気腔内の器質化病変が瘢痕化したと思われる線維化病変．肺の構造破壊を伴わない．
d：器質化（増殖）期のDAD．器質化病変がポリープ状の気腔内のみならず，肺胞隔壁にも観察される．

b）鑑別診断[2,24〜29]（表2）

COP の主な鑑別診断には，IIPs の他の病型では cellular NSIP と AIP/DAD が，原因の特定できるものとしては，①細菌感染による肺炎をはじめとして，②膠原病，③好酸球性肺炎，④薬剤性肺炎，⑤放射線肺炎，⑥多発血管炎性肉芽腫症（granulomatosis with polyangiitis：GPA）（Wegener 肉芽腫症），などがあげられる．

IIPs のなかでは cellular NSIP との鑑別が特に重要である．COP ではポリープ型腔内器質化の量が多く，出現範囲も広いが，時間が経過して気腔内病変が吸収されたあとには鑑別困難なことがある．その場合，画像所見の推移などの情報も合わせた総合判断が欠かせない．病理組織学的には，DAD でも増殖期（器質化期）にポリープ型腔内器質化病変が目立つ症例があり，鑑別上問題となる場合がある（図3c）．病変の分布が OP では斑状であるが，DAD ではびまん性で肺胞道を癒合閉塞する所見を伴うことが多い．肺胞壁の変化が OP では比較的軽度であるが，DAD では高度で，肺胞壁弾性線維の断裂，壁内での線維芽細胞の増生，上皮の剝離などがみられる（図3d）．器質化が軽度でフィブリンの析出が目立つ場合は AFOP（acute fibrinous and organizing pneumonia）との鑑別が必要となる．AFOP は DAD と OP の中間的病態と考えられているが，現在ではまれな組織型のひとつとして認識されている[30]．

二次性の器質化肺炎では，まず細菌性肺炎をはじめとする感染症が鑑別にあげられる．細菌性肺炎による OP では，フィブリンの析出が目立つものが主体である．鑑別には組織中，あるいは培養などによる病原体の検討が必須である．膠原病では，しばしば経過中あるいは部分的に OP を呈するものがみられるが，皮膚筋炎合併間質性肺炎では広範囲に OP が広がることが多い．鑑別点として，膠原病の場合は COP に比べ組織学的変化がより多彩で炎症細胞浸潤も強い傾向がある．臨床・画像ともに最も鑑別が難しいのは好酸球性肺炎[31]で，ステロイド治療後などで好酸球の出現の少ないものでは，組織学的にも鑑別は困難となる．

COP を特徴づける末梢気腔内のポリープ型腔内器質化は，肺癌をはじめとする結節性病変の周囲などにも閉塞性肺炎としてみられる非特異的な組織学的所見である．OP パターンは様々な肺病変で出現してくる非特異的所見であることを常に念頭に置いて鑑別を行うことが肝要である．

❺診断と治療

COP の自然軽快はまれであり，多くはステロイド治療が必要となる．数週から 3 ヵ月以内の経過で 80% 以上の症例が改善する[2,4〜7,32]が，なかには治療においても完全には改善せず，fibrotic NSIP パターンを呈する症例もある[33]．治療に必要なステロイドの量や期間に関する明確なエビデンスはないが，経験的に経口プレドニゾロン 0.5〜1 mg/kg/日を 4〜8 週投与の後，2〜4 週ごとに 5 mg ずつ漸減する．ステロイド量を漸減中，もしくは中止後早期に病状の再燃をしばしば（30〜40%）経験する[8,11,32]．再燃の危険因子として画像上（両側性

表2 COP の主な鑑別診断

IIPs のほかの病型，特に cellular iNSIP, AIP
感染症
膠原病に伴う間質性肺疾患
慢性好酸球性肺炎
閉塞性細気管支炎
過敏性肺炎
薬剤性肺炎
その他の非特異的な器質化病巣

①ステロイド単独療法

プレドニゾロン 0.5〜1.0 mg/kg/日
4〜8 週
↓
以後 2〜4 週ごとに 5 mg ずつ減量

②呼吸不全を伴う場合

（a）ステロイドパルス療法
（b）ステロイド連日静注法
（「III章 A-3. 急性増悪」図 3 参照）

ステロイド治療に反応不良の場合，免疫抑制薬（#1, #2, #3）を併用してもよい．

#1　シクロスポリン　2〜3 mg/kg/日〜
#2　アザチオプリン　2〜3 mg/kg/日
#3　シクロホスファミド　1〜2 mg/kg/日
（#1〜#3：保険適用外）

図4　COP の治療例

陰影，牽引性気管支拡張，治療後陰影の残存）および病理上（肺胞内フィブリンの増加）の特徴が指摘されている[34,35]．一方，再発してもステロイドによる再治療に反応するため，疾患全体としての予後は他の間質性肺炎と比較して良好である．また，膠原病に関連したOPと比べ，COPのほうが治療奏効率は高く，再発率は低い傾向にあったとの報告もある[32]．

また，ステロイド治療に反応が不良な重症例で，免疫抑制薬（シクロスポリンやリツキシマブ[36]）の併用が奏効した症例が報告されているが，至適用量に関するエビデンスはない．日本の臨床において実施されているCOPの治療例を図4に示す．

文献

1) Davison AG, Heard BE, McAllister WA, et al : Cryptogenic organizing pneumonitis. Q J Med 1983 ; **52** : 382-394.
2) Epler GR, Colby TV, McLoud TC, et al : Bronchiolitis obliterans organizing pneumonia. N Engl J Med 1985 ; **312** : 152-158.
3) American Thoracic Society/ European Respiratory Society : International Multidisciplinary Consensus Classification of the Idiopathic Interstitial Pneumonias. Am J Respir Crit Care Med 2002 ; **165** : 277-304.
4) Costabel U, Teschler H, Schoenfeld B, et al : BOOP in Europe. Chest 1992 ; **102** : 14S-20S.
5) King TE Jr, Mortenson RL : Cryptogenic organizing pneumonia : the North American experience. Chest 1992 ; **102** : 8S-13S.
6) Yamamoto M, Ina Y, Kitaichi M, et al : Clinical features of BOOP in Japan. Chest 1992 ; **102** : 21S-25S.
7) Izumi T, Kitaichi M, Nishimura K, et al : Bronchiolitis obliterans organizing pneumonia : clinical features and differential diagnosis. Chest 1992 ; **102** : 715-719.
8) Zhou Y, Wang L, Huang M, et al : A long-term retrospective study of patients with biopsy-proven cryptogenic organizing pneumonia. Chron Respir Dis 2019 ; **16** : 1-7.
9) Travis WD, Costabel U, Hansell DM, et al : An official American Thoracic Society/ European Respiratory Society statement : Update of the international multidisciplinary classification of the idiopathic interstitial pneumonias. Am J Respir Crit Care Med 2013 ; **188** : 733-748.
10) Cordier JF, Loire R, Brune J : Idiopathic bronchiolitis obliterans organizing pneumonia. Definition of characteristic clinical profiles in a series of 16 patients. Chest 1989 ; **96** : 999-1004.
11) Drakopanagiotakis F, Paschalaki K, Abu-Hijleh M, et al : Cryptogenic and secondary organizingpneumonia : clinical presentation, radiographic findings, treatment response, and prognosis. Chest 2011 ; **139** : 893-900.
12) An Official American Thoracic Society/ European Respiratory Society Statement : Update of the International Multidisciplinary Consensus Classification of the Idiopathic Interstitial Pneumonias. Am J Respir Crit Care Med 2013 ; **188** : 733-748.
13) Kim DS, Collard HR, King TE Jr : Classification and natural history of the idiopathic interstitial pneumonias. Proc Am Thorac Soc 2006 ; **3** : 285-292.
14) Lee KS, Kullnig P, Hartman TE, et al : Cryptogenic organizing pneumonia : CT findings in 43 patients. AJR Am J Roentgenol 1994 ; **162** : 543-546.
15) Akira M, Yamamoto S. Sakatani M : Bronchiolitis obliterans organizing pneumonia manifesting as multiple large nodules or masses. AJR Am J Roentgenol 1998 ; **170** : 291-295.
16) Ujita M, Renzoni EA, Veeraraghavan S, et al : Organizng pneumonia : perilobular pattern at thin-section CT. Radiology 2004 ; **232** : 757-761.
17) Johkoh T, Muller NL, Ichikado K, et al : Perilobular pulmonary opacities : high-resolution CT findings and pathologic correlation. J Thorac Imaging 1999 ; **14** : 172-177.
18) Nishimura K, Itoh H : High-resolution computed tomographic features of bronchiolitis obliterans organizing pneumonia. Chest 1992 ; **102** : 26S-31S.
19) Kim SJ, Lee KS, Ryu YH, et al : Reversed halo sign on high-resolution CT of cryptogenic organizing pneumonia : diagnostic implications. AJR Am J Roentgenol 2003 ; **180** : 1251-1254.
20) Fukuda Y, Ishizaki M, Kudoh S, et al : Localization of matrix metalloproteinases-1, -2 and -9 and tissue inhibitor of metalloproteinase-2 in interstitial lung diseases. Lab Invest 1998 ; **78** : 687-698.
21) Yousem SA : Cicatricial variant ofcryptogenic organizing pneumonia. Hum Pathol 2017 ; **64** : 76-82.
22) Churg A, Wright JL, Bilawich A : Cicatricial organizing pneumonia mimicking a fibrosing interstitial pneumonia. Histopathology 2018 ; **72** : 846-854.
23) Zaizen Y, Fukuoka J : Pathology of Idiopathic Interstitial Pneumonias. Surg Pathol Clin 2020 ; **13** : 91-118.
24) Colby TV : Pathologic aspects of bronchiolitis obliterans organizing pneumonia. Chest 1992 ; **102** : 38S-44S.
25) Kitaichi M : Differential diagnosis of bronchiolitis obliterans organizing pneumonia. Chest 1992 ; **102** : 44S-49S.
26) Marsh P, Johnston I, Britton J : Atopy as a risk factor for cryptogenic fibrosing alveolitis. Respir Med 1994 ; **88** : 369-371.
27) Travis WD, Colby TV, Koss MN, et al : Non-neoplastic Disorders of the Lower Respiratory Tract. Armed Forces Institute of Pathology and American Registry of Pathology, Washington DC, 2001.
28) Katzenstein AL, Fiorelli RF : Nonspecific interstitial pneumonia/ fibrosis : histologic features and clinical significance. Am J Surg Pathol 1994 ; **18** : 136-147.
29) Katzenstein AL, Myers JL, Mazur MT : Acute interstitial pneumonia : a clinicopathologic, ultrastructural, and cell kinetic study. Am J Surg Pathol 1986 ; **10** : 256-267.
30) Beasley MB, Franks TJ, Galvin JR, et al : Acute fibrinous and organizing pneumonia : a histological pattern of lung injury and possible variant of diffuse alveolar damage. Arch Pathol

Lab Med 2002 ; **126** : 1064-1070.
31) 野間恵之, 久保 武, 溝脇尚志, ほか：BOOP と好酸球性肺炎の鑑別―画像を中心に. 臨床放射線 1998；**43**：81-87.
32) Yoo JW, Song JW, Jang SJ, et al : Comparison between cryptogenic organizing pneumonia and connective tissue disease-related organizing pneumonia. Rheumatology（Oxford）2011 ; **50** : 932.
33) Lee JW, Lee KS, Lee HY, et al : Cryptogenic organizing pneumonia : serial high-resolution CT findings in 22 patients. AJR Am J Roentgenol 2010 ; **195** : 916.
34) Nishino M, Mathai SK, Schoenfeld D, et al : Clinicopathologic features associated with relapse in cryptogenic organizing pneumonia. Hum Pathol 2014 ; **45** : 342-351.
35) Saito Z, Kaneko Y, Hasegawa T, et al : Predictive factors for relapse of cryptogenic organizing pneumonia. BMC Pulm Med 2019 ; **19** : 10.
36) Shitenberg D, Fruchter O, Fridel LKramer M, et al : Successful Rituximab Therapy in Steroid-Resistant, Cryptogenic Organizing Pneumonia : A Case Series. Respiration 2015 ; **90** : 155-159.

2 急性間質性肺炎（AIP）

❶疾患概念

　急性間質性肺炎（acute interstitial pneumonia：AIP）は，1935 年に提唱された原因不明のびまん性肺胞傷害であり，Hamman-Rich 症候群と同一疾患とされている[1,2]．その後，1986 年に Katzenstein らにより臨床的にも病理学的にも慢性間質性肺炎との違いが明確にされた[3]．現在は 2013 年の国際分類に従い，6 つの主要な IIPs のひとつに含まれ，acute/subacute のカテゴリーに分類されている[4]．AIP は急性呼吸促迫症候群（acute respiratory distress syndrome：ARDS）と臨床症状が類似しており，呼吸不全が急速に進行するが，ARDS と異なり誘因（敗血症，肺感染症，外傷，薬剤など）や先行する基礎疾患は認めず，特発性の ARDS と考えられている[1,2,5]．

　病理学的には，びまん性肺胞傷害（diffuse alveolar damage：DAD）の所見を呈する[5]．病変の時相は一致しており，肺傷害のエピソードが急性に単一時点で発生したことを示唆している．そのため，様々な時相の病変が混在する通常型間質性肺炎（usual interstitial pneumonia：UIP）とは異なり，組織傷害の可逆性が期待されうる．

　しかし，AIP の予後は一般に不良で，入院死亡率は 50％以上であり，急性期を乗り切った症例でも発症後 6 カ月以内に死亡することが多いとされる[3,5]．また生存症例においても再発や線維化病変が慢性進行することが報告されている[6]．一方で，早期治療が奏効した症例では呼吸機能が完全に回復することが期待され，死亡率は 12.5〜20％とする報告もある[7,8]．

　AIP の診断は，①ARDS 様の臨床症状が存在すること，および②DAD が病理組織学的に確認されることの 2 点に基づく．AIP は重篤な呼吸不全を合併していることが多く，外科的肺生検を行うことは困難であり，AIP に一致する臨床症状が存在すること，および他疾患を示唆する所見（臨床症状，血液検査，画像検査，気管支鏡検査など）が存在しないことから，総合的に AIP と診断される場合がほとんどである．

❷臨床像と検査所見

　AIP は肺疾患の既往がない比較的健康人に発症し，男女の罹患頻度はほぼ同等である[3,6,9,10]．喫煙との関連性はなく，平均年齢は 50〜55 歳であるが，幅広い年齢で発症しうる[3,5,6]．発熱，乾性咳嗽といった感冒様症状に引き続き，数日から数週間で急速に呼吸困難の進行を認める[5,6,7,9]．受診時にはほとんどの症例で低酸素血症を呈しており，全身倦怠感や関節・筋肉痛などのウイルス感染様症状を認める場合もある．身体所見では通常，ばち指は認めず，胸部聴診では広範に捻髪音が聴取される[5]．

　血液検査所見では白血球増加に加えて，赤沈の亢進，CRP 上昇などが認められる[3,5]．間質性肺炎のマーカーである KL-6，SP-A，SP-D などが上昇する．膠原病や血管炎に伴う間質性肺炎を除外するために，各種抗体検査の測定が有用とされている[5]．AIP を疑う場合，細菌性肺炎，ニューモシスチス肺炎，非定型肺炎，ウイルス性肺炎などの呼吸器感染症の除外が必要である．感染症に加えて，肺胞出血，急性好酸球性肺炎，悪性疾患，リンパ腫などの他疾患を除外するために，気管支肺胞洗浄（bronchoalveolar lavage：BAL）が施行される．BAL 液では総細胞数は増加し，好中球増加，出血，時にリンパ球増加がみられる[11]が，補助診断としての意味合いが強い．BAL 液で硝子膜の一部や異型 II 型肺胞上皮がみられるとの報告もある[12]．なお，低酸素血症における BAL 施行に際しては，呼吸不全の増悪に留意する必要がある．臨床的に呼吸状態が安定しており，病変が比較的軽度で他疾患を示唆する所見を認めない場合は，経気管支肺生検や外科的肺生検で病理学的に DAD を確認することもある[13]．

❸画像所見

a）胸部 X 線所見

　両側肺野のすりガラス影や浸潤影であり，エアブロンコグラムを伴うこともある（図 1）．肺野の容積減少を伴うことが多い[14]．肺水腫でみられるような，Kerley ライン，cuffing サインや胸水貯留は通常みられない．病期の進行とともに容積減少が進み，網状影の増加，エアブロンコグラムが顕在化する．

b）高分解能 CT 所見

　全経過に共通する特徴は，両側肺野びまん性に，すりガラス状の濃度上昇域を認め，背側に優位に濃厚な均等影が分布する．またこれらの濃度上昇域は，全肺野に均一に分布することはまれであり，比較的正常にみえる領域がいくつかの二次小葉単位で直線的に境界されて，島状に取り残された"モザイクパターン"を呈する場合が多い[14〜17]．HRCT 上，細気管支・気管支の拡張像を伴わないすりガラス状の濃度上昇域や均等影の所見は，病理学的にはびまん性肺胞傷害の滲出期の所見を反映している（図 2a）．濃度上昇域の内部に拡張した細気管支・

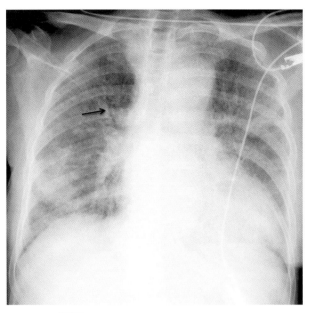

図1 65歳女性．AIP，胸部X線所見

両側肺野，やや下肺野優位に広範にすりガラス影を認め，右下肺野には浸潤影もみられる．内部にはエアブロンコグラム（→）を認める．

気管支透亮像の出現は増殖期への移行を示唆する．気管支拡張像の所見に加え，濃度上昇域内部に小嚢胞の出現が観察されると，病理学的に線維化期に対応する所見である[16,17]（**図2b**）．UIPにみられるような胸膜直下から2層以上に集簇する典型的な蜂巣肺形成は認められない．

AIPでは，症状発症からの経過や生理学的データ（酸素化障害の程度）は必ずしも，病理学的な進展度を示していない[17]．HRCT所見上，広範な気管支拡張所見を呈する症例が予後不良であり，診断時の気管支拡張像を伴う濃度上昇域の広がりを評価することで，治療反応性や予後の予測が可能である[17]．

❹ 病　理

a）病理組織学的特徴[18〜20]（図3，表1）

AIPにて観察される病理組織像はdiffuse alveolar damage（DAD）である．DAD病変はびまん性均一に広範囲に分布し，組織学的には発症からの時間経過で，滲出期，増殖期（器質化期），線維化期に分けられる．滲出期では弾性線維から成る肺胞隔壁や小葉間隔壁の基本的肺構造は，断裂などの破壊を受けることなく保たれ，間質の浮腫，肺胞上皮の変性・剥離および硝子膜の

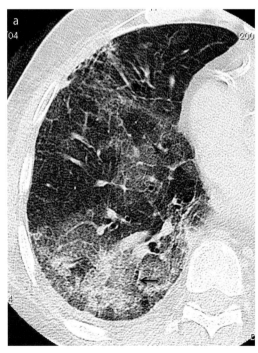
診断時 HRCT

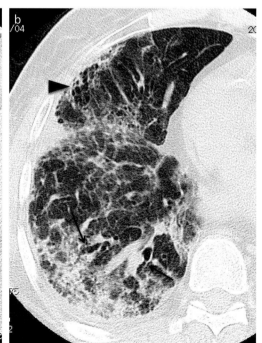
25 日後 HRCT

図2 同症例の HRCT の推移

a：診断時の右下葉レベルの HRCT．病変の弱い領域を介在しながら斑状に広がるすりガラス影を認め，一部の領域には細気管支拡張像（→）を伴う．滲出期から一部増殖早期を示唆する．

b：診断から25日目の右下葉レベルの HRCT．診断時の所見と比較し，すりガラス影領域は不均一な濃度上昇となり，網状影，気管支拡張像（→）の顕在化が認められる．また，右中葉外側には小嚢胞性病変（矢頭）がみられる．線維化期への移行を示唆する．

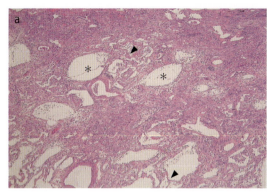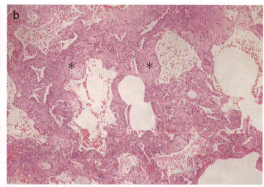

図3 AIP/DAD 増殖期の組織像

a：低倍像で，肺胞壁を含み，幼若な結合組織を示している．本来の肺胞管にはリング状（＊）に線維芽細胞の増生があり，内腔は上皮に覆われていない．矢頭は硝子膜である．
b：症例によっては，硝子膜形成は目立たず，肺胞壁および腔内に幼若な結合組織（＊）がびまん性に増生している．上皮細胞は増生と剥離が目立つ．

表1 AIP/DAD の主要な組織学的所見

1) 病変はびまん性で均一である
2) 病期により滲出期，増殖期（器質化期）および線維化期に分けられ，遷延例では蜂巣肺様所見を形成することがある
3) 滲出期では肺胞管主体の硝子膜形成，肺胞壁の浮腫，上皮の変性，剥離をみる
4) 増殖期（器質化期）では周囲肺胞の虚脱，肺胞管の拡張，肺胞壁内線維芽細胞の増生，血管内皮の腫大，Ⅱ型肺胞上皮の増生および硝子膜，また気腔内滲出物の器質化をみる
5) 全般的に組織傷害が強く，肺胞上皮の剥離，腫大，異型，また肺胞壁の弾性線維の断裂，乱れ，ときに好中球浸潤をみる
6) 蜂巣肺様所見は周囲の肺胞の虚脱および線維化と，肺胞管の拡張よりなり，囊胞は小型で揃った形を示すことが多い

形成，肺胞腔内への液性滲出などが主体をなす．肺胞管に硝子膜が形成されることが多く，周囲の肺胞は虚脱し，肺胞管は拡張することが少なくない．ただし二次性の DAD と比較して，硝子膜の形成は軽いことが多い．

増殖期（器質化期）ではさらに肺胞虚脱の傾向が顕著で，気腔は狭小化し，肺胞管は拡張，肺胞壁など間質には浮腫，線維芽細胞の増生，血管内皮の腫大，Ⅰ型肺胞上皮の剥離，Ⅱ型肺胞上皮の増生，腫大，異型がみられる[21]．同部では，扁平上皮化生が目立つことが多い．硝子膜に対応する部位にリング状に出現する線維化，壁在型の腔内線維化，ときにポリープ型腔内線維化をみる症例もある．生検は多くの場合この時期に行われるが，硝子膜は不明瞭であったり認められないことも多い（図3）．

さらに時間の経過した線維化期では，周囲の肺胞に強い虚脱と密な膠原線維の増生を伴う線維化に加えて，主に肺胞管の拡張からなる小型で揃った蜂巣肺類似の所見がみられることもある．硝子膜は認められない（図3）．

症例により各病変の程度は様々であるが，病変の時期は一様で，分布もびまん性である．DAD では全般的に組織傷害が強いが，肺胞傷害の強い部分には好中球の滲出を認めることもある．症例ごとに病変の時相は基本的に一様であるが，増殖期（器質化期）の病変に滲出期の病変が混在してみられる場合もある．

b）鑑別診断（表2）

AIP の主な鑑別としては，IIPs のほかの病理組織型では OP，NSIP，および IPF/UIP をはじめとした慢性の肺線維化病変の急性増悪があげられる[22]．原因が明らかな二次性の DAD としては，感染症をはじめ，弱毒菌内毒素，ショック，薬物，高濃度酸素，熱傷など，様々な病態が知られている．

AIP は OP，NSIP に比し組織傷害が強く，これを反映して肺胞上皮の剥離，腫大，異型および肺胞壁での線維芽細胞の増生，浮腫，弾性線維の乱れなどが目立つ．IPF/UIP の急性増悪では類似の強い傷害を伴う病変がみられ，その鑑別は困難なことが少なからずあるが，AIP は病変が均一であるのに対し，IPF/UIP をはじめとした慢性の肺線維化病変の急性増悪では，背景において部分的に密な陳旧性の線維化病変が混在し，多様である[23]．IPF/UIP の急性増悪病変は，非線維化領域に選

表2　AIPの主な鑑別診断

IIPsのほかの病型，特にCOP，iNSIP，およびIPFの急性増悪
二次的なDAD（感染症，ショック，薬物，高濃度酸素，熱傷など）
膠原病に伴う間質性肺疾患
好酸球性肺炎

択的に起こり，肺胞構造の消失した既存の線維化部位に急性の変化がかぶることは少ないので，この点に注意すれば背景病変の認識は比較的容易である．ただし，背景の慢性線維化病変の組織型をUIPと特定できないことも少なくない．二次性にDADを呈する疾患として感染症がまず鑑別にあげられるが，感染症によるDADでは硝子膜の器質化が主体であり肺胞壁自体での線維芽細胞の増生は軽い傾向にあり，血栓形成，多臓器不全症候群を伴うことが多い[21]．しかし，AIPと感染症に伴うDADとを組織学的に鑑別することは困難であるため，微生物学的検査や血清学的検査による病原微生物の検索が必要である．ほかの鑑別疾患として，抗MDA5抗体[24]もしくは一部の抗ARS抗体[25]陽性の皮膚筋炎やSLE[26]においてDADを呈することが報告されている．また，好酸球性肺炎でも劇症型のDADがみられ，これらとの鑑別が必要となる[27]．

❺ 治　療

AIPの治療法で確立したものはなく，主に酸素投与や換気補助といった支持療法が中心となる．人工呼吸管理においては，ARDSに準じた肺保護換気戦略としての低容量換気が勧められる．ステロイド治療を支持するエビデンスは小規模な臨床研究に限られており，その意義は確立していない[5～8]．また免疫抑制剤（シクロホスファミド，シクロスポリン，アザチオプリン）の使用も報告されているが限定的である[6,10,28,29]．基本的な薬物治療や呼吸管理の治療方針はIPFの急性増悪時の内容（「急性増悪」参照）に準ずる．

文献

1) Hamman L, Rich AR : Fulminating Diffuse Interstitial Fibrosis of the Lungs. Trans Am Clin Climatol Assoc 1935 ; **51** : 154-163.
2) Hamman L, Rich AR : Acute diffuse interstitial fibrosis of the lungs. Bull Johns Hopkins Hosp 1944 ; **74** : 177-212.
3) Katzenstein AL, Myers JL, Mazur MT : Acute interstitial pneumonia. A clinicopathologic, ultrastructural, and cell kinetic study. Am J Surg Pathol 1986 ; **10** : 256-267.
4) Travis WD, et al : An official American Thoracic Society/European Respiratory Society statement : Update of the international multidisciplinary classification of the idiopathic interstitial pneumonias. Am J Respir Crit Care Med 2013 ; **188** : 733-748.
5) Olson J, Colby TV, Elliott CG : Hamman-Rich syndrome revisited. Mayo Clin Proc 1990 ; **65** : 1538-1548.
6) Vourlekis JS, Brown KK, Cool CD, et al : Acute interstitial pneumonitis. Case series and review of the literature. Medicine (Baltimore) 2000 ; **79** : 369-378.
7) Suh GY, Kang EH, Chung MP, et al : Early intervention can improve clinical outcome of acute interstitial pneumonia. Chest 2006 ; **129** : 753-761.
8) Quefatieh A, Stone CH, DiGiovine B, et al : Low hospital mortality in patients with acute interstitial pneumonia. Chest 2003 ; **124** : 554-559.
9) Vourlekis JS : Acute interstitial pneumonia. Clin Chest Med 2004 ; **25** : 739-747.
10) Bouros D, Nicholson AC, Polychronopoulos V, et al : Acute interstitial pneumonia. Eur Respir J 2000 ; **15** : 412-418.
11) Nagai S, Kitaichi M, Izumi T : Classification and recent advances in idiopathic interstitial pneumonia. Curr Opin Pulm Med 1998 ; **4** : 256-260.
12) Bonaccorsi A, Cancellieri A, Chilosi M, et al : Acute interstitial pneumonia : report of a series. Eur Respir J 2003 ; **21** : 187-191.
13) Lim SY, Suh GY, Choi JC, et al : Usefulness of open lung biopsy in mechanically ventilated patients with undiagnosed diffuse pulmonary infiltrates : influence of comorbidities and organ dysfunction. Crit Care 2007 ; **11** : R93.
14) Primack SL, et al : Acute interstitial pneumonia : radiographic and CT findings in nine patients. Radiology 1993 ; **188** : 817-820.
15) Johkoh T, et al : Acute interstitial pneumonia : thin-section CT findings in 36 patients. Radiology 1999 ; **211** : 859-863.
16) Ichikado K, et al : Acute interstitial pneumonia : high-resolution CT findings correlated with pathology. Am J Roentgenol 1997 ; **168** : 333-338.
17) Ichikado K, Johkoh T, Ikezoe J, et al : Acute interstitial pneumonia : comparison of high-resolution computed tomography findings between survivors and non-survivors. Am J Respir Crit Care Med 2002 ; **165** : 1551-1556.
18) Katzenstein AL, Myers JL : Idiopathic pulmonary fibrosis : clinical relevance of pathologic classification. Am J Respir Crit Care Med 1998 ; **157** : 1301-1315.
19) Katzenstein AL : Acute lung injury patterns : diffuse alveolar damage and bronchiolitis obliterans-organizing pneumonia. Katzenstein & Askin's Surgical Pathology of Non-Neoplastic Lung Disease, 3rd Ed, Katzenstein AL (ed), WB Saunders, Philadelphia, 1997 : p 14-47.
20) 谷口博之，近藤康博，横井豊治：間質性肺炎-急性増悪の臨床．井村裕夫ほか（監修），最新内科学体系，プログレス11，呼吸器疾患，中山書店，東京，1997：p 206-216．
21) Kang D, Togashi M, Yamamoto M, et al : Two forms of diffuse alveolar damage in the lungs of patients with acute respiratory

distress syndrome. Hum Pathol 2009 ; **40** : 1618-1627.
22) Kondoh Y, Taniguchi H, Kataoka K, et al : Prognostic factors in rapidly progressive interstitial pneumonia. Respirology 2010 ; **15** : 257-264.
23) Kondoh Y, Taniguchi H, Kawabata Y, et al : Acute exacerbation in idiopathic pulmonary fibrosis : analysis of clinical and pathological findings in three cases. Chest 1993 ; **103** : 1808-1812.
24) Chino H, Sekine A, Baba T, et al : Radiological and pathological correlation in Anti-MDA5 antibody-positive interstitial lung disease : Rapidly progressive perilobular opacities and diffuse alveolar damage. Intern Med 2016 ; **55** : 2241-2246.
25) Schneider F, Yousem SA, Bi D, et al : Pulmonary pathologic manifestations of anti-glycyl-tRNA synthetase (anti-EJ)-related inflammatory myopathy. J Clin Pathol 2014 ; **67** : 678-683.
26) Enomoto N, Egashira R, Tabata K, et al : Analysis of systemic lupus erythematosus-related interstitial pneumonia : a retrospective multicenter study. Sci Rep 2019 ; **9** : 7355.
27) Tazelaar HD, Linz LJ, Colby TV, et al : Acute eosinophilic pneumonia : histopathologic findings in nine patients. Am J Respir Crit Care Med 1997 ; **155** : 296-302.
28) Robinson DS, Geddes DM, Hansell DM, et al : Partial resolution of acute interstitial pneumonia in native lung after single lung transplantation. Thorax 1996 ; **51** : 1158-1159.
29) Ogawa D, Hashimoto H, Wada J, et al : Successful use of cyclosporin A for the treatment of acute interstitial pneumonitis associated with rheumatoid arthritis. Rheumatology (Oxford) 2000 ; **39** : 1422-1424.

C. 喫煙関連の間質性肺炎

1 剥離性間質性肺炎（DIP）

❶疾患概念

剥離性間質性肺炎（desquamative interstitial pneumonia：DIP）は，主な組織所見がPAS陽性物質顆粒と褐色色素を持つマクロファージの肺胞内への滲出で，胸膜下から肺内側まで均一びまん性に分布する[1]．軽度〜中等度の肺胞隔壁の線維化と軽度のリンパ球，好酸球浸潤を伴い，肺の構造改変を示す．このような組織パターンを特徴とする疾患を剥離性間質性肺炎といい，喫煙に関連するものと非喫煙者にも認められるものがある．

近年，DIP，RB-ILD，Langerhans細胞組織球症などは喫煙に関連し，組織所見やHRCTでの画像所見がオーバーラップする症例が認められ[2,3]，喫煙関連間質性肺炎として位置づけられている[4~8]．2013年のIIPsステートメントではDIP，RB-ILD，airspace enlargement with fibrosis[9]が喫煙関連間質性肺炎として分類[10]されている．また，気腫合併肺線維症においてもDIPパターンを認める場合がある[11,12]．一方で，粉じん曝露，膠原病，ウイルスなど，喫煙との関連以外の症例も40%程度認められるとする報告[1,13~17]や，主に小児期に発症するsurfactant proteinの遺伝子異常と関連した報告[18,19]もある．

❷臨床像と検査所見

特発性DIPは，全IIPsの3%未満とされ，まれな疾患[20]である．多くは30〜40歳代の喫煙者で，男女比は2：1である．呼吸困難や咳嗽が数週間〜数ヵ月の経過で緩徐に進行し，呼吸不全への進行もありうる．胸部聴診上ではcracklesを60%程度に聴取[2]し，ばち指は26〜46%程度である[5,14,21]．呼吸機能検査は，正常，あるいは軽度の拘束性障害を認め，肺拡散能は85%の症例で低下することから，拡散能のみ低下している症例もみられる[5,21]．

気管支肺胞洗浄液（BALF）所見では，肺胞マクロファージ，特に喫煙者に認められる褐色の粒子を貪食したマクロファージを認める[22]．好酸球が増加するとされているが[23]，好中球，リンパ球増加の所見の報告も認められる[24]．

❸画像所見

DIPの診断における胸部単純X線検査での感度はやや低く，症例の3〜22%において正常を示すと報告されている[25~27]．DIPの胸部X線像の特徴は下肺野優位のびまん性もしくはまばらなすりガラス影であり，下葉の容積減少は少ない（図1a）．

DIPの主要なCT所見はすりガラス影であり，ほぼ全例に認められたと報告されている[28~31]．その分布は下葉胸膜下優位が多いが，びまん性やランダム分布も報告がある[29,31,32]．また，病変部のすりガラス影が隣接する内側の正常肺に圧排され異常部に向かって境界明瞭な凸面を形成することがある[33]．多くの症例では線維化所見に乏しいが，時に網状影や線状影，牽引性気管支拡張像を伴う[34]．蜂巣肺は通常認めないが，時に下葉に少量見られる[29,32]．また，すりガラス影内に小さな囊胞を認めることがある[29,31]．上葉では小葉中心性肺気腫が合併することがある[29]．

経過では多くの症例では治療後にすりガラス影が一部もしくはほとんどが消失する．長期では一部の症例で線維化の増強，囊胞の増加がみられる[30,34,35]．

画像上DIPとの鑑別には，RB-ILD，NSIP，LIP，COP，好酸球性肺炎，薬剤性肺炎，ニューモシスチス肺炎，過敏性肺炎などがあげられる[29,33]．

❹病理

a）病理組織学的特徴（表1）

DIPの病理像（DIPパターン）はびまん性で比較的一様に分布する病変からなるが，小葉ごとに病変の強弱がみられる（図2a）．組織学的に特徴的な所見は，末梢気腔内に茶褐色調の肺胞マクロファージが広範・高度に滲出することである．DIPの概念が提唱された当初は，集簇した肺胞マクロファージが肺胞腔に剥離したII型肺胞上皮と誤解されたためdesquamative interstitial pneumoniaと名づけられ[36]，誤りが明らかになったあともこの名称が変更されずに使用されている[37]．背景の間質性肺炎も重要な所見であり，肺胞壁などに比較的一様な線維化や炎症所見が認められる[4]．ただし，気腫による肺胞壁の断絶は見られるものの，線維化による肺の構

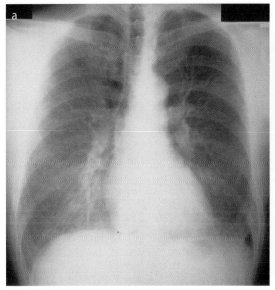
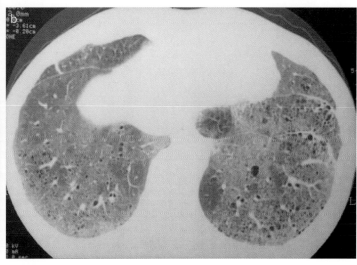

図1 DIP

a：胸部X線像．両側下肺野優位に斑状のすりガラス影が認められる．
b：HRCT像．両肺野にびまん性に均一なすりガラス影が認められる．すりガラス影内に小さな囊胞がみられる．蜂巣肺所見はみられない．

表1 DIPの主要な組織学的所見

1. 病変は胸膜側から肺内側にまで比較的均一びまん性に分布する
2. 気腔内へ肺胞マクロファージが広範，高度に滲出し，背景に軽度の構造改築を伴った線維化と炎症細胞浸潤をみる
3. 滲出する肺胞マクロファージは，ジアスターゼ抵抗性のPAS陽性顆粒がみられ，鉄染色で，軽度の陽性反応を呈することがある
4. 症例により線維性肥厚した肺胞壁が断裂し，気腫性変化を伴う

造改築は軽度である．

DIPでみられる肺胞マクロファージ（図2b）には，ジアスターゼ抵抗性のPAS陽性顆粒がみられ，また鉄染色でも軽度の陽性反応を呈する．気腔内への肺胞マクロファージの滲出は，採取組織全体でみても，小葉単位でみても偏りが少なく，一様にみられる．肺胞壁には軽度な線維化や，リンパ球・形質細胞の浸潤が認められ，間質および腔内に少数の好酸球浸潤が散見される．症例によりリンパ濾胞の目立つものもある．線維化は肺胞壁にコラーゲンが沈着する線維性肥厚から成り，胸膜側から肺内側まで比較的びまん性に広がる．弾性線維の凝集を伴う厚い線維化（複数の肺胞を巻き込む線維化巣）を伴うことは少ない．肺胞壁の表面には過形成となり，かつ立方状に肥大したII型肺胞上皮細胞が配列する．採取された組織切片内では線維化の量も時相も比較的均一で，分布に偏りが少ないのが特徴であり，正常な肺胞の介在はほとんど認められない．線維化性肥厚を示す肺胞壁に気腫に伴う断裂が起こり，蜂巣肺と区別の難しい囊胞を形成することもある[23]．

また，長期経過例では，線維化とともに小型囊胞よりなる蜂巣肺が形成される症例も報告されている[38]．

b）鑑別診断（表2）

DIPの主な鑑別としては，IIPsのほかの病型ではNSIP，UIPおよびRB-ILDが，原因の特定できるものとしては石綿肺やコバルト肺，超硬合金肺などのじん肺症，薬剤性肺炎，好酸球性肺炎，びまん性肺胞出血，Langerhans細胞組織球症などがあげられる．IIPsのうち，IPFとの鑑別は臨床上重要であり，最も鑑別困難なのはfibrotic NSIPである．

DIPのうち，線維化の進行した症例ではIPFとの鑑別が問題になることがある．IPFにおける病理像，UIPでは線維化が小葉辺縁部優位であり[4]，複数の肺胞を巻き込むため肺胞由来の弾性線維が凝集する．線維化の時相は多彩で，線維芽細胞巣が形成される．また，肺胞マクロファージの滲出は限局性である．一方，DIPの線維化は原則的に肺胞壁そのものに起こるのであって，弾性線維の凝集はみられない．また，肺胞壁の線維化も肺胞マクロファージの出現も広い範囲で均一である．線維芽細胞巣はほとんどみられない．

fibrotic NSIPにおける病理像はDIPと同様に比較的肺胞構造の改築傾向に乏しく，病変の時期が一様で分布もびまん性の線維化病変を特徴としており[4,39]，この点，両者は類似しているため，鑑別が困難な場合もある[23]．現在のところ，肺胞マクロファージ滲出の分布・

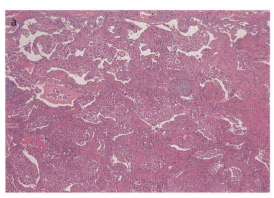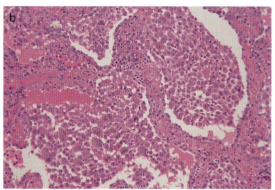

図2 DIPの組織像

a：DIPでは病変はほぼ均一であり，比較的一様な肺胞壁の軽度線維化と気腔内の肺胞マクロファージ充満が認められる．またリンパ濾胞が散見される．
b：肺胞マクロファージが気腔内に充満する．マクロファージの細胞質は比較的広く，好酸球もわずかに認められる．肺胞壁は線維性に軽度肥厚し，Ⅱ型肺胞上皮の立方化生が目立つ．

表2 DIPの主な鑑別診断

IIPsのほかの病型，特にfibrotic iNSIP，IPF，RB-ILD
石綿肺などのじん肺症
薬剤性肺炎
好酸球性肺炎
Langerhans細胞組織球症
癌，炎症など，結節性病変の周囲

量で区別せざるを得ない．その判定は主観的であり，診断者間で異なる可能性がある．

　DIPは重喫煙者にみられる病態であり，組織学的に肺胞マクロファージの気腔内滲出が特徴であることからRB-ILDとの鑑別が問題となる．RB-ILDでは線維化が比較的軽度で，肺胞マクロファージの滲出も含め病変が小葉中心性の分布を示し，呼吸細気管支周辺に比較的限定されることなどから鑑別される[5,13]．しかし，ともに重喫煙者に見られる疾患であることから，これらがオーバーラップしている症例もある．

　非喫煙者におけるDIPの頻度は少ないと考えられており，DIP類似の気腔内への肺胞マクロファージの著明な滲出（DIP様反応）[40]は石綿肺などのじん肺，薬剤性肺炎，好酸球性肺炎，Langerhans細胞組織球症，肺胞出血などでも出現する．DIP様反応をみた場合は，まずこうした疾患の可能性について，臨床情報を含め慎重に検討する必要がある．組織学的にも石綿小体の有無，好酸球の滲出・浸潤程度，Langerhans細胞，粗大なヘモジデリン沈着の有無の出現などについて検討が必要である．DIP様反応はまた，癌，炎症など結節性病変の周囲にも非特異的所見としてよくみられる．経気管支肺生検（TBLB）や経気管支クライオ肺生検など量の限られた標本では主目的とする病変と異なる所見として観察されることがあるので，臨床および画像情報を踏まえたMDDでの診断が必要である．

❺治　療

　ほとんどのDIP症例では禁煙とステロイドで改善し，10年後の生存率はほぼ70%と報告されている[10,14,37]．日本の31例の検討では一部線維化病変が進行する例があり10年生存率78%であった[38]．一部予後不良の症例もあるが，IPFと比べ予後良好とされる．

文献

1) Tubbs RR, Benjamin SP, Reich NE, et al：Desquamative interstitial pneumonitis. Cellular phase of fibrosing alveolitis. Chest 1977；**72**：159-165.
2) Heyneman LE, Ward S, Lynch DA, et al：Respiratory bronchiolitis, respiratory-associated interstitial lung disease, and desquamative interstitial pneumonia：different entities or part of spectrum of the same disease process? Am J Roentgenol 1999；**173**：1617-1622.
3) Vassallo R, Jensen EA, Colby TV, et al：The overlap between respiratory bronchiolitis and desquamative interstitial pneumonia in pulmonary Langerhans cell histiocytosis high-resolution CT, histologic, and functional correlation. Chest 2003；**124**：1199-1205.
4) Katzenstein AL, Myers JL：Idiopathic pulmonary fibrosis：clinical relevance of pathologic classification. Am J Respir Crit Care Med 1998；**157**：1301-1315.
5) Yosem SA, Colby TV, Gaensler EA：Respiratory bronchiolitis-associated interstitial lung disease and its relationship to desquamative interstitial pneumonia. Mayo Clin Proc 1989；**64**：1373-1380.
6) Ryu JH, Colby TV, Hartman TE, et al：Smoking-related interstitial lung disease：a concise review. Eur Respir J 2001；**17**：122-132.
7) Wells AU, Nicholson AG, Hansell DM：Challenges in pulmo-

nary fibrosis 4 : Smoking-induced diffuse interstitial lung diseases. Thorax 2007 ; **62** : 904-910.
8) Flaherty KR, Fell C, Aubry MC, et al : Smoking-related idiopathic interstitial pneumonia. Eur Respir J 2014 ; **44** : 594-602.
9) Kawabata Y, Hoshi E, Murai K, et al : Smoking-related changes in the background lung of specimens resected for lung cancer : a semiquantitative study with correlation to postoperative course. Histopathology 2008 ; **53** : 707-714.
10) Travis WD, Costabel U, Hansell DM, et al : An official American Thoracic Society/ European Respiratory Society Statement : Update of the international multidisciplinary classification of the idiopathic interstitial pneumonias. Am J Respir Crit Care Med 2013 ; **188** : 733-748.
11) Cottin V, Nunes H, Brillet PY, et al : Combined pulmonary fibrosis and emphysema. A distinct under-recognised entity. Eur Respir J 2005 ; **26** : 586-593.
12) Jankowich MD, Polsky M, Klein M, et al : Heterogeneity in combined pulmonary fibrosis and emphysema. Respiration 2008 ; **75** : 411-417.
13) Craig JP, Wells AU, Doffman S, et al : Desquamative interstitial pneumonia, respiratory bronchiolitis and their relationship to smoking. Histopathol 2004 ; **45** : 275-282.
14) Carrington CB, Gaensler EA, Coutu RE, et al : Natural history and treated course of usual and desquamative interstitial pneumonia. N Engl J Med 1978 ; **298** : 801-809.
15) Lougheed MD, Roots JO, Waddell WR, et al : Desquamative interstitial pneumonia and diffuse alveolar damage in textile workers potential role of mycotoxins. Chest 1995 ; **108** : 1196-1200.
16) Ishii H, Iwata A, Sakamoto N, et al : Desquamative interstitial pneumonia (DIP) in a patient with rheumatoid arthritis : is DIP associated with autoimmune disorders? Intern Med 2009 ; **48** : 827-830.
17) Hasegawa H, Nakamura Y, Kaida Y, et al : A case of desquamative interstitial pneumonia associated with hepatitis C virus infection. Nihon Kokyuki Gakkai Zasshi 2009 ; **47** : 698-703.
18) Doan ML, Guillerman RP, Dishop MK, et al : Clinical, radiological and pathological features of ABCA3 mutations in children. Thorax 2008 ; **63** : 366-373.
19) Bullard JE, Wert SE, Whitsett JA, et al : ABCA3 mutations associated with pediatric interstitial lung disease. Am J Respir Crit Care Med 2005 ; **172** : 1026-1031.
20) American Thoracic Sciety : Idiopathic pulmonary fibrosis : diagnosis and treatment. International consensus statement. American Thoracic Sciety (ATS), and the European Respiratory Society (ERS). Am J Respir Crit Care Med 2000 ; **161** : 646-664.
21) Ryu JH, Myers JL, Capizzi SA, et al : Desquamative interstitial pneumonia and respiratory bronchiolitis-associated interstitial lung disease. Chest 2005 ; **127** : 178-184.
22) King TE Jr : Respiratory bronchiolitis-associated interstitial lung disease. Clin Chest Med 1993 ; **14** : 693-698.
23) Kawabata Y, Takemura T, Hebisawa A, et al : Eosinophilia in bronchoalveolar lavage fluid and architectural destruction are features of desquamative interstitial pneumonia. Histopathology 2008 ; **52** : 194-202.
24) Nagai S, Kitaichi M, Izumi T : Classification and recent advances in idiopathic interstitial pneumonia. Curr Opin Pulm Med 1998 ; **4** : 256-260.
25) Carrington CB, Gaensler EA, Coutu RE, et al : Natural history and treated course of usual and desquamative interstitial pneumonia. N Engl J Med 1978 ; **298** : 801-809
26) Feigin DS, Friedman PJ : Chest radiography in desquamative interstitial pneumonitis : a review of 37 patients. AJR Am J Roentgenol 1980 ; **134** : 91-99.
27) American Thoracic Society, European Respiratory Society : American Thoracic Society/European Respiratory Society International Multidisciplinary Consensus Classification of the Idiopathic Interstitial Pneumonias. This joint statement of the American Thoracic Society (ATS), and the European Respiratory Society (ERS) was adopted by the ATS board of directors, June 2001 and by the ERS Executive Committee, June 2001. Am J Respir Crit Care Med 2002 ; **165** : 277-304.
28) Raghu G, Collard HR, Egan JJ, et al : An official ATS/ERS/JRS/ALAT statement : idiopathic pulmonary fibrosis : evidence-based guidelines for diagnosis and management. Am J Respir Crit Care Med 2011 ; **183** : 788-824.
29) Attili AK, Kazerooni EA, Gross BH, et al : Smoking-related interstitial lung disease : radiologic-clinical-pathologic correlation. Radiographics 2008 ; **28** : 1383-1396.
30) Kawabata Y, Takemura T, Hebisawa A, et al : Desquamative interstitial pneumonia may progress to lung fibrosis as characterized radiologically. Respirology 2012 ; **17** : 1214-1221.
31) Hartman TE, Primack SL, Swensen SJ, et al : Desquamative interstitial pneumonia : thin-section CT findings in 22 patients. Radiology 1993 ; **187** : 787-790.
32) Sverzellati N, Lynch DA, Hansell DM, et al : American Thoracic Society-European Respiratory Society classification of the idiopathic interstitial pneumonias : advances in knowledge since 2002. Radiographics 2015 ; **35** : 1849-1871.
33) 江頭玲子：喫煙関連間質性肺炎．村田喜代史 上，村山貞之，酒井文和（編）．胸部のCT 第4版，メディカル・サイエンス・インターナショナル，2018：p466-475.
34) Akira M, Yamamoto S, Hara H, et al : Serial computed tomographic evaluation in desquamative interstitial pneumonia. Thorax 1997 ; **52** : 333-337.
35) Hartman TE, Primack SL, Kang E-Y, et al : Disease progression in usual interstitial pneumonia compared with desquamative interstitial pneumonia : assessment with serial CT. Chest 1996 ; **110** : 378-382.
36) Liebow AA, Steer A, Billingsley JG : Desquamative interstitial pneumonia. Am J Med 1965 ; **39** : 369-404.
37) American Thoracic Society/European Respiratory Society : International Multidisciplinary Consensus Classification of the idiopathic interstitial pneumonias. Am J Respir Crit Care Med 2002 ; **165** : 277-304.

38) Kawabata Y, Takemura T, Hebisawa A, et al : Desquamative interstitial pneumonia may progress to lung fibrosis as characterized radiologically. Respirology 2012 ; **17** : 1214-1221.
39) Travis WD, Matsui K, Moss J, et al : Idiopathic nonspecific interstitial pneumonia : prognostic significance of cellular and fibrosing patterns : survival comparison with usual interstitial pneumonia and desquamative interstitial pneumonia. Am J Surg Pathol 2000 ; **24** : 19-33.
40) Bedrossian CWN, Kuhn III C, Luna MA, et al : Desquamative interstitial pneumonia-like reaction accompanying pulmonary lesions. Chest 1977 ; **72** : 166-169.

2 呼吸細気管支炎を伴う間質性肺疾患（RB-ILD）

❶疾患概念

呼吸細気管支炎を伴う間質性肺炎（respiratory bronchiolitis-associated interstitial lung disease：RB-ILD）は臨床画像病理学的診断名であり，喫煙と関連する疾患である．呼吸細気管支炎（RB）は，喫煙者の呼吸細気管支腔内とその周辺の肺胞領域に pigmented macrophages の集簇を伴う炎症性変化であり，喫煙者に共通する組織像である．この普遍的な組織反応の域を超え，呼吸器症状や肺機能障害などを呈する疾患概念が RB-ILD であり，病理所見名である RB とは区別される．同様に喫煙と関連する疾患である剝離性間質性肺炎（DIP）とは，病変が呼吸細気管支周囲に限局する点や，臨床像，画像所見，治療反応性が異なることから，別の疾患として認識されている[1〜6]．2013 年に改訂された IIPs 分類においても両疾患は異なる疾患概念として報告されている[7]．

❷臨床像と検査所見

無症状のこともあるが，臨床症状としては乾性咳嗽や労作時呼吸困難が多く，喀痰，血痰，胸部不快感などの報告もある．これらの症状は一般的に軽度だが，重症例の報告もある．40〜50 歳代の喫煙者に発症することが多い．男女比は 2：1 で男性が多く，胸部聴診上，約半数に fine crackles を聴取することもあるが，通常，ばち指は認めない[2,4,8]．約 70％ に喘鳴が認められるとの報告もある[9]．

呼吸機能検査では，軽症では肺拡散能が軽度低下するが，正常例もある．喫煙者に発症する疾患であり既存に気腫性変化を認めることも多い．進展例では閉塞性パターンが混在し，混合性換気障害を認める．ときに残気量の増加を認める．動脈血ガス分析は軽度の低酸素血症を示す[4,10]．

気管支肺胞洗浄液（BALF）では，喫煙者に認められる褐色マクロファージ，黒色の顆粒を含んだマクロファージを多数認める．好中球を中等量認めることもある[10〜12]．

❸画像所見

RB-ILD の胸部 X 線像は気管支壁肥厚やすりガラス影，粒状影を認めるとされるが，異常を指摘できないことも多い[13,14]（**図 1a**）．RB-ILD の HRCT 所見としては小葉中心性の淡い粒状影と斑状のすりガラス影が主体であり，上肺野優位の分布を示すことが多い[15〜17]．気管支壁肥厚像や上葉の小葉中心性肺気腫，下葉優位の過膨張所見がみられることがある[13,14,18]．蜂巣肺や牽引性気

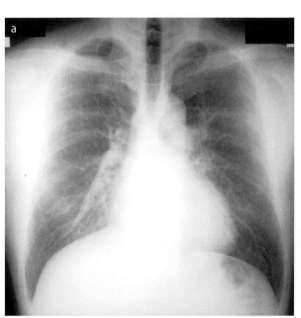
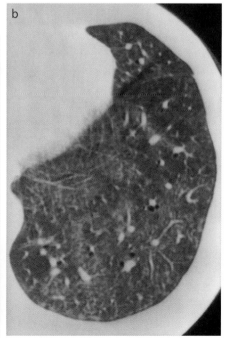

図 1 RB-ILD

a：胸部単純 X 線像．両肺野に軽度のすりガラス影が認められる．
b：HRCT 像．肺野にびまん性に小葉中心性粒状影と軽度のすりガラス影が認められる．

管支拡張像は通常認められない[13]．RB-ILDにみられる小葉中心性の淡い陰影は，病理所見での呼吸細気管支周辺のマクロファージの滲出や慢性炎症を反映しており[19]，DIPのびまん性の病変分布と異なる．また，時にDIPとの鑑別が困難であるが，DIPと比べるとすりガラス影の範囲は狭く，よりまばらに分布する傾向がある．また，小葉中心性粒状影はDIPでは頻度が低いことが鑑別点になる[18]．無症状の喫煙者でRB-ILDと同様なCT所見を認めることがあるが，一般にその陰影はRB-ILDより弱い[13]．経過では禁煙のみで陰影が軽快することがある[19,20]．

画像上の鑑別としては小葉中心性の淡い粒状影が主体となる疾患があげられ，過敏性肺炎，溶接工肺，薬剤性肺障害などがある[21]．

❹ 病 理

a）病理組織学的特徴（表1，図2）

RB-ILDの病変は小葉中心部に主体があり[4,8]，組織学的には呼吸細気管支から近傍の気腔内に褐色色素を貪食した肺胞マクロファージの滲出がみられるほか，細気管支壁・周囲肺胞壁に小円形細胞浸潤や線維化が軽度に認められる．マクロファージの性格はDIPの場合と同様で，鉄染色に軽度の陽性反応を呈することもある[4]．しかし，滲出する肺胞マクロファージも線維化巣も小葉中心性の分布を呈し，びまん性の変化を呈することはな い[4,8]．線維化に陥った肺胞壁が断裂（気腫性変化）を示すことはまれでない．

なお，RB-ILDに類似した病変は通常の喫煙者の肺にもまれならず散見される[5]が，RB-ILDはこれら通常の喫煙者にみられる肺病変の範疇を超えて，呼吸困難などの臨床症状と両肺野に間質性陰影を呈する病態として認識されている[4]．禁煙や薬物療法に伴い症状が軽快した症例においても，組織学的には呼吸細気管支炎が残存していることも少なくない[22]．

b）鑑別診断（表2）

RB-ILDの主な鑑別としては，IIPsのほかの病型ではDIPが，原因が特定できるものとしては，喫煙者に多くみられる細気管支病変，石綿肺などのじん肺症，Langerhans細胞組織球症などがあげられる．また，肺胞出血でも類似の褐色マクロファージが出現し，鑑別となりうる．

RB-ILDの病変は，小葉中心性の分布を示し，びまん性にならないこと[8]，線維化や好酸球やリンパ球などの炎症細胞浸潤の程度が軽いことよりDIPの病変と識別される[23]．RB-ILD，DIPの両者はいずれも喫煙関連性肺病変として認識されており，肺胞マクロファージの滲出を共通の形態像として有することから，両者を区別する意義を疑問視する意見もある[24,25]が，上記のごとき病理所見の違いやX線像・臨床像の異同から現在は異なる概念とされている[1]．

石綿肺[26]など末梢気道に病変を呈するじん肺症も鑑別の対象となる．鑑別には，組織学的には石綿小体，含

表1　RB-ILD の主要な組織学的所見

1. 病変は小葉中心部に散在性に分布する
2. 呼吸細気管支近傍を主体とした気腔内には，褐色色素を細胞質に含む肺胞マクロファージの滲出をみる
3. 呼吸細気管支および周辺の間質に軽度の不規則な線維化をみる

表2　RB-ILD の主な鑑別診断

IIPsのほかの病型，特にDIP
石綿肺などのじん肺症

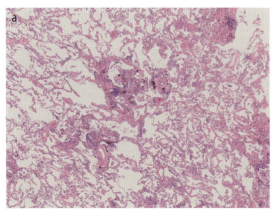
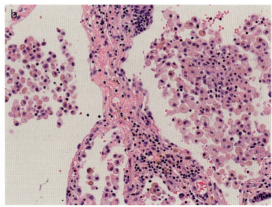

図2　RB-ILD の組織像

a：小葉中心性あるいは呼吸細気管支を中心に斑状の病変がみられる．軽度の線維化が呼吸細気管支周囲に認められる．
b：強拡大では，呼吸細気管支内腔や周囲肺胞腔内に褐色色素を伴うマクロファージの集積がみられる．

鉄小体，珪肺結節などじん肺を示唆する所見の有無に注意するとともに，職業歴，環境歴などの情報が欠かせない．このため，診断に際しては臨床・画像情報を加味したMDD診断が必要である．

❺ 治 療

RB-ILDの治療として，まずは禁煙が最も重要かつ有用である[4,20,27]．重症例，あるいは禁煙が成功しているにもかかわらず増悪する場合にステロイドを考慮する[28,29]．多くの場合，禁煙あるいはステロイド治療により改善する．一般に予後は良好であり，Churgらによるまとめでは，78例中，間質性肺炎での死亡例は1例のみであった[24]．

現在まで，報告例は少ないが高度の線維化に進行した症例はまれである[20,24〜29]．しかし，ステロイドや免疫抑制薬の投与が奏効しなかったとする報告もあり，データの集積が待たれる[9]．

文献

1) American Thoracic Society/ European Respiratory Society : International multidisciplinary consensus classification of the idiopathic interstitial pneumonias. Am Respir Crit Care Med 2002 ; **165** : 277-304.
2) Heyneman LE, Ward S, Lynch DA, et al : Respiratory bronchiolitis, respiratory-associated interstitial lung disease, and desquamative interstitial pneumonia : different entities or part of spectrum of the same disease process? Am J Roentgenol 1999 ; **173** : 1617-1622.
3) Katzenstein AL, Myers JL : Idiopathic pulmonary fibrosis : clinical relevance of pathologic classification. Am J Respir Crit Care Med 1998 ; **157** : 1301-1315.
4) Myers JL, Veal CF Jr, Shin MS, et al : Respiratory bronchiolitis causing interstitial lung disease : a clinicopathologic study of six cases. Am Rev Respir Dis 1987 ; **135** : 880-884.
5) Niewoehner DE, Kleinerman J, Rice DB : Pathologic changes in the peripheral airways of young cigarette smokers. N Engl J Med 1974 ; **291** : 755-758.
6) Wells AU, Nicholson AG, Hansell DM : Challenges in pulmonary fibrosis 4 : smoking-induced diffuse interstitial lung diseases. Thorax 2007 ; **62** : 904-910.
7) Travis WD, Costabel U, Hansell DM, et al : An official American Thoracic Society/ European Respiratory Society Statement : Update of the international multidisciplinary classification of the idiopathic interstitial pneumonias. Am J Respir Crit Care Med 2013 ; **188** : 733-748.
8) Yosem SA, Colby TV, Gaensler EA : Respiratory bronchiolitis-associated interstitial lung disease and its relationship to desquamative interstitial pneumonia. Mayo Clin Proc 1989 ; **64** : 1373-1380.
9) Portnoy J, Veraldi KL, Schwarz MI : Respiratory bronchiolitis-interstitial lung disease : long-term outcome. Chest 2007 ; **131** : 664-671.
10) King TE Jr : Respiratory bronchiolitis-associated interstitial lung disease. Clin Chest Med 1993 ; **14** : 693-698.
11) Hunninghake GW, Crystal RG : Cigarette smoking and lung destruction : accumulation of neutrophils in the lungs of cigarette smokers. Am Rev Respir Dis 1983 ; **128** : 833-838.
12) Marques LJ, Teschler H, Guzman J, et al : Smoker's lung transplanted to a nonsmoer : long-term detection of smoker's macrophages. Am J Respir Crit Care Med 1997 ; **156** : 1700-1702.
13) Hidalgo A, Franquet T, Gimenez A, et al : Smoking-related interstitial lung diseases : radiologic-pathologic correlation. Eur Radiol 2006 ; **16** : 2463-2470.
14) Park JS, Brown KK, Tuder RM, et al : Respiratory bronchiolitis-associated interstitial lung disease : radiologic features with clinical and pathologic correlation. J Comput Assist Tomogr 2002 ; **26** : 13-20.
15) Attili AK, Kazerooni EA, Gross BH, et al : Smoking-related interstitial lung disease : radiologic-clinical-pathologic correlation. Radiographics 2008 ; **28** : 1383-1396.
16) Heyneman LE, Ward S, Lynch DA, et al : Respiratory bronchiolitis, respiratory bronchiolitis-associated interstitial lung disease, and desquamative interstitial pneumonia : different entities or part of the spectrum of the same disease process? AJR Am J Roentgenol 1999 ; **173** : 1617-1622.
17) Holt RM, Schmidt RA, Godwin JD, et al : High resolution CT in respiratory bronchiolitis-associated interstitial lung disease. J Comput Assist Tomogr 1993 ; **17** : 46-50.
18) American Thoracic Society/European Respiratory Society International Multidisciplinary Consensus Classification of the Idiopathic Interstitial Pneumonias : This joint statement of the American Thoracic Society (ATS), and the European Respiratory Society (ERS) was adopted by the ATS board of directors, June 2001 and by the ERS Executive Committee, June 2001. Am J Respir Crit Care Med 2002 ; **165** : 277-304.
19) Moon J, du Bois RM, Colby TV, et al : Clinical significance of respiratory bronchiolitis on open lung biopsy and its relationship to smoking related interstitial lung disease. Thorax 1999 ; **54** : 1009-1014.
20) Nakanishi M, Demura Y, Mizuno S, et al : Changes in HRCT findings in patients with respiratory bronchiolitis-associated interstitial lung disease after smoking cessation. Eur Respir J 2007 ; **29** : 453-461.
21) 江頭玲子：喫煙関連間質性肺炎．In：村田喜代史　上，村山貞之，酒井文和（eds）．胸部のCT，第4版，メディカル・サイエンス・インターナショナル，2018：p 466-475.
22) Fraig M, Shreesha U, Savici D, et al : Respiratory bronchiolitis. Am J Surg Pathol 2002 ; **26** : 647-653.
23) Craig PJ, Wells AU, Doffman S, et al : Desquamated interstitial pneumonia, respiratory bronchiolitis and their relationship to smoking. Histopathology 2004 ; **45** : 275-282.
24) Churg A, Müller NL, Wright JL : Respiratory bronchiolitis/ interstitial lung disease fibrosis, pulmonary function, and evolving

concepts. Arch Pathol Lab Med 2010 ; **134** : 27-32.
25) Caminati A, Harari S : Smoking-related interstitial pneumonias and pulmonary Langerhans cell histiocytosis. Proc Am Thorac Soc 2006 ; **3** : 299-306.
26) Wright JL, Churg A : Morphology of small-airway lesions in patients with asbestos exposure. Hum Pathol 1984 ; **15** : 68-74.
27) Sadikot RT1, Johnson J, Loyd JE, et al : Respiratory bronchiolitis associated with severe dyspnea, exertional hypoxemia, and clubbing. Chest 2000 ; **117** : 282-285.
28) Caminati A, Cavazza A, Sverzellati N, et al : An integrated approach in the diagnosis of smoking-related interstitial lung diseases. Eur Respir Rev 2012 ; **21** : 207-217.
29) Sieminska A, Kuziemski K : Respiratory bronchiolitis-interstitial lung disease. Orphanet J Rare Dis 2014 ; **9** : 106.

D. まれな間質性肺炎

1 特発性リンパ球性間質性肺炎（iLIP）

❶疾患概念

リンパ球性間質性肺炎（lymphocytic interstitial pneumonia, lymphoid interstitial pneumonia：LIP）は，1969年Liebow, Carringtonにより，びまん性にリンパ球が肺胞隔壁に浸潤する疾患として提唱された[1]．LIPは間質性肺炎ではなく，リンパ増殖性疾患に含めるという意見がある．またLIPの多くはSjögren症候群を中心とした膠原病に伴う二次性であり，特発性LIP（idiopathic LIP：iLIP）は極めてまれとされている．2002年のATS/ERSの国際集学的合意分類で，LIPはIIPsに含められた[2,3]．2008年のATS/ERS特発性NSIP（iNSIP）に関するワークショップで，過去にLIPと診断された疾患のなかに細胞性NSIP（cellular NSIP）があったと報告されたが[4]，その後もiLIPの報告があり[5]，2013年のIIPs改訂国際集学的分類では，主要IIPsと区別し，iLIPとして，まれなIIPsのカテゴリーに含めることになった[6]．iLIPの臨床像，検査所見，組織診断基準は2002年のATS/ERSの国際集学的合意分類と大きな変更はない[3,6]．一方で2015年に提唱されたinterstitial pneumonia with autoimmune features（IPAF）[7]の基準を満たすIIPsにおいても，形態学的にLIPを呈した症例は0〜2.8%と[8〜10]やはりまれである．

❷臨床像と検査所見

LIPは，通常女性に多く，すべての年齢において発症しうるが50歳代で診断されることが多い（最近のChaらの報告ではiLIP 3例すべて男性であった[5]）．発症は緩徐で，徐々に進行する咳や呼吸困難が3年以上に及ぶとされる．多くの患者で進行性の呼吸困難や乾性咳嗽といった呼吸器症状を認める[1,2]．時に発熱，体重減少，胸痛，関節痛が認められる．両側性の捻髪音は，病像の進行とともに認められる．肺外のリンパ節腫脹は，まれである[1,5,7]．呼吸機能上は，拘束性換気障害，拡散障害，低酸素血症を認める[2,5,11]．軽度の貧血，多クローン性または単クローン性の異常蛋白血症を75%以上の症例で認める[1,2,5,11,12]．単クローン性免疫グロブリン血症や低γグロブリン血症を認める場合，リンパ増殖性の悪性疾患の可能性を検討する．

気管支肺胞洗浄（BAL）液ではリンパ球比率の増加を認めるが単クローン性を示さない．

❸画像所見

Liebowの分類に基づいたいわば，"classic LIP"というべき報告のなかでは，画像所見は以下のように記載されている．胸部単純X線写真では，両側下肺野の網状影，粒状網状影を認め，胸水はまれである．CT像では，小葉中心性分布の小結節影，すりガラス影，小葉間隔壁と気管支血管束の肥厚，囊胞が特徴的とされた[13,14]．

しかしながら，2002年ATS-ERS国際集学的合意分類[3]ではLIPは，リンパ球が高度に肺胞隔壁へ浸潤した病態と定義された．そこで，残りの広義間質主体のものは，diffuse lymphoid hyperplasia（DLH）として，結節を示すものはnodular lymphoid hyperplasiaとして除外されることとなった．過去のLIPの論文に記載され

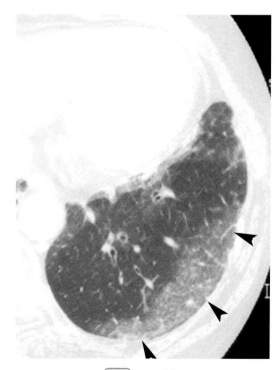

図1 LIP症例

CT像．下肺野末梢優位に均等なすりガラス影がみられ（矢頭），cellular NSIPに類似する．

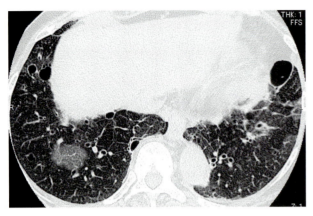

図2 LIP
CT像．囊胞に加え，丸いすりガラス影が散見される．

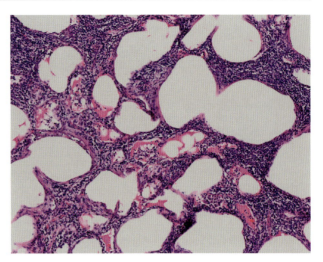

図3 LIP の組織像
リンパ球が肺胞隔壁にびまん性浸潤を示す．気腔内には好酸性の滲出液が高頻度に認められる．

表1 LIP の主要な組織学的所見

1	病変は比較的一様である
2	リンパ球系細胞が肺間質，特に肺胞壁に著明に浸潤する
3	浸潤細胞は異型のない分化したリンパ球が主体で，形質細胞，マクロファージなど多彩である
4	細胞浸潤は高度で密であり，ときに肺構造の改築，線維化を伴う

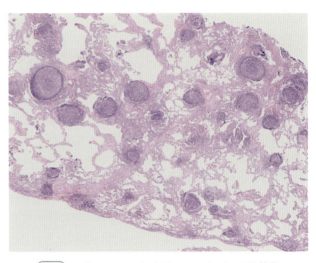

図4 diffuse lymphoid hyperplasia の組織像
リンパ路に胚中心を伴うリンパ濾胞が多数認められるが，肺胞隔壁に細胞浸潤は目立たない．このような組織像は LIP に含まない．

た小葉中心性分布の小結節影，すりガラス影，小葉間隔壁と気管支血管束の肥厚，囊胞といった特徴像は DLH の CT 像の特徴ということになる[15,16]．前述の定義に従って集めた 6 例の検討では，LIP の CT 像は，下肺野優位で，すりガラス影が主体であり，時に蜂巣肺を示すこともあった．また囊胞の存在も特徴的で，ときにすりガラス影内にみられた[17]．cellular NSIP に類似したもの（図1）とやや丸い輪郭を有し腫瘍性病変と鑑別の必要なものがみられた（図2）．

画像診断上，iLIP は極めてまれな疾患であること，LIP パターンを呈する MALT リンパ腫があり，画像のみで良悪性の鑑別ができないことを認識しておくべきである．LIP パターンを疑う場合には，Sjögren 症候群をはじめとした背景疾患の検索を勧めることが必須であり，また病変が拡大傾向にある場合にはリンパ腫の可能性を考慮すべきである．

❹ 病　理

a）病理組織学的特徴（表1）

　LIP は組織学的に，リンパ球系細胞の肺間質，特に肺胞壁への著明な浸潤を特徴とする病変である[3,6]．病変の分布は比較的一様である．浸潤細胞は異型のない分化したリンパ球が主体であるが，形質細胞，マクロファージなど多彩な浸潤を伴う．肺胞壁への浸潤は時に背景の肺構造のゆがみをみるほど著明で，時間の経過したものでは線維化も伴い肺構造の改築の認められる場合もある（図3）．また，病変内に囊胞の形成が少なからずみられる．リンパ濾胞の形成が目立つものもある．胸膜あるいは小葉間隔壁などへの浸潤はそれほど目立たない．コレステリン針状結晶，異物巨細胞，サルコイド様肉芽腫などが一部に認められることがある．なお，間質へのリンパ球浸潤が目立たず，リンパ濾胞形成を主体とするものは，"diffuse または nodular lymphoid hyperplasia（hyperplasia of MALT）"として区別する．分布がリンパ路に限局する場合を"diffuse lymphoid hyperplasia"（図4），線維化を伴い結節状になる場合を"nodular lymphoid hy-

表2　LIPの主な鑑別診断

- IIPsのほかの病型，特にcellular iNSIP
- 悪性リンパ腫
- 膠原病に伴う間質性肺疾患
- Multicentric Castleman Disease あるいは idiopathic plasmacytic lymphadenopathy
- 石綿肺などのじん肺症
- 過敏性肺炎
- HIV感染
- IgG4関連肺疾患

perplasia"とする．

b）鑑別診断（表2）

LIPの主な鑑別として，IIPsのほかの病型ではcellular NSIPが，原因の特定できるものとしては，①リンパ増殖性疾患，②膠原病，③過敏性肺炎，④薬剤性肺炎，⑤ウイルス性肺炎，⑥HIV感染，などがあげられる．特にリンパ球浸潤が高度なcellular NSIPとLIPとは，限られた範囲の組織切片では鑑別は困難である．

鑑別として最も重要なのは悪性リンパ腫である[18]．浸潤細胞の分布は，LIPでは肺胞領域が主体であるのに対して，悪性リンパ腫では細気管支血管束，小葉間隔壁，あるいは臓側胸膜などいわゆるリンパ路から周囲に広がる浸潤が著明である．浸潤細胞は，LIPでは分化した小型リンパ球以外に形質細胞，マクロファージと多彩で，リンパ腫ではおおむねリンパ腫細胞の単一増生が主体とされる．しかし肺に多い"marginal zone B-cell lymphoma"[19]では，腫瘍細胞は小型で異型は少なく，さらに，腫瘍細胞のなかに形質細胞への分化を示す細胞が多く含まれる症例もあり，細胞形態のみでは鑑別が困難な場合が少なくない．PCR法およびFISH法などの分子生物学的手法を用いて，免疫グロブリンあるいはT細胞受容体の再構成の有無や，MALT-1遺伝子の転座などについての検討が必要となる場合もある[20]．胚中心を伴ったリンパ濾胞形成，コレステリン針状結晶，異物巨細胞，サルコイド様肉芽腫などは，いずれの病態でも出現するので鑑別には用いられない．

次に鑑別上重要となるのは膠原病で，Sjögren症候群[21〜23]をはじめとし，関節リウマチ，SLEなど，様々な膠原病でLIP病変がみられることがある．iLIPに比べ気道病変など病変が多彩であるが，組織学的検討のみでは鑑別困難な場合が少なくない．このほか，形質細胞やリンパ濾胞の目立つ症例ではIgG4関連疾患やmulticentric Castleman病などが鑑別として挙がる．IgG4関連疾患は結節をつくったり，小葉間隔壁など広義の間質に強い線維化を伴うことが多いなど，LIPと異なる所見を示すのが通常であるが，形質細胞の目立つ症例ではIgG4やIgGの免疫染色を加えて鑑別することが望ましい．multicentric Castleman病では所見は大型の胚中心を伴うリンパ濾胞が目立ち，リンパ路に強く偏在する点がLIPと異なる．

iLIPは極めてまれであり，広義間質を含めた肺の間質に著明なリンパ球系細胞浸潤がみられる場合は，悪性リンパ腫をはじめとして，IgG4関連疾患やmulticentric Castleman病など他疾患の可能性をMDDにて慎重に検討することが望まれる．

❺治療と予後

症例が少ないため，治療はすべて経験的なものであり，予後も断定的なことはいえない．一般的に治療はコルチコステロイドが中心に用いられるが，シクロホスファミドなどの免疫抑制薬も用いられる[3,5,11]．ステロイドの効果は様々であり，予測不能であるが50〜60%が反応するとされる[24]．予後に関しても，治療と同様に様々で，臨床所見や画像などから予測することは不可能である[1,2]．自然軽快する例も経験されている．古い報告では，診断から5年で，33〜50%が死亡するとされる[1,25]．死亡原因としては，感染の合併や肺の線維化，悪性リンパ腫への転化などがある[26,27]．悪性リンパ腫への転化の頻度は不明であるが，それほど多くないと考えられる．Chaらの最近の報告では，14年間で15例のLIPを認め，そのうち3例がiLIPであった．LIP全体の中央生存期間は11.5年であり，iLIPの2例は10年以上後も生存，iLIPの1例は20年以上後に死亡した[5]．二次性のLIPでは生物学的製剤の有用性も示唆さている[28]が，特発性での報告はなく今後の検討課題である．

文献

1) Liebow AA, Carrington CB : Diffuse pulmonary lymphoreticular infiltrations associated with dysproteinemia. Med Clin North Am 1973 ; 57 : 809-843.
2) Koss MN, Hochholzer L, Langloss JM, et al : Lymphoid interstitial pneumonia : clinicopathological and immunopathological findings in 18 cases. Pathology 1987 ; 19 : 178-185.
3) American Thoracic Society/ European Respiratory Society International Multidisciplinary Consensus Classification of the Idiopathic Interstitial Pneumonias. Am J Respir Crit Care Med 2002 ; 165 : 277-304.
4) Travis WD, Hunninghake G, King TE Jr, et al : Idiopathic nonspecific interstitial pneumonia : report of an American Thoracic Society project. Am J Respir Crit Care Med 2008 ; 177 : 1338-1347.
5) Cha S-I, Fessler MB, Cool CD, et al : Lymphoid interstitial pneumonia : clinical features, associations and prognosis. Eur

Respir J 2006 ; **28** : 364-369.
6) Travis WD, Costabel U, Hansell DM, et al : An official American Thoracic Society/ European Respiratory Society statement : Update of the international multidisciplinary classification of the idiopathic interstitial pneumonias. Am J Respir Crit Care Med 2013 ; **188** : 733-748.
7) Fischer A, Antoniou KM, Brown KK, et al : An official European Respiratory Society/American Thoracic Society research statement : interstitial pneumonia with autoimmune features. Eur Respir J 2015 ; **46** : 976-987.
8) Chartrand S, Swigris JJ, Stanchev L, et al : Clinical features and natural history of interstitial pneumonia with autoimmune features : A single center experience. Respir Med 2016 ; **119** : 150-154.
9) Ahmad K, Barba T, Gamondes D, et al : Interstitial pneumonia with autoimmune features : Clinical, radiologic, and histological characteristics and outcome in a series of 57 patients. Respir Med 2017 ; **123** : 56-62.
10) Sambataro G, Sambataro D, Torrisi SE, et al : Clinical, serological and radiological features of a prospective cohort of Interstitial Pneumonia with Autoimmune Features（IPAF）patients. Respir Med 2019 ; **150** : 154-160.
11) Strimlan CV, Rosenow EC 3rd, Weiland LH, et al : Lymphocytic interstitial pneumonitis : review of 13 cases. Ann Intern Med 1978 ; **88** : 616-621.
12) 杉山幸比古, 和泉孝志, 北村 諭, ほか：皮膚病変, 表在リンパ節腫脹, 肝脾腫, 高γ-グロブリン血症を伴った Lymphiod Interstitial Pneumonia の一例. 日胸疾会誌 1983 ; **21** : 1083-1088.
13) Ichikawa Y, Kinoshita M, Koga T, et al : Lung cyst formation in lymphatic interstitial pneumonia : CT features. J Comput Assist Tomogr 1994 ; **18** : 745-748.
14) Johkoh T, Müller NL, Pickford HA, et al : Lymphocytic interstitial pneumonia : thin-section CT findings in 22 patients. Radiology 1999 ; **212** : 567-572.
15) Ichikawa Y, Kinoshita M, Koga T, et al : Lung cyst formation in lymphatic interstitial pneumonia : CT features. J Comput Assist Tomogr 1994 ; **18** : 745-748.
16) Johkoh T, Müller NL, Pickford HA, et al : Lymphocytic interstitial pneumonia : thin-section CT findings in 22 patients. Radiology 1999 ; **212** : 567-572.
17) 上甲 剛：ATS-ERS02 診断基準によるリンパ球性間質性肺炎（lymphocytic interstitial pneumonia（LIP））の CT 所見. 厚生労働科学研究費補助金 難治性疾患克服研究事業 びまん性肺疾患に関する調査研究班 平成 21 年度研究報告書, p 147-150.
18) Addis BJ, Hyjek E, Isaacson PG : Primary pulmonary lymphoma : a re-appraisal of its histogenesis and its relationship to pseudolymphoma and lymphoid interstitial pneumonia. Histopathology 1988 ; **13** : 1-17.
19) Herbert A, Walters MT, Cawley MI, et al : Lymphocytic interstitial pneumonia identified as lymphoma of mucosa associated lymphoid tissue. J Pathol 1985 ; **146** : 129-138.
20) Swerdlow SH, Campo E, Harris NL, et al : WHO Classification of Tumours of Haematopoietic and Lymphoid Tissues, 4th Ed, IARC Press, Lyon, 2008.
21) Deheinzelin D, Capelozzi VL, Kairalla RA, et al : Interstitial lung disease in primary Sjögren's syndrome. Clinical-pathological evaluation and response to treatment. Am J Respir Crit Care Med 1996 ; **154** : 794-799.
22) 北田順也, 山田 玄, 大地 貴, ほか：LIP, AIHA および気管支アミロイドーシスを合併した原発性シェーグレン症候群の 1 例. 日呼吸会誌 2008 ; **46** : 960-965.
23) Dalvi V, Gonzalez EB, Lovett L : Lymphocytic interstitial pneumonitis（LIP）in Sjögren's syndrome : a case report and a review of the literature. Clin Rheumatol 2007 ; **26** : 1339-1343.
24) Schwarz M : Lymphoplasmacytic infiltrations of the lung. Interstitial Lung Disease. 4th Ed, Schwarz M（ed）, BC Decker, Hamilton, 2003.
25) Nicholson AG, Wotherspoon AC, Diss TC, et al : Reactive pulmonary lymphoid disorders. Histopathology 1995 ; **26** : 405-412.
26) Banerjee D, Ahmad D : Malignant lymphoma complicating lymphocytic interstitial pneumonia : a monoclonal B-cell neoplasm arising in a polyclonal lymphoproliferative disorder. Hum Pathol 1982 ; **13** : 780-782.
27) Kradin RL, Young RH, Kradin LA, et al : Immuno-blastic lymphoma arising in chronic lymphoid hyperplasia of the pulmonary interstitium. Cancer 1982 ; **50** : 1339-1343.
28) Thompson G, McLean-Tooke A, Wrobel J, et al : Sjogren Syndrome With Associated Lymphocytic Interstitial Pneumonia Successfully Treated With Tacrolimus and Abatacept as an Alternative to Rituximab. Chest 2018 ; **153** : e41-e43.

2 特発性 pleuroparenchymal fibroelastosis（iPPFE）

❶疾患概念

2013年 ATS/ERS の特発性間質性肺炎（IIPs）国際分類改訂版[1]では6つの IIPs からなる主病型のほかに特発性 pleuroparenchymal fibroelastosis（idiopathic pleuroparenchymal fibroelastosis：iPPFE）がはじめて登場し，まれな間質性肺炎（rare IIPs）に組み入れられた．

iPPFE は，病変主座が両側上肺野にあり，病理組織学的に，①つぶれた肺胞に由来する胸膜下弾性線維の帯状あるいは楔状の集簇，②肺胞隔壁を取り巻くように弾性線維が増生し，肺胞内に膠原線維が充満している像，③硝子化した膠原線維による胸膜の肥厚，などの所見を有する慢性線維化性間質性肺炎である．PPFE は nonspecific interstitial pneumonia（NSIP）と同様に，病理組織学的所見を反映する診断名であるが，臨床診断名としても用いられている．PPFE の和名表記は現時点では定まっていない．

iPPFE は，病因となる基礎病態や原因疾患を同定し得ない PPFE であり，2004年 Frankel ら[2]が Chest 誌に発表したことに始まる．しかし，PPFE の概念が呈示されるかなり前から PPFE に類する疾患の報告がある．日本では1992年，網谷らが病変主座が両側上葉に限局して存在し，極めて緩徐に進行する慢性経過の原因不明の肺線維症を特発性上葉限局型肺線維症（idiopathic pulmonary upper lobe fibrosis：IPUF）と命名して，雑誌「呼吸」に発表した[3]．以来，日本において IPUF に関する症例報告が数多く発表され，網谷病という病名が付与された．また，上葉限局型のほかに，上葉から他の葉に連続的に線維化が進展する例や上葉の線維化病変と離れた下葉にも線維化病変が形成されるいわゆる上葉優位型肺線維症（pulmonary upper lobe-dominant fibrosis）[4]も報告されるようになり，患者総数としては上葉優位型肺線維症のほうが網谷病よりも多いことが明らかになった．これら2つの肺線維症に共通していることは，上葉に限局した，もしくは上葉に優勢な肺線維症があり，上葉にある線維化病変の組織学的パターンが PPFE であることである．

下葉の組織学的変化については後述するようにまだ流動的な部分を残しているが，日本発の網谷病や上葉優位型肺線維症は iPPFE という疾患概念のなかに含まれると考えることができる（表1）．国際的にみて，これらの疾患群に関する報告は日本発が圧倒的に多いのであるが，IIPs の改訂国際分類[1]にあるように iPPFE がそれらを代表する国際的呼称である．

❷臨床像と検査所見

発症頻度において性差は明らかでない．発症年齢に幅があるが，若年発症もまれではない．喫煙との関連は薄く，喫煙歴を有する症例は30%程度に過ぎない[5]．

iPPFE は特発性肺線維症（IPF）と同じように慢性経過の肺線維症であり，画像所見はあるが，臨床症状がないという期間が長いと想像される．進行すれば乾性咳嗽や労作時呼吸困難が出現する．気胸による胸痛が初発症状になることがある．るいそうは特筆すべき身体所見であり，病状の進行に伴いさらに体重が減少する．胸郭が扁平化することもある[3]．扁平胸郭は先天的な素因があると推測されているが，後天的にも進行する[6]．fine crackles が聴取される頻度は IPF や NSIP に比して少なく，半数程度であるが，下肺野に UIP や NSIP 病変があれば聴取されることが多い[5,7]．ばち指の報告は少ない[5,7]．

血液中の KL-6 が上昇することもあるが，正常上限をやや超えた程度のことが多い．しかし，KL-6 は線維化の進行とともに上昇する傾向があり[8]，SP-D や SP-A が上昇することもある（特に SP-D が高値を示す）．リ

表1 組織学的 PPFE パターンを有する肺線維症

臨床診断	上葉限局型肺線維症	上葉優位型肺線維症	特発性肺線維症やその他の肺線維症
病変分布	上葉のみ，もしくは上葉＞＞下葉	上葉＞下葉	上葉≦下葉
病理組織学的パターン	上葉 PPFE 下葉 線維化病変なし，もしくは線維化病変があっても詳細な検討なし	上葉 PPFE 下葉 PPFE もしくは non-PPFE（厳密な定義はない）	上葉 PPFE 下葉 PPFE もしくは non-PPFE（厳密な定義はない）

（渡辺憲太朗：上葉限局（優位）型肺線維症（PPFE）．間質性肺疾患診療マニュアル，第3版，久保惠嗣（監修），南江堂，東京，p. 322-325，2020 より引用）

ウマチ因子や抗核抗体など自己抗体が検出されることがある[9]）．

拘束性換気障害とガス交換障害を呈することはIPFと同様である．努力肺活量（FVC）や全肺気量（TLC）は減少し，1秒率は90％を超えることも多い．扁平胸郭は吸気時の肺の伸展を阻害し，FVCがさらに減少する．しかし，残気量（RV）は保たれ残気率が上昇する[10～12]．これはIPFなどのほかのIIPsにはない機能的特徴である．

❸画像所見

CT像では，両側肺尖部から上肺野レベルの胸膜直下を主体とした，牽引性気管支・細気管支拡張像を伴う楔状～帯状のコンソリデーションが特徴的である（図1）．しばしば胸膜肥厚を誤認されるが，胸膜肥厚があっても，これらのコンソリデーション自体は胸膜病変ではない．上葉の容積減少を伴うことが多く，胸部X線写真では両側肺門および右minor fissureの挙上として捉えられる．上肺野の楔状病変近傍に囊胞を伴うことも多い[2,3,9,13,14]．本疾患が下肺野へ進展する場合，CTでは胸膜に直交する太い線状影や気管支血管束の肥厚としてみられるが，これはPPFEが既存構造に沿って進展していることを反映している（図2）．上肺野のみのものと，下肺野に間質性変化を伴うものの2型に分けられるが[9]，下肺野の病変は前述のPPFE自体の進展として認められる場合と，UIPやNSIPパターンを呈することが

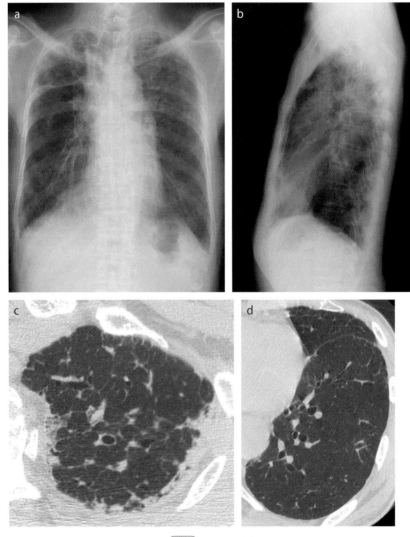

図1 iPPFE例

- **a**：胸部X線写真正面像．両側肺尖の胸膜直下に浸潤影を認め，肺門が挙上しており，上葉の容積減少が伺われる．
- **b**：胸部X線写真側面像．扁平な胸郭であることがわかる．
- **c**：CT像．肺尖の胸膜直下に拡張した細気管支透亮像を伴う小さなconsolidationが並んでいる．
- **d**：CT像．下肺野はやや過膨張傾向である．

ある（**図3**）．異なる画像パターンを呈する場合には，いずれのパターンが病変の主体であるかを考慮し，最終的なパターンを決定する必要がある．鑑別診断としては，慢性過敏性肺炎[15]，じん肺，膠原病に伴う間質性肺炎疾患の一部[16,17]，サルコイドーシスや非結核性抗酸菌感染症などの肉芽腫性炎症性疾患などがあがる．

PPFEでみられる肺尖部〜上肺野の楔状影はapical cap fibrosisと画像的，組織学的に同様であり，日常臨

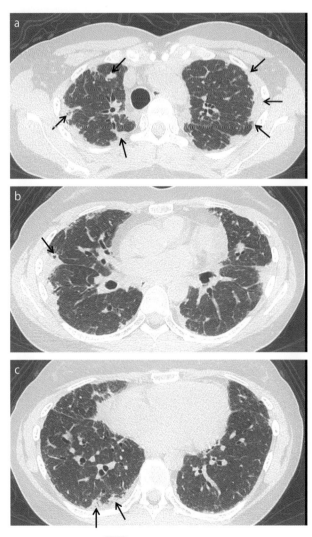

図2 iPPFEのみの例

CT像．下肺野に胸膜直下に拡張した細気管支透亮像を伴う小さなconsolidationや太めの小葉間隔壁肥厚を認める．

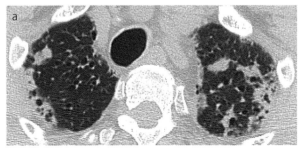 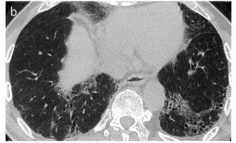

図3 iPPFE＋UIP例

a：上肺野のCT像．典型的なiPPFE像である．
b：下肺野のCT像．網状影，蜂巣肺，すりガラス影が不均一に混在してみられる．

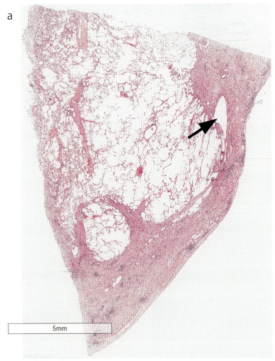
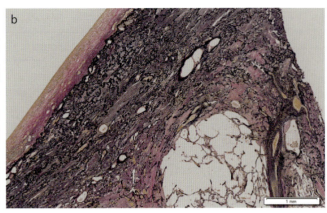

図4 PPFEの病理像

a：胸膜直下に帯状に，また楔状に肺実質に及ぶ肺胞の虚脱硬化がみられ，上部に線維性胸膜肥厚を伴う．散在性にわずかなリンパ球集簇を認める．周囲の正常肺との境界は明瞭，牽引性細気管支拡張（矢印）を認める．
b：エラスチカ・ワンギーソン染色．肺胞の虚脱部位では著明な弾性線維の凝集と濃縮があり，肺胞腔内は赤く染まる膠原線維の沈着がみられる．

床で撮影されたCT検査にて30％以上に認められる[18]ため，容積減少のないもの，進行性のないものを画像所見のみでPPFEと判断するのは早計である．ただし，非PPFE間質性肺炎合併，結節状病変，厚みのあるPPFE所見は画像上，進行性があると報告されており，注意が必要である[18]．PPFE初期には臨床的に検知されていない場合もあり，画像所見から可能性を言及する必要性があると考えられる．

❹病　理

PPFEの病理組織像は，固い線維化が楔状もしくは胸膜を縁取る状態で胸膜直下から肺実質へと延び出すように認められるのが特徴的である．病変内には残存する肺胞構造がまったく認められないのが通常であるが，弾性線維染色にて観察すると，既存の肺胞構築の破壊は伴わずに，肺胞隔壁は顕著な弾性線維の増加を伴って肥厚してかつ畳み込まれた構造を取り，気腔は膠原線維により完全に置換されている（図4）．UIPにて観察される様な弾性線維の断裂や消失は目立たない．弾性線維と膠原線維の割合には症例によってばらつきがみられる．胸膜は線維性に肥厚を示すことが多いが，胸膜肥厚を伴わないものも存在する．炎症細胞浸潤はみられないことがほとんどであるが，散在性に胚中心を伴わないリンパ球の集簇を散見することもある．牽引性と思われる拡張を伴う細気管支や拡張したリンパ管[19]が線維化巣内にみられることも少なくない．これらはapical capにて観察される組織像とほぼ同様であり，組織所見のみでこの2つを鑑別することは極めて困難である．蜂巣肺はみられないが，間質内気腫と呼ばれるブラに似た穴あき病変が形成されることがあり，気胸を合併することがある[20]．進行する病変とそうでない病変を区別する所見は現時点で特定されていない．既述の変化は上葉において観察されることが多く，上葉以外ではより複雑な病理像を呈することが通常である．定型的なPPFEの組織像を下葉に伴うものもみられるが，UIPパターンやNSIPパターンの線維化を伴うものもあり，このような症例ではPPFE以外の組織診断が下されているものが多い[11]．こういった複数の組織型が混在する症例では，apical capを伴うほかの間質性肺炎を否定することが重要である．また，近年fibroelastosisが気道周囲に起こるとされるairway centered fibroelastosisという病態が新たに報告されているが，気道周囲の判定の正否や病態の検証はなされておらず，現時点において確立された疾患とはいえない[21,22]．

表2 iPPFE の診断基準

外科的肺生検のある特発性 PPFE（iPPFE）の診断基準
definite iPPFE
1. HRCT：両側上肺野に優勢な，内部に拡張した気管支透亮像を有する胸膜下の多発性コンソリデーション
2. 外科的肺生検標本：胸膜下に帯状の，あるいは楔形の線維化病変．線維化病変は肺胞が潰れた結果としての弾性線維の集簇，もしくは胞隔の弾性線維の増生を伴う膠原線維で満たされた肺胞から成る
3. 画像あるいは組織学的 PPFE パターンを有する以下の既知の疾患や病態を否定できる：慢性過敏性肺炎，膠原病，職業関連疾患，造血幹細胞移植や肺移植関連肺疾患

上記 3 者が満たされば，確実（definite iPPFE）と診断される
上葉以外に，下葉に線維化病変がある場合，臨床・放射線・病理医の合議による最終診断が必要

外科的肺生検のない iPPFE の診断基準
radiologically possible iPPFE
1. 高分解能 CT（HRCT）：両側上肺野に優勢な，内部に拡張した気管支透亮像を有する胸膜下の多発性コンソリデーション
2. 画像あるいは組織学的 PPFE パターンを有する以下の既知の疾患や病態を否定できる：慢性過敏性肺炎，膠原病，職業関連疾患，造血幹細胞移植や肺移植関連肺疾患

1. と 2. が満たされれば画像上 iPPFE の可能性がある（radiologically possible iPPFE）と診断される
（Apical cap や初期の限局的な時期の iPPFE も含まれる）

外科的肺生検のない iPPFE の診断基準
radiologically probable iPPFE
1. 慢性経過の乾性咳嗽もしくは労作時呼吸困難
2. HRCT：両側上肺野に優勢な，内部に拡張した気管支透亮像を有する胸膜下の多発性コンソリデーション
3. 胸部 X 線写真：両側肺門挙上もしくは HRCT：上葉の容積減少
4. 画像あるいは組織学的 PPFE パターンを有する以下の既知の疾患や病態を否定できる：慢性過敏性肺炎，膠原病，職業関連疾患，造血幹細胞移植や肺移植関連肺疾患

1 から 4 の全てを満たせば，iPPFE は画像上ほぼ確実（radiologically probable iPPFE）と診断される

外科的肺生検のない iPPFE の診断基準
radiologically and physiologically probable iPPFE
1. 慢性経過の乾性咳嗽もしくは労作時呼吸困難
2. HRCT：両側上肺野に優勢な，内部に拡張した気管支透亮像を有する胸膜下の多発性コンソリデーション
3. 胸部 X 線写真：両側肺門挙上もしくは HRCT：上葉の容積減少
4. 画像あるいは組織学的 PPFE パターンを有する以下の既知の疾患や病態を否定できる：慢性過敏性肺炎，膠原病，職業関連疾患，造血幹細胞移植や肺移植関連肺疾患
5. RV/TLC %pred. ≧115%
6. BMI ≦20 kg/m^2 かつ RV/TLC %pred. ≧80%

1, 2, 3, 4 かつ 5 もしくは 6 が満たされれば，画像かつ機能上ほぼ確実（radiologically and physiologically probable iPPFE）と診断される

（Watanabe K, et al：Respir Investig 2019；**57**：312-320[24]）を参考に作成）

❺ 診　断

　PPFE を病理組織学的に定義づけることはできるが，iPPFE の国際的な臨床診断基準はまだ確立していない．2013 年の IIPs 国際分類の改訂以後，認知度が高まったこともあって，最近症例報告が増加した．現在 iPPFE は IIPs の中でも必ずしも「まれ」ではない[23]と認識されている．病理組織学的所見は，臨床診断基準において重要な要素となるが，PPFE が疑われる症例においては，全身状態を含めた様々な制約から外科的肺生検を実施できる症例が少なく，生検できない場合の臨床診断基準が必要であった．

　2015 年東京びまん性肺疾患研究会において診断された 52 例の PPFE の臨床・画像・病理の特徴[11]を踏まえて，厚生労働省びまん性肺疾患に関する調査研究班は iPPFE の臨床診断基準を作成した[24]．本診断基準は IPF と同じように画像所見を最も重要な位置に据え，外科的肺生検がなくても診断できる基準を設けた．残気率が上昇し，るいそうが目立つことなど，PPFE の生理学的・身体的特徴にも注目し，呼吸機能や肥満指数の基準も設けたことに特徴がある（**表 2**）．

　iPPFE は IIPs のサブセットのひとつであり，指定難病としての基準を満たせば，IPF と同じように医療費の公的扶助が得られる．ところが，現在の指定難病における iPPFE の診断基準は外科的肺生検を必須としており，公的扶助を得られる機会が極めて少なかった．上記の診断基準をさらに簡略化した，指定難病としての iPPFE 認定基準の作成作業が現在進行中である．

　外科的肺生検がなされていない IPF の診断基準が国際的に提示されたのは 2000 年である[25]．当初は画像所見に生理学的所見や身体所見を組み合わせた基準であったが，今や生理学的基準を必要としない診断基準に進化した．今後 iPPFE においても，IPF と同じように，早期例を拾い上げるための画像所見をより重要視した診断基準が必要になると考えられる．

❻ 鑑別診断と二次性 PPFE

　臨床現場において，iPPFE と鑑別すべき最も重要な疾

患はIPFである．UIPがIPFを特徴づける病理組織学的パターンであることは間違いないが，組織学的にも画像上もIPFの肺尖部にPPFEパターンがあることは決してまれではない[26,27]．そのような場合でも，下肺野に優勢なUIP病変があれば臨床的にIPFと診断されている．一方，iPPFEの下肺野に病理学的UIPが存在することも珍しくない[11]．すなわち組織学的UIPパターンとPPFEパターンの解剖学的拡がりは，連続的スペクトラムのなかで捉えることが可能であり，IPFとiPPFEとの鑑別が困難な症例がある．最終的にはMDDにより決定されるべきである[7,24]．

PPFEは多種多様な病態をもとにして発症することが明らかになった．apical capは組織学的にPPFEと区別できないが，病変は肺尖部に限局しており臨床症状を有さない．将来病変が拡大して臨床的PPFEが顕在化する可能性も否定できないが，現時点でapical capは臨床的疾患概念ではなく，病理学的所見と考えてよい．

骨髄移植[14]や造血幹細胞移植後にPPFEを発症することがわかっており，近年，同種造血幹細胞移植後のPPFEの報告が増加している．また肺移植後の移植肺にもPPFEが発症することが知られている[28,29]．シクロホスファミドなどの抗癌剤を使用した例にも二次的にPPFEが発症することがある[30]．

職業性粉じん曝露，とりわけ石綿曝露も弾性線維の増生をきたすことが知られている．石綿肺と診断された症例の解剖例を組織学的に検討した結果，PPFEパターンはUIPパターンと同程度に観察されたという報告[31]がある．過敏性肺炎，関節リウマチ，肺MAC症などにも組織学的に弾性線維の増生elastofibrosisをきたすことがあり，臨床的PPFEを呈する症例がある．

❼治療と予後

PPFEの進行を阻止することが確認できた薬剤はない．iPPFEは症例数が少なく，治療効果を検証する臨床試験を組むまでにいたっていない．安定期には，無治療で経過観察することが多く，副腎皮質ステロイドや免疫抑制薬の使用は推奨されない．施設によっては，臨床実地の取り組みとして，ピルフェニドンなどの抗線維化薬を用いる試みがなされているが，その効果は否定的である．iPPFEの下肺野にはUIP病変がしばしば併存しているので，UIPの程度に応じて抗線維化薬を用いる選択肢もありうるが，その効果を検証した報告はない．

肺移植は現時点で考えられるもっとも有効な治療であるが，高度の胸膜肥厚や胸郭変形に伴う胸腔の狭少化など，肺移植を技術的に困難にする要因もある．

肺の線維化プロセスを膠原線維と弾性線維の増生という両面から考えるとき，PPFEはIPFに比して弾性線維増生の果たす役割が大きいと考えられる．上葉のみならず下葉においてもiPPFEの組織中の弾性線維量がIPFに比して多いことが証明されている[32]．iPPFEの治療を念頭にいれた基礎研究はないが，今後弾性線維増生の抑制にターゲットを絞った新たな治療戦略が必要かもしれない．

PPFEの予後はheterogeneousである．進行が緩徐な網谷病[3]から急激に進行する症例[8]まであり，幅が非常に広い．これまでの報告例の予後をまとめて検討すると，IPFより長期生存する[9]という結果も出ているが，下葉にUIPパターンを有するPPFEの予後はIPFよりもむしろ悪いとする報告もある[33]．いったん線維化が下肺野に進行すれば，IPFと同じように予後がよくないと考えられる．

文献

1) Travis WD, Costabel U, Hansell DM, et al ; ATS/ERS Committee on Idiopathic Interstitial Pneumonias : An Official American Thoracic Society/European Respiratory Society Statement : Update of the International multidisciplinary consensus classification of the idiopathic interstitial pneumonias. Amer J Respir Crit Care Med 2013 ; **188** : 733-748.
2) Frankel SK, Cool CD, Lynch DA, et al : Idiopathic pleuroparenchymal fibroelastosis : description of a novel clinicopathologic entity. Chest 2004 ; **126** : 2007-2013.
3) 網谷良一，新実彰男，久世文幸：特発性上葉限局型肺線維症．呼吸 1992；**11**：693-699.
4) 塩田智美，清水孝一，鈴木道明，ほか．上葉優位な肺線維症の臨床病理学的検討．日呼吸会誌 1999；**37**：87-96.
5) Watanabe K : Pleuroparenchymal fibroelastosis : its clinical characteristics. Current Respiratory Medicine Reviews 2013 ; **9** : 229-237.
6) Harada T, Yoshida Y, Kitasato Y, et al : The thoracic cage becomes flattened in the progression of pleuroparenchymal fibroelastosis. Eur Respir Rev 2014 ; **23** : 263-266.
7) Chua F, Desai SR, Nicholson AG, et al : Pleuroparenchymal fibroelastosis. A review of clinical, radiological, and pathological characteristics. AnnalsATS 2019 ; **16** : 1351-1359.
8) Watanabe K, Nagata N, Kitasato Y, et al : Rapid decrease in forced vital capacity in patients with idiopathic pulmonary upper lobe fibrosis. Respir Investig 2012 ; **50** : 88-97.
9) Reddy TL, Tominaga M, Hansell DM, et al : Pleuroparenchymal fibroelastosis : a spectrum of histopathological and imaging phenotypes. Eur Respir J 2012 ; **40** : 377-385.
10) Kusagaya H, Nakamura Y, Kono M, et al : Idiopathic pleuroparenchymal fibroelastosis : consideration of a clinicopathological entity in a series of Japanese patients. BMC Pulm Med 2012 ; **12** : 72.
11) Ishii H, Watanabe K, Kushima H, et al : Pleuroparenchymal fibroelastosis diagnosed by multidisciplinary discussion in Japan.

Respir Med 2018 ; **141** : 190-197.
12) Ikeda T, Kinoshita Y, Ueda Y, et al : Physiological criteria are useful for the diagnosis of idiopathic pleuroparenchymal fibroelastosis. J Clin Med 2020 ; **9** : 3761
13) Becker CD, Gil J, Padilla ML : Idiopathic pleuroparenchymal fibroelastosis : an unrecognized or misdiagnosed entity? Mod Pathol 2008 ; **21** : 784-787.
14) von der Thüsen JH, Hansell DM, Tominaga M, et al : Pleuroparenchymal fibroelastosis in patients with pulmonary disease secondary to bone marrow transplantation. Mod Pathol 2011 ; **24** : 1633-1639.
15) Jacob J, Odink A, Brun AL, et al : Functional associations of pleuroparenchymal fibroelastosis and emphysema with hypersensitivity pneumonitis. Respir Med 2018 ; **138** : 95-101.
16) Enomoto Y, Nakamura Y, Colby TV, et al : Radiologic pleuroparenchymal fibroelastosis-like lesion in connective tissue disease-related interstitial lung disease. PLoS One 2017 ; **12** : e0180283.
17) Bonifazi M, Sverzellati N, Negri E, et al : Pleuroparenchymal fibroelastosis in systemic sclerosis : prevalence and prognostic impact. Eur Respir J 2020 ; **56** : 1902135.
18) Sumikawa H, Johkoh T, Iwasawa T, et al : Pleuroparenchymal fibroelastosis-like lesions on chest computed tomography in routine clinical practice. Jpn J Radiol 2019 ; **37** : 230-236.
19) Kinoshita Y, Watanabe K, Ishii H, et al : Significant increases in the density and number of lymphatic vessels in pleuroparenchymal fibroelastosis. Histopathology 2018 ; **73** : 417-427.
20) Tachibana Y, Taniguchi H, Kondoh Y, et al : Pulmonary interstitial emphysema is a risk factor for poor prognosis and a cause of air leaks. Respir Investig 2019 ; **57** : 444-450.
21) Minomo S, Arai T, Tachibana K, et al : Airway-centered Fibroelastosis Accompanied by Subpleural Lesions of Unknown Cause in a Young Man Who Later Developed Pulmonary Hypertension. Intern Med 2020 ; **59** : 695-700.
22) Pradere P, Gauvain C, Danel C, et al : Airway-Centered Fibroelastosis : A Distinct Entity. Chest 2016 ; **149** : 767-774.
23) Nakatani T, Arai T, Kitaichi M, et al : Pleuroparenchymal fibroelastosis from a consecutive database : a rare disease entity? Eur Respir J 2015 ; **45** : 1183-1186.
24) Watanabe K, Ishii H, Kiyomi F, et al : Criteria for the diagnosis of idiopathic pleuroparenchymal fibroelastosis : A proposal. Respir Investig 2019 ; **57** : 312-320.
25) American Thoracic Society : Idiopathic pulmonary fibrosis : diagnosis and treatment. International consensus statement. American Thoracic Society (ATS), and the European Respiratory Society (ERS). Am J Respir Crit Care Med 2000 ; **161** (2 Pt 1) : 646-664.
26) Kinoshita Y, Watanabe K, Ishii H, et al : Proliferation of elastic fibres in idiopathic pulmonary fibrosis : a whole-slide image analysis and comparison with pleuroparenchymal fibroelastosis. Histopathology 2017 ; **71** : 934-942.
27) Raghu G, Remy-Jardin M, Myers JL, et al : Diagnosis of idiopathic pulmonary fibrosis An official ATS/ERS/JRS/ALAT clinical practice guideline. Amer J Repir Crit Care Med 2018 ; **198** : e44-e68.
28) Ofek E, Sato M, Saito T, et al : Restricitve allograft syndrome post lung transplantation is characterized by pleuroparenchymal fibroelastosis. Mod Pathol 2013 ; **26** : 350-356.
29) Hirota T, Fujita M, Matsumoto T, et al : Pleuroparenchymal fibroelastosis as a manifestation of chronic lung rejection? Eur Respir J 2013 ; **41** : 243-245.
30) Beynat-Mouterde C, Beltramo G, Lezmi G, et al : Pleuroparenchymal fibroelastosis as a late complication of chemotherapy agents. Eur Respir J 2014 ; **44** : 523-527.
31) Kawabata Y, Kasai T, Kobashi Y, et al : Grade 4 asbestosis does not extend directly from the respiratory bronchiole to the peripheral lung. Histopathology 2018 ; **73** : 29-37.
32) Enomoto N, Kusagaya H, Oyama Y, et al : Quantitative analysis of lung elastic fibers in idiopathic pleuroparenchymal fibroelastosis (IPPFE) : comparison of clinical, radiological, and pathological findings with those of idiopathic pulmonary fibrosis (IPF). BMC Pulmo Med 2014 ; **14** : 91.
33) Oda T, Ogura T, Kitamura H, et al : Distinct characteristics of pleuroparenchymal fibroelastosis with usual interstitial pneumonia compared with idiopathic pulmonary fibrosis. Chest 2014 ; **146** : 1248-1255.

3 まれな組織学的パターン

2013年に改訂された特発性間質性肺炎(IIPs)の国際分類では、新たに2つのまれなIIPsと2つのまれな組織学的パターンを示すIIPsが記述された[1]。まれな組織学的パターンとは、acute fibrinous and organizing pneumonia(AFOP)と bronchiolocentric patterns of interstitial pneumonia(BPIP)であるが、現時点において臨床・画像学的検討は十分ではなく、また類似の疾患概念も複数提唱されている点から、今後も検証が必要である。本項では、両者の病理組織学的特徴および臨床的特徴を中心に概説する。

❶急性線維素性器質化肺炎(acute fibrinous and organizing pneumonia:AFOP)

a)病理学的特徴

Beasleyら[1]によって近年提唱されたAFOPは、病理組織学的に肺胞腔内の著明なフィブリン析出と肺胞腔内の器質化病変を特徴とする疾患概念である。急性および亜急性肺障害で、びまん性肺胞傷害(diffuse alveolar damage:DAD)、器質化肺炎(organizing pneumonia:OP)のどちらとも異なる肺傷害パターンの組織像を取るものとしていながら、症例の半数程度が予後不良であったことから、DADに近い病態と捉えDADの線維素性亜型と報告した。最も特徴的な組織所見は、肺胞腔内に析出する著明なフィブリンで、しばしば小塊状に沈着してフィブリン球とも表現される。軽度のフィブリン析出は、DADやOPでも一般的に観察され、急性肺傷害に相当する所見であるが、AFOPではフィブリンが標本全体の平均約50%の肺胞腔内にみられる。病変は斑状に分布し、病変間には正常肺組織が介在する。密な線維化はみられず、肺胞構造の破壊は観察されない。病変部ではポリープ型の器質化病変を伴うこともあるが、その程度は軽度である。また、AFOPでは硝子膜形成がみられない点がDADとの鑑別点となる。感染症による急性肺炎はAFOPにおいて最も鑑別すべき疾患となるが、気腔内への好中球浸潤はほとんどみられない点が感染症とは異なる。EPとも組織学的に類似するが、好酸球浸潤はAFOPではほとんど観察されない。多発血管炎性肉芽腫症(GPA)などの血管炎がAFOPに類似した組織像を示すことがあるので、慎重な鑑別が重要である。

なお、TBLBやTBLCなどの生検組織にてAFOPを疑う所見をみた際には、DADあるいはOPの部分像をみている可能性を常に考慮する必要がある。

AFOPは特発性とする報告[1〜7]や、膠原病とその類縁疾患[1,8〜11]、過敏性肺炎[9]、免疫抑制状態や移植後の拒絶反応[12〜14]、感染症[15〜17]、または薬物[1,18,19]に関連するという報告がある。放射線画像は、両肺底部に拡がる斑状の浸潤影とされる[1]が、検証は不十分である。臨床経過としては、ステロイド治療や免疫抑制薬に反応したという報告[3,5,7,12,13,17,20]も散見されるが、死亡例の報告[10,11,16,21,22]も少なくない。

b)臨床的特徴

特発性とする報告以外に、膠原病[23,24](SLE、皮膚筋炎)、過敏性肺炎[9]、移植後の拒絶反応[14]、感染症[16,25](クラミジア、インフルエンザウイルス)、薬剤[19,26](ST合剤、アミオダロン)などでも認められる。

AFOPは一般的に進行性の呼吸困難を主訴に発熱、咳嗽、喀血などを伴う。胸部CTではOPのパターンに類似しており、胸膜直下、両側性に移動性、多発性に浸潤影が広がることが多いが[27]、孤立性結節影を示すこともある[2]。

治療は、ステロイドと免疫抑制薬[5,28](シクロホスファミド、ミコフェノール酸モフェチル)の併用療法が試みられているが、その治療反応性は様々であり、確立した治療法は存在しない。したがって、予後の観点からもAFOPは、DADとOPの中間的な位置にあり、自然経過ならびに治療効果に一定の見解は得られていない。

❷細気管支中心性間質性肺炎パターン(bronchiolocentric patterns of interstitial pneumonia:BPIP)

a)病理学的特徴

BPIPの項には4報の文献が引用されている。idiopathic bronchiolocentric interstitial pneumonia[29]、airway-centered interstitial fibrosis(ACIF)[30]、bronchiolitis interstitial pneumonitis(BIP)[31]、peribronchiolar metaplasia(PBM)[32]といった疾患名で紹介され、共通する所見として、細気管支を主座とする線維化病変をきたすことが示されている。これら気道周囲性の線維化病変が、IIPsとして存在するのか、過敏性肺炎など、吸入によって引き起こされる病変[33〜35]を観察しているのか、現時点では不明瞭といえる。また、弾性線維による線維化が気道周囲に起こるとされるAirway centered fibroelastosisという病態が新たに報告されているが、その臨床的意義は確立されていない[36,37]。

BPIPの鑑別疾患として、前述の過敏性肺炎の他に、Sjögren症候群などの膠原病[38]、喫煙関連間質性肺炎、石綿肺やmixed dust pneumoconiosisなどの塵肺症、逆流性食道炎、誤嚥性細気管支炎[39]などがあげられる[40]。

表1 BPIP 既報

	Yousem (2002)	De carvalho (2002)	Churg (2004)	Fukuoka (2005)	Mark (2008)	Kuranishi (2015)	Tanizawa (2019)
	Idiopathic bronchiolocentric pneumonia	Centrilobular fibrosis (CLF)	Airway-centered interstitial fibrosis (ACIF)	Peribronchiolar metaplasia (PBM)	Bronchiolitis interstitial pneumonitis (BIP)	Airway-centered interstitial fibrosis (ACIF)	Bronchiolocentric fibrosis
症例, n	10	12	12	15	31	68	96
男/女, n	2/8	6/6	4/8	2/13	18/13	29/39	64/32
平均年齢, 歳	47	58	54	57	58	57	68
併存疾患	GERD：2	GERD：12	NA	膠原病：3	Sjögren 症候群：19	GERD：38, 膠原病：12	IPF：72, HP：13, 分類不能：10
喫煙歴, %	40	40	25	33	NA	43	72
吸入曝露, %	NA	NA	67	13	NA	62	55
画像所見	肺底部の間質影	下葉の浸潤影, 気管支壁の肥厚	間質影, 気管支壁の肥厚, 牽引性気管支拡張	モザイクパターン	間質影, びまん性すりガラス影	すりガラス影, 気管支壁の肥厚	すりガラス影, 気管支壁の肥厚, モザイクパターン
呼吸機能	拘束性換気障害	拘束性換気障害	拘束性換気障害	大半が拘束性換気障害	大半が拘束性換気障害	拘束性換気障害	拘束性換気障害
治療, n	PSL：9, CY：2	NA	PSL：12	NA	PSL：19	PSL：23, IS：1, PSL＋IS：29	NA
経過（改善/安定/悪化）, n	1/2/6	NA	3/2/5	5/6/0	12/1/6	NA	NA
死亡, n	3/9	NA	4/10	0/11	4/19	22/68	NA

GERD：gastroesophageal reflux disease, PSL：prednisolone, CY：cyclophosphamide, IS：immunosuppressor, IPF：idiopathic pulmonary fibrosis, HP：hypersensitivity pneumonitis, NA：not available

BPIP を診断するにはこれらを除外するため，臨床情報や画像情報を踏まえた MDD による診断が必要である．特に UIP との鑑別を要する構造破壊を伴う強い線維化病変では，予後などの臨床的項目や遺伝子異常のいずれとも相関を示さないとの報告もあり[41]，慎重な判断が望まれる．一因として気道中心性分布の認識には診断者間不一致があると報告されており，現在コンセンサスが得られていない[42]．MDD を含めた今後の標準化が望まれる分野といえる．

報告によって臨床経過や予後は様々であるが，気道の器質化病変，線維芽細胞巣や顕微鏡的蜂巣肺を予後不良因子とする報告もある[35]．放射線画像の共通した特徴はなく，今後の症例集積が望まれる[32,43]．

b）臨床的特徴

表1 に各報告をまとめた[29〜32,35,41,44]．40〜50 歳代の女性に多く認められ，併存疾患に GERD や膠原病が散見された．喫煙歴は 25〜43%，環境・職業性の吸入曝露歴は 13〜67% に認められた．画像所見は全例で胸部 CT が施行されているわけではないが，線維化を示す間質性病変に加えて，気道壁の肥厚や air-trapping を示唆するようなモザイクパターンが報告されている．呼吸機能は一部の症例で閉塞性換気障害を認めたが，大半の症例で拘束性換気障害を呈していた．さらに治療はステロイドと免疫抑制薬が使用されていた．Churg らの報告では，ステロイドの初期量は 0.5〜1.0 mg/kg/日で開始され，徐々に減量し 5〜15 mg を維持量とする方法と 0.5 mg/kg/日を 3 ヵ月間継続し，その後吸入ステロイド薬に変更する方法が示されている．

治療効果に関しては，報告により相違があるものの，予後良好の疾患とは言い難い．

文献

1) Beasley MB, Franks TJ, Galvin JR, et al：Acute fibrinous and organizing pneumonia：a histological pattern of lung injury and possible variant of diffuse alveolar damage. Arch Pathol

Lab Med 2002;**126**:1064-1070.
2) Kobayashi H, Sugimoto C, Kanoh S, et al:Acute fibrinous and organizing pneumonia:initial presentation as a solitary nodule. J Thorac Imaging 2005;**20**:291-293.
3) Damas C, Morais A, Moura CS, et al:Acute fibrinous and organizing pneumonia. Rev Port Pneumol 2006;**12**:615-620.
4) Tzouvelekis A, Koutsopoulos A, Oikonomou A, et al:Acute fibrinous and organising pneumonia:a case report and review of the literature. J Med Case Reports 2009;**3**:74.
5) Bhatti S, Hakeem A, Torrealba J, et al:Severe acute fibrinous and organizing pneumonia(AFOP)causing ventilatory failure:successful treatment with mycophenolate mofetil and corticosteroids. Respir Med 2009;**103**:1764-1767.
6) Santos C, Fradinho F, Catarino A:Acute fibrinous and organizing pneumonia. Rev Port Pneumol 2006;**16**:607-616.
7) Hara Y, Shinkai M, Kanoh S, et al:Clinico-pathological analysis referring hemeoxygenase-1 in acute fibrinous and organizing pneumonia patients. Respir Med Case Rep 2015;**14**:53-56.
8) Balduin R, Giacometti C, Saccarola L, et al:Acute fibrinous and organizing pneumonia in a patient with collagen vascular disease "stigma". Sarcoidosis Vasc Diffuse Lung Dis 2007;**24**:78-80.
9) Hariri LP, Mino-Kenudson M, Shea B, et al:Distinct histopathology of acute onset or abrupt exacerbation of hypersensitivity pneumonitis. Hum Pathol 2012;**43**:660-668.
10) Valim V, Rocha RH, Couto RB, et al:Acute fibrinous and organizing pneumonia and undifferentiated connective tissue disease:a case report. Case Rep Rheumatol 2012;**2012**:549298.
11) Sauter JL, Butnor KJ:Expanding the spectrum of pulmonary histopathological manifestations of anti-synthetase syndrome:anti-EJ-associated acute fibrinous and organizing pneumonia. Histopathology 2014;**65**:581-582.
12) Rapaka V, Hussain MA, Niazi M, et al:Severe acute fibrinous and organizing pneumonia causing acute respiratory distress syndrome and shock. J Bronchol Interv Pulmonol 2011;**18**:269-273.
13) Alici IO, Yekeler E, Yazicioglu A, et al:A case of acute fibrinous and organizing pneumonia during early postoperative period after lung transplantation. Transplant Proc 2015;**47**:836-840.
14) Renaud-Picard B, Degot T, Biondini D, et al:Successful lung retransplantation in a patient with acute fibrinous and organizing pneumonia:a case report. Transplant Proc 2015;**47**:182-185.
15) Lee SM, Park JJ, Sung SH, et al:Acute fibrinous and organizing pneumonia following hematopoietic stem cell transplantation. Korean J Intern Med 2009;**24**:156-159.
16) Otto C, Huzly D, Kemna L, et al:Acute fibrinous and organizing pneumonia associated with influenza A/H1N1 pneumonia after lung transplantation. BMC Pulm Med 2013;**13**:30.
17) Akhtar A, Ul Abideen Z:Acute fibrinous and organizing pneumonia masquerading as a lower respiratory tract infection:a case report and review of the literature. BMC Res Notes 2015;**8**:38.
18) Yokogawa N, Alcid DV:Acute fibrinous and organizing pneumonia as a rare presentation of abacavir hypersensitivity reaction. Aids 2007;**21**:2116-2117.
19) Piciucchi S, Dubini A, Tomassetti S, et al:A case of amiodarone-induced acute fibrinous and organizing pneumonia mimicking mesothelioma. Am J Respir Crit Care Med 2015;**191**:104-106.
20) Guimaraes C, Sanches I, Ferreira C:Acute fibrinous and organising pneumonia. BMJ Case Rep 2012;**2012**:bcr0120113689.
21) López-Cuenca S, Morales-García S, Martín-Hita A, et al:Severe acute respiratory failure secondary to acute fibrinous and organizing pneumonia requiring mechanical ventilation:a case report and literature review. Respir Care 2012;**57**:1337-1341.
22) Matsuo T, Ishikawa H, Tachi H, et al:[Development of exudative tuberculosis during treatment for aspiration pneumonia in an elderly post-stroke patient with symptomatic epilepsy]. Nihon Ronen Igakkai zasshi Japanese journal of geriatrics 2014;**51**:460-465.
23) Hariri LP, Unizony S, Stone J, et al:Acute fibrinous and organizing pneumonia in systemic lupus erythematousus:a case report and review of the literature. Pathol Int 2010;**60**:755-759.
24) Prahalad S, Bohnsack JF, Maloney CG, et al:Fatal acute fibrinous and organizing pneumonia in a child with juvenile dermatomyositis. J Pediatr 2005;**146**:289-292.
25) Ribera A, Llatjós R, Casanova A, et al:Chlamydia pneumoniae infection associated to acute fibrinous and organizing pneumonia. Enferm Infec Microbiol Clin 2011;**29**:632-634.
26) Jamous F, Ayaz SZ, Choate J:Acute fibrinous organising pneumonia:a manifestation of trimethoprim-sulfamethoxazole pulmonary toxicity. BMJ Case Rep;2014:bcr2014205017.
27) Feinstein MB, DeSouza SA, Moreira AL, et al:A comparison of the pathological, clinical and radiographical, features of cryptogenic organising pneumonia, acute fibrinous and organising pneumonia and granulomatous organising pneumonia. J Clin Pathol 2015;**68**:441-447.
28) Arnaud D, Surani Z, Vakil A, et al:Acute Fibrinous and Organizing Pneumonia:A Case Report and Review of the Literature. Am J Case Rep 2017;**18**:1242-1246.
29) Yousem SA, Dacic S:Idiopathic bronchiolocentric interstitial pneumonia. Mod Pathol 2002;**15**:1148-1153.
30) Churg A, Myers J, Suarez T, et al:Airway-centered interstitial fibrosis:a distinct form of aggressive diffuse lung disease. Am J Surg Pathol 2004;**28**:62-68.
31) Mark EJ, Ruangchira-urai R:Bronchiolitis interstitial pneumonitis:a pathologic study of 31 lung biopsies with features intermediate between bronchiolitis obliterans organizing pneumonia and usual interstitial pneumonitis, with clinical correlation. Ann Diag Pathol 2008;**12**:171-180.
32) Fukuoka J, Franks TJ, Colby TV, et al:Peribronchiolar metaplasia:a common histologic lesion in diffuse lung disease and a rare cause of interstitial lung disease:clinicopathologic features of 15 cases. Am J Surg Pathol 2005;**29**:948-954.

33) Fenton ME, Cockcroft DW, Wright JL, et al : Hypersensitivity pneumonitis as a cause of airway-centered interstitial fibrosis. Ann Allergy Asthma Immunol 2007 ; **99** : 465-466.
34) Myers JL : Hypersensitivity pneumonia : the role of lung biopsy in diagnosis and management. Mod Pathol 2012 ; **25** (Suppl 1) : S58-S67.
35) Kuranishi LT, Leslie KO, Ferreira RG, et al : Airway-centered interstitial fibrosis : etiology, clinical findings and prognosis. Respir Res 2015 ; **16** : 55.
36) Minomo S, Arai T, Tachibana K, et al : Airway-centered Fibroelastosis Accompanied by Subpleural Lesions of Unknown Cause in a Young Man Who Later Developed Pulmonary Hypertension. Intern Med 2020 ; **59** : 695-700.
37) Pradere P, Gauvain C, Danel C, et al : Airway-Centered Fibroelastosis : A Distinct Entity. Chest 2016 ; **149** : 767-774.
38) Nakanishi M, Fukuoka J, Tanaka T, et al : Small airway disease associated with Sjogren's syndrome : clinic-pathological correlations. Respir Med 2011 ; **105** : 1931-1938.
39) Prather AD, Smith TR, Poletto DM, et al : Aspiration-related lung diseases. J Thorac Imaging 2014 ; **29** : 304-309.
40) Iwasawa T, Takemura T, Ogura T : Smoking-related lung abnormalities on computed tomography images : comparison with pathological findings. Jpn J Radiol 2018 ; **36** : 165-180.
41) Tanizawa K, Ley B, Vittinghoff E, et al : Significance of bronchiolocentric fibrosis in patients with histopathological usual interstitial pneumonia. Histopathology 2019 ; **74** : 1088-1097.
42) Hashisako M, Tanaka T, Terasaki Y, et al : Interobserver Agreement of Usual Interstitial Pneumonia Diagnosis Correlated With Patient Outcome. Arch Pathol Lab Med 2016 ; **140** : 1375-1382.
43) Johkoh T, Fukuoka J, Tanaka T : Rare idiopathic intestinal pneumonias (IIPs) and histologic patterns in new ATS/ERS multidisciplinary classification of the IIPs. Eur J Radiol 2015 ; **84** : 542-546.
44) de Carvalho ME, Kairalla RA, Capelozzi VL, et al : Centrilobular fibrosis : a novel histological pattern of idiopathic interstitial pneumonia. Pathol Res Pract 2002 ; **198** : 577-583.

E. 分類不能型特発性間質性肺炎

❶疾患概念

「分類不能型特発性間質性肺炎（unclassifiable IIPs）」と「分類不能型間質性肺疾患（unclassifiable ILD）」は報告によりしばしば混同して使用されているが，"集学的検討（multidisciplinary discussion：MDD）を行っても特異的診断にいたらない間質性肺炎"という点で同一の疾患群を表した用語であると考えられる．以下，本項では分類不能型 IIPs と分類不能型 ILD に関して，引用した原著に基づいて表記した．

2002 年に発表された ATS/ERS による特発性間質性肺炎（IIPs）国際集学的合意分類では，すでに十分に臨床，画像，および/あるいは病理学的検討を行っても分類できない症例があることが指摘されていた[1]．特に，臨床，画像，および/あるいは病理の間で大きな不一致を認める場合や，必要な検査情報が得られない場合，分類は困難になる．2002 年の分類では，本文中で「分類不能型」が取り上げられるも，新たな疾患カテゴリーにはならなかった．2013 年に発表された IIPs 改定国際集学的分類では，「主要 IIPs」と「稀少 IIPs」に加え，「分類不能型 IIPs」のカテゴリーが明記された．時間をかけた MDD を行っても最終診断が得られない場合，「分類不能型 IIPs」のカテゴリーを用いる[2]．

IIPs 国際集学的分類の分類不能型 IIPs は以下の場合である[2]．

> （1）臨床，画像，あるいは病理データが不十分である場合．
> （2）以下の理由で臨床，画像，病理の間で大きな不一致がある場合．
> 　ⅰ）治療の影響（例，DIP でステロイド治療されていた場合，NSIP のみ認められることがある）．
> 　ⅱ）現在の ATS/ERS の分類では特徴づけられない新たな疾患分類あるいは通常は認めない特殊な場合（例，線維化を伴った器質化肺炎の亜型など）．
> 　ⅲ）HRCT 所見および/あるいは病理所見で複数のパターンがみられる場合．

実臨床では，臨床所見・胸部画像所見・外科的肺生検所見を用いた MDD を実施しても既存の IIPs 病型に分類できない症例だけでなく，疾患活動性が低く外科的肺生検を実施していない症例や，重症であるがゆえに肺生検が実施できない症例なども含まれる．慢性過敏性肺炎や膠原病に伴う間質性肺疾患と鑑別が困難な症例もあり，多様で不均一な疾患群と捉えられている．

また近年の報告では，間質性肺疾患（ILD）において，入手可能な各種所見（臨床，画像，病理）に基づき MDD を実施しても特異的診断が困難な症例を「分類不能型 ILD」と表して検討したものも多い[3,4]．Ryerson らは，線維化性 ILD に対する確信度を加味した診断において，確信度 50％ を超える診断が得られない症例を分類不能型 ILD とするといった考え方を提唱している[5]．

❷頻度，臨床症状と検査所見

分類不能型 IIPs の疾患頻度は報告により様々であるが，疾患の不均一性や対象とする母集団の相違によるものと考えられる．本邦における外科的肺生検を実施した IIPs の検討では，分類不能型 IIPs は中央判定の MDD によっても 36％（465 例のうち 168 例）であった[6]．一方，Guler によるメタアナリシスでは，分類不能型 ILD は ILD の 11.9％ と報告されている[7]．分類不能型 IIPs・分類不能型 ILD の症状に特徴的なものはなく，労作時の息切れ，咳，倦怠感など他の間質性肺炎と同様である．分類不能型 ILD の検査所見では，FVC の軽度低下や DLco の低下などが認められる[3,8,9]．

❸画像所見，病理所見

胸部画像所見に関して，Ryerson らによる分類不能型 ILD の報告では，UIP パターンを 17％，possible UIP パターンを 50％ に認めた[3]．また，Jacob らは，UIP パターンを 6％，possible UIP パターンを 26％，inconsistent with UIP パターンを 67％ に認めたと報告した[9]．一人の患者で複数画像パターンを認めることも少なくなく，画像，病理，臨床で不一致のある場合も多い．

分類不能型 IIPs は MDD においても特定の疾患へあてはめることが困難な場合に望まれる疾患名で，病理診断として分類不能型 IIPs という診断名を使用することは望ましくない．ただし，2013 年の ATS/ERS 分類では，病理学的に分類不能型 IIPs と診断しうる 2 つの具体的な状況を明記している[4]．ひとつは，現在の分類に

入らない新しい概念として考えるべき組織型で，線維化に移行する器質化肺炎を例としてあげている．もうひとつは，複数の組織型が生検内に観察される場合で，ひとつの組織型として分類することが困難な場合にこのカテゴリーにあてはめることがある．1つの例として，ILDのみの抗antisynthetase抗体症候群は多発筋炎/皮膚筋炎の診断基準を満たさず，interstitial pneumonia with autoimmune features（IPAF）の基準を満たすIIPsとして診断されるが，その組織所見の多くはNSIPパターンとOPパターンが混在する．

❹治療と管理

分類不能型IIPsは不均一な疾患群であるゆえ，その治療・管理も個々の症例における臨床所見，疾患挙動（disease behavior），鑑別すべき疾患の有無（慢性過敏性肺炎，膠原病に伴う間質性肺疾患など）などに基づき考慮される．進行例では，ステロイド薬，ステロイド薬＋免疫抑制薬による治療のほか，抗線維化薬（ピルフェニドン，ニンテダニブ）による治療が検討される．軽症で疾患進行が乏しい症例では，慎重な経過観察も考慮される．分類不能型はIIPs分類の補足と捉えるべきであり，外科的肺生検未実施例ではその実施の必要性を検討することや，経時的にMDDを繰り返し行うなど，診断へのアプローチを継続することが重要である．

Wiertzらは，ステロイド治療抵抗性の分類不能型IIPs 38症例（画像・病理でUIPパターンを示す症例なし）の後ろ向き検討で，ステロイド薬＋間欠的シクロホスファミド静注療法（IVCY, 15 mg/kg, 4週毎，6サイクル）は呼吸機能を有意に改善し，その効果はIPAF基準を満たす症例でより大きかったと報告した[10]．近年実施されたランダム化比較試験において，進行性線維化を伴う分類不能型IIPs・分類不能型ILDに対する抗線維化薬の有用性が示唆されている[11,12]．ニンテダニブは，種々の進行性線維化を伴う間質性肺疾患（PF-ILD）を対象とした国際共同第Ⅲ相プラセボ対照二重盲検比較試験において，FVCの年間減少率を抑制した[11]．この試験結果を受け，ニンテダニブはPF-ILDに対して保険適用となったが，対象症例のうち17.2%は分類不能型IIPsであった．また，進行性線維化を伴う分類不能型ILDを対象とした二重盲検プラセボ比較第Ⅱ相試験において，ピルフェニドン（2,403 mg）24週投与はFVCの低下を抑制する傾向を示した[12]．以上より，進行性線維化を呈する症例ではニンテダニブをはじめとする抗線維化薬による治療も考慮される．

❺予　後

外科的肺生検を実施したIIPs症例の解析において，分類不能型IIPsはIPFと比較して有意に予後良好である一方，NSIPより予後不良であった[6]．また，分類不能型ILDの予後はIPFとnon-IPFの中間で，IPFと比較して有意に予後良好であり[3,8]，2年生存率は70%-76%，5年生存率は46%-70%と報告された[7]．分類不能型ILDの予後不良因子として，高齢，FVC低値，%DLco低値のほか，胸部画像における線維化所見，牽引性気管支拡張，肺動脈径，definite UIPパターンなどが報告されている[9]．さらに，予後予測におけるILD-GAP（gender age physiology）indexや疾患挙動（disease behavior）による分類の有用性も示されている[8]．一方で，分類不能型IIPsは従来の特異的診断に分類できない一群を包括した不均一な疾患群であるため，予後についても個々の症例での考察が重要である．

文献

1) American Thoracic S, European Respiratory S : American Thoracic Society/European Respiratory Society International Multidisciplinary Consensus Classification of the Idiopathic Interstitial Pneumonias. This joint statement of the American Thoracic Society（ATS）, and the European Respiratory Society（ERS）was adopted by the ATS board of directors, June 2001 and by the ERS Executive Committee, June 2001. Am J Respir Crit Care Med 2002 ; **165** : 277-304.
2) Travis WD, Costabel U, Hansell DM, et al : An official American Thoracic Society/European Respiratory Society statement : Update of the international multidisciplinary classification of the idiopathic interstitial pneumonias. Am J Respir Crit Care Med 2013 ; **188** : 733-748.
3) Ryerson CJ, Urbania TH, Richeldi L, et al : Prevalence and prognosis of unclassifiable interstitial lung disease. Eur Respir J 2013 ; **42** : 750-757.
4) Guler SA, Ryerson CJ : Unclassifiable interstitial lung disease : from phenotyping to possible treatments. Curr Opin Pulm Med 2018 ; **24** : 461-468.
5) Ryerson CJ, Corte TJ, Lee JS, et al : A Standardized Diagnostic Ontology for Fibrotic Interstitial Lung Disease. An International Working Group Perspective. Am J Respir Crit Care Med 2017 ; **196** : 1249-1254.
6) Fujisawa T, Mori K, Mikamo M, et al : Nationwide cloud-based integrated database of idiopathic interstitial pneumonias for multidisciplinary discussion. Eur Respir J 2019 ; **53** : 1802243.
7) Guler SA, Ellison K, Algamdi M, et al : Heterogeneity in Unclassifiable Interstitial Lung Disease. A Systematic Review and Meta-Analysis. Ann Am Thorac Soc 2018 ; **15** : 854-863.
8) Hyldgaard C, Bendstrup E, Wells AU, et al : Unclassifiable interstitial lung diseases : Clinical characteristics and survival. Respirology 2017 ; **22** : 494-500.
9) Jacob J, Bartholmai BJ, Rajagopalan S, et al : Unclassifiable-interstitial lung disease : Outcome prediction using CT and func-

tional indices. Respir Med 2017 ; **130** : 43-51.
10) Wiertz IA, van Moorsel CHM, Vorselaars ADM, et al : Cyclophosphamide in steroid refractory unclassifiable idiopathic interstitial pneumonia and interstitial pneumonia with autoimmune features（IPAF）. Eur Respir J 2018 ; **51** : 1702519.
11) Flaherty KR, Wells AU, Cottin V, et al : Nintedanib in Progressive Fibrosing Interstitial Lung Diseases. N Engl J Med 2019 ; **381** : 1718-1727.
12) Maher TM, Corte TJ, Fischer A, et al : Pirfenidone in patients with unclassifiable progressive fibrosing interstitial lung disease : a double-blind, randomised, placebo-controlled, phase 2 trial. Lancet Respir Med 2020 ; **8** : 147-157.

第IV章

管理総論

1 治療の目標と管理

近年，抗線維化薬の導入を契機として，治療目標ならびにその評価が議論されている．予後不良であるIPFの治療の最終目標は「生命予後の改善」にある．最近のIPFの臨床試験の統合解析やレジストリーでは，抗線維化薬による予後改善が示唆されている[1～4]．臨床試験においては，生命予後を代理的に示唆する指標（サロゲート・マーカー；surrogate marker）は呼吸機能評価であると理解されている[5]．なかでもFVCあるいはVCの変化は生命予後を評価するうえで，再現性の高い指標とされている[6]．IPFを含む慢性進行性の間質性肺炎は，進行の速いものから（rapid progressor），遅いものまで（slow progressor）存在し（「Ⅲ-A-1．特発性肺線維症（IPF）」図1参照）[7]，かつ，症例により疾患進行が自然，あるいは治療により経過が変わりうる．したがって，時間経過を考慮した疾患の挙動（disease behavior）を，個別の経過のなかで吟味して評価・推定することが治療の目標や予後指標として重要と考えられている[8]．

疾患の挙動は，可逆性，進行の速度により判定され，各々に現実的な治療目標が設定されている（**表1**）．IPFは非可逆性の進行病態であるため，治療目標は進行速度の減弱（slow down）に設定されている．抗線維化薬治療はIPFでのFVCの低下抑制に有効であるが，治療中

表1 疾患の経過に対応した臨床分類と戦略

臨床的病気の経過	治療の目標	モニタリングの方法
可逆性あり & self-limited（例：RB-ILD）	可能性のある原因除去	疾患の寛解を確認するため短期間（3～6ヵ月）
可逆性あるが悪化のリスクあり（例：NSIPの一部，DIP，COP）	初期の反応性をみて，有効な長期治療を行う	治療反応性確認のため短期間観察 効果が持続するか確認するため長期間観察
病気は持続するも安定（例：NSIPの一部）	状態の維持	臨床経過を評価するため長期間観察
進行性，安定化する可能性があるが非可逆性（例：fibrotic NSIPの一部）	安定化	臨床経過を評価するため長期間観察
治療にもかかわらず，進行性，非可逆性（例：IPF，fibrotic NSIPの一部）	進行を遅くする	臨床経過を評価するため，移植あるいは緩和の要否を評価するため長期間観察

表の項目の区別はいくつかの要因を統合同化することによってつくられている：
(1) 多職種による総合的診断により，自信をもって疾患経過を予想できる場合（たとえばIPF）も多い．しかし，他の特発性間質性肺炎（たとえばNSIP）では複数の経過パターンがありうる．
(2) 呼吸機能およびHRCTに基づく疾患の重症度；重症のNSIPでは，進行性・不可逆的な経過がしばしばみられる．
(3) 可能な限りHRCTと生検の評価に基づいての潜在的な可逆性・非可逆性病態の評価．
(4) 短期的な疾患の経過変動．疾患経過による分類は，時間経過に伴う重症度の変化を考慮し，経時的に患者個々に応じて改変されていかねばならない．

RB-ILDは禁煙により経過を観察する．COP，cellular NSIP，一部のfibrotic NSIPでは一時的に治療に反応し，長期の治療効果を期待する．一部のfibrotic NSIPでは現状の維持，あるいは安定を目標とする．さらにIPFと一部のfibrotic NSIPでは非可逆的な進行を緩徐にすることを，治療の目標に据える．

（Travis WD, et al：AJRCCM 2013；**188**：733-748より引用）

にFVCの低下をきたした症例でも，抗線維化薬治療を継続すると，その後のFVC減少や死亡のリスクが低下するとも報告されており[9]，抗線維化薬の効果を呼吸機能の変化のみで判断することの限界を理解しておく必要がある．fibrotic NSIPは病状の改善，維持，安定化を治療・管理の目標とするが，一部の症例はIPF類似の進行性の経過をたどるため，その際はIPFと同様の治療や管理目標への変更を考慮する（表1の最下段）[8]．また，一部のfibrotic NSIP，cellular NSIP，DIP，COPなどは，ステロイドや免疫抑制薬による治療効果が期待されるものの，長期の治療では，副作用の回避および治療強度が不十分なことによる疾患進行に注意を払わなければならない．さらに，最近ではIPF以外の進行性線維化を伴う間質性肺疾患（PF-ILD）に対する抗線維化薬の効果も証明され，PF-ILDの治療薬としてニンテダニブが適応追加された[10〜12]．今後，個々の症例において，どのような状況で抗線維化薬を使用すべきか，ステロイド・免疫抑制薬を強化すべきかといった，治療方針の判断が必要となることが予想される．なお，進行性で予後不良であることが予測され年齢が60歳未満の場合には，常に肺移植（脳死肺移植）という選択肢があることも念頭に置いて診療を行わなければならない．詳細は「IV章-7．肺移植」を参照されたい．

上記に加え，"急性増悪"や"呼吸器関連入院"はIPFにおいては予後因子となり臨床上重要である[13,14]．"急性増悪"は特にIPFにおいて問題となるがnon-IPFでも起こる予後不良の病態であり，"急性増悪"の抑制も重要な治療目標である[13〜16]．最近の抗線維化薬に関するIPFの国際共同臨床試験では，2つの同一試験で施設判定・急性増悪の減少効果の検討では，一方は有意差が認めたが，もう一方では有意差が認められず，統合解析でも有意差を認めなかったが，独立判定委員会判定・急性増悪の統合解析においては抑制効果が報告されている．さらには抗線維化薬による"呼吸器関連入院"の抑制ならびに入院時の死亡率の低下も報告されており[17,18]，呼吸機能の低下抑制以外の効果も報告されている．

その他の予後因子としては，IPFでの併存症・合併症（comorbidity）の重要性が報告されている[19,20]．病態の進行に伴って，症例によっては複数の併存症が複雑な病態を形成し予後を左右する．そのなかには易感染性，COPD，急性増悪[21]，虚血性心疾患[22,23]，肺高血圧症[24]，肺癌[25]，胃食道逆流に伴う静的誤嚥[26]，などが含まれる．したがって，これらを注意深く評価し，管理することはIPFの予後を改善させる可能性があるが，これまで科学的に証明された明確に推奨される管理法は確立していない．

以上をまとめると，現時点では，臨床現場においては，FVC，VCを中心とした原疾患の治療目標を評価することが最も重要である．さらに，併存症，合併症の評価と治療の可能性を探る必要がある．特に臨床試験の対象症例とは異なる患者群（高齢者，重症例など）では，期待される効果や有害事象の程度が異なる可能性を考慮し，診療にあたることが肝心である．その際には利益（benefit）と治療の不利益（risk），さらに疾患の重篤性を総合的に勘案し，患者の希望を尊重し，治療に臨むことが極めて重要である．また，予後不良の進行性の病態であるならば，疾患進行を抑制するだけでなく，急性増悪や呼吸器関連入院の回避，quality of life（QOL）の維持も重要な目標になる．薬物療法と異なり予後を改善するというデータは得られていないものの，在宅酸素療法，呼吸リハビリテーション，栄養療法は患者QOLを改善する可能性がある．この場合には，主治医のみでの対応でなく，多職種でのかかわりが必要であり，緩和・終末期医療まで踏まえての管理が患者にとって重要である[27〜29]．

文献

1) Nathan SD, Albera C, Bradford WZ, et al : Effect of pirfenidone on mortality : pooled analyses and meta-analyses of clinical trials in idiopathic pulmonary fibrosis. Lancet Respir Med 2017 ; **5** : 33-41.

2) Lancaster L, Crestani B, Hernandez P, et al : Safety and survival data in patients with idiopathic pulmonary fibrosis treated with nintedanib : pooled data from six clinical trials. BMJ Open Respir Res 2019 ; **6** : e000397.

3) Jo HE, Glaspole I, Grainge C, et al : Baseline characteristics of idiopathic pulmonary fibrosis : analysis from the Australian Idiopathic Pulmonary Fibrosis Registry. Eur Respir J 2017 ; **49** : 1601592.

4) Guenther A, Krauss E, Tello S, et al : The European IPF registry (eurIPFreg) : baseline characteristics and survival of patients with idiopathic pulmonary fibrosis. Respir Res 2018 ; **19** : 141.

5) Spagnolo P, Del Giovane C, Luppi F, et al : Non-steroid agents for idiopathic pulmonary fibrosis. Cochrane Database Syst Rev 2010 ; **9** : CD003134.

6) du Bois RM, Weycker D, Albera C, e al : Forced vital capacity in patients with idiopathic pulmonary fibrosis : test properties and minimal clinically important difference. Am J Respir Crit Care Med 2011 ; **184** : 1382-1389.

7) Katoh T, Ohishi T, Ikuta N, et al : A rapidly progressive case of interstitial pneumonia. Intern Med 1995 ; **34** : 388-392.

8) Travis WD, Costabel U, Hansell DM, et al : An official American Thoracic Society/European Respiratory Society statement : Update of the international multidisciplinary classification of the idiopathic interstitial pneumonias. Am J Respir Crit Care Med 2013 ; **188** : 733-748.

9) Nathan SD, Albera C, Bradford WZ, et al : Effect of continued

treatment with pirfenidone following clinically meaningful declines in forced vital capacity: analysis of data from three phase 3 trials in patients with idiopathic pulmonary fibrosis. Thorax 2016; **71**: 429-435.

10) Flaherty KR, Wells AU, Cottin V, et al: Nintedanib in Progressive Fibrosing Interstitial Lung Diseases. N Engl J Med 2019; **381**: 1718-1727.

11) Maher TM, Corte TJ, Fischer A, et al: Pirfenidone in patients with unclassifiable progressive fibrosing interstitial lung disease: a double-blind, randomised, placebo-controlled, phase 2 trial. Lancet Respir Med 2020; **8**: 147-157.

12) George PM, Spagnolo P, Kreuter M, et al: Progressive fibrosing interstitial lung disease: clinical uncertainties, consensus recommendations, and research priorities. Lancet Respir Med 2020; **8**: 925-934.

13) Natsuizaka M, Chiba H, Kuronuma K, et al: Epidemiologic survey of Japanese patients with idiopathic pulmonary fibrosis and investigation of ethnic differences. Am J Respir Crit Care Med 2014; **190**: 773-779.

14) Brown AW, Fischer CP, Shlobin OA, et al: Outcomes after hospitalization in idiopathic pulmonary fibrosis: a cohort study. Chest 2015; **147**: 173-179.

15) Suda T, Kaida Y, Nakamura Y, et al: Acute exacerbation of interstitial pneumonia associated with collagen vascular diseases. Respir Med 2009; **103**: 846-853.

16) Suzuki A, Kondoh Y, Brown KK, et al: Acute exacerbations of fibrotic interstitial lung diseases. Respirology 2020; **25**: 525-534.

17) Richeldi L, du Bois RM, Raghu G, et al: Efficacy and safety of nintedanib in idiopathic pulmonary fibrosis. N Engl J Med 2014; **370**: 2071-2082.

18) Ley B, Swigris J, Day BM, et al: Pirfenidone Reduces Respiratory-related Hospitalizations in Idiopathic Pulmonary Fibrosis. Am J Respir Crit Care Med 2017; **196**: 756-761.

19) Azuma A, Usuki J: Novel therapy for idiopathic pulmonary fibrosis—How to evaluate the efficacy? Respiratory Medicine CME 2008; **1**: 75-81.

20) Lee AS, Mira-Avendano I, Ryu JH, et al: The burden of idiopathic pulmonary fibrosis: an unmet public health need. Respir Med 2014; **108**: 955-967.

21) Kondoh Y, Taniguchi H, Kawabata Y, et al: Acute exacerbation in idiopathic pulmonary fibrosis. Analysis of clinical and pathologic findings in three cases. Chest 1993; **103**: 1808-1812.

22) Ponnuswamy A, Manikandan R, Sabetpour A, et al: Association between ischaemic heart disease and interstitial lung disease: a case-control study. Respir Med 2009; **103**: 503-507.

23) Nathan SD, Basavaraj A, Reichner C, et al: Prevalence and impact of coronary artery disease in idiopathic pulmonary fibrosis. Respir Med 2010; **104**: 1035-1041.

24) Lettieri CJ, Nathan SD, Barnett SD, et al: Prevalence and outcomes of pulmonary arterial hypertension in advanced idiopathic pulmonary fibrosis. Chest 2006; **129**: 746-752.

25) Lee T, Park JY, Lee HY, et al: Lung cancer in patients with idiopathic pulmonary fibrosis: clinical characteristics and impact on survival. Respir Med 2014; **108**: 1549-1555.

26) Allaix ME, Fisichella PM, Noth I, et al: Idiopathic pulmonary fibrosis and gastroesophageal reflux. Implications for treatment. J Gastrointest Surg 2014; **18**: 100-104; discussion 4-5.

27) Matsuda Y, Morita T, Miyaji T, et al: Morphine for Refractory Dyspnea in Interstitial Lung Disease: A Phase I Study (JORTC-PAL 05). J Palliat Med 2018; **21**: 1718-1723.

28) Matsuda Y, Maeda I, Tachibana K, et al: Low-Dose Morphine for Dyspnea in Terminally Ill Patients with Idiopathic Interstitial Pneumonias. J Palliat Med 2017; **20**: 879-883.

29) Koyauchi T, Suzuki Y, Sato K, et al: Quality of dying and death in patients with interstitial lung disease compared with lung cancer: an observational study. Thorax 2021; **76**: 248-255.

2 日常の生活管理

原因が特定できないとされる特発性間質性肺炎（IIPs），特に特発性肺線維症（IPF）であっても，生活環境や既往疾患が病態に関連することがある．そのためIIPs，なかでもIPF患者の生活管理は病勢コントロールにおいて重要である[1,2]．日常生活の管理を行う目的は，増悪を防ぎ，日常生活動作（activities of daily living：ADL）や，QOLを維持・向上させることである．

❶ 禁 煙

喫煙は間質性肺炎の発症や，病態悪化のリスク因子であり，さらには慢性閉塞性肺疾患や肺癌，心疾患や脳梗塞などの原因にもなりうるため，必ず禁煙指導を行う．

世界各地での喫煙常習者のIPF発症オッズ比（OR）は1.6～2.9である．喫煙はIPFの独立した危険因子[3~12]であり，特に20 pack years以上では発症に強く関連[4~7,13~15]している．咳嗽の軽減，体重減少の防止，感染予防のために禁煙は重要[16]である．IPF患者における喫煙者と非喫煙者の予後を比較する数多くの検討が行われているが，最近は喫煙者のほうが予後不良であるとする報告が多い[10,11]．

2001年に喫煙関連間質性肺疾患という概念が報告[17]され，呼吸細気管支炎を伴う間質性肺疾患（RB-ILD）や剥離性間質性肺炎（DIP）に加えて，IPFや肺Langerhans細胞組織球症が含まれた．さらに最近では，これらとは異なる喫煙関連の間質性肺炎が注目されている[8,18]．そのひとつがairspace enlargement with fibrosisと呼ばれ，喫煙者に生じる肺気腫に軽度の線維化を伴っている病態[1,2,19]であり，急速に進行するケースは少ないとされている．なおRB-ILDは禁煙のみにて，DIPも多くの場合禁煙とステロイド治療によって病態の改善がみられる．このように禁煙は治療にもつながることが示唆されている[10]．

❷ 環境因子

明らかなじん肺が認められない患者において，様々な環境曝露によりIPF発症リスクが上昇するとする報告[4~7,15,20,21]があり，曝露年数が多いほど発症リスクは増加するとされる．2019年にATS/ERS共同の職業関連肺疾患のステートメント[22]が発表され，職業人口寄与割合がIPFにおいては26%と，職業性曝露によるIPF発症のリスクが示されている．鉄・真鍮・鉛などの金属や木の粉じん曝露は，喫煙とは関係なくIPF発症リスクの上昇に関与するとの報告[4,6,23]がある．IPF剖検肺での検討では無機物の量が増加しているとの報告[24]もあり，無機粉じんに含まれるアルミニウム，インジウムなどの関与や，また，タングステン，コバルトなどを原料とする超硬合金の曝露は，巨細胞性間質性肺炎と呼ばれる間質性肺炎を発症する原因となり得る[25,26]．

最近では大気汚染物質と間質性肺炎についての関連も報告されており[27~30]，オゾンや二酸化窒素，PM2.5などの大気汚染物質とIPFの慢性線維化の進行や急性増悪との関連が指摘されている．

IPFに類似する線維化性過敏性肺炎の発症には，カビや鳥関連（インコやオウムなどの鳥飼育，ダウンジャケットや羽毛布団などの鳥関連製品の使用）の抗原曝露が発症や病態悪化に繋がるとされる．しかし，線維化性過敏性肺炎の確定診断は極めて難しく，IPFなどのIIPsに分類されてしまうケースも多い[31]．

以上より，間質性肺炎の診断に至った場合は，たとえ特発性と診断されているケースであっても，初診時はもとより，逐一，鳥関連の接触，職場環境など身の回りの環境について繰り返し詳細に問診を行い，確認を行う．IPFとされているケースでも疑わしければ職場の調整，鳥製品の破棄，鳥飼育をやめさせるなどの患者指導が必要である．

❸ 微生物因子と感染対策

IPFの病因において，EBウイルスやC型肝炎ウイルスなどの感染の関与があるとする報告[6,32~43]がみられる．TTウイルスの感染がIPFの活動性や予後に関連していたとの報告がある[44]．最近では，IPFの病態にヘルペスウイルスが関連するとの研究[30,40~43]も増えており，急性増悪や線維化の進行に関与が示唆されている．

また，IPF急性増悪のトリガーにインフルエンザなどウイルス性上気道感染が関与している可能性も示唆されている[45~48]．手洗い，うがいの励行，インフルエンザウイルスや肺炎球菌に対するワクチン接種などを勧め，空気の悪い場所や人ごみを避け，感冒症状のある人との接触を避けるよう指導する．

❹ 胃食道逆流

胃食道逆流（GER）がIPF発症の危険因子であるとする報告[49~52]がある．IPF患者の多くではGERは無症状であり[49,50]，胸やけや逆流の症状だけではGERの有無の判断は困難[53]であるが，有症状例では治療の対象となる．昨今はGER治療で使用される制酸剤はIPFの予後を改善させないとの報告[54,55]が多い一方，IPF患

者の咳嗽の頻度が減ったとの報告[56]や，GERに対する外科的手術によりIPFの病態が安定したとする報告[57]もある．そのため，GER併存患者においては，消化管に刺激の強い食事は避け，食後すぐに臥床しないなどの生活指導が必要となる．

❺日常生活

IPF患者は規則正しい生活を送り，過労や睡眠不足などによる身体への負担はなるべく避ける．

室内環境は重要であり，室温の変化をなくし，乾燥を避け適度に加湿をすることにより咳嗽や呼吸困難などの症状の安定につながる．外出時には衣類の調節をして温度差を少なくする．冬季におけるマスクの着用は感染対策および気道の加湿によって症状の悪化抑制に効果的である．

過食すると横隔膜が挙上して呼吸困難が増強することがあるため，食事は少量頻回が基本である．就寝前の食事や飲酒などは，誤嚥を起こしやすく肺感染症併発や増悪の原因となりうるので，できるだけ避ける．誤嚥を生じやすい高齢者や脳梗塞の既往を有するケースでは，歯磨きなどの口腔内衛生の保持や食後すぐに臥床しないなどの生活指導が必要である．

便秘，腹部膨満は横隔膜を圧迫し呼吸困難を増強し，食事摂取にも悪影響がみられる．排便時のいきみも呼吸困難を増強させることがあるので，食事内容や緩下薬の使用により快適な排便を心がける．鎮咳薬使用例ではその有害事象から便通コントロール不良例が散見されるため，なるべく緩下剤の併用を勧める．

また，定期的な体重測定は日常生活管理として有用である．一般に，末期のIPFでは，体重減少は予後不良因子[58]であり，バランスのとれた食事を摂り体重の減少に注意する．栄養管理や適度な運動も全身状態を維持するうえで重要である．間質性肺炎においても，COPD同様，身体活動性が生命予後と有意に関連しており[59]活動的な生活習慣を維持するよう指導する．体重減少症例はIPFの治療で用いられる抗線維化薬の有害事象発症率が高いとの報告もある[60,61]．肺高血圧を合併している患者においては，右心不全の合併に注意して塩分制限を行い，下肢の浮腫，急激な体重増加に注意する．

❻定期的な診察および治療コンプライアンスの確認

IIPsにおいては，治療薬服用中はもちろんのこと，無治療で経過観察中であっても，定期的な診察は疾患の管理上重要である．症状や呼吸機能，画像などの定期的な評価により，治療薬や在宅酸素療法の導入を考慮し，気胸や肺癌の合併に注意する．

また，抗線維化薬は，継続的な服薬が病状の安定に繋がるとされるが副作用対策が重要である．在宅酸素療法も同様である．定期的な専門医師の診察，看護師や薬剤師の診療への介入も重要である．体調および服薬管理をすることにより病状安定につながることが期待される．

❼精神的配慮と福祉

IPFは癌に準じて予後が不良であり[62]，現時点では治癒が得られる治療法はないため，病名告知および治療法の説明については細心の注意が必要である．検査を進めていくうえで，予後も含めた疾患の説明と検査の意義を十分に説明することが必要である．特に診断においては外科的肺生検を行うケースもあるため，その危険性と利益を十分に説明することが必要である．検査・治療中，患者は神経質になっており，ステロイド投与を受けている場合には精神的不安定になる場合もある．異常を早期に発見するためにも，患者本人，家族を含めた心ある対応が必要である．

また，特にIPFはたとえ抗線維化薬などの治療を行ったとしても進行性の疾患であるために，徐々に進行する呼吸困難に伴う精神的苦痛，抑うつ症状などが出現することがある．がん医療では早くから終末期医療が着目され，すでに多方面から緩和ケアが取り組まれており一定の成果が得られているが，間質性肺炎の領域ではいまだに積極的に実践されているとはいえない[63〜65]．進行期は多くのケースで強い呼吸困難を呈するため，QOLを維持するためにも早期からの緩和ケア導入が望まれるようになっている（IV-8「緩和ケア」参照）．

福祉面では，IIPsは厚生労働省指定難病であり，重症度に応じて医療費の補助がある．また，身体障害者（呼吸機能障害）として認定されれば，等級に応じた社会福祉サービスを受けることができる．IIPsは1994年度に特定疾患医療受給対象疾患に認定され，2014年度には8,846名の患者が受給している．申請には臨床個人調査表（⇒巻末「付3」）ならびにHRCT画像を提出することが求められ，新重症度分類でIII度以上の症例が受給対象となり，年度ごとの更新が必要である．II度以下の症例も基準を満たせば，軽症高額制度で受給対象となる．抗線維化薬を処方する機会が増え，患者の経済的負担が大きくなる傾向があるため，福祉政策は重要である．

文献

1) Raghu G, Collard HR, Egan JJ, et al : An official ATS/ERS/JRS/ALAT statement : idiopathic pulmonary fibrosis : evidence-based guidelines for diagnosis and management. Am J Respir Crit Care Med 2011 ; **183** : 788-824.

2) Lederer DJ, Martinez FJ : Idiopathic Pulmonary Fibrosis. N Engl J Med 2018 ; **378** : 1811-1823.

3) Baumgartner KB, Samet JM, Coultas DB, et al : Occupational and environmental risk factors for idiopathic pulmonary fibrosis : a multicenter case-control study. Am J Epidemiol 2000 ; **152** : 307-315.

4) Hubbard R, Lewis S, Richards K, et al : Occupational exposure to metal or wood dust and aetiology of cryptogenic fibrosing alveolitis. Lancet 1996 ; **347** : 284-289.

5) Iwai K, Mori T, Yamada N, et al : Idiopathic pulmonary fibrosis : epidemiologic approaches to occupational exposure. Am J Respir Crit Care Med 1994 ; **150** : 670-675.

6) Miyake Y, Sasaki S, Yokoyama T, et al : Occupational and environmental factors and idiopathic pulmonary fibrosis in Japan. Ann Occup Hyg 2005 ; **49** : 259-265.

7) Taskar VS, Coultas DB : Is idiopathic pulmonary fibrosis an environmental disease? Proc Am Thoracic Soc 2006 ; **3** : 293-298.

8) Cottin V, Nunes H, Brillet PY, et al : Combined pulmonary fibrosis and emphysema : a distinct underrecognised entity. Eur Respir J 2005 ; **26** : 586-593.

9) Trethewey SP, Walters GI : The Role of Occupational and Environmental Exposures in the Pathogenesis of Idiopathic Pulmonary Fibrosis : A Narrative Literature Review. Medicina (Kaunas) 2018 ; **54** : 18.

10) Kumar A, Cherian SV, Vassallo R, et al : Current Concepts in Pathogenesis, Diagnosis, and Management of Smoking-Related Interstitial Lung Diseases. Chest 2018 ; **154** : 394-408.

11) Kishaba T, Nagano H, Nei Y, et al : Clinical characteristics of idiopathic pulmonary fibrosis patients according to their smoking status. J Thorac Dis 2016 ; **8** : 1112-1120.

12) Kärkkäinen M, Kettunen HP, Nurmi H, et al : Kärkkäinen et al. Effect of smoking and comorbidities on survival in idiopathic pulmonary fibrosis. Respir Res 2017 ; **18** : 160.

13) Enomoto T, Usuki J, Azuma A, et al : Diabetes mellitus may increase risk for idiopathic pulmonary fibrosis. Chest 2003 ; **123** : 2007-2011.

14) Steele MP, Speer MC, Loyd JE, et al : Clinical and pathologic features of familial interstitial pneumonia. Am J Respir Crit Care Med 2005 ; **172** : 1146-1152.

15) Baumgartner KB, Samet JM, et al : Cigarette smoking : a risk factor for idiopathic pulmonary fibrosis. Am J Respir Crit Care Med 1997 ; **155** : 242-248.

16) 田口善夫：特発性肺線維症—日常生活管理．日医師会誌 2002 ; **128** : 244-247.

17) Ryu JH, Colby TV, Hartman TE, et al : Smoking-related interstitial lung diseases : a concise review. Eur Respir J 2001 ; **17** : 122-132.

18) Travis WD, Costabel U, Hansell DM, et al : An official American Thoracic Society/ European Respiratory Society statement : Update of the international multidisciplinary classification of the idiopathic interstitial pneumonias. Am J Respir Crit Care Med 2013 ; **188** : 733-748.

19) Kawabata Y, Hoshi E, Murai K, et al : Smoking-related changes in the background lung of specimens resected for lung cancer : a semiquantitative study with correlation to postoperative course. Histopathology 2008 ; **53** : 707-814.

20) Gustafson T, Dahlman-Hoglund A, et al : Occupational exposure and severe pulmonary fibrosis. Respir Med 2007 ; **101** : 2207-2212.

21) Gustafson T, Dahlman-Höglund A, Nilsson K, et al : Occupational exposure and severe pulmonary fibrosis. Respir Med 2007 ; **101** : 2207-2212.

22) Blanc PD, Annesi-Maesano I, Balmes JR, et al : The Occupational Burden of Nonmalignant Respiratory Diseases. An Official American Thoracic Society and European Respiratory Society Statement. Am J Respir Crit Care Med 2019 ; **199** : 1312-1334.

23) Hubbard R, Cooper M, Antoniak M, et al : Risk of cryptogenic fibrosing alveolitis in metal workers. Lancet 2000 ; **355** : 466-467.

24) Kitamura H, Ichinose S, Hosoya T, et al : Inhalation of inorganic particles as a risk factor for idiopathic pulmonary fibrosis-Elemental microanalysis of pulmonary lymph nodes obtained at autopsy cases. Pathol Res Pract 2007 ; **203** : 575-585.

25) Travis WD, Colby TV, Koss MN, et al : Hard metal（Cobalt）lung disease. Non-neoplastic disorders of the lower respiratory tract. Washington DC : American Registry of Pathology and the Armed Forces Institute of Pathology 2002 ; 840-842.

26) Assad N, Sood A, Campen MJ, et al : Metal-Induced Pulmonary Fibrosis. Curr Environ Health Rep 2018 ; **5** : 486-498

27) Johannson KA, Balmes JR, Collard HR : Air pollution exposure : a novel environmental risk factor for interstitial lung disease? Chest 2015 ; **147** : 1161-1167.

28) Johannson KA, Vittinghoff E, Lee K, et al : Acute exacerbation of idiopathic pulmonary fibrosis associated with air pollution exposure. Eur Respir J 2014 ; **43** : 1124-1131.

29) Sack C , Vedal S , Sheppard L, et al : Air pollution and subclinical interstitial lung disease : the multi-ethnic study of atherosclerosis（MESA）air-lung study. Eur Respir J 2017 ; **50** : 1-8.

30) Sesé L, Nunes H, Cottin V, et al : Role of atmospheric pollution on the natural history of idiopathic pulmonary fibrosis. Thorax 2018 ; **73** : 145-150.

31) Morell F, Villar A, Montero MÁ, et al : Chronic hypersensitivity pneumonitis in patients diagnosed with idiopathic pulmonary fibrosis : a prospective case-cohort study. Lancet Respir Med 2013 : **1** ; 685-694.

32) Ueda T, Ohta K, Suzuki N, et al : Idiopathic pulmonary fibrosis and high prevalence of serum antibodies to hepatitis C virus. Am Rev Respir Dis 1992 ; **146** : 266-268.

33) Egan JJ, Stewart JP, Hasleton PS, et al : Epstein-Barr virus replication within pulmonary epithelial cells in cryptogenic fibrosing alveolitis. Thorax 1995 ; **50** : 1234-1239.

34) Meliconi R, Andreone P, Fasano L, et al : Incidence of hepatitis C virus infection in Italian patients with idiopathic pulmonary fibrosis. Thorax 1996 ; **1** : 315-317.

35) Kuwano K, Nomoto Y, Kunitake R, et al : Detection of adenovirus E1A DNA in pulmonary fibrosis using nested polymerase chain reaction. Eur Respir J 1997 ; **10** : 1445-1449.

36) Stewart JP, Egan JJ, Ross AJ, et al: The detection of Epstein-Barr virus DNA in lung tissue from patients with idiopathic pulmonary fibrosis. Am J Respir Crit Care Med 1999; **159**: 1336-1341.

37) Tsukamoto K, Hayakawa H, Sato A, et al: Involvement of Epstein-Barr virus latent membrane protein 1 in disease progression in patients with idiopathic pulmonary fibrosis. Thorax 2000; **55**: 958-961.

38) Kelly BG, Lok SS, Hasleton PS, et al: A rearranged form of Epstein-Barr virus DNA is associated with idiopathic pulmonary fibrosis. Am J Respir Crit Care Med 2002; **166**: 510-513.

39) Tang Y, Johnson JE, Browning PJ, et al: Herpesvirus DNA is consistently detected in lungs of patients with idiopathic pulmonary fibrosis. J Clin Microbiol 2003; **41**: 2633-2640.

40) Zamo A, Poletti V, Reghellin D, et al: HHV-8 and EBV are not commonly found in idiopathic pulmonary fibrosis. Sarcoidosis Vasc Diffuse Lung Dis 2005; **22**: 123-128.

41) Moore BB, Moore TA: Viruses in Idiopathic Pulmonary Fibrosis. Etiology and Exacerbation. Ann Am Thorac Soc 2015; **12** (Suppl 2) S186-S192.

42) Sheng G, Chen P, Wei Y, et al: Viral Infection Increases the Risk of Idiopathic Pulmonary Fibrosis: A Meta-Analysis. Chest 2020; **157**: 1175-1187.

43) Folcik VA, Garofalo M, Coleman J, et al: Idiopathic pulmonary fibrosis is strongly associated with productive infection by herpesvirus saimiri. Mod Pathol 2014; **27**: 851-862.

44) Bando M, Ohno K, Oshikawa K, et al: Infection of TT virus in patients with idiopathic pulmonary fibrosis. Respir Med 2001; **95**: 935-942.

45) Collard HR, Ryerson CJ, Corte TJ, et al: Acute exacerbation of idiopathic pulmonary fibrosis: an international working group report. Am J Respir Crit Care Med 2016; **194**: 265-275.

46) Wootton SC, Kim DS, Kondoh Y, et al: Viral infection in acute exacerbation of idiopathic pulmonary fibrosis. Am J Respir Crit Care Med 2011; **183**: 1698-1702.

47) Ushiki A, Yamazaki Y, Hama M, et al: Viral infections in patients with an acute exacerbation of idiopathic interstitial pneumonia. Respir Investig 2014; **52**: 65-70.

48) Saraya T, Kimura H, Kurai D, et al: Clinical significance of respiratory virus detection in patients with acute exacerbation of interstitial lung diseases. Respir Med 2018; **136**: 88-92.

49) Tobin RW, Pope CE 2nd, Pellegrini CA, et al: Increased prevalence of gastroesophageal reflux in patients with idiopathic pulmonary fibrosis. Am J Respir Crit Care Med 1998; **158**: 1804-1808.

50) Raghu G, Freudenberger TD, Yang S, et al: High prevalence of abnormal acid gastro-oesophageal reflux in idiopathic pulmonary fibrosis. Eur Respir J 2006; **27**: 136-142.

51) Bédard MD, Leblanc É, Lacasse Y: Meta-analysis of Gastroesophageal Reflux Disease and Idiopathic Pulmonary Fibrosis. Chest 2019; **155**: 33-43.

52) Jo HE, Corte TJ, Glaspole I, et al: Gastroesophageal reflux and antacid therapy in IPF: analysis from the Australia IPF Registry. BMC Pulm Med 2019; **19**: 84.

53) Patti MG, Tedesco P, Golden J, et al: Idiopathic pulmonary fibrosis: how often is it really idiopathic? J Gastrointest Surg 2005; **9**: 1053-1056; discussion 1056-1058.

54) Kreuter M, Wuyts W, Renzoni E, et al: Antacid therapy and disease outcomes in idiopathic pulmonary fibrosis: a pooled analysis. Lancet Respir Med 2016; **4**: 381-389.

55) Tran T, Assayag D, Ernst P, et al: Effectiveness of Proton Pump Inhibitors in Idiopathic Pulmonary Fibrosis: A Population-Based Cohort Study. Chest 2021; **159**: 673-682.

56) Dutta P, Funston W, Mossop H, et al: Randomised, double-blind, placebo-controlled pilot trial of omeprazole in idiopathic pulmonary fibrosis. Thorax 2019; **74**: 346-353.

57) Raghu G, Pellegrini CA, Yow E, et al: Laparoscopic anti-reflux surgery for the treatment of idiopathic pulmonary fibrosis (WRAP-IPF): a multicentre, randomised, controlled phase 2 trial. Lancet Respir Med 2018; **6**: 707-714.

58) Nakatsuka Y, Handa T, Kokosi M, et al: The clinical significance of body weight loss in idiopathic pulmonary fibrosis patients. Respiration 2018; **96**: 338-347.

59) Wallaert B, Monge E, Le Rouzic O, et al: Physical activity in daily life of patients with fibrotic idiopathic interstitial pneumonia. Chest 2013; **144**: 1652-1658.

60) Ikeda S, Sekine A, Baba T, Yamanaka Y, et al: Low body surface area predicts hepatotoxicity of nintedanib in patients with idiopathic pulmonary fibrosis. Sci Rep 2017; **7**: 10811.

61) Kato M, Sasaki S, Nakamura T, et al: Gastrointestinal adverse effects of nintedanib and the associated risk factors in patients with idiopathic pulmonary fibrosis. Sci Rep 2019; **9**: 12062.

62) du Bois RM: An earlier and more confident diagnosis of idiopathic pulmonary fibrosis. Eur Respir Rev 2012; **21**: 141-146.

63) Rajala K, Lehto JT, Saarinen M: End-of-life care of patients with idiopathic pulmonary fibrosis. BMC Palliat Care 2016; **15**: 85.

64) Matsuda Y, Morita T, Miyaji T, et al: Morphine for Refractory Dyspnea in Interstitial Lung Disease: A Phase I Study (JORTC-PAL 05). J Palliat Med 2018; **21**: 1718-1723.

65) Matsuda Y, Maeda I, Tachibana K, et al: Low-Dose Morphine for Dyspnea in Terminally Ill Patients with Idiopathic Interstitial Pneumonias. J Palliat Med 2017; **20**: 879-883.

3　薬物療法の目標・評価法

　IIPsは病型ごとに治療反応性や臨床経過（behavior）が大きく異なる（図1）．本章の冒頭「第Ⅳ章-1 治療の目標と管理」に述べたように疾患ごとに治療の目標は異なり，用いられる薬物やその使用方法にも差異がある．IIPsの薬物療法については，IPFの慢性期治療を除いてはエビデンスが乏しいため，専門医の経験，あるいは小規模試験での効果に基づいて語られる推奨にとどまる．IIPsに対する薬物療法の適応は，治療反応性と副作用のリスクを勘案し，十分なインフォームドコンセントのもとで総合的に決定する必要があり，可能な限り専門医へのコンサルテーションが望ましい．

　IIPs各疾患の薬物療法については，それぞれ第Ⅲ章の各論のパートに記載されたとおりであるが，治療対象とする重症度や減量および中止のタイミングについては明確な基準はない．近年，IIPsの病型診断にMDDが重要とされるが，薬物治療を選択するうえでも臨床・画像・病理によるMDDを行うことで，より的確な方針決定が行えるものと考えられる．IIPsの薬物療法を開始する際には，「想定される各IIPsのbehavior」と「患者独自の状況」と「選択する薬物療法の特性」の三者を総合的判断材料として，治療目標を設定して，その評価法や判定時期もあらかじめ決めておくことが望ましい．一般に慢性期治療の場合は，3～6ヵ月，亜急性経過のIIPs治療の場合は1ヵ月前後，IPFの急性増悪やAIPなどの急速進行性IIPsに対する治療反応は1～3日ごとに評価し，治療変更の必要性を検討する．治療効果は，呼吸器症状，呼吸機能検査，胸部X線，HRCT，運動負荷試験，動脈血液ガス，KL-6をはじめとするバイオマーカーなどを参考にして判定する．

　IIPsの慢性期治療の主軸は抗線維化薬（ピルフェニドン，ニンテダニブ）と抗炎症治療（ステロイドや免疫抑制薬）である．抗線維化薬は従来，IPFに対してのみ保険適用となっていたが，ニンテダニブに関しては，2019年に報告された臨床試験（INBUILD）[1]の結果，IPF以外の進行性線維化を伴う間質性肺疾患（PF-ILD）に有効性が証明され，2020年5月より，進行性線維化を伴う間質性肺疾患にも適応が拡大されている．

❶ ステロイド

a）ステロイドの作用機序

　ステロイドの作用機序としては，細胞内に存在する受容体（GCR）と結合した複合体を形成したあとに核内へ移行し，DNAのステロイド反応部位に結合し，生物学的作用をもたらす古典的経路（genomic mechanism）がよく知られている．核内に移行したGCRが，negative glucocorticoid response element（nGRE）に結合すると，炎症・アレルギーに関与する各種サイトカインのmRNAの転写が抑制される．一方，核内に移行したGCRが，positive glucocorticoid response element（pGRE）に結合すると，抗炎症・抗アレルギーに関与する蛋白質のmRNAの転写が亢進する．また，nuclear factor-κB（NF-κB）やAP-1（activator protein 1）などの転写因子がDNAに結合するのを阻害して，サイトカイン産生を抑制する．ステロイド受容体飽和に必要なステロイドの量は，個体差はあるが，プレドニゾロン換算で約60 mg/bodyとされている．これに対し，ステロイド大量療法の臨床的有用性についてはステロイド受容体を介さないnon-genomic mechanismと呼ばれ，古

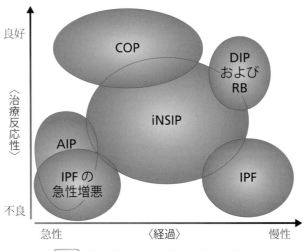

図1　臨床病理学的疾患名と治療反応性

典的経路とはまったく異なったメカニズムで数秒～数分で効果が発現する．現時点でその詳細は不明であるが，細胞膜の流動性に直接的に働く非特異的効果と特定の受容体に作用する特異的効果の2つに分類されている．IIPsで行われるステロイドパルス療法はgenomic effectsとnon-genomic effectsの2つの効果が期待でき，Tリンパ球などの炎症細胞や肺胞上皮細胞，血管内皮細胞などに対して効果を発揮するものと考えられる．

b) ステロイドの副作用

ステロイドの重要な副作用として，感染症の誘発（特に結核，真菌，サイトメガロウイルス，ニューモシスチス肺炎など），消化性潰瘍，糖尿病，精神変調，高血圧，続発性副腎皮質機能不全，骨粗鬆症，大腿骨などの骨頭無菌性骨壊死，ミオパチー，緑内障，白内障，血栓症，内分泌異常（月経異常など）などがある．これらは，予後に影響を与えるためmajor side effectsとも呼ばれ，このような副作用が出現したときは，治療によってもたらされる利益と不利益を慎重に考慮したうえで，ステロイドの継続，減量，あるいは中止を検討する．ステロイド投与が長期化する場合は，ニューモシスチス肺炎予防のため，スルファメトキサゾール・トリメトプリムの投与を考慮する．また，閉経後の女性，高齢者では骨粗鬆症，圧迫骨折を生じやすく，ビスホスホネートなどの投与が必要であり，ステロイド性骨粗鬆症の管理と治療ガイドライン（2015年改訂版）[2]に準じた治療が望まれる．

これに対し，ステロイド投与によって起こる多毛，痤瘡，満月様顔貌，皮下溢血，紫斑などの副作用はminor side effectsと呼ばれ，これらの副作用が出現しても，必ずしも減量中止の適応にはならない．

c) ステロイドの使用法

IIPsに広く使用されてきたが，用量設定に関する厳密な検討は行われていない．一般に，fibrotic NSIPでは，比較的治療反応性に乏しく投与期間は長期に及び，免疫抑制薬と併用される場合が多い．これに対し，cellular NSIPやCOPでは，治療反応性は良好で投与期間は数ヵ月～1年程度で，減量により再燃を認めても，予後は良好である[3]．また，AIPやIPFの急性増悪など重症の呼吸不全を呈する場合には，ステロイド大量療法や連日静注法が用いられる．

以下に代表的な投与法を示す．なお，体重には理想体重を用いる．

（1）ステロイド漸減法

fibrotic NSIPに対して行われることが多い．日本では，プレドニゾロン0.5 mg/kg/日で4週間，次いで急性増悪および再燃に注意しつつ2～4週ごとに2.5 mgないし5 mg減量し，5～10 mg/日または20 mg/隔日投与とする緩徐な減量が推奨される．

（2）ステロイド隔日法

プレドニゾロン20 mg/隔日を免疫抑制薬（シクロホスファミド）と併用し，減量せず使用する．比較試験により，ステロイド60 mg/日からの漸減法と効果はほぼ同等であることが示されている[4]．ステロイド漸減法と同様に，fibrotic NSIPに対して用いられる．ステロイドが少量であり副作用が比較的少なく済む点，一定期間ステロイドを減量する必要がなく，減量による悪化の心配がない，などの利点がある．

（3）ステロイド大量療法

メチルプレドニゾロン（methylprednisolone）1,000 mg/日，3日間を1週ごとに，病態に応じて繰り返し行う．ステロイドパルス療法と呼称され，AIP，IPFの急性増悪といった急速進行性の間質性肺炎で呼吸不全を呈する場合に用いられる[5,6]．

（4）ステロイド連日静注法

メチルプレドニゾロン2 mg/kg/日を2週間，次いで1 mg/kg/日を1週間，0.5 mg/kg/日を1週間投与する．AIP，IPFの急性増悪といった急速進行性の間質性肺炎で呼吸不全を呈する場合に用いられることもある[7]．

❷ 免疫抑制薬

一般に免疫抑制薬は，ステロイドに反応しない場合，ステロイドによる重篤な副作用が出現した場合，ステロイドによる副作用が出現するリスクが高い場合に使用される．欧米では，シクロホスファミド（cyclophosphamide），アザチオプリン（azathioprine），ミコフェノール酸モフェチル（mycophenolate mofetil）が使用される場合が多いが，日本ではシクロスポリン（ciclosporin），タクロリムス（tacrolimus）の使用も試みられている．なお，これらの免疫抑制薬は，いずれもIIPsでは保険適用外である．

a) シクロホスファミド（cyclophosphamide）

シクロホスファミドはアルキル化薬に分類されるが，肝ミクロゾームの酵素で活性化されて薬理活性を発現する．DNA合成阻害作用は細胞周期に非特異的に作用する．Tリンパ球よりもBリンパ球に対する抑制作用が強い．

無治療の間質性肺炎（IP）を対象とした，プレドニゾロン単独群とシクロホスファミド＋プレドニゾロン併用群の無作為比較試験では，後者で予後良好な傾向があったと報告されている[4]．

一般的な用法・用量は，1.0～2.0 mg/kg/日（理想体重，最大用量150 mg/日）で，50 mg/日から開始し，必要に応じて7～14日ごとに25 mgずつ増量する．治

療効果の発現には通常3ヵ月以上を要するため，副作用が問題とならない限り少なくとも6ヵ月間以上は続ける必要がある．

副作用には骨髄抑制，出血性膀胱炎，二次発癌，脱毛，悪心，嘔吐，口内炎，下痢，胆汁うっ滞を伴う肝障害，また，頻度は少ないが肺線維症の報告もある．帯状疱疹がしばしば出現する．WBC 4,000/mm^{3}以下あるいはPLT 10万/mm^{3}未満になれば，半量まで減量あるいは一時中止とする．出血性膀胱炎予防に水分摂取を十分行い，尿量を確保し，尿検査を毎月チェックする．出血性膀胱炎の出現時は投与を中止する．

急速進行性の間質性肺炎に対しては，シクロホスファミドの点滴静注によるパルス療法も試みられている．用法・用量は4週ごとに500 mg/m^{2}で開始し，750 mg/m^{2}まで増量する方法と，2週ごとに500 mg/bodyで開始し，増量する方法が一般的である．内服連日法に比べ，出血性膀胱炎や発癌などの副作用が少ないとされる[8]．2-mercaptoethane sulfate（メスナ）が出血性膀胱炎のリスクを低下させるため，大量静注時には使用を考慮してもよい．

b）アザチオプリン（azathioprine）

アザチオプリンは代謝拮抗薬に分類される．肝臓で6-メルカプトプリンに変換され生理活性を有するようになる．アザチオプリンは細胞周期に特異的に作用する薬剤で，DNA合成期に作用しプリン合成を阻害する．免疫抑制作用は主としてTリンパ球の増殖抑制による．

本剤の使用前に末梢血にてNudix hydrolase 15（NUDT15）遺伝子condon139多型解析検査を行うことによって，副作用をきたしやすい患者を抽出できる．この検査はチオプリン製剤投与前に1回を限度として行うことができる．Cys/Cys型であれば重度の白血球減少症をきたしやすく，脱毛症は必発であるためチオプリン製剤は使用しにくい[9]．一般的な用法・用量は，2.0～3.0 mg/kg/日（理想体重，最大用量150 mg/日）で，50 mg/日から開始し，必要に応じて7～14日ごとに25 mgずつ増量する．副作用には骨髄抑制，悪心，嘔吐，下痢といった消化器症状，肝障害，脱毛などがある．WBC 4,000/mm^{3}以下あるいはPLT 10万/mm^{3}未満となれば，半量まで減量あるいは一時中止とする．血清肝酵素が正常上限の3倍以上となったら減量あるいは中止する．

2012年にIPFを対象としてアザチオプリンとステロイドとNAC内服の3剤併用療法について臨床試験（PANTHER-IPF）が行われた．この併用療法はプラセボ群と比較して，死亡率・入院数の増加，急性増悪の増加を認めたため，行わないように強く推奨されている．

c）シクロスポリン（ciclosporine），タクロリムス（tacrolimus）

シクロスポリンAは，細胞質内でシクロフィリンと結合しカルシニューリン活性を阻害することによりTリンパ球の増殖，活性化を比較的選択的に抑制することで効果を発揮する．また，薬剤抵抗性に関与するP糖蛋白の抑制を介して，ステロイド抵抗性を回復させる．遅発型の過敏反応，移植における拒絶反応，Tリンパ球依存性の抗原抗体反応を抑制することが知られている．

シクロホスファミドやアザチオプリンに比べ骨髄抑制は軽度である．皮膚筋炎に伴う急速進行性の間質性肺炎やIPFの急性増悪に対する有効性が報告されている[10-12]．

シクロスポリンは，免疫抑制効果を期待できる下限と中毒域との差が小さいため，全血で血中濃度をモニタリングして投与量を調節する．3.0 mg/kg/日，分2で投与を開始し，投与後12時間後の値（トラフレベル）を100～150 ng/mL程度に保つ．経口吸収に個人差が大きい点，種々の薬剤との相互作用を有する（カルシウム拮抗薬，マクロライド系抗菌薬，抗真菌薬では血中濃度を上昇させる）点に注意する．副作用には，腎機能障害（用量依存性），高血圧，歯肉肥厚，神経症状（頭痛，振戦，感覚異常），多毛症などがある．シクロスポリン投与中は腎機能の定期的な観察が必要である．また，頻度は比較的少ないが，ウイルス（サイトメガロウイルス，単純疱疹ウイルス，水痘・帯状疱疹ウイルス，EBウイルス），原虫，真菌などの感染症に注意する．

「特発性間質性肺炎の画期的治療法に関する臨床研究班（工藤翔二班長）」における前向き多施設共同治療研究として，IPFに対するシクロスポリンとステロイド（10～20 mg）の併用群と，シクロホスファミドとステロイド（10～20 mg）の併用群の比較試験が2005年より行われ，48週におけるFVCの低下量はシクロスポリンとステロイドの併用群で78 mL，シクロホスファミドとステロイドの併用群で87 mLと有意差はなく，シクロスポリンとステロイド併用の非劣性が報告されている．

また，同じカルシニューリン阻害薬であるタクロリムス（tacrolimus）は本邦で開発された薬剤であり，免疫抑制作用がシクロスポリンの約100倍と強いという観点から，近年，シクロスポリンに替わって用いられる機会が増えている．タクロリムスは移植における拒絶反応の抑制，関節リウマチ，ループス腎炎，潰瘍性大腸炎などに適応があるが，多発性筋炎/皮膚筋炎に合併する間質性肺炎に対してもキードラッグとして用いられている[13,14]．初期投与量は多発性筋炎/皮膚筋炎に合併する間質性肺炎に準じて1回0.0375 mg/kgを1日2回で

投与を開始し，血中濃度のトラフレベルを5〜10 ng/mLに保つように投与量を調節する．副作用としては，腎機能異常，消化管障害，耐糖能異常，振戦，高カリウム血症などがある．また，in vivoおよびin vitroにてTGF-βを介した肺のコラーゲン産生を抑制する効果が報告されており，肺に対する抗線維化作用も期待されている[15]．ただしIIPsには保険適用がない．

❸抗線維化薬

a) ピルフェニドン（pirfenidone）

ピルフェニドン（ピレスパ®）は，TNF-αをはじめとする複数の炎症性サイトカイン産生抑制作用を有し，さらに線維芽細胞のコラーゲン産生抑制が認められることから，米国において抗線維化薬としてIPFを対象としたパイロット試験が進められ，肺活量の減少が抑制されるなど，病勢進行が抑制される成績が示された[16]．日本では2002年に臨床使用の報告がある[17]．

日本では，軽症および中等症のIPFを対象に第Ⅱ相無作為化二重盲検比較試験を施行し，歩行時低酸素血症の改善，呼吸機能悪化の抑制が認められた[18]．さらに，第Ⅲ相試験で検証を行い，%VC悪化の有意な抑制，ならびに無増悪生存期間の改善を認め[19]，これらを総合して，2008年10月に製造販売承認が得られた．日本ではIPFに対して10年以上，使用されてきた実績がある．

米国でのプラセボ対照のRCT（ASCEND試験）[20]にて，1年後のFVC低下の抑制効果が証明され，2014年以降世界各国においても市販されている．ただし日本での承認用量の1,800 mg/日は，海外の2,403 mg/日と格差がある．

大規模試験や市販後調査によると，副作用の主なものは光線過敏症と消化器症状（特に胃症状）であるが，使用に際して問題となるのは消化器症状のことが多い．光線過敏症は適切な対応をすれば多くの例で服薬継続可能である[21〜24]．

国内国外の異なる服薬用量を混在したメタアナリシスによると，全死因死亡，IPF関連死亡ともにピルフェニドンはプラセボに比較して，低下させるというデータが明らかになっている[25]．

b) ニンテダニブ（nintedanib）

ニンテダニブ（オフェブ®）は，インドリノン骨格を有する低分子チロシンキナーゼ阻害薬で，血小板由来増殖因子（PDGF）受容体，線維芽細胞増殖因子（FGF）受容体，血管内皮増殖因子（VEGF）受容体に対して強力な阻害活性を示す分子標的治療薬である．PDGF，FGF，VEGFは腫瘍血管新生や細胞外マトリックスの増殖，線維化の進展などに重要な役割を担っており，これらの作用の阻害により抗線維化効果が期待される薬剤である．ニンテダニブは，IPF患者を対象に12ヵ月間二重盲検無作為化プラセボ対照試験TOMORROW（第Ⅱ相）が行われ，150 mg 1日2回群において主要評価項目FVCの年間減少率を68%抑制した[26]．IPFに対する有用性が示されたことを受け，第Ⅲ相のINPULSIS試験が行われ，約1,000例が登録された．主要評価項目はFVCの年間減少率であり，両試験ともにニンテダニブによるFVCの低下の有意な抑制が確認された[27]．また，急性増悪発生割合の抑制の可能性が示されている．日本ではIPFに対して2015年8月から使用されている．次いで全身性強皮症に伴う間質性肺炎を対象としたSENSCIS試験（第Ⅲ相）[28]の結果を受け，2019年12月に全身性強皮症に伴う間質性肺疾患に適応拡大されている．さらに，二重盲検無作為化プラセボ対照試験INBUILD試験（第Ⅲ相）[1]では，IPF以外の進行性線維化を伴う間質性肺炎を対象として，IPF同様の用法用量のニンテダニブにより，主要評価項目FVCの年間減少率を有意に抑制することが証明された．このエビデンスをもとに2020年5月に進行性線維化を伴う間質性肺疾患に適応拡大されている．頻度の高い有害事象は，下痢，肝酵素上昇などであるが，止瀉薬の併用やニンテダニブの用量調節にて対応可能なことが多い[29〜32]．

ピルフェニドンとニンテダニブの併用については，海外にて行われたIPFを対象とした第Ⅳ相試験にて忍容性が確認されているが，有効性については，まだ十分なデータがない[33,34]．

❹その他の薬物療法

a) N-アセチルシステイン（N-acetylcysteine：NAC）

(1) NACの作用機序

IPFの末梢気腔ではグルタチオンが減少し，レドックスバランスの不均衡が生じ，特に進行例において顕著になる[35]．NACはグルタチオンの前駆物質として抗酸化作用を有するとともに，直接活性酸素のスカベンジャーとして作用し，さらに炎症性サイトカインの産生を抑制することで，抗線維化作用を発揮すると考えられている．また，最近の基礎実験において，IPFの線維化機序のひとつである，肺胞上皮細胞における上皮-間葉転換（EMT）がNAC投与により抑制されることが示された[36]．

(2) 臨床試験成績有効性

近年，NACの内服もしくは吸入でのIPFに対する有用性が報告されている[37〜41]．IFIGENIA Study Groupは2005年にIPFにおいて，NAC内服群のほうが主要評価項目VC，DL_{CO}の経時的変化量においてコント

ロール群に比し有意に良好であったと報告した[37]．米国においてプラセボ群，NAC単独群，NAC＋PSL＋AZP併用群の3群による臨床試験（PANTHER-IPF）が開始され，中間解析の結果，NAC＋PSL＋AZP併用群がプラセボ群と比較して，死亡率が高く，入院頻度，重篤な有害事象も多い結果となり，併用療法群は試験が中止された[42]．NAC群133例とプラセボ群131例との間でFVCの変化量に有意差は認められず，さらにNAC群とプラセボ群との間で，死亡率，急性増悪の発生率にも有意差は認められなかった．これらの結果から中等度の呼吸機能障害を有するIPF患者に対するNACは，プラセボと比較して有意なFVC低下抑制効果はないと結論づけられた[43]．PANTHER-IPF試験をもとにした後解析にて非ヒスパニック系白人集団に限定してTOLLIP遺伝子rs3750920の型別により，NACが有効な群と逆に有害リスクが高まる群に判別可能である可能性が示された[44]．

日本においてNACは，ネブライザーによる単独吸入療法が実施されてきた．その有効性の評価に関してTomiokaらはNAC吸入群とコントロール群を12ヵ月間観察比較し，6分間歩行試験時の最低酸素飽和度，血清KL-6値，CT画像所見においてNAC吸入群が有意に良好であったと報告した[38]．

(3) 早期IPFにおけるNAC単独吸入療法

早期IPFに対してNAC単独吸入療法がその進行を抑制しうるか否か評価がなされてきた．厚生労働省の「特発性間質性肺炎の画期的治療法に関する臨床研究」班で，早期IPF（重症度がⅠ〜Ⅱ度かつ6分間歩行時SpO_2が90％以上）を対象としてNAC単独吸入療法の有効性を非投与群と1：1に無作為割り付けする国内多施設共同並行群間試験が行われた[40,41]．Per Protocol Set適格例はNAC群38例，無治療群38例であった．FVCの経時的変化量は全体解析では2群間に有意差はなかったが，層別解析で，治療前の％FVCが95％未満あるいは％DL_{CO}が55％未満のそれぞれの群において，NAC吸入群のほうが無治療群より有意に良好であった．これらの結果から早期例のなかでもFVC，DL_{CO}が低下し始めたstageのIPFに対してNAC単独吸入療法が有効である可能性が示された．

(4) ピルフェニドンとNAC吸入の併用療法

厚生労働省の「びまん性肺疾患に対するエビデンスを構築する新規戦略的研究班」で，IPFに対してピルフェニドン単独療法とピルフェニドン＋NAC吸入の併用療法を1：1に無作為割り付けする国内多施設共同並行群間オープンラベルの第Ⅲ相試験が行われた．48週間のFVC変化量はピルフェニドン群（−178 mL）に対してピルフェニドン＋NAC吸入群（−324 mL）と有意（$p=0.018$）な悪化を認め，併用療法の有効性は否定された[45]．

b) トロンボモジュリンアルファ

トロンボモジュリンアルファは日本で開発された薬剤であり，トロンビン活性阻害による抗凝固活性とHMGB1などの阻害による抗炎症作用を併せ持ち，汎発性血管内血液凝固症に対して有効性が示されている．この薬剤はIPFの急性増悪を対象とした複数の後ろ向きコホート研究にて生命予後の改善効果が示唆されていた．これを受けて日本国内で，IPFの急性増悪を対象とした世界初のプラセボ対照無作為化比較試験が行われた[46]．77例が解析対象に組み入れられ，最長14日間のトロンボモジュリンアルファ（リコモジュリン）使用群と通常治療群を1：1に割り付け，90日生存割合をアウトカムとして行われた．結果はnegativeで，本剤の有用性はない，という結論に至っている[46]．

c) 好中球エラスターゼ阻害薬

好中球エラスターゼは，好中球の活性化に伴い放出される蛋白分解酵素であり，肺組織傷害や血管透過性亢進を引き起こすことが知られている．シベレスタットナトリウム水和物（エラスポール®）は好中球エラスターゼ特異的阻害薬であり，全身性炎症反応症候群に伴う急性肺損傷を抑制する[47,48]．

IPF症例の血漿中好中球エラスターゼは健常者に比較して高値を示し，急性増悪時はさらに上昇する．日本でIPFの急性増悪例を対象に行われた多施設・プラセボ対照・二重盲検法による後期第Ⅱ相試験の結果では，シベレスタットナトリウム水和物を0.20 mg/kg/時で投与した高用量群においてのみ，投与前後でPaO_2/FIO_2の有意な改善を認めた[49]．なお，生存率には差がなく，各群とも投与開始後3ヵ月以内に約半数が死亡した．

文献

1) Flaherty KR, Wells AU, Cottin V, et al：INBUILD Trial Investigators：Nintedanib in Progressive Fibrosing Interstitial Lung Diseases. N Engl J Med 2019；381：1718-1727.
2) 骨粗鬆症の予防と治療ガイドライン作成委員会（編），骨粗鬆症の予防と治療ガイドライン2015年版，ライフサイエンス出版，東京，2015.
3) Lazor R, Vandevenne A, Pelletier A, et al：Cryptogenic organizing pneumonia：characteristics of relapses in a series of 48 patients. Am J Respir Crit Care Med 2000；162：571-577.
4) Johnson MA, Kwan S, Smell NJC, et al：Randomized controlled trial comparing prednisolone alone with cyclophosphamide and low dose prednisolone in combination in cryptogenic fibrosing alveolitis. Thorax 1989；44：280-288.
5) Ichikado K, Suga M, Müller NL, et al：Acute interstitial pneumonia：comparison of high-resolution computed tomography

findings between survivors and non-survivors. Am J Respir Crit Care Med 2002 ; **165** : 1551-1556.
6) Kondoh Y, Taniguchi H, Kawabata Y, et al : Acute exacerbation in idiopathic pulmonary fibrosis : analysis of clinical and pathological findings in three cases. Chest 1993 ; **103** : 1808-1812.
7) Nishiyama O, Shimizu M, Ito Y, et al : Effect of prolonged low-dose methylprednisolone therapy in acute exacerbation of idiopathic pulmonary fibrosis. Respir Care 2001 ; **46** : 698-701.
8) Austin HA 3rd, Klippel JH, Balow JE, et al : Therapy of lupus nephritis : controlled trial of prednisone and cytotoxic drugs. N Engl J Med 1986 ; **314** : 614-619.
9) Kakuta Y, Naito T, Onodera M, et al : NUDT15 R139C causes thiopurine-induced early severe hair loss and leukopenia in Japanese patients with IBD. Pharmacogenomics J 2016 ; **16** : 280-285.
10) Maeda K, Kimura R, Komuta K, et al : Cyclosporine treatment for polymyositis/dermatomyositis : is it possible to rescue the deteriorating cases with interstitial pneumonitis? Scand J Rheumatol 1997 ; **26** : 24-29.
11) 稲瀬直彦, 大谷義夫, 角 勇樹, ほか：特発性間質性肺炎の急性増悪に対するシクロスポリン使用例の全国調査. 厚生科学研究特定疾患対策研究事業びまん性肺疾患研究班平成12年度研究報告書, 2001：p 230-232.
12) 澤田めぐみ, 大谷義夫, 海野 剛, ほか：特発性間質性肺炎急性増悪に対する Cyclosporin A, 副腎皮質ステロイド併用療法の試み. 厚生科学研究特定疾患対策研究事業びまん性肺疾患研究班平成11年度研究報告書, 2001：p 104-107.
13) Kurita T, Yasuda S, Oba K, et al : The efficacy of tacrolimus in patients with interstitial lung diseases complicated with polymyositis or dermatomyositis. Rheumatology (Oxford) 2015 ; **54** : 1536.
14) Yamano Y, Taniguchi H, Kondoh Y, et al : Multidimensional improvement in connective tissue disease-associated interstitial lung disease : Two courses of pulse dose methylprednisolone followed by low-dose prednisone and tacrolimus. Respirology 2018 ; **23** : 1041-1048.
15) Nagano J, Iyonaga K, Kawamura K, et al : Use of tacrolimus, a potent antifibrotic agent, in bleomycin-induced lung fibrosis. Eur Respir J 2006 ; **27** : 460-469.
16) Raghu G, Johnson WC, Lockhart D, et al : Treatment of idiopathic pulmonary fibrosis with a new antifibrotic agent, pirfenidone : results of a prospective, open-label Phase II study. Am J Respir Crit Care Med 1999 ; **159** : 1061-1069.
17) Nagai S, Hamada K, Shigematsu M, et al : Open-label compassionate use one year-treatment with pirfenidone to patients with chronic pulmonary fibrosis. Intern Med 2002 ; **41** : 1118-1123.
18) Azuma A, Nukiwa T, Tsuboi E, et al : Double-blind, placebo-controlled trial of pirfenidone in patients with idiopathic pulmonary fibrosis. Am J Respir Crit Care Med 2005 ; **171** : 1040-1047.
19) Taniguchi H, Ebina M, Kondoh Y, et al : Pirfenidone in idiopathic pulmonary fibrosis. Eur Respir J 2010 ; **35** : 821-829.
20) King TE Jr, Bradford WZ, Castro-Bernardini S, et al : A phase 3 trial of pirfenidone in patients with idiopathic pulmonary fibrosis. N Engl J Med 2014 ; **370** : 2083-2209.
21) Ogura T, Azuma A, Inoue Y, et al : All-case post-marketing surveillance of 1371 patients treated with pirfenidone for idiopathic pulmonary fibrosis. Respir Investig 2015 ; **53** : 232-241.
22) Bando M, Yamauchi H, Ogura T, et al : Clinical Experience of the Long-term Use of Pirfenidone for Idiopathic Pulmonary Fibrosis ; Japan Pirfenidone Clinical Study Group. Intern Med 2016 ; **55** : 443-448.
23) Bando M, Yamauchi H, Ogura T, et al : Clinical Experience of the Long-term Use of Pirfenidone for Idiopathic Pulmonary Fibrosis. Intern Med 2016 ; **55** : 443-448.
24) Bando M : Pirfenidone : Clinical trials and clinical practice in patients with idiopathic pulmonary fibrosis. Respir Investig 2016 ; **54** : 298-304.
25) King TE Jr, Bradford WZ, Castro-Bernardini S, et al : A Phase 3 Trial of Pirfenidone in Patients with Idiopathic Pulmonary Fibrosis. N Engl J Med 2014 ; **370** : 2083-2092.
26) Richeldi L, Costabel U, Selman M, et al : Efficacy of a tyrosine kinase inhibitor in idiopathic pulmonary fibrosis. N Engl J Med 2011 ; **365** : 1079-1087.
27) Richeldi L, du Bois RM, Raghu G, et al : Efficacy and safety of nintedanib in idiopathic pulmonary fibrosis. N Engl J Med 2014 ; **370** : 2071-2082.
28) Distler O, et al : Nintedanib for systemic sclerosis-associated interstitial lung disease. N Engl J Med 2019 ; **380** : 2518-2528.
29) Ikeda S, Sekine A, Baba T, et al : Low starting-dosage of nintedanib for the reduction of early termination. Respir Investig 2019 ; **57** : 282-285.
30) Crestani B, Huggins JT, Kaye M, et al : Long-term safety and tolerability of nintedanib in patients with idiopathic pulmonary fibrosis : results from the open-label extension study, INPULSIS-ON. Lancet Respir Med 2019 ; **7** : 60-68.
31) Azuma A, Taniguchi H, Inoue Y, et al : Nintedanib in Japanese patients with idiopathic pulmonary fibrosis : A subgroup analysis of the INPULSIS® randomized trials. Respirology 2017 ; **22** : 750-757.
32) Azuma A : Safety management of treatment with nintedanib in clinical practice of IPF. Respir Investig 2017 ; **55** : 1.
33) Flaherty KR, Fell CD, Huggins JT, Nunes H, et al : Safety of nintedanib added to pirfenidone treatment for idiopathic pulmonary fibrosis. Eur Respir J 2018 ; **52** : 1800230.
34) Vancheri C, Kreuter M, Richeldi L, et al : Nintedanib with Add-on Pirfenidone in Idiopathic Pulmonary Fibrosis. Results of the INJOURNEY Trial. Am J Respir Crit Care Med 2018 ; **197** : 356-363.
35) Beeh KM, Beier J, Haas IC, et al : Glutathione deficiency of the lower respiratory tract in patients with idiopathic pulmonary fibrosis. Eur Respir J 2002 ; **19** : 1119-1123.
36) Felton VM, Borok Z, Wils BC : N-acetylcysteine inhibits alveolar epithelial-mesenchymal transition. Am J Physiol Lung Cell Mol Physiol 2009 ; **297** : L805-L812.

37) Demedts M, Behr J, Buhl R, et al : IFIGENIA Study Group : High-dose acetylcysteine in idiopathic pulmonary fibrosis. N Engl J Med 2005 ; **353** : 2229-2242.

38) Tomioka H, Kuwata Y, Imanaka K, et al : A pilot study of aerosolized N-acetylcysteine for idiopathic pulmonary fibrosis. Respirology 2005 ; **10** : 449-455.

39) 本間 栄：特発性肺線維症とその周辺 期待される薬剤と現況 2．N-アセチルシステイン．最新医学 2005 ; **60**（12）：45-51.

40) 本間 栄，吾妻安良太，谷口博之，ほか：早期特発性肺線維症に対する N-アセチルシステイン吸入療法に関する前向き多施設共同治療研究．厚生労働科学研究「特発性間質性肺炎の画期的治療法に関する臨床研究班」平成 21 年度研究報告書，2010；p 93-97.

41) Homma S, Azuma A, Taniguchi H, et al : Efficacy of inhaled N-acetylcysteine monotherapy in patients with early stage idiopathic pulmonary fibrosis. Respirology 2012 ; **17** : 467-477.

42) Idiopathic Pulmonary Fibrosis Clinical Research Network, Raghu G, Anstrom KJ, King TE Jr, et al : Prednisone, Azathioprine, and N-Acetylcysteine for Pulmonary Fibrosis. N Engl J Med 2012 ; **366** : 1968-1977.

43) Idiopathic Pulmonary Fibrosis Clinical Research Network, Martinez FJ, de Andrade JA, et al : Randomized trial of acetylcysteine in idiopathic pulmonary fibrosis. N Engl J Med 2014 ; **370** : 2093-2101.

44) Oldham JM, Ma SF, Martinez FJ, et al : TOLLIP, MUC5B, and the Response to N-Acetylcysteine among Individuals with Idiopathic Pulmonary Fibrosis. Am J Respir Crit Care Med 2015 ; **192** : 1475-1482.

45) Sakamoto S, Kataoka K, Kondo Y, et al : Diffuse Lung Diseases Research Group of the Ministry of Health, Labour and Welfare, Japan : Diffuse Lung Diseases Research Group of the Ministry of Health, Labour and Welfare, Japan. Eur Respir J 2021 ; **57** : 2000348.

46) Kondoh Y, Azuma A, Inoue Y, et al : Thrombomodulin alfa for Acute Exacerbation of Idiopathic Pulmonary Fibrosis : A Randomized, Double-blind, Placebo-controlled Trial. Am J Respir Crit Care Med 2020 ; **201** : 1110-1119.

47) Zeiher BG, Matsuoka S, Kawabata K, et al : Neutrophil elastase and acute lung injury : prospects for sivelestat and other neutrophil elastase inhibitors as therapeutics. Crit Care Med 2002 ; **30**（5 Suppl）: S281-S287.

48) 玉熊正悦，柴 忠明，平澤博之，ほか：好中球エラスターゼ阻害剤：ONO-5046・Na の全身性炎症反応症候群に伴う肺障害に対する有効性と安全性の検討—第Ⅲ相二重盲検比較試験．臨床医薬 1998；**14**：289-318.

49) 石井芳樹，北村 諭：特発性間質性肺炎急性悪化症例に対する好中球エラスターゼ阻害剤 ONO5046 の効果—後期第Ⅱ相試験の成績．厚生省特定疾患呼吸器系疾患調査研究班びまん性肺疾患分科会平成 8 年度研究報告書，1997：p 240-244.

4 合併症の対策とその管理

❶肺気腫（気腫合併肺線維症）

肺気腫と肺線維症の併存する病態は，1990年にWigginsらによって最初に報告されたが[1]，すでに日本では認識されており，1991年の『びまん性肺疾患診断の手引き』第三次改訂の折に「慢性型非定型（B群）」として記載された病態であった[2]．その後，2005年にCottinらが上肺野に気腫性病変（小葉中心性あるいは傍隔壁性），下肺野に線維化（主にUIPパターン）を認める61症例を解析して報告し，combined pulmonary fibrosis and emphysema（CPFE）という用語を提唱した[3]．日本では，厚生労働省のびまん性肺疾患に関する調査研究班と呼吸不全班の2つの研究班によってCPFEに対して新たに「気腫合併肺線維症」という訳語があてられた．

その後，多くの報告がなされ，現時点で以下の点が共通認識されている[4~10]．①重喫煙者，男性に多く発症する．②％肺活量（％VC）と1秒率（FEV_1/FVC）は正常範囲内の症例が多く，肺拡散能（DL_{CO}）が低下している．③6分間歩行試験では歩行距離の低下やSpO_2の低下を認める．④進行例では共通した合併症（肺癌，肺高血圧）の頻度が高い．⑤肺高血圧の合併が予後不良因子となる．また，CPFEにはいまだ確立した定義や診断基準が存在せず，IIPs国際指針で喫煙関連IIPsとして亜分類されたDIPやRB-ILDのような独立した疾患概念[11]としてではなく，病因に喫煙が強く関与する症候群として捉えられている．

Cottinらの最初の報告では，CPFEは慢性線維化のIIPsを母集団とした群から抽出しており，そのときにはNSIPやDIPなどほかのタイプの間質性肺炎も含んでいたが，2010年の報告[12]では背景疾患がIPFである症例群に限定された．しかし，近年は膠原病など免疫異常に関連したCPFEの報告もあり[13]，間質性肺炎についてまだ一定の結論がついていない．

疫学については，IPFに気腫性病変が合併する割合は，18~51％と報告者により異なる[14]．この理由のひとつに，CPFEとしての定義，特に気腫性病変の割合や間質性肺炎のパターンの認識が，各報告により異なることが挙げられる[15]．本邦における660例の肺線維症例の検討では33.5％に気腫性病変が合併していたと報告されている[8]．逆に，肺気腫症例に肺線維化が認められる割合は，4.4~8％と報告されている[16]．

診断としては，胸部聴診上での両側肺底部のfine crackles，血清中のKL-6とSP-D値の上昇が，間質性肺炎の有無を判断する際に有用である．KL-6はCPFEの急性増悪の予測因子になるという報告もある[17]．

CPFEにおける呼吸機能検査では，肺気腫と肺線維症が合併すると閉塞性と拘束性換気障害が相殺され，％VCと1秒率（FEV_1/FVC），が正常範囲もしくはやや低下程度にとどまり，DL_{CO}の低下，特に肺容量を加味したガス交換障害の指標である単位容積あたりの拡散能力（DL_{CO}/VA）の低下を示すことが特徴である．DLcoはどの施設でも施行可能な検査ではないため，実際には酸素化能が著明に低下しているにもかかわらず，簡易的な呼吸機能検査では，拘束性換気障害も閉塞性換気障害も示さない点は重要なポイントである．また，CPFEにおけるFVCの低下は，肺気腫のないIPFと比べてより緩徐であるため[18]，FVCの経時的低下が重要視されるIPFの臨床試験の際には，CPFEが除外されることがある．その影響もありCPFEに対する治療のエビデンス構築は進んでいない．

画像上は，気腫とも蜂巣肺とも区別しがたい囊胞を認めて，間質性肺炎の画像のパターン分類が難しく，UIP，NSIP，DIP，その他など，鑑別が困難である[19]．同時にこの囊胞は，気腫の程度を判定するのが難しい要因ともなっており，CPFEの定義が決まらない理由のひとつと考えられる．画像診断については，一時点だけで診断するには限界があり，経過を追った画像の観察が必要である．IPFの進行を評価する場合に，胸部X線写真における肺容積減少が有用であるが，CPFEではこの所見は認めず，ときに過膨張所見を認めることもある．

治療は，まず禁煙が第一である．治療薬としては，COPDの視点から気管支拡張薬，肺線維症の視点から抗線維化薬，また炎症性疾患という視点からステロイド等の抗炎症薬が理論的にはあげられるが，エビデンスはなく今後の重要な課題である[15]．

CPFEの管理で重要なことは，合併率の高い肺癌，肺高血圧を早期に発見して管理することである．間質性肺炎の中でもCPFEでは特に肺癌の合併率が高いこと[7]，逆に肺癌に合併した間質性肺炎では気腫を合併した症例の頻度が高いことが報告されている[20]．肺癌の治療においては，手術や化学療法に伴う間質性肺炎急性増悪に注意が必要である[14,15]．また肺高血圧に関しては，その有無がCPFEの予後に大きな影響を与えると多くの報告がなされており，心電図，心エコーによるスクリーニングが推奨されるが，確定診断には右心カテーテル検査が必要である[12,21,22]．間質性肺炎に合併する肺高血圧症に対する，血管拡張薬などの特異的な治療の適用につ

ては議論が分かれているが，CPFEについてもエビデンスの構築が求められる[22]．現時点では重症例については専門病院への紹介が勧められる[23]．

予後に関しては，報告によりCPFEの定義が異なり，まだ一定の結論がついていない．気腫の程度が10%以上をCPFEとすると，気腫を認めない症例との間に予後の差はないという報告[9]や，逆に予後が不良であったという報告[24]があり，気腫の程度が25%以上と定義すると予後が不良であったという報告[10]がある．気腫と線維化を除いた正常肺がどの程度残存しているかという点に注目して，合併症や予後について検討した報告もある[25]．

以上のように，CPFEは特徴的な所見を呈するが，いまだにその定義は統一されていないため，正確な実態調査ができておらず，特に疫学や治療についての質の高いエビデンスがない．気腫や線維化の発症機序，併存する病態，遺伝的素因の有無，肺高血圧や肺癌合併の病態解明，治療法の開発など解決すべき課題が多く，研究の進展が望まれる．

❷肺　癌

IIPsは高頻度に肺癌を発症し，特にIPFでは5～30%に肺癌を合併，相対リスクは7～14倍とされ，肺癌の独立した危険因子とする報告もある[26〜29]．日本人IPF患者の死因として，肺癌は，急性増悪（AE），慢性呼吸不全，に次ぐ第3位（11%）と報告されている[30,31]．したがって，経過観察は肺癌発症を考慮しなければならないが，既存の間質性陰影のため，胸部X線のみでは肺癌の発見が遅れる可能性があり，胸部CTによる注意深い観察が必要である．

IIPs合併肺癌の治療に際しては，外科治療，薬物療法，放射線治療のいずれもが，致命的な急性増悪の契機となりうることに注意する．IIPs合併肺癌の予後は不良であり，急性増悪のリスクの少ない効果的な治療を検討する必要がある．日本で作成された特発性肺線維症の治療ガイドライン2017では，IPFを含むIP合併肺癌の治療に関するクリニカルクエスチョンが設けられた[32]．また，日本呼吸器学会腫瘍学術部会・びまん性肺疾患学術部会より，間質性肺炎合併肺癌に関するステートメントが発行され，これまでにわかっていることおよび，今後明らかにすべきことが報告された[33]．

IIPs合併肺癌の最も有効な治療は，根治切除可能な病期での外科的治療である．Ⅰ/Ⅱ期非小細胞肺癌は手術適応になりうるが，術後AEのリスク，IIPs進行による長期的な呼吸機能予測とIIPs自体の予後，ほかの治療法（化学療法，放射線治療）のリスクなどを評価したうえで総合的に判断する．日本呼吸器外科学会主導のもと，多施設共同後向きコホート研究が実施され，間質性肺炎合併肺癌切除例1,763例についての検討が報告されている．術後AEの発症率は9.3%，その転帰は43.9%が死亡し，予後不良であった．多変量解析の結果，男性，術前ステロイド投与あり，AEの既往，%VC低値，画像上UIPパターン，血清KL-6高値，手術術式（区域切除以上）がAEの危険因子として同定された[34,35]．また，AEを予測するスコアシステムが報告されている[36]．術後補助化学療法に関しては，効果が限定的であり，AEのリスクを上回る利益が得られるとは考えにくい．

IIPsに対する根治的胸部放射線照射は極めて慎重に検討すべきであり，手術適応外の症例では化学療法が中心治療となる．過去の検討から抗悪性腫瘍薬によりAEリスクが異なることが示唆されている[37〜41]．「びまん性肺疾患に関する調査研究班」では，比較的安全性が高い化学療法として，カルボプラチンとパクリタキセル併用療法およびカルボプラチンとエトポシド併用療法などをあげている．再発後，二次化学療法については特定の治療を推奨するにいたっていないが，二次化学療法まで施行できた症例の予後はIIPs非合併例での成績と遜色なかったとの報告もある[37]．化学療法によるAEの危険因子として，HRCTでのUIPパターンなどが報告されているが，IIPsの活動性や予後，治療によるリスクとベネフィットから総合的に適応を判断すべきであり，緩和治療も選択肢となりうる．IIPs合併肺癌の治療は，既存のIIPsの診断・評価とAE発症時に迅速に対応できる体制が整っている施設で行われる必要がある．

❸気胸，縦隔気腫

気胸や縦隔気腫は，IPFの経過中にしばしば生じる合併症であり，対応に苦慮することも少なくない．また，両者とも予後不良因子とされているが多数例での検討は少ない[43〜45]．

気胸の管理は，軽度の場合には経過観察のみでよいが，呼吸困難や呼吸状態の悪化を生じた場合にはドレナージを行う．エアリークが持続する場合には，自己血などを用いた胸膜癒着術[43]や，外科的治療を行う．ステロイドは気胸の発症，難治化にかかわる可能性があるため，ステロイド減量が気胸の改善に寄与する場合がある．抗線維化薬であるニンテダニブは創傷治癒遅延作用があり難治性気胸では注意を要する．

気胸の治療として行った，ステロイド減量，胸膜癒着術，外科的治療により，IPFの急性増悪を誘発する可能性がある．OK-432を用いた胸膜癒着術が間質性肺炎合併気胸に有用との報告[46]もあるが，急性増悪による死亡も報告されている．したがって，胸膜癒着術を行う

際には十分なインフォームドコンセントを行い，低リスクと考えられる方法から選択することが重要である．

縦隔気腫の場合には，通常対症療法で経過観察されるが，ステロイド投与中には気胸と同様に慎重にステロイド減量がなされることが多い．縦隔気腫改善不良が予後不良を意味するとの報告もある[49]．

❹肺高血圧，右心不全

IIPsでは，肺高血圧症を合併することがあり，さらに進行した場合，右心不全を呈しうる．IPFに肺高血圧症を合併すると予後不良であることが報告されている[48]．CPFEでは一部に重症肺高血圧症を合併するとの報告があるが[3]，正常肺の体積と平均肺動脈圧が有意に逆相関するとの報告もあり[25]，CPFEでは肺血管床の減少が肺高血圧症の主要因であることが示唆される．IIPsにおける肺高血圧症の合併は，FVCに比較してPaO_2やDLcoの低下が大きいこと[49~51]，肺動脈径/大動脈径比が大きいこと[49~51]，心エコー所見[50,51]などから推測されるが，確定診断を行う場合は右心カテーテル検査が必要である[50,51]．2008年のダナポイント会議以降，平均肺動脈圧（mPAP）≧25 mmHgが肺高血圧症の診断基準とされてきた[50]．2013年のニース会議でも踏襲され，本邦でも同じ基準が用いられている[51]．しかし，2018年のニース会議において，すべての前毛細血管性肺高血圧症は，①mPAP＞20 mmHg，②肺血管抵抗（PVR）≧3 W.U.，③肺動脈楔入圧（PAWP）≦15 mmHgのすべてを満たすものと定義が変更され[52,53]，IIPsに合併する肺高血圧症においてもこの基準が用いられる．ただし，mPAP≧25 mmHgであればPVR値を問わないとする案もある[54]．IIPsに合併する肺高血圧症に対して確立された治療はない．エンドセリン受容体拮抗薬，PDE5阻害薬，プロスタノイドなどの選択的肺血管拡張薬についても有効であるとするエビデンスはなく，専門的知識と治療経験の豊富な施設でのみ使用を検討されるべきとされている[55]．とくにIPFにおけるアンブリセンタンとリオシグアトの使用は，かえって有害事象を増やすと報告されている[56,57]．患者が若年であれば肺移植も考慮されるが，肺高血圧症を合併した場合には両肺移植が必要となる．

浮腫など肺高血圧症による右心不全兆候を呈した場合の管理として，少量の利尿薬投与が循環血液量を減らし病態を改善することがあるため使用を考慮する．ただし利尿が強すぎた場合，血圧低下などかえって循環動態を悪化させることもあるため注意が必要である．右心不全の管理には症状や身体所見のほか，BNPまたはNT-proBNP値の測定が有用なことがある．低酸素を呈した際には適時酸素投与を行う．

❺感染症

IIPsに汎用されるステロイドはステロイドパルス療法（メチルプレドニゾロン500〜1,000 mg/日×3日間）として使用されるほか，プレドニン換算量0.5〜1 mg/kgで開始し，病勢評価を行いながら減量する．投与期間は疾患により異なるが，プレドニゾロン換算量2.5〜15 mg/日が維持量となることが多い．免疫抑制薬をステロイドに併用する場合もあり，患者を易感染状態にする可能性がある．

このような状況では感染症（抗酸菌感染症，ニューモシスチス肺炎，サイトメガロウイルス感染，真菌症，帯状疱疹など）の発症，増悪が起こりうる[58,59]．白血球数（好中球，リンパ球），血清免疫グロブリン，β-D-グルカン，サイトメガロウイルス抗原などをモニターする．ニューモシスチス肺炎に対するスルファメトキサゾール・トリメトプリム（SMX/TMP）の予防的投与を考慮する[59]．しかし，感染症のリスクが上昇する投与量/投与期間に対する見解，あるいはこれら感染症の予防的治療法は十分確立していない．

また，ステロイド，免疫抑制薬を使用しなくても，蜂巣肺や気管支拡張などの解剖学的な異常部位にアスペルギルスや抗酸菌が感染することが経験される[60,61]．胸部画像上，新たに陰影が出現した場合は，原疾患の増悪だけでなく感染症も鑑別となり，血清診断，誘発喀痰（培養検査，細胞診），気管支鏡などで積極的に確定診断をすることが必要である．

文献

1) Wiggins J, Strickland B, Turner-Warwick M : Combined cryptogenic fibrosing alveolitis and emphysema ; the value of high resolution computed tomography in assessment. Respir Med 1990 ; **84** : 365-369.

2) 本間行彦：特発性間質性肺炎（IIP）の診断基準（第3次改定案）について．日胸疾会誌 1992 ; **30** : 1371.

3) Cottin V, Nunes H, Brillet PY, et al : Groupe d'Etude et de Recherche sur les Maladies Orphelines Pulmonaires（GERM O P）. Combined pulmonary fibrosis and emphysema : a distinct underrecognised entity. Eur Respir J 2005 ; **26** : 586-593.

4) Jankowich MD, Rounds SI : Combined pulmonary fibrosis and emphysema syndrome : a review. Chest 2012 ; **141** : 222-231.

5) Mura M, Zompatori M, Pacilli AM, et al : The presence of emphysema further impairs physiologic function in patients with idiopathic pulmonary fibrosis. Respir Care 2006 ; **51** : 257-265.

6) Jankowich MD, Polsky M, Klein M, et al : Heterogeneity in combined pulmonary fibrosis and emphysema. Respiration 2008 ; **75** : 411-417.

7) Kitaguchi Y, Fujimoto K, Hanaoka M, et al : Clinical characteristics of combined pulmonary fibrosis and emphysema. Respirology 2010 ; **15** : 265-271.

8) Kurashima K, Takayanagi N, Tsuchiya N, et al : The effect of emphysema on lung function and survival in patients with idiopathic pulmonary fibrosis. Respirology 2010 ; **15** : 843-848.

9) Ryerson CJ, Hartman T, Elicker BM, et al : Clinical features and outcomes in combined pulmonary fibrosis and emphysema in idiopathic pulmonary fibrosis. Chest 2013 ; **144** : 234-240.

10) Sugino K, Ishida F, Kikuchi N, et al : Comparison of clinical characteristics and prognostic factors of combined pulmonary fibrosis and emphysema versus idiopathic pulmonary fibrosis alone. Respirology 2014 ; **19** : 239-245.

11) Travis WD, Costabel U, Hansell DM, et al : An official American Thoracic Society/European Respiratory Society statement : Update of the international multidisciplinary classification of the idiopathic interstitial pneumonias. Am J Respir Crit Care Med 2013 ; **188** : 733-748.

12) Cottin V, Le Pavec J, Prévot G, et al : Pulmonary hypertension in patients with combined pulmonary fibrosis and emphysema syndrome. Eur Respir J 2010 ; **35** : 105-111.

13) Tzouvelekis A, Zacharis G, Oikonomou A, et al : Increased incidence of autoimmune markers in patients with combined pulmonary fibrosis and emphysema. BMC Pulm Med 2013 ; **13** : 31.

14) Jankowitch MD, Rounds SIS : Combined pulmonary fibrosis and emphysema syndrome : a review. Chest 2012 ; **141** : 222-231.

15) Huijin Lin, Shanping Jiang : Combined pulmonary fibrosis and emphysema（CPFE）: an entity different from emphysema or pulmonary fibrosis. J Thorac Dise 2015 ; **7** : 767-779.

16) Washko GR, Hunninghake GM, Fernandez IE, et al : Lung volumes and emphysema in smokers with interstitial lung abnormalities. N Engl J Med 2011 ; **364** : 897-906.

17) Kishaba T, Shimaoka Y, Fukuyama H, et al : A cohort study of mortality predictors and characteristics of patients with combined pulmonary fibrosis and emphysema. BMJ Open 2012 ; **2** : e000988

18) Akagi T, Matsumoto T, Harada T, et al : Coexistent emphysema delays the decrease of vital capacity in idiopathic pulmonary fibrosis. Respir Med 2009 ; **103** : 1209-1215.

19) Akira M, Inoue Y, Kitaichi M, et al : Usual interstitial pneumonia and nonspecific interstitial pneumonia with and without concurrent emphysema : thin-section CT findings. Radiology 2009 ; **251** : 271-279.

20) Usui K, Tanai C, Tanaka Y, et al : The prevalence of pulmonary fibrosis combined with emphysema in patients with lung cancer. Respirology 2011 ; **16** : 326-331.

21) Mejia M, Carrillo G, Rojas-Serrano J, et al : Idiopathic pulmonary fibrosis and emphysema : decreased survival associated with severe pulmonary arterial hypertension. Chest 2009 ; **136** : 10-15.

22) 市村泰典, 田邊信宏, 巽浩一郎：間質性肺炎に伴う肺高血圧症の診断と治療の進歩. 日呼吸誌 2014 ; **3** : 492-495.

23) Seeger W, Adir Y, Barberà JA, et al : Pulmonary hypertension in chronic lung diseases. J Am Coll Cardiol 2013 ; **62** （25 Suppl）: D109-D116.

24) Yoon HY, Kim TH, SEO JB, et al : Effects of emphysema on physiological and prognostic characteristics of lung function in idiopathic pulmonary fibrosis. Respirology 2019 ; **24** : 55-62.

25) Iwasawa T, Kato S, Ogura T, et al : Low normal lung volume correlates with pulmonary hypertension in fibrotic idiopathic interstitial pneumonia-computer-aided, 3D-quantitative analysis of chest computed tomography. AJR Am J Roentgenol 2014 ; **203** : W166-W173.

26) Turner-Warwick M, Lebowitz M, Burrows B, et al : Cryptogenic fibrosing alveolitis and lung cancer. Thorax 1980 ; **35** : 496-499.

27) Ozawa Y, Suda T, Naito T, et al : Cumulative incidence of and predictive factors for lung cancer in IPF. Respirology 2009 ; **14** : 723-728.

28) American Thoracic Society/ European Respiratory Society international multidisciplinary consensus classification of the idiopathic interstitial pneumonias. Am J Respir Crit Care Med 2002 ; **165** : 277-304.

29) Hubbard R, Venn A, Lewis S, et al : Lung cancer and cryptogenic fibrosing alveolitis. Population-based cohort study. Am J Respir Crit Care Med 2000 ; **161** : 5-8.

30) 千葉弘文, 夏井坂元基, 高橋弘毅, ほか：北海道における臨床個人調査票に基づく特発性肺線維症の疫学調査（北海道 Study）. びまん性肺疾患に関する調査研究 平成 25 年度研究報告書, 2014 : p 131-136.

31) Natsuizaka M, Chiba H, Kuronuma K, et al : Epidemiologic survey of Japanese patients with idiopathic pulmonary fibrosis and investigation of ethnic differences. Am J Respir Crit Care Med 2014 ; **190** : 773-779.

32) 厚生労働科学研究費補助金難治性疾患政策研究事業「びまん性肺疾患に関する調査研究」班 特発性肺線維症の治療ガイドライン作成委員会（編）：特発性肺線維症の治療ガイドライン 2017, 東京, 南江堂, 2017.

33) 日本呼吸器学会 腫瘍学術部会・びまん性肺疾患学術部会（編）：間質性肺炎合併肺癌に関するステートメント, 東京, 南江堂, 2017.

34) 佐藤寿彦, 近藤晴彦, 渡辺 敦, ほか：間質性肺炎合併肺癌切除患者多施設共同後ろ向きコホート研究報告 術後急性増悪因子解析, リスク評価, 手術成績. びまん性肺疾患に関する調査研究 平成 25 年度研究報告書, 2014 : p 69-76.

35) Sato T, Teramukai S, Kondo H, et al : Impact and predictors of acute exacerbation of interstitial lung diseases after pulmonary resection for lung cancer. J Thorac Cardiovasc Surg 2014 ; **147** : 1604-1611.

36) Sato T, Kondo H, Watanabe A, et al : A simple risk scoring system for predicting acute exacerbation of interstitial pneumonia after pulmonary resection in lung cancer patients. Gen Thorac Cardiovasc Surg 2015 ; **63** : 164-172.

37) Minegishi Y, Gemma A, Homma S, et al : Acute exacerbation

38) Minegishi Y, Sudoh J, Kuribayashi H, et al : The safety and efficacy of weekly paclitaxel in combination with carboplatin for advanced non-small cell lung cancer with idiopathic interstitial pneumonias. Lung Cancer 2011 ; **71** : 70-74.

39) Minegishi Y, Kuribayashi H, Kitamura K, et al : The feasibility study of carboplatin plus etoposide for advanced small-cell lung cancer with idiopathic interstitial pneumonias. J Thorac Oncol 2011 ; **6** : 801-807.

40) Watanabe N, Taniguchi H, Kondoh Y, et al : Efficacy of Chemotherapy for Advanced Non-Small Cell Lung Cancer with Idiopathic Pulmonary Fibrosis. Respiration 2013 ; **85** : 326-331.

41) Watanabe N, Taniguchi H, Kondoh Y, et al : Chemotherapy for extensive-stage small-cell lung cancer with idiopathic pulmonary fibrosis. Int J Clin Oncol 2014 ; **19** : 260-265.

42) Kenmotsu H, Naito T, Kimura M, et al : The risk of cytotoxic chemotherapy-related exacerbation of interstitial lung disease with lung cancer. J Thorac Oncol 2011 ; **6** : 1242-1246.

43) Aihara K, Handa T, Nagai S, et al : Efficacy of blood-patch pleurodesis for secondary spontaneous pneumothorax in interstitial lung disease. Intern Med 2011 ; **50** : 1157-1162.

44) Nishimoto K, Fujisawa T, Yoshimura K, et al : Prognostic significance of pneumothorax in patients with idiopathic pulmonary fibrosis. Respirology 2018 ; **23** : 519-525.

45) Colombi D, Ehlers-Tenebaum S, Palmowski K, et al : Spontaneous pneumomediastinum as a potential predictor of mortality in patients with idiopathic pulmonary fibrosis. Respiration 2016 ; **92** : 25-33.

46) Ogawa K, Takahashi Y, Murase K, et al : OK-432 pleurodesis for the treatment of pneumothorax in patients with interstitial pneumonia. Respir Invest 2018 ; **56** : 410-417.

47) Minomo S, Arai T, Higo H, et al : Characteristics and prognosis of interstitial pneumonias complicated with pneumomediastinum. Respir Invest 2020 ; **58** : 262-268.

48) Kimura M, Taniguchi H, Kondoh Y, et al : Pulmonary hypertension as a prognostic indicator at the initial evaluation in idiopathic pulmonary fibrosis. Respiration 2013 ; **85** : 456-463.

49) Furukawa T, Kondoh Y, taniguchi H, et al : A scoring system to predict the elevation of mean pulmonary arterial pressure in idiopathic pulmonary fibrosis. Eur respire J 2018 ; **51** : 1701311.

50) Galiè N, Humbert M, Vachiery JL, et al : 2015 ESC/ERS guideline for the diagnosis and treatment of pulmonary hypertension : The Joint Task Force for the Diagnosis and Treatment of Pulmonary Hypertension of the European Society of Cardiology (ESC) and the European Respiratory Society (ERS) : Endorsed by : Association for European Paediatric and Congenital Cardiology (AEPC), International Society for Heart and Lung Transplantation (ISHLT). Eur Heart J 2016 ; **37** : 67-119.

51) 日本循環器病学会，日本肺高血圧・肺循環学会，日本呼吸器学会，ほか：肺高血圧症治療ガイドライン（2017年改訂版），2018.

52) Simonneau G, Montani D, Celermajer DS, et al : Haemodynamic definitions and updated clinical classification of pulmonary hypertension. Eur Respir J 2019 ; **53** : 1 801913.

53) Vachiéry JL, Galiè N : Beyond the World Symposium on Pulmonary Hypertension : practical management of pulmonary arterial hypertension and evolving concepts. Eur Heart J Suppl ; **21** (Suppl K) : K1-K3.

54) Nathan SD, Barbera SA, Gaine SP, et al : Pulmonary hypertension in chronic lung disease and hypoxia. Eur Respir J 2019 ; **53** : 1801914.

55) 日本肺高血圧・肺循環学会：肺疾患に伴う肺高血圧症診療ガイドライン，2018.

56) Raghu G, Behr J, Brown KK, et al : Treatment of idiopathic pulmonary fibrosis with ambrisentan : a parallel, randomized trial. Ann Inter Med 2013 ; **158** : 641-649.

57) Nathan SD, Behr J, Collard HR, et al : Riociguat for idiopathic interstitial pneumonia-associated pulmonary hypertension (RISE-IIP) : a randomised, placebo-controlled phase 2b study. Lancet Respir Med 2019 ; **7** : 780-790.

58) Arai T, Inoue Y, Tachibana K, et al : Cytomegalovirus infection during immunosuppressive therapy for diffuse parenchymal lung disease. Respirology 2013 ; **11** : 117-124.

59) Enomoto T, Azuma A, Matsumoto A, et al : Preventive Effect of Sulfamethexasole-trimethoprim on Pneumocystis jiroveci Pneumonia in Patients with Interstitial Pneumonia. Intern Med 2008 ; **47** : 15-20.

60) Ogawa K, Kurosaki A, Miyamoto A, et al : Clinicoradiological Features of Pulmonary Tuberculosis with Interstitial Pneumonia. Intern Med 2019 ; **58** : 2443-2449.

61) Kurosaki F, Bando M, Nakayama M, et al : Clinical Features of Pulmonary Aspergillosis Associated with Interstitial Pneumonia. Intern Med 2014 ; **53** : 1299-1306.

5 呼吸管理

❶急性期の呼吸管理

　間質性肺炎は慢性的な経過を辿ることが多いが，その経過中にしばしば急性呼吸不全を呈することがある．その原因としては，感染や心不全，肺塞栓など一般的な急性呼吸不全の原因が明らかな病態もあれば，明らかな原因が確認できないこともあり，病態に応じた適切な治療や呼吸管理を行うことが重要である．しかし間質性肺炎の急性増悪をはじめとして，急性呼吸不全を呈する間質性肺炎は一般的に予後不良であることが知られている．

　間質性肺炎に併発する急性呼吸不全に対する呼吸管理の方法として，挿管人工呼吸管理，非侵襲的陽圧換気療法（NPPV）や高流量鼻カニュラ酸素療法（HFNC）などがあるが，その効果や適応に関するエビデンスは極めて限られており，一定の結論は得られていないのが現状である．急性呼吸不全で挿管人工呼吸管理を要した特発性肺線維症（IPF）症例のシステマティックレビューでは，135例（原因のある呼吸不全56例，急性増悪79例）の検討で87％の症例が入院中死亡と極めて予後不良であったことから，その適応は疑問視されている[1]．一方，NPPVやHFNCは気管挿管を回避し，より合併症発症率を減らし死亡率低下につながることが期待されていることから，一般にも広く用いられるようになっている．

a）非侵襲的陽圧換気療法（NPPV）

　NPPVは気管挿管を回避し，人工呼吸器関連合併症を防ぐことで予後を改善することが期待されているが，これまでにその有効性を評価したランダム化比較試験はない．しかし特に日本における複数の観察研究からはその有効性が示唆されている．Tomiiらは間質性肺炎の急性増悪33例をNPPV導入前11例，導入後22例に分けて比較検討し，60日生存率が導入前（27％）に比べて導入後（65％）に改善した（$p=0.02$）ことを報告した[2]．また，YokoyamaらはNPPVを施行した急速進行型間質性肺炎38例を検討し，早期NPPV導入がNPPV成功の独立した予測因子であったと報告した[3]．これらのエビデンスから本邦のNPPVガイドラインでもNPPVは推奨度C1で推奨されており[4]，急性呼吸不全を呈する間質性肺炎に対して試みてもよい呼吸管理と考えられる．

b）高流量鼻カニュラ酸素療法（HFNC）

　HFNCは最大60 L/分までの加温加湿されたガスを広径の鼻カニュラで直接鼻咽頭内に投与する酸素療法である．快適性が高く，高流量で高濃度の酸素ガスが投与できるだけでなく，鼻咽頭の死腔のウォッシュアウト効果や軽度のPEEP効果もあり，急速に普及してきており，急性呼吸不全を呈する間質性肺炎に対してもその有効性が期待されている．NPPV同様，気管挿管を回避し予後を改善することが期待されているが，現時点で有効性を検討した報告は限られる．Koyauchiらは挿管希望のない呼吸不全を伴う間質性肺炎84例について，HFNCを使用した54例とNPPVを使用した30例に分けて後ろ向きに検討を行ったところ，30日生存率や院内死亡率は同等であったと報告した．また，Itoらは間質性肺炎の急性増悪86例をHFNC導入前53例，導入後43例に分けて比較検討し，院内死亡率が導入前（49.1％）に比べて導入後（27.9％）に改善した（$p=0.04$）ことを報告した[5]．

　また有効性を報告したものではないが，Itoらが報告した全国のHFNCの使用実態に関する多施設調査では，HFNCの使用された急性呼吸不全の原因疾患として間質性肺炎が最多であった[6]．エビデンスは限られるものの，すでに実地臨床において有効性が認知されていることを示唆しているものと考えられる．

c）間質性肺炎に対する呼吸管理の選択

　ATS/ERS/JRS/ALATのガイドラインではIPF患者の呼吸不全に対する人工呼吸器の予後が極めて不良であることから，"人工呼吸管理は過半数の症例に対しては勧められないが，一部では行ってもよい"とされている[7]．人工呼吸管理を行わないという決断の前には個々の症例で慎重な検討が必要で，死亡率が高い点を考慮し，患者や家族と治療目標を相談のうえで決定する必要がある．できれば安定期にアドバンス・ケア・プランニングの一環として検討しておくのが望ましい．

　挿管人工呼吸管理までは要しない状態や希望しない症例（Do-not-intubate：DNI）において，NPPVやHFNCを用いることは前述の通り妥当性があると考えられるが，いずれを用いるのがよいのかについては明確でない．現時点ではそれぞれの特徴を考慮しながら使い分けるのが望ましい．

❷慢性期の在宅酸素療法

　IIPsでは，慢性的に線維化が進行し慢性呼吸不全になっている患者，あるいは間質性肺炎に肺高血圧症を併存している患者が在宅酸素療法の対象となる．しかし間質性肺炎患者に対し長期酸素療法が生命予後の改善に有用であることを示す直接的なデータは現時点でない．IPF患者の後ろ向きコホート研究では，全体の27％に

在宅酸素療法が行われていたが，多変量解析ではその有用性は示されなかった[8]．一方，在宅酸素療法の生命予後の改善はCOPDにおいて大規模臨床試験で示されている．英国のMedical Research Council（MRC）の臨床試験では，呼吸不全を有するCOPD患者において，1日15時間の酸素療法の実施を受けた群は酸素療法を実施していない群と比べて生命予後が良好であった[9]．また，米国で行われたNocturnal Oxygen Therapy Trial（NOTT）では，1日18時間以上の酸素療法は12～15時間の酸素療法に比べて予後を改善することが示された[10]．対象疾患は異なるもののCOPDの間接的なエビデンスを踏まえて，ATS/ERS/JRS/ALATのガイドラインでは明らかな安静時低酸素血症を認めるIPFの患者に対する在宅酸素療法の使用が推奨されている[7]．

また，間質性肺炎の進行例や肺高血圧症併存例では，労作時の著明な低酸素血症が特徴的である．IPFでは，6分間歩行時の呼吸困難に運動時低酸素血症が密接に関連しているが，COPDに比べ運動時の低酸素血症はより高度であることが知られている[11]．労作時の酸素療法については，労作時のみの低酸素血症を有する間質性肺疾患患者に対するランダム化比較試験において，健康関連QOLを改善することが示されている[12]．また，システマティックレビューにおいて運動時の呼吸困難への効果は認めないものの，運動耐容能の改善が示された[13]．しかし，労作時の低酸素血症の程度によってその有効性は異なり，COPD患者を対象としたものであるが，安静時の中等度低酸素血症（SpO_2 89～93％）または運動時の低酸素血症（6分間歩行試験時にSpO_2が10秒～5分間80％台となる）といった境界域呼吸不全の患者を対象としたLOTT試験では長期酸素療法の効果ははっきりせず，その適応は慎重に決めるべきであると考えられる[14]．

酸素投与量の設定に際しては，IPFは安静時に比べ労作時に著明な酸素飽和度の低下が起こりやすいという点に留意する必要がある．そのため，COPDに比して労作時に高い流量を必要とすることが多い．また，IPFでは終末期でない限り，二酸化炭素の蓄積を考慮する必要はないので，十分な流量の酸素吸入を行うことが重要である[15]．

文献

1) Mallick S : Outcome of patients with idiopathic pulmonary fibrosis（IPF）ventilated in intensive care unit. Respir Med 2008 ; **102** : 1355-1359.
2) Tomii K, Tachikawa R, Chin K, et al : Role of non-invasive ventilation in managing life-threatening acute exacerbation of interstitial pneumonia. Intern Med 2010 ; **49** : 1341-1347.
3) Yokoyama T, Tsushima K, Yamamoto H, et al : Potential benefits of early continuous positive pressure ventilation in patients with rapidly progressive interstitial pneumonia. Respirology 2012 ; **17** : 315-321.
4) 日本呼吸器学会NPPVガイドライン作成委員会（編），NPPV（非侵襲的陽圧換気療法）ガイドライン，第2版，南江堂，東京，2015.
5) Koyauchi T, Hasegawa H, Kanata K, et al : Efficacy and Tolerability of High-Flow Nasal Cannula Oxygen Therapy for Hypoxemic Respiratory Failure in Patients with Interstitial Lung Disease with Do-Not-Intubate Orders : A Retrospective Single-Center Study. Respiration 2018 ; **96** : 323-329.
6) Ito J, Nagata K, Morimoto T, et al : Respiratory management of acute exacerbation of interstitial pneumonia using high-flow nasal cannula oxygen therapy : a single center cohort study. J Thorac Dis 2019 ; **11** : 103-112.
7) Raghu G, Collard HR, Egan JJ, et al : An official ATS/ERS/JRS/ALAT statement : idiopathic pulmonary fibrosis : evidence-based guidelines for diagnosis and management. Am J Respir Crit Care Med 2011 ; **183** : 788-824.
8) Douglas WW, Ryu JH, Schroeder DR : Idiopathic pulmonary fibrosis : Impact of oxygen and colchicine, prednisone, or no therapy on survival. Am J Respir Crit Care Med 2000 ; **161** : 1172-1178.
9) Long term domiciliary oxygen therapy in chronic hypoxic cor pulmonale complicating chronic bronchitis and emphysema. Report of the Medical Research Council Working Party. Lancet 1981 ; **1** : 681-686.
10) Continuous or nocturnal oxygen therapy in hypoxemic chronic obstructive lung disease : a clinical trial. Nocturnal Oxygen Therapy Trial Group. Ann Intern Med 1980 ; **93** : 391-398.
11) Nishiyama O, Taniguchi H, Kondoh Y, et al : Dyspnoea at 6-min walk test in idiopathic pulmonary fibrosis : comparison with COPD. Respir Med 2007 ; **101** : 833-838.
12) Visca D, Mori L, Tsipouri V, et al : Effect of ambulatory oxygen on quality of life for patients with fibrotic lung disease（AmbOx）: a prospective, open-label, mixed-method, crossover randomised controlled trial. Lancet Respir Med 2018 ; **6** : 759-770.
13) Bell EC, Cox NS, Goh N, et al : Oxygen therapy for interstitial lung disease : a systematic review. Eur Respir Rev 2017 ; **26** : 160080.
14) Long-Term Oxygen Treatment Trial Research Group, Albert RK, Au DH, et al : A Randomized Trial of Long-Term Oxygen for COPD with Moderate Desaturation. N Engl J Med 2016 ; **375** : 1617-1627.
15) Crockett AJ, Cranston JM, Antic N : Domiciliary oxygen for interstitial lung disease. Cochrane Database Syst Rev 2001 ; **3** : CD002883.

6 呼吸リハビリテーション

呼吸リハビリテーションは，患者評価，運動療法，教育，行動変容を含む包括的治療で，慢性肺疾患患者の身体および精神的コンディションの改善と長期にわたる健康状態の促進を目指すものである[1,2]．慢性閉塞性肺疾患（COPD）で多くのエビデンスが蓄積され，呼吸困難感，健康関連QOL（health status），運動耐容能の改善に加え，不安や抑うつの改善，増悪入院の減少効果も示されている[3]．

IIPsでは主にIPFでの報告が主体である．IPFでは，COPD同様に健康関連QOLが障害されており[4]，労作時呼吸困難は健康関連QOLの低下や身体活動低下に大きく関与している[5,6]．下肢の大腿四頭筋筋力の低下が運動耐容能低下に関与していること[7]，骨格筋量の減少が予後不良と有意に関連することがわかっている[8]．下肢筋力と運動耐容能との関係はiNSIPでも示されている[9]．

したがってIPFに対する呼吸リハビリテーションは下肢の運動療法が主体となるが，運動耐容能，労作時呼吸困難，健康関連QOLを改善させることが示されており[10〜20]，比較試験を対象としたメタアナリシスでも裏づけられている[21]．ATS/ERS/JRS/ALATのIPFの治療に関するステートメントにおいても，呼吸リハビリテーションはエビデンスが弱いながらも推奨される治療と位置づけられている[22]．

呼吸リハビリテーションの内容は，概ねCOPDに対して行われてきたものに準じて行われている報告が多い．運動療法はエルゴメーターまたはトレッドミルが用いられ，運動強度は最大運動能力の50〜80%で週2回以上，リハビリテーションの期間は6〜10週間の報告が多い．いずれも理学療法士などの管理のもと行われている．運動時低酸素に対しては酸素吸入が併用される．エラスティックバンドやフリーウェイトを用いた上下肢の筋力トレーニングを併用しているものが多い．

IPFに対する呼吸リハビリテーションの効果予測に関しては，呼吸困難感が軽度[12]，%FVCが保たれている，労作時低酸素が軽度，肺高血圧の程度が軽い[23]症例で効果が現れやすいとの報告がある．運動耐容能に関しては，6分間歩行距離が短い例で効果が出やすいまたは長い例で効果が出やすいという両者の報告がある[24〜26]．ただし，これらの報告のなかにはIPF以外，もしくはIIPs以外のILDを含んだ研究も多く，効果予測の解釈に注意が必要である．

呼吸リハビリテーションの長期効果については，COPDと異なり不確定である[21]．ILD患者（60%がIPF）に対して行われた比較試験では，呼吸リハビリテーションは通常治療群に比較して9週間後の6分間歩行距離と労作時呼吸困難感を有意に改善したが，26週後その差は消失した[27]．その後，ILD患者（43%がIPF）に対して行われた比較試験では，呼吸リハビリテーションは9週間後の6分間歩行距離を改善し，その改善は6ヵ月後も維持された[28]．しかし，IPFだけに限ると，6分間歩行距離は9週間後に改善を示したものの，6ヵ月後にはその改善は消失していた．小規模ながらIPFに限定した比較試験で，呼吸リハビリテーション開始11ヵ月後に運動耐容能や呼吸困難感の改善は消失していたが，健康関連QOLと30s-chair-standテストのみ改善が維持されたとの報告がある[18]．その他，ILDまたはIPFに対する呼吸リハビリテーションの長期効果については，否定的な報告と[14,25,28]，肯定的な報告があるが[29〜31]，多くの報告でIPF以外のILDが多く含まれており，IPFに限定した研究は非常に少ない．

IPFでは，同年齢の通常健常人に比較して活動量が有意に低下していること，さらに活動量が予後と関連することが報告されている[32,33]．しかし，IPFに対する呼吸リハビリテーションの活動量に対する影響はいまだ不明である．

文献

1) Spruit MA, Singh SJ, Garvey C, et al : An Official American Thoracic Society/European Respiratory Society Statement : Key Concepts and Advances in Pulmonary Rehabilitation. Am J Respir Crit Care Med 2013 ; **188** : e13-e64.

2) 植木純，神津玲，大平徹郎，ほか：日本呼吸ケア・リハビリテーション学，日本呼吸療法学会，日本呼吸器学会，呼吸リハビリテーションに関するステートメント．日本呼吸ケア・リハビリテーション学会誌 2018 ; **27**：95-114.

3) Global Initiative for Chronic Obstructive Lung Disease. Global strategy for the diagnosis, management, and prevention of chronic obstructive pulmonary disease（2020 report）［https://goldcopd.org/wp-content/uploads/2019/12/GOLD-2020-FINAL-ver1.2-03Dec19_WMV.pdf］

4) Swigris JJ, Kuschner WG, Jacobs SS, et al : Health-related quality of life in patients with idiopathic pulmonary fibrosis : a systematic review. Thorax 2005 ; **60** : 588-594.

5) Nishiyama O, Taniguchi H, Kondoh Y, et al : Health-related quality of life in patients with idiopathic pulmonary fibrosis. What is the main contributing factor? Respir Med 2005 ; **99** : 408-414.

6) Kozu R, Jenkins S, Senjyu H : Evaluation of activity limitation

6) in patients with idiopathic pulmonary fibrosis grouped according to Medical Research Council dyspnea grade. Arch Phys Med Rehabil 2014 ; **95** : 950-955.
7) Nishiyama O, Taniguchi H, Kondoh Y, et al : Quadriceps weakness is related to exercise capacity in idiopathic pulmonary fibrosis. Chest 2005 ; **127** : 2028-2033.
8) Nishiyama O, Yamazaki R, Sano H, et al : Fat-free mass index predicts survival in patients with idiopathic pulmonary fibrosis. Respirology 2017 ; **22** : 480-485.
9) Watanabe F, Taniguchi H, Sakamoto K, et al : Quadriceps weakness contributes to exercise capacity in nonspecific interstitial pneumonia. Respir Med 2013 ; **107** : 622-628.
10) Nishiyama O, Kondoh Y, Kimura T, et al : Effects of pulmonary rehabilitation in patients with idiopathic pulmonary fibrosis. Respirology 2008 ; **13** : 394-399.
11) Ozalevli S, Karaali HK, Ilgin D, et al : Effect of home-based pulmonary rehabilitation in patients with idiopathic pulmonary fibrosis. Multidiscip Respir Med 2010 ; **5** : 31-37.
12) Kozu R, Jenkins S, Senjyu H : Effect of disability level on response to pulmonary rehabilitation in patients with idiopathic pulmonary fibrosis. Respirology 2011 ; **16** : 1196-1202.
13) Swigris JJ, Fairclough DL, Morrison M, et al : Benefits of pulmonary rehabilitation in idiopathic pulmonary fibrosis. Respir Care 2011 ; **56** : 783-789.
14) Kozu R, Senjyu H, Jenkins SC, et al : Differences in response to pulmonary rehabilitation in idiopathic pulmonary fibrosis and chronic obstructive pulmonary disease. Respiration 2011 ; **81** : 196-205.
15) Rammaert B, Leroy S, Cavestri B, et al : Home-based pulmonary rehabilitation in idiopathic pulmonary fibrosis. Rev Mal Respir 2011 ; **28** : e52-57.
16) Jackson RM, Gómez-Marín OW, Ramos CF, et al : Exercise limitation in IPF patients : a randomized trial of pulmonary rehabilitation. Lung 2014 ; **192** : 367-376.
17) Vainshelboim B, Oliveira J, Yehoshua L, et al : Exercise training-based pulmonary rehabilitation program is clinically beneficial for idiopathic pulmonary fibrosis. Respiration 2014 ; **88** : 378-388.
18) Vainshelboim B, Oliveira J, Fox BD, et al : Long-term effects of a 12-week exercise training program on clinical outcomes in idiopathic pulmonary fibrosis. Lung 2015 ; **193** : 345-354.
19) Gaunaurd IA, Gómez-Marín OW, Ramos CF, et al : Physical activity and quality of life improvements of patients with idiopathic pulmonary fibrosis completing a pulmonary rehabilitation program. Respir Care 2014 ; **59** : 1872-1879.
20) Arizono S, Taniguchi H, Sakamoto K, et al : Endurance time is the most responsive exercise measurement in idiopathic pulmonary fibrosis. Respir Care 2014 ; **59** : 1108-1115.
21) Dowman L, Hill CJ, May A, Holland AE : Pulmonary rehabilitation for interstitial lung disease. Cochrane Database Syst Rev 2021 ; **2**（2）: CD006322
22) Raghu G, Collard HR, Egan JJ, et al : An official ATS/ERS/JRS/ALAT statement : idiopathic pulmonary fibrosis : evidence-based guidelines for diagnosis and management. Am J Respir Crit Care Med 2011 ; **183** : 788-824.
23) Holland AE, Hill CJ, Glaspole I, et al : Predictors of benefit following pulmonary rehabilitation for interstitial lung disease. Respir Med 2012 ; **106** : 429-435.
24) Ferreira A, Gravey C, Connors GL, et al : Pulmonary rehabilitation in interstitial lung disease : benefits and predictors of response. Chest 2009 ; **135** : 442-447.
25) Huppmann P, Sczepanski B, Boensch M, et al : Effects of inpatient pulmonary rehabilitation in patients with interstitial lung disease. Eur Respir J 2013 ; **42** : 444-453.
26) Spielmanns M, Gloeckl R, Schmoor C, et al : Effects on pulmonary rehabilitation in patients with COPD or ILD : a retrospective analysis of clinical and functional predictors with particular emphasis on gender. Respir Med 2016 ; **113** : 8-14.
27) Holland AE, Hill CJ, Conron M, et al : Short term improvement in exercise capacity and symptoms following exercise training in interstitial lung disease. Thorax 2008 ; **63** : 549-554.
28) Dowman LM, McDonald CF, Hill CJ, et al : The evidence of benefits of exercise training in interstitial lung disease : a randomised controlled trial. Thorax 2017 ; **72** : 610-619.
29) Ryerson CJ, Cayou C, Topp F, et al : Pulmonary rehabilitation improves long-term outcomes in interstitial lung disease : a prospective cohort study. Respir Med 2014 ; **108** : 203-210.
30) Perez-Bogerd S, Wuyts W, Barbier V, et al : Short and long-term effects of pulmonary rehabilitation in interstitial lung diseases : a randomised controlled trial. Respir Res 2018 ; **19** : 182.
31) Wallaert B, Duthoit L, Drumez E, et al : Long-term evaluation of home-based pulmonary rehabilitation in patients with fibrotic idiopathic interstitial pneumonias. ERJ Open Res 2019 ; **5** : 00045-2019.
32) Wallaert B, Monge E, Le Rouzic O, et al : Physical activity in daily life of patients with fibrotic idiopathic interstitial pneumonia. Chest 2013 ; **144** : 1652-1658.
33) Nishiyama O, Yamazaki R, Sano H, et al : Physical activity in daily life in patients with idiopathic pulmonary fibrosis. Respire Investig 2018 ; **56** : 57-63.

7 肺移植

❶一般的肺移植の適応

一般的適応指針は，従来の治療に反応しない慢性進行性肺疾患で，肺移植以外に患者の生命を救う有効な治療手段がないものであり，臨床医学的に生命の危険が迫っていると判断される場合である．

肺移植関連学会協議会による脳死肺移植レシピエントの適応基準は，以下のとおりである[1]．③レシピエントの年齢基準は登録時のものであり，登録後に基準年齢を超えた場合の移植適応は，各移植実施施設の判断による．生体肺移植の適応は各施設の基準に基づく．

①治療に反応しない慢性進行性肺疾患で，肺移植以外に患者の生命を救う有効な治療手段が他にない．
②移植医療を行わなければ，残存余命が限定されると臨床医学的に判断される．
③レシピエントの年齢が，原則として，両肺移植の場合55歳未満，片肺移植の場合には60歳未満である．
④レシピエント本人が精神的に安定しており，移植医療の必要性を認識し，これに対して積極的態度を示すとともに，家族及び患者を取り巻く環境に十分な協力体制が期待できる．
⑤レシピエント症例が移植手術後の定期的検査と，それに基づく免疫抑制療法の必要性を理解でき，心理学的・身体的に十分耐えられる．

また，除外条件は，以下のとおりである．

①肺外に活動性の感染巣が存在する．
②ほかの重要臓器に進行した不可逆的障害が存在する．
　悪性疾患，骨髄疾患，冠動脈疾患，高度胸郭変形症，筋・神経疾患
　肝疾患（T-Bil＞2.5 mg/dL），腎疾患（Cr＞1.5 mg/dL，Ccr＜50 mL/分）
③極めて悪化した栄養状態．
④最近まで喫煙していた症例．
⑤極端な肥満．
⑥リハビリテーションが行えない，またはその能力の期待できない症例．
⑦精神社会生活上に重要な障害の存在．
⑧アルコールを含む薬物依存症の存在．
⑨本人および家族の理解と協力が得られない．
⑩有効な治療法のない各種出血性疾患および凝固能異常．
⑪胸郭に広範な癒着や瘢痕の存在．
⑫HIV（human immunodeficiency virus）抗体陽性．

❷間質性肺炎における肺移植の適応

間質性肺疾患の肺移植のタイミングに関して，国際心肺移植学会より2021年にup-dateされた適応基準が示されている[2]．呼吸機能によらず，病理組織UIPまたはCT画像でprobableまたはdefinite UIPパターンの所見がある場合には肺移植専門施設への紹介が推奨されている．特に若年IPF症例では，診断がついた段階から肺移植を念頭に置いた診療が求められる．

a）肺移植実施施設へ紹介するタイミング

①病理組織UIPまたはCT画像でprobableまたはdefinite UIPパターンの所見がある場合，患者が治療を開始する場合であっても，診断時に紹介することが望ましい．
②努力肺活量（FVC）が予測値の80%未満，または一酸化炭素肺拡散能（DLco）が予測値の40%未満のすべての肺線維症．
③過去2年間に以下の1つ以上を認めるすべての肺線維症：
　・FVCの相対的減少が10%以上．
　・DLcoの相対的減少が15%以上．
　・FVCの相対的減少が5%以上，かつ呼吸器症状の悪化または画像所見の進行を認める．
④安静時または労作時の酸素投与の必要性がある．
⑤炎症性間質性肺疾患では薬物治療を行っても進行（画像または呼吸機能における）が認められる．
⑥結合組織病や家族性肺線維症の患者では，肺外症状に特別な配慮が必要な場合があるため，早期に紹介することを推奨する．

b）肺移植登録をするタイミング

①適切な治療にもかかわらず，過去6ヵ月間に以下の1つ以上を認めるすべての肺線維症：
　・FVCの絶対値の減少が10%を超える．
　・DLcoの絶対値の減少が15%を超える．
　・FVCの絶対値の減少が5%を超え，かつ画像の進行を伴う．
②6分間歩行試験で酸素飽和度が88%未満，または過去6ヵ月間で6分間歩行試験の歩行距離が50 m

を超えて低下する．
③右心カテーテルまたは二次元心エコー検査で肺高血圧症を認める（拡張機能不全がない場合）．
④呼吸状態の悪化，気胸，または急性増悪のための入院歴がある．

❸ 特発性間質性肺炎における肺移植の意義

　本邦の脳死肺移植待機期間は，臓器移植法の改正後平均で865日間*であり，特発性間質性肺炎は待機中死亡率の最も高い疾患である．脳死肺移植登録を行った間質性肺疾患患者の42〜64％が待機中に死亡したと報告されており，肺移植待機患者の予後不良因子として6分間歩行距離の低値が報告されている[3,4]．欧米では疾患の重症度を加味したlung allocation scoreが導入されており，より効率的な移植肺の分配が工夫されているが，日本では，肺移植登録をされた順番に従って移植肺の分配が行われている（first come, first served）[5]．一方，日本および欧米で特発性間質性肺炎に対して肺移植を行った症例の肺移植後生存期間の中央値はそれぞれ10.2年*，5.2年[6]であり，長期生存が得られることから，国内・国外ともに肺移植適応疾患として認められている．IPFの診断および治療に関する国際ガイドラインにおいて，適応のある症例に対する肺移植は強い推奨となっている[7]．

　しかし，日本*，欧米[6]ともに特発性間質性肺炎の肺移植後生存率は他の肺疾患と比較すると有意に不良であり，いつの時期に移植を実施することが最も有効であるのかについては，明確なエビデンスはない．

❹ 脳死肺移植と生体肺移植

　生体肺移植の臓器提供は強制されてはならず，提供の意思が自発的であることが前提となる．日本では欧米と比較して生体肺移植の施行頻度が高く，脳死ドナーが待機できない重症例に対して行われている．日本で2020年12月31日までに施行された838件の肺移植のうち，251件（30％）で生体肺移植が行われている．間質性肺炎では，全301件中82件（27％）で生体肺移植が施行されている[8]．

❺ 片肺移植と両肺移植

　国際心肺移植学会のレジストリーによると，間質性肺炎の肺移植において両肺移植は片肺移植と比較して移植後の生存率で優れており[6]，欧米では，両肺移植が多く行われている．近年両肺移植の割合はさらに増加傾向であり，全体の2/3以上を占めるようになっている[6]．一方，術式による予後を比較したRCTが存在せず，観察研究のプール解析によっても術式による予後に有意な差を認めなかったことから，IPFの国際治療ガイドラインでは術式に関する推奨は見送られた[9]．日本では脳死ドナーが少ないため，重度の肺高血圧症や感染症を除いて原則的に片肺移植が行われている．特発性間質性肺炎で脳死肺移植を行った133例のうち，100例（75％）で片肺移植が施行されている[8]．

❻ 多職種の連携と肺移植前後の管理

　肺移植の実施においては，かかりつけ医と肺移植施設との連携や，肺移植施設における関係各診療科，移植コーディネーター，看護師，理学療法士，栄養士，臨床工学技士などの緊密な連携が不可欠である．肺移植患者の診療にかかわる医師には，適切なタイミングでの肺移植施設や専門外来への紹介，社会的・医学的背景に基づく移植適応の評価のほかに，以下にあげるような肺移植前後の管理に関する知識が求められる．肺移植待機中は，リハビリテーションによるADLの維持，逆流性食道炎などの合併症の治療が移植後の予後とも関連するため重要である．BMI 30以上は移植後の予後を悪化させうる危険因子であり，適宜栄養指導を行う．感染症予防のためのワクチン接種も指導する．呼吸状態の悪化，入院，感染症や悪性腫瘍の出現，肺高血圧症の悪化，脳血管イベント，腎機能低下などは移植適応や術式の判断に影響する可能性があり，移植施設への連絡，連携が重要である．

　肺移植後の管理としては，感染症や拒絶反応のモニターのほかに肺移植後に好発する合併症の管理，薬剤の相互作用への留意などが必要である．ステロイドや免疫抑制薬による副作用の予防と管理，感染対策を中心としたレシピエントの生活指導，リハビリテーションの継続も重要である．

*日本肺および心肺移植研究会のデータ（2019年12月13日現在）をもとに解析．特発性間質性肺炎；その他の間質性肺炎も便宜上含めて解析した．

文献

1) 日本肺および心肺移植研究会：肺移植レシピエントの適応基準（肺移植関連学会協議会2015年）[http://www2.idac.tohoku.ac.jp/dep/surg/shinpai/pg373.html]（2019年12月28日）
2) Leard LE, Hoim AM, Valapour M, et al：Consensus document for the selection of lung transplant candidates：An update from the International Society for Heart and Lung Transplantation. J Heart Lung Transplant 2021；**40**：1349-1379.
3) Ikezoe K, Handa T, Tanizawa K, et al：Prognostic factors and outcomes in Japanese lung transplant candidates with intersti-

tial lung disease. PLoS One 2017 ; **12** : e0183171.
4) Higo H, Kurosaki T, Ichihara E, et al : Clinical characteristics of Japanese candidates for lung transplant for interstitial lung disease and risk factors for early death while on the waiting list. Respir Investig 2017 ; **55** : 264-269.
5) Egan TM, Edwards LB : Effect of the lung allocation score on lung transplantation in the United States. J Heart Lung Transplant 2016 ; **35** : 433-439.
6) The International Society for Heart and Lung Transplantation : Adult Heart Transplantation Statistics ［https://ishltregistries.org/registries/slides.asp］（2019 年 12 月 28 日）
7) Raghu G, Collard HR, Egan JJ, et al : An official ATS/ERS/JRS/ALAT statement : idiopathic pulmonary fibrosis : evidence-based guidelines for diagnosis and management. Am J Respir Crit Care Med 2011 ; **183** : 788-824.
8) 日本肺および心肺移植研究会：レジストリーレポート［http://www2.idac.tohoku.ac.jp/dep/surg/shinpai/pg185.html］（2021 年 10 月 25 日）
9) Raghu G, Rochwerg B, Zhang Y, et al : An Official ATS/ERS/JRS/ALAT Clinical Practice Guideline : Treatment of Idiopathic Pulmonary Fibrosis. An Update of the 2011 Clinical Practice Guideline. Am J Respir Crit Care Med 2015 ; **192** : e3-19.

8 緩和ケア

❶ IPF治療における緩和ケアの位置づけ（図1）

緩和ケアとは，生命を脅かす疾患による問題に直面している患者とその家族に対して，痛みやその他の身体的問題，心理社会的問題，スピリチュアルな問題を早期に発見し，的確なアセスメントと対処を行うことによって，苦しみを予防し，和らげることで，QOLを改善するアプローチであり，その対象は悪性腫瘍に限るものではない（2002年 WHO）．

非がん性呼吸器疾患のなかでも，特に特発性間質性肺炎（IIPs）では，疾患進行や症状，予後の予測が困難であり，悪性腫瘍と同等の予後となることも多く，逼迫する呼吸困難に対する緩和ケアは重要な課題である[1]．さらに，IPFの死亡は，肺癌と比較して"予期せぬ状態"で起こり，緩和ケアを受けた患者も肺癌より半分以下と少ない．また，終末期の話し合いにおいても肺癌より実施される頻度が少ないとされる[2]．IPFでは死亡の2年前から息切れを始めとする精神的，肉体的に明らかなQOL低下が認められる[3]．より早期の緩和ケアと定期的なカウンセリングを取り入れることで，患者とその介護者はより良い効果的な薬理学的および心理社会的介入を受けて，疾患経過全体の生活の質を改善できると考えられる[4]．

❷ IIPsの臨床経過と終末期，エンドオブライフ（図2）

IPFでは，進行がないまま天寿を全うする場合，ゆるやかに進行し数年で亡くなる場合，初回急性増悪を機に死亡にいたる場合など，それぞれであるが，死亡原因としては急性増悪が40%，慢性呼吸不全が24%，肺癌が11%であった[5]．急性増悪の出現率は診断後1年目で約10%，3年目では約22%となる[6,7]．このため，医師には，治療反応性に合わせて，これからの方針に対して柔軟な対応を行うことが要求される．

IPFと診断された時点で，これからどのような臨床経過をたどるか，どのような予後が見込めるのかについて，医師は説明する必要がある．積極的な治療やリハビリテーションの効果が期待できない生命の最終段階，エンドオブライフの判断は必ずしも容易ではない．ADL, performance status（PS）が低下した状態での下向局面ならば容易であるが，ADLが自立しているなかで，急に増悪をきたしたような場合は回復の可能性も有しており，判断は困難である．患者および家族の理解や受容も困難となり，この時期〜死亡後は家族のケアと遺族に対するケア（グリーフケア）に，多職種の医療チームが関わることが重要である．

❸ アドバンス・ケア・プラニング（ACP）とタイミング

終末期医療の希望を前もって患者が指示；事前指示（advance directive）することだけに終わるのではなく，患者の意向を聞きつつ，何が患者にとってよいことなのか，どのように生きたいか，患者と医療者がともに考える共同意思決定（shared decision making）が重視される．ACPはその人の価値観，目標や治療選好に一致した医療が受けられることを確実になるように多職種でサポートすることであり，それぞれの病みの軌跡のなか

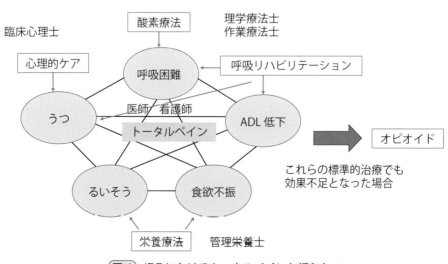

図1 IPFにおけるトータルペインと緩和ケア

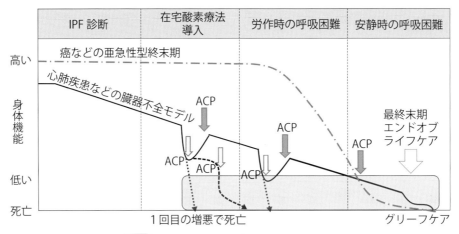

図2 終末期へ向かう疾患経過と緩和ケア

ACP：アドバンス・ケア・プランニング

で，状況に応じて何度でも変更することができる．認知症や挿管下人工呼吸管理により，自分では意思決定できない事態において，代わりに意思決定が行える信頼できる人を選び，準備することが含まれる．

ACPのタイミングはIPFの診断時，治療にもかかわらず肺機能や運動耐容能の低下が明らかとなったとき，急性増悪後に回復した時，在宅酸素療法導入時（特定医療費支給認定の申請時，抗線維化薬等による治療開始時）などが，そのタイミングとなる．

❹コードステータスの確認

呼吸不全悪化時のコードステータスの確認，挿管下人工呼吸まで行うのか，呼吸管理に上限を設けるのか，ACPでは重要な事項である．IPF急性増悪における挿管下人工呼吸は一般的には予後不良とされ，挿管後は患者の意思疎通が難しく，非侵襲的換気（noinvasive ventilation：NIV）もしくは高流量鼻カニュラ（high-flow nasal cannula：HFNC）までの管理となることが多い．NIVではCurtisらのカテゴリー[8]に従って，挿管しない範囲で生存期間を延ばす目的で使用するカテゴリー2であれば，さらなる悪化を認めた場合は症状緩和目的のカテゴリー3へ変更する．NIVによる苦痛が強い，もしくはコミュニケーションが取れないようなときはNIVを中止すべきである．

NIVよりさらに低侵襲的なHFNCでもIPFに対する有用性が示唆されている[9,10]．解剖学的死腔ウォッシュアウトによってIPF患者の呼吸数や分時換気量低下をもたらすため，緩和ケアとしても有効であり，急性増悪時の院内死亡率の減少と鎮痛鎮静薬使用の減少に寄与する可能性がある[10]．

❺酸素療法と呼吸リハビリテーション

運動時に酸素飽和度を90％以上に保つことは呼吸困難やQOLの有意な改善をもたらす[11]．運動療法を主体とする呼吸リハビリテーションでは，RCTにおいて，コクランレビューのほか，6ヵ月間の効果が認められている[12]．呼吸リハビリテーションの目標は基本的な日常生活活動（ADL）の維持と遂行に必要な身体機能を保つことであり，在宅酸素療法を導入した時点より，終末期を意識して，酸素消費を抑えるための動作要領や環境の整備が必要である．運動療法は軽症では効果があるが，重症例や長期効果についてはこれからのエビデンスの蓄積が期待される．

❻オピオイドの使用

呼吸リハビリテーション，酸素療法といった標準治療を十分に行っても，呼吸困難により日常生活に支障がある場合，欧米ではオピオイドの使用が健康保険上も可能である．日本においては非がん呼吸器疾患へのオピオイド使用は塩酸モルヒネ注射剤のみが鎮咳としての適応で使用できるが，長時間作用オピオイドは使用できない．また，ALSをはじめとする神経難病では「呼吸困難の除痛」に対して使用できることが厚生労働省通達の中で認められている．

呼吸困難に対しては依存性や血中濃度の安定性を考慮すると，モルヒネ徐放性製剤の使用が望ましく，オーストラリアでは10 mgと20 mgのモルヒネ徐放製剤が非がんも含んだ慢性の呼吸困難に保険適用がある．ベンゾジアゼピンとオピオイド使用のコホート研究（スウェーデン：在宅酸素療法を開始された線維化性間質性肺炎1,603名）では高用量のベンゾジアゼピンで入院増加があったものの，オピオイドでは高用量（モルヒネ換算

30 mg/日以上）と低用量の間では入院に対しては差を認めなかった[13]．

「がん患者の呼吸器症状の緩和に関するガイドライン」では，呼吸困難に対するモルヒネは1Bの強い推奨であり[14]，非がん，特にIPFに対しての知見も蓄積され[15]，今後使用できることが望まれる．

エンドオブライフケアでは，オピオイドとベンゾジアゼピンの併用，モルヒネ持続皮下注射[15]，ミタゾラムなどによる鎮静が考慮されるべきである．

文献

1) 日本呼吸器学会・日本呼吸ケア・リハビリテーション学会合同 非がん性呼吸器疾患緩和ケア指針2021作成委員会（編）：非がん性呼吸器疾患緩和ケア指針2021〈http://fa.jrs.or.jp/guidelines/np2021.pdf〉（2021年11月1日閲覧）
2) Ahmadi Z, Wysham NG, Lundström S, et al：End-of-life care in oxygen-dependent ILD compared with lung cancer：a national population-based study. Thorax 2016；**71**：510-516
3) Rajala K, Lehto JT, Sutinen E, et al：Marked deterioration in the quality of life of patients with idiopathic pulmonary fibrosis during the last two years of life. BMC Pulm Med 2018；**18**：172.
4) Lindell K, Raghu G：Palliative care for patients with pulmonary fibrosis：symptom relief is essential. Eur Respir J 2018；**52**：1802086.
5) Natsuizaka M, Chiba H, Kuronuma K, et al：Epidemiologic survey of Japanese patients with idiopathic pulmonary fibrosis and investigation of ethnic differences. Am J Respir Crit Care Med 2014；**190**：773-779.
6) Kondoh Y, Taniguchi H, Katsuta T, et al：Risk factors of acute exacerbation of idiopathic pulmonary fibrosis. Sarcoidosis Vasc Diffuse Lung Dis 2010；**27**：103-110.
7) Song JW, Hong SB, Lim CM, et al：Acute exacerbation of idiopathic pulmonary fibrosis：incidence, risk factors and outcome. Eur Respir J 2011；**37**：356-363.
8) Curtis JR, Cook DJ, Sinuff T, et al：Noninvasive positive pressure ventilation in critical and palliative care settings：Understanding the goals of therapy＊. Crit Care Med 2007；**35**：932-939.
9) Bräunlich J, Beyer D, Mai D, et al：Effects of nasal high flow on ventilation in volunteers, COPD and idiopathic pulmonary fibrosis patients. Respiration 2013；**85**：319-325.
10) Ito J, Nagata K, Morimoto T, et al：Respiratory management of acute exacerbation of interstitial pneumonia using high-flow nasal cannula oxygen therapy：a single center cohort study. J Thorac Dis 2019；**11**：103-112.
11) Visca D, Mori L, Tsipouri V, et al：Effect of ambulatory oxygen on quality of life for patients with fibrotic lung disease（AmbOx）：a prospective, open-label, mixed-method, crossover randomised controlled trial. Lancet Respir Med 2018；**6**：759-770
12) Dowman LM, McDonald CF, Hill CJ, et al：The evidence of benefits of exercise training in interstitial lung disease：a randomised controlled trial. Thorax 2017；**72**：610-619.
13) Bajwah S, Davies JM, Tanash H, et al：Safety of benzodiazepines and opioids in interstitial lung disease：a national prospective study. Eur Respir J 2018；**52**：1-9.
14) 日本緩和医療学会 緩和医療ガイドライン委員会（編）：がん患者の呼吸器症状の緩和に関するガイドライン，金原出版，東京，2016，p66-69.
15) Matsuda Y, Maeda I, Tachibana K, et al：Low-Dose Morphine for Dyspnea in Terminally Ill Patients with Idiopathic Interstitial Pneumonias. J Palliat Med 2017；**20**：879-883.

第V章
かかりつけ医のための診療・病診連携アウトライン

❶ かかりつけ医のための診療ポイント

　かかりつけ医における間質性肺炎診療の重要なポイントは聴診所見で，両側肺野で聴取する捻髪音（fine crackles）である．特に咳嗽や労作時呼吸困難を呈する場合に両側肺野での fine crackles は間質性肺炎を疑う根拠となり，無症状例においても両側肺底部背側での慎重な聴診によって fine crackles を聴取することが可能である．fine crackles は，吸気終末時に聴取され，軽症例では深呼吸が必要である．また，部位的には生理的無気肺を生じやすい場所であり，数回の深呼吸後の聴診により，再現性の確認が重要である．日本呼吸器学会では，日常診療での聴診（捻髪音）の重要性を啓発する目的で資料を作成し，ホームページで捻髪音を聴くことが可能である（**図1**）[1]．厚生労働省びまん性肺疾患に関する調査研究班で行った特発性間質性肺炎（IIPs）の前向き調査研究では，特発性肺線維症（IPF）の96.0%，非特異性間質性肺炎（NSIP）の95.1%で fine crackles を聴取したと報告している[2]．fine crackles を確認することが無症状の間質性肺炎を疑う根拠となり，画像検査を行うきっかけとなる．また，ばち指も重要な所見であるが，その頻度は30〜60%程度[2〜5]と様々である．慢性経過の IPF であっても，早期の診断と適切な管理，さらには新たな臨床治験への参加なども含め早期に専門医への紹介が望まれる[6]．

　通常の胸部X線写真では，主に両側下肺野での網状影や輪状影，すりガラス影や浸潤影などが認められるが，軽微な症例では胸部X線写真では認識できない場合も少なくない．このような場合には過去の胸部X線写真との比較が役立つことがある（比較読影）．また，必要に応じてCT（HRCT）を撮影し，病変の確認を行うことも必要となるが，施設内にCT装置のない場合にはこの時点で専門医への紹介も考慮してよい．

　また血液検査では，間質性肺炎の血清マーカーであるKL-6やSP-Dなどを測定することも考慮すべきである．IIPs では KL-6（500 U/mL 以上）や SP-D（110 ng/mL 以上）が高い陽性率を示すが[2,7]，必ずしも高値とならない場合もあることを認識しておく必要がある．また，肺胞蛋白症やニューモシスチス肺炎などでも増加すること，KL-6 は肺癌や膵癌，乳癌の一部で増加することにも留意すべきである[7]．

　間質性肺炎と診断した場合に重要なポイントは病勢（臨床経過）および重症度の評価である．後述するように専門医への紹介は，間質性肺炎の診療においては必須

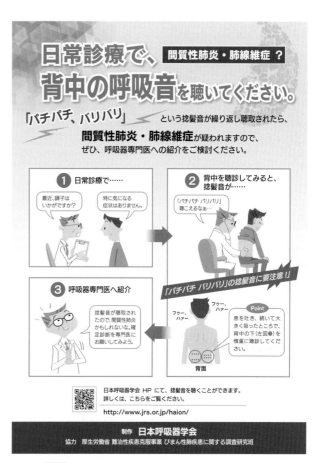

図1　捻髪音（fine crackles）の聴診について

（日本呼吸器学会ホームページより）

であるが，病勢や重症度の評価により対応が異なるため，詳細な病歴聴取を行い十分な病勢評価を行うべきである．

❷かかりつけ医のびまん性肺疾患（間質性肺炎）診療のためのフローチャート（図2）

❸かかりつけ医が専門医に送る際の判断基準（表1）

かかりつけ医にとって咳嗽，呼吸困難を主訴に来院した患者をどのように診察し，対応するかは重要な問題である．この際臨床医として最も重要なことは，病状の時間的進行度の評価である．すなわち病勢を適切に把握したうえで緊急性の有無を判断し，専門医への受診のタイミングを判断することである．

具体的には，IPF および一部の；iNSIP については通常年単位に緩徐に進行する病態であり，一部の特発性間質性肺炎（COP）や；iNSIP については月単位，IPF の急性増悪や急性間質性肺炎（AIP），一部の COP では週ないし日単位で進行する病態である．これらの病態の進行度を考えれば，日単位で進行する場合には緊急での紹介受診が望まれる状況であり，月単位では数日以内に，年単位での進行をきたす病態ではそれほど急ぐ必要はなく通常どおりでの紹介受診でよいと考えられる（表2）．しかし，急性増悪を呈する病態では，一刻も早い診断と治療の必要性があるため，可能な限り早期に専門医への紹介を行うことが重要である．慢性経過とされる IPF においても専門医への遅れが予後に関連するという報告[8]もあることから，速やかに専門医への紹介を行うべきである．

表1 専門医に紹介が必要なとき

1. 間質性肺炎の初診時（ベースライン評価のため）
2. 自覚症状の悪化時（短期間での呼吸困難・咳嗽の悪化時には緊急で）
3. 定期的な評価のため
4. 自分の手に負えなくなったとき（気胸など）

表2 間質性肺炎を診たときの対応

時間経過	対応
日〜週単位	救急受診
月単位	早期に紹介受診（数日以内）
年単位（無症状）	普通に紹介受診

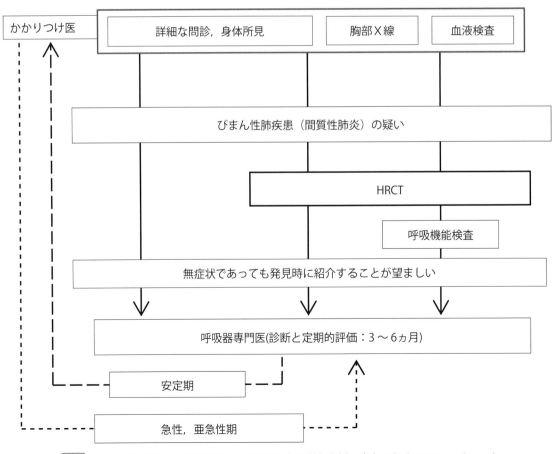

図2 かかりつけ医のためのびまん性肺疾患（間質性肺炎）診療のためのフローチャート

また，無症状ないし症状の軽微な症例に対し，どのように対応するかについても重要な問題である．フローチャート（**図2**）に示すように間質性肺炎を含むびまん性肺疾患が疑われれば，必ず一度は専門医に紹介し，正確な診断，病態や重症度，治療適応の評価，予後の予測を行ったうえで，状態が安定していれば病診連携に基づき，かかりつけ医で経過観察することも十分可能である．以上より，びまん性肺疾患が疑われれば，症状の有無にかかわらず一度は専門医に紹介しておくことが重要なポイントである．

特に若年者では専門医での診療が予後に関与するとの報告[9]があるため，無症状例であっても専門医への受診を勧め，専門医での治療ないし経過観察を行うべきである．

❹専門医の役割と機能

専門医の役割は，かかりつけ医より紹介のあったびまん性肺疾患症例について放射線読影医や病理医と連携し，より詳細な検討を加え，呼吸機能検査，6分間歩行試験，気管支肺胞洗浄（BAL）などで正確な診断および病態や重症度の評価を行うことである．なかでも臨床診断可能なIPFであるかどうかの判断は極めて重要で，必要に応じて外科的肺生検の適応に関する判断が求められる．病態の活動性が極めて低い場合には，先述のごとく病診連携に基づき，かかりつけ医での経過観察を依頼することが可能である．しかし，病態の進行が明らかな症例については専門医での経過観察が望ましい．また症例に応じて，3～12ヵ月ごとの呼吸機能検査，6～12ヵ月ごとのHRCTなどの検査を行いながら定期的に観察していくことが必要である．

ワクチン接種などの日常生活の管理はかかりつけ医に依頼し，専門医と一般医の連携をはかることが患者にとっても有用であると考えられる．つまり相互の足りない部分を緊密に補完しながら診療を行うよう心がけるべきである．

文献

1) 日本呼吸器学会【疾患啓発資材】間質性肺炎・肺線維症？　日常診療で，背中の呼吸音を聴いてください[http://www.jrs.or.jp/haion/]
2) Bando M, Sugiyama Y, Azuma A, et al：A prospective survey of idiopathic interstitial pneumonias in a web registry in Japan. Respir Investig 2015；**53**：51-59.
3) American Thoracic Sciety：Idiopathic pulmonary fibrosis：diagnosis and treatment. International consensus statement. Amercan Thoracic society（ATS）and the European Respiratory Sciety（ERS）. Am J Respir Crfit Care Med 2000；**161**：646-664.
4) 近藤有好，本間行彦，阿部正作，ほか：特発性間質性肺炎（IIP）の疫学調査．厚生省特定疾患びまん性肺疾患調査研究班平成4年度研究報告書，1993：p 11-18.
5) 田口善夫，井上哲郎：臨床診断基準における主要症状および身体所見について．厚生科学研究班特定疾患対策研究事業びまん性肺疾患研究班平成12年度研究報告書，2001：p 96-99.
6) Oldham JM, Noth I：Idiopathic pulmonary fibrosis：ealy detection and referral. Repir Med 2014；**108**：819-829.
7) Ishikawa N, Hatttori N, Yokoyama A, et al：Utility of KL-6/MUC1 in the clinical management of interstitial lung disease. Respir Invest 2012；**50**：3-17.
8) LamasDJ, Kawut SM, Bagiella E, et al：Delayed access and survival in idiopathicpulmonary fibrosis. Am J Respir Crit Care Med 201；**184**：842-847.
9) Lok SS：Interstitial lung disease clinics for the management of idiopathic pulmonary fibrosis：a potential advantage to patients. Greater Manchester Lung Fibrosis Consortium. J Heart Lung Transplant 1999；**18**：884-890.

付録

付1	わが国の特発性間質性肺炎の歴史と臨床診断基準の第四次改訂
付2	厚生労働省指定難病　概要・診断基準など
付3	厚生労働省指定難病　臨床調査個人票

＊：本項は第1版掲載のものをそのまま再掲した．

付1 わが国の特発性間質性肺炎の歴史と臨床診断基準の第四次改訂

厚生労働省特定疾患懇談会委員　日本医科大学第4内科　工藤翔二

　特発性間質性肺炎は今日，原因不明の間質性肺炎の総称として用いられているが，わが国でこのような概念に統一されるには過去半世紀にわたる幾多の変遷があった．従来，わが国で用いられてきた特発性間質性肺炎の疾患概念と臨床診断基準は，1991年に策定された厚生省間質性肺疾患調査研究班の第三次改訂案に基づいており，以来すでに10年余を経た今日，厚生労働省びまん性肺疾患研究班はこの間の医学的進歩を取り入れ，かつ国際的整合を目的として日本呼吸器学会との共同によって第四次改訂を行った．ここでは，その歴史的経緯について記す（図1）．

■間質性肺炎の黎明期

　HammanとRich[1]によって，acute diffuse interstitial fibrosis of the lungsという病名が4例の剖検例の記載とともに "Bull Johns Hopkins Hosp" 74巻に記されたのは1944年であった．それらの症例は文字通り急性型のものであるが，今日の特発性間質性肺炎の原点である．続いて，RubinとRibliner（1957）は，6カ月以内よりさらに慢性に進行するものがあるとして，39例の報告をしている．

　わが国で最初の「肺線維症」の名を冠した報告は，1954年「最新医学」9巻1号に掲載された本間日臣，三上理一郎ら[2]によるものであった．1960年には第35回日本結核病学会総会において，シンポジウム「結核と関連ある心肺疾患」の中で，肺線維症が初めてテーマとして取り上げられた[3]．日本呼吸器学会の前身，日本胸部疾患学会が創設される前年のことである．この時期の特徴は，Spainの分類（1950年）にしたがって，Hamman-Rich症候群のみならず，サルコイドーシス，強皮症，放射性肺臓炎など，肺の線維化をもたらすさまざまな疾患が肺線維症の概念の中で論じられていることである．翌1961年には，第58回日本内科学会総会でシンポジウム「肺線維症」が行われ，中村隆[4]が定義と分類を報告しているが，この中でHamman-Rich症候群のような狭義のものと膠原病のような原因の明らかなものに分類すべきこと，狭義のものの中に慢性の経過をとるものがあることが指摘されている．

　間質性肺炎という用語が初めて用いられたのは，1967年の第7回日本胸部疾患学会における北村四郎[5]の特別講演「間質性肺炎」であるが，ここでも異物吸入，代謝性障害，ウイルス性肺炎から膠原病肺にいたるさまざまなびまん性肺疾患が含まれている．翌1968年の第8回日本胸部疾患学会では，シンポジウム「肺線維症の病因と臨床」が取り上げられ，この中で三上ら[6]は，「原因不明のびまん性間質性肺線維症の臨床病理」と題する23例（剖検10例，開胸肺生検13例）の臨床

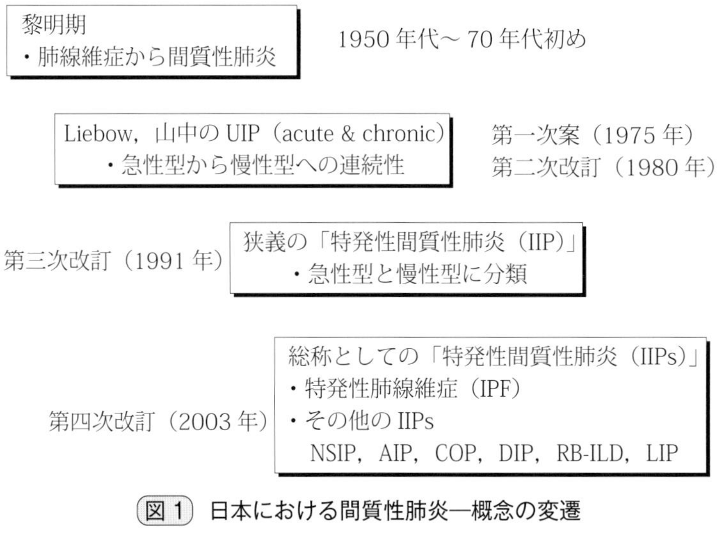

黎明期
・肺線維症から間質性肺炎　　　1950年代〜70年代初め

Liebow，山中のUIP（acute & chronic）　　第一次案（1975年）
・急性型から慢性型への連続性　　　　　　　第二次改訂（1980年）

第三次改訂（1991年）　　狭義の「特発性間質性肺炎（IIP）」
　　　　　　　　　　　　・急性型と慢性型に分類

　　　　　　　　　　　総称としての「特発性間質性肺炎（IIPs）」
　　　　　　　　　　　・特発性肺線維症（IPF）
第四次改訂（2003年）　・その他のIIPs
　　　　　　　　　　　　NSIP, AIP, COP, DIP, RB-ILD, LIP

図1　日本における間質性肺炎─概念の変遷

病理学的検討を報告し，ようやく今日に通じる疾患概念の全容が明らかになった．このとき，硝子膜形成と胞隔の滲出性肥厚を示すI群，器質化傾向を示すⅡ群，囊胞形成（現在の蜂巣肺）を示すⅢ群が示され，その後の原因不明の間質性肺炎・肺線維症に関する病理組織所見（後述する山中A群）分類の基となった．

欧米では，肺線維症にかかわるMallory（1949年），King（1949年）そしてSpain（1950年）の分類が生まれ，やがて英国ではScaddingのchronic diffuse interstitial fibrosis of the lung（1960年）からdiffuse fibrosing alveolitis（1970年），米国ではLiebowの"The Lung"（1967年）における有名なinterstitial pneumoniaの5型（UIP, BIP, DIP, LIP, GIP）へと発展する[7]．肺線維症を炎症の終末像と捉え，その前段階を意識した間質性肺炎への転換ともいえよう．

■わが国の「特発性間質性肺炎」とLiebow，山中のUIP─急性から慢性への移行

1971年，わが国では五味二郎，北本治が世話人となって「肺線維症研究会（今日の間質性肺疾患研究会）」が発足，1973年には中村隆による「肺の線維化機序をめぐるシンポジウム（FLD研究会）」が発足した．「肺線維症研究会」では，設立の翌1972年から疾患概念の検討が始まっている．そこでは荻原忠文，三上理一郎，岡安大仁，田村昌士らによって定義や概念に関する試案の提起と討議が繰り返された．第7回肺線維症研究会における定義[8]では，びまん性間質性肺炎については「本疾患は，呼吸困難および乾性咳嗽を主訴とし，両側肺にびまん性の病変を有する進行性の肺疾患であって，病理組織学的には広範な間質性肺炎が主体であり，末期にはその線維化のために呼吸機能の著しい低下をきたす」とされ，肺線維症については「原因のいかんにかかわらず，広範な肺病変の線維化のため，呼吸困難をはじめ種々の呼吸器症状を呈する場合，これを臨床上の肺線維症という」としている．

このような機運を背景に，1974年には厚生省特定疾患肺線維症調査研究班（班長：村尾誠）が発足し，発足と同時に第一次診断基準というべき「肺線維症診断の手引き」が作成され，とくに原因不明の肺線維症に焦点を当てた本格的な実態調査とプロジェクト研究が始まった[9]．同年には，文部省総合研究原因不明の肺線維症の実態ならびに本態究明に関する研究班（班長：荻原忠文）も発足した．厚生省班は，共同研究者を全国的に網羅して，英米のUIP, IPFの診断基準に比肩しうる条件の統一見解で，全国的な症例検討を行い，日本における実態を報告した[10-17]．

この時期，山中晃による**表1**に示すように，LiebowのUIPに相当するものをA群，BIPその他細菌感染を

表1 原因不明のびまん性間質性肺炎・肺線維症の分類（厚生省特定疾患肺線維症調査研究班，1974年）

- 原因不明のびまん性間質性肺炎の名称を特発性間質性肺炎IIPに統一し，病理組織学的にLiebowの"UIP"に相当するものとした．
- 病理組織分類（山中　晃）

A群：LiebowのUIPに相当するもの
B群：BIPその他細菌感染を疑わせるもの
C群：LIP, DIP, GIPなど
D群：膠原病など原因が推定されるもの

- A群の病型分類

I	胞隔の滲出性肥厚と硝子膜形成
II	硝子膜の器質化
	胞隔の軽度線維化から高度線維化
III	線維化と蜂窩肺

疑わせるものをB群，LIP, DIP, GIPなどをC群，膠原病など原因が推定されるものをD群とする病理組織分類が提出された．また，A群について，先に述べた胞隔の滲出性炎症と硝子膜形成を示すものをI型，器質化傾向を示すものをⅡ型，囊胞形成（現在の蜂巣肺）を示すものをⅢ型とする病型分類が提出され，その後も長く用いられることとなった．ここでは，山中A群は急性型から慢性型にいたる連続的な病変と理解されていた．当時，Liebow自身もそのように認識しており，彼はdiffuse alveolar damageにacute UIPという呼称を与え，「それが治癒しなかった場合に"classical"ないしusual interstitial pneumoniaにいたる」と記載している[18]．このように当時の「UIP」は，急性間質性肺炎（AIP/DAD）が分離された今日の慢性型のIPF/UIPとは概念が異なる．

厚生省研究班は，1980年から特定疾患間質性肺疾患調査研究班（班長：本間日臣）と改められ，1981年には「原因不明のびまん性間質性肺炎」の名称を特発性間質性肺炎idiopathic interstitial pneumonia（IIP）に統一するとともに，臨床診断基準の第二次改訂（診断基準疫学分科会長：田村昌士）が行われた[19]．しかし，ここでいう特発性間質性肺炎（IIP）は総称とされながら，「病理組織学的にLiebowのUIPに相当するものとする」とされ，DIP, LIPなどその他の原因不明の間質性肺炎は除外され，かつ急性型から慢性型までを連続的な病態と理解されていた．なお，当時の議論の中で，炎症所見の乏しい線維化病変を主体とする疾患名として特発性肺線維症（idiopathic pulmonary fibrosis : IPF）を用いるべきであるとする意見（村尾ら）があったことを記しておきたい．今日，特発性肺線維症の病変の出発点である上皮傷害に，炎症の関与が疑問視されていることを思う

表2 特発性間質性肺炎の疾患概念と臨床診断基準（厚生省研究班第三次改訂，1991）

- 特発性間質性肺炎（idiopathic interstitial pneumonia：IIP）は狭義の原因不明の間質性肺炎の総称
- 急性型
  慢性型　定型例　：山中のA群に一致
  　　　　非定型例：肺胞内器質化所見や気腫性所見が目立つもの（山中のB群，LiebowのBIPにほぼ一致）
- 米国の特発性肺線維症（idiopathic pulmonary fibrosis：IPF）は定型例と非定型例を包括するものと認識

とき，感慨深い．

■従来の厚生省臨床診断基準（第三次改訂案）と問題点

過去十数年の間，わが国の臨床で用いられてきた特発性間質性肺炎の疾患概念と臨床診断基準は，1991年に策定された厚生省特定疾患間質性肺疾患調査研究班の第三次改訂案（班長：田村昌士，分科会長：本間行彦）に基づいたものであった（表2）[20]．第三次改訂の際には，開胸肺生検および開胸肺生検＋剖検例が64例，剖検のみ28例，計92例の組織診断例が臨床所見とともに詳細に検討された．その結果，表2のように狭義の「原因不明の間質性肺炎」を特発性間質性肺炎（IIP）と総称し，これを急性型と慢性型に分け，さらに慢性型を定型例と気腫性病変やブラなどを合併した非定型例に分類して，それぞれの臨床所見，X線所見，病理組織所見に関する診断基準が設けられた．ここでも，特発性間質性肺炎には「狭義の」という言葉が冠されており，定型例の病理組織像は，前述した山中のA群（LiebowのUIP）に一致し，非定型例は定型例の病理組織像に加えて，肺胞内器質化所見や末梢気道病変に基づくと思われる気腫性所見が目立つもので，山中のB群，さらにはLiebowのBIPにほぼ一致すると認識された．また，米国の特発性肺線維症（idiopathic pulmonary fibrosis：IPF）は，わが国のIIPの定型例と非定型例を包括するものであると認識されていた．

この第三次改訂案における第一の問題点は「急性型と慢性型の間に連続性があるかどうか」について，「わが国では急性型は少ないながらも存在するが，急性型と慢性型は必ずしも一連の連続的病変でないとする研究者が多い」としながらも，今後の課題として残されたことである．第二の問題点は，古くから知られていたDIP，LIP（山中のC群に相当）や，その後Epler，Colbyら[21]（1985年）によって提唱されていたBOOP（山中のB群？）など，その他の原因不明の間質性肺炎の扱いについて，特発性間質性肺炎の埒外に置いたことであろう．このことは，その後わが国における特発性間質性肺炎（IIP）と，Katzensteinら欧米におけるidiopathic interstitial pneumonias（IIPs）との概念の差異となった．なお，Katzenstein[22]のNSIPの概念（1994年）はこの時点では提出されていなかった．

■臨床診断基準の第四次改訂

わが国における特発性間質性肺炎の臨床診断基準は，1991年の第三次改訂案以来すでに10年余を経た．この間に従来から埒外に置かれたDIP，LIPに加えてNSIP，BOOPなど間質性肺炎にかかわる新たな疾患概念が登場した．さらに高分解能CT（HRCT）および気管支肺胞洗浄（BAL），経気管支肺生検（TBLB），胸腔鏡下肺生検（VATS）など画像および細胞組織学的診断，KL-6，SP-D，SP-Aなど新たな疾患マーカーの開発など，診断学上の著しい進歩がみられた．加えて，国際的にもATS/ERS合同委員会による国際多分野合意声明（international consensus statement）（2000年）[23]が出され，わが国の臨床診断基準にも国際的な整合性が強く求められることとなった．このような背景のもとに，厚生省びまん性肺疾患調査研究班は，2000年，特発性間質性肺炎の臨床診断基準の第四次改訂の作業を開始した．

その改訂準備のために，全国の約1割を占める東京都における認定実態の調査が行われ[24]，また，日本呼吸器学会評議員400名を対象としたアンケート調査が行われた．ここでは，233名から回答が得られ（回答率58.3%），回答者の65%が診断基準の見直しを必要とするとしており，90%が現行の分類・名称の見直しを求め，そのうちの80%が「欧米と同じ名称にすべきである」と国際的整合性を要求していた[25]．

2001年春第四次改訂の概要が提出され[26]，その骨子は以下のようなものである．すなわち「特発性間質性肺炎は原因不明の間質性肺炎の総称」であり，その分類は本来，病理組織学的所見によるものであることを再確認した．さらに用語の国際的統一を図るとともに，これまで曖昧のままに置かれていた他の原因不明の間質性肺炎の位置づけを明確にした．ここでは「原因不明の間質性肺炎」とはかつての山中のC群までを含むものであること，さらに急性型から慢性型にいたる連続的病変ではなく異なる病態・疾患として扱うという第三次改訂案からの大きな転換がある．

2001年に提出された原案では，従来の第三次案との分類・用語の対応を重視して，図2のように従来の慢性型のA群：定型例を「特発性肺線維症（idiopathic pulmonary fibrosis：IPF）」とした．また，慢性型のB群：非定型例のうち本来の定義である定型例に気腫性病変などを伴うものを特発性肺線維症に包含させ，急性型は「急性間質性肺炎（acute interstitial pneumonia：AIP）」とし，さらにNSIP，COP/BOOP，DIP，RB-ILD，LIPなどを「その他の原因不明の間質性肺炎」と

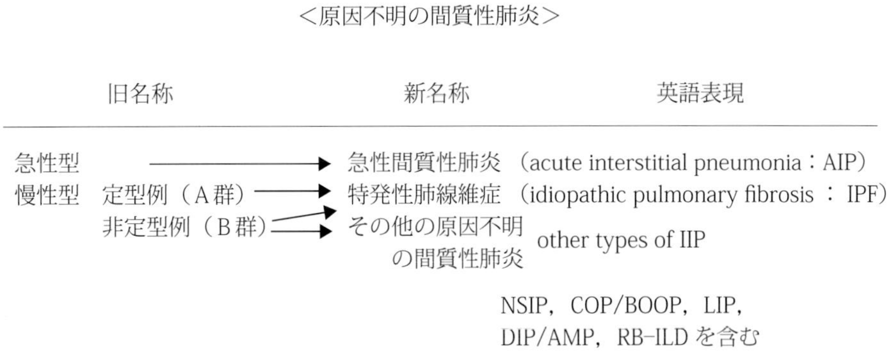

<原因不明の間質性肺炎>

旧名称	新名称	英語表現
急性型 →	急性間質性肺炎	(acute interstitial pneumonia：AIP)
慢性型　定型例（A群）→	特発性肺線維症	(idiopathic pulmonary fibrosis：IPF)
非定型例（B群）→	その他の原因不明の間質性肺炎	other types of IIP

NSIP, COP/BOOP, LIP, DIP/AMP, RB-ILD を含む

図2 特発性間質性肺炎（idiopathic interstitial pneumonias：IIPs）の分類—第四次改訂原案（2001）

表3 特発性間質性肺炎（IIP）の臨床診断基準（厚労省研究班第四次改訂最終案，2003年）

1) 特発性間質性肺炎（IIP）は原因不明の間質性肺炎の総称である
2) その分類は，本来，病理組織学的所見に基づくものであり，IPF/UIP, NSIP, AIP, COP/BOOP, DIP, RB-ILD, LIP などが含まれる
3) 本研究班では，特発性間質性肺炎を「特発性肺線維症（IPF）」と「それ以外の原因不明の間質性肺炎（NSIP, AIP, COP/BOOP, DIP, RB-ILD, LIP）」の双方について調査ならびに治療研究を行う

して扱うこととした．その後，2003年（平成15年）10月実施を目標に治療研究事業（医療費助成など）にかかわる診断基準の調整作業が行われた結果，最終的に AIP を別格として取り上げることを避け，特発性間質性肺炎（IIPs）を特発性肺線維症（IPF）とそれ以外の原因不明の間質性肺炎（NSIP, AIP, COP/BOOP, DIP, RB-ILD, LIP）に区別して，診断基準を設けることとなった（**表3**）．現在すでに実施されている厚生労働省の治療研究事業では，特発性肺線維症以外の IIPs については外科的肺生検による組織診断を必須項目としている．

■おわりに

特発性間質性肺炎の概念をめぐる歴史は，わが国の呼吸器病学の歴史の重要な構成部分である．今回10余年振りに行われた厚生労働省研究班による特発性間質性肺炎の第四次診断基準改訂は，分類・用語の改訂を含めた大幅な改訂であった．用語・分類とそれを裏打ちする疾患概念については，厚生省労働省研究班の歴史を踏まえながら，同時に国際的整合が図られた．さらに今回，日本呼吸器学会との連携のもとに第四次改訂の臨床への導入というべき『特発性間質性肺炎の診断・治療の手引き』の作成が推進されていることは，30年にわたる厚生労働省研究班の歴史の中でも画期的な事業といえよう．

文　献

1) Hamman L, Rich AR : Acute diffuse interstitial fibrosis of the lungs. Bull Johns Hopkins Hosp 1944；**74**：177-212.
2) 本間日臣，三上理一郎，ほか：肺線維症．最新医 1954；**9**：116-129.
3) 貝田勝美：結核と関連ある心肺疾患．(1) 肺線維症の病理：赤崎兼義，(2) 肺線維症の臨床：篠井金吾．結核 1960；**35**（増）：150-161.
4) 中村隆：肺線維症，特にその定義と分類．日内会誌 1961；**50**：57-63.
5) 北村四郎：間質性肺炎について．日胸疾会誌 1968；**6**：14-28.
6) 三上理一郎：いわゆる原因不明のびまん性間質性肺線維症．日胸疾会誌 1969；**7**：58-60.
7) Liebow AA : New concepts and entities in pulmonary diseases. In : Liebow AA, Smith DE, eds, The Lung. Williams & Wilkins, Baltimore, 1967；322.
8) 田中元一：肺線維症の概念と診断基準．第9回肺線維症研究会討議録．1974；2.
9) 村尾誠：総括研究報告．厚生省特定疾患肺線維症調査研究班昭和49年度研究報告書．1974；1.
10) Proceedings of Kyoto International Conference of American College of Chest Physicians : Idiopathic pulmonary fibrosis : a report of the nation-wide project research in Japan.1977
11) 厚生省特定疾患肺線維症調査研究班昭和49年度研究報告書．1975.
12) 厚生省特定疾患肺線維症調査研究班昭和50年度研究報告書．1976.
13) 厚生省特定疾患肺線維症調査研究班昭和51年度研究報告書．1977.
14) 厚生省特定疾患肺線維症調査研究班昭和52年度研究報告書．1978.
15) 厚生省特定疾患肺線維症調査研究班昭和53年度研究報告書．1979.
16) 厚生省特定疾患肺線維症調査研究班昭和54年度研究報告書．1980.
17) 厚生省特定疾患肺線維症調査研究班昭和55年度研究報告書．1981.
18) Liebow AA : Definition and classification of interstitial pneumonias in human pathology. In : Basset F, Georges R, eds, Progress

in Respiration Research, vol 8 : Alveolar Interstitium of the Lung. Int Symp, Paris 1974, Kargere, Basel, 1975 ; 1-33.
19）厚生省特定疾患間質性肺疾患調査研究班昭和55年度研究報告書（本間日臣：総括研究報告，本間行彦：病名の一致について，田村昌士：特発性間質性肺炎の診断基準（改定案）について）．1980；1.
20）本間行彦，斎木茂樹，土井修，ほか：特発性間質性肺炎（IIP）の臨床的診断基準　第3次改定案．厚生省特定疾患びまん性肺疾患調査研究班平成3年度研究報告書．1991；22-32.
21）Epler GR, Colby TV, McLoud TC, et al : Bronchiolitis obliterans organizing pneumonia. N Engl J Med 1985 ; **312** : 152-158.
22）Katzenstein AL, Fiorelli RF : Nonspecific interstitial pneumonia/fibrosis : histologic features and clinical significance. Am J Surg Pathol 1994 ; **18** : 136-147.
23）American Thoracic Society : Idiopathic pulmonary fibrosis : diagnosis and treatment. International consensus statement. American Thoracic Society（ATS），and the European Respiratory Society（ERS）. Am J Respir Crit Care Med 2000 ; **161** : 646-664.
24）工藤翔二：現行診断基準による東京都における特発性間質性肺炎の認定審査状況．厚生科学研究特定疾患対策研究事業びまん性肺疾患研究班平成12年度研究報告書．2001.
25）菅守隆：現行診断基準による東京都における特発性間質性肺炎の認定審査状況．厚生科学研究特定疾患対策研究事業びまん性肺疾患研究班平成12年度研究報告書2001；89.
26）工藤翔二：総括研究報告．厚生科学研究特定疾患対策研究事業びまん性肺疾患研究班平成12年度研究報告書．2001；83.

付2 厚生労働省指定難病 概要・診断基準など

※2018年4月時点の内容であり，現在改訂作業中

85 特発性間質性肺炎

○概要

1. 概要
間質性肺炎とは，胸部X線写真やCT画像にて両側びまん性の陰影を認める疾患のうち，肺の間質を炎症や線維化病変の場とする疾患の総称である．間質性肺炎の原因は多岐にわたり，職業・環境性や薬剤など原因の明らかなものや，膠原病・サルコイドーシスなどの全身性疾患に付随して発症するものとともに，原因が特定できないものが含まれる．また，特発性間質性肺炎（IIPs）は原因を特定しえない間質性肺炎の総称であり，特発性肺線維症（IPF）などの7疾患に分類される．

2. 原因
原因は不明である．多様な遺伝的背景に加え，環境因子の影響を受ける慢性炎症や繰り返す肺胞上皮損傷の関与が想定されている．直接の原因ではなくても間接的な影響を与える「危険因子」として最も重要なのが喫煙であり，特にIPFには喫煙者が多い．なお，明らかな原因となるような粉じん曝露はIPFの除外疾患になる．こうした危険因子を含む環境因子に過剰に反応すると思われる遺伝子多型の報告は少なくないが，明らかな遺伝性を示す間質性肺炎は家族性肺線維症として区別される．サーファクタント蛋白やその放出する機序に関わる遺伝子の異常の中に，家族性肺線維症の原因となるものが知られている．

3. 症状
IIPsの中で最も頻度の高いIPFの発症は通常緩徐で，検診発見例では無症状の場合もあるが，乾性咳嗽や労作時呼吸困難を主症状とする．進行すればチアノーゼ，肺性心，末梢性浮腫などがみられる．肺以外の症状はみられない場合も多いが，体重減少，倦怠，疲労が認められることがある．IPF以外のIIPsの臨床像・経過は様々で，急性・亜急性に発症するものもあるが，主症状は乾性咳嗽及び労作時呼吸困難である．なお合併症として肺癌，肺高血圧症，急性増悪，気腫性病変（気腫合併肺線維症），肺感染症（特にアスペルギルスなどの真菌）などがある．

4. 治療法
IIPsに含まれる7疾患のうちIPFとIPF以外の6疾患に対しての治療方針は異なるが，一般にIPF以外ではステロイドや免疫抑制薬を中心とした治療薬を用いる．難治性で進行性の肺線維症であるIPFに対しては根治療法が存在せず，従来対症療法が中心であったが，最近では新しい治療の有効性が臨床試験により示されている．特にIPFの治療薬として認可された抗線維化薬pirfenidone, nintedanibは，世界的にもその効果が証明され注目されている．IPF患者に対しては病態に応じての多段階治療が推奨されているが，そのエビデンスはまだ確立されていない．HRCT画像で蜂巣肺所見が確認されても，自覚症状もなく安定している場合には，無治療で経過観察を行うこともある．患者の希望があればN-acetylcysteine（NAC）の吸入療法なども試みられる．咳嗽や労作時呼吸困難などが悪化する場合には，専門医による治療が必要となる．IPF患者が急性増悪を起こした場合は，緊急入院のうえ急性呼吸窮迫症候群に準じた治療（ステロイドパルス療法など）を行う．IPF以外の間質性肺炎では診断当初から病状に応じてステロイドや免疫抑制薬を用いた治療を行う．

5. 予後

IPFの診断確定後の平均生存期間は3～5年間と報告されている．特に，急性増悪を来たした後の平均生存期間は，2か月以内と予後不良である．また，IPF，および気腫合併肺線維症では肺癌が高率に合併することが報告されており，長期経過観察中の患者でも注意深い観察が必要である．IPF以外のIIPsでは，急性間質性肺炎（AIP）を除き一般に治療が奏効し，予後は比較的良好であることが多い．

○要件の判定に必要な事項

1. 患者数
   約15,000人以上（平成26年度医療受給者証保持者数；8,846人）
2. 発病の機構
   不明
3. 効果的な治療方法
   未確立（根治的な治療法はない．）
4. 長期の療養
   必要（長期経過観察が必要．）
5. 診断基準
   あり（日本呼吸器学会関与の診断基準）
6. 重症度分類
   現行の特定疾患治療研究事業のものを用い，Ⅲ度以上を対象とする．

○情報提供元

「びまん性肺疾患に関する調査研究班」
研究代表者　東邦大学医学部内科学講座呼吸器内科学分野　教授　本間栄

〈診断基準〉

特発性肺線維症及び特発性肺線維症以外の特発性間質性肺炎と診断されたものを対象とする．

1. 主要項目
   (1) 主要症状，理学所見及び検査所見
   ① 主要症状及び理学所見として，以下の1を含む2項目以上を満たす場合に陽性とする．
   1. 捻髪音（fine crackles）
   2. 乾性咳嗽
   3. 労作時呼吸困難
   4. ばち指
   ② 血清学的検査としては，1～4の1項目以上を満たす場合に陽性とする．
   1. KL-6上昇
   2. SP-D上昇
   3. SP-A上昇
   4. LDH上昇
   ③ 呼吸機能1～3の2項目以上を満たす場合に陽性とする．
   1. 拘束性障害（%VC＜80%）
   2. 拡散障害（%DLCO＜80%）
   3. 低酸素血症（以下のうち1項目以上）
      ・安静時 PaO_2：80 Torr 未満
      ・安静時 $AaDO_2$：20 Torr 以上
      ・6分間歩行時 SpO_2：90% 以下
   ④ 胸部X線画像所見としては，1を含む2項目以上を満たす場合に陽性とする．

1. 両側びまん性陰影
2. 中下肺野，外側優位
3. 肺野の縮小

⑤病理診断を伴わない IPF の場合は，下記の胸部 HRCT 画像所見のうち 1 及び 2 を必須要件とする．特発性肺線維症以外の特発性間質性肺炎に関しては，その病型により様々な画像所見を呈する．

1. 胸膜直下の陰影分布
2. 蜂巣肺
3. 牽引性気管支・細気管支拡張
4. すりガラス陰影
5. 浸潤影（コンソリデーション）

(2) 以下の①～④の各項は診断上の参考項目，あるいは重要性を示す．

①気管支肺胞洗浄（BAL）液の所見は各疾患毎に異なるので鑑別に有用であり，参考所見として考慮する．特発性肺線維症では正常肺の BAL 液細胞分画にほぼ等しいことが多く，肺胞マクロファージが主体であるが，好中球，好酸球の増加している症例では予後不良である．リンパ球が 20% 以上増多している場合は，特発性肺線維症以外の間質性肺炎又は他疾患による肺病変の可能性を示唆し，治療反応性が期待される．

②経気管支肺生検（TBLB）は特発性間質性肺炎を病理組織学的に確定診断する手段ではなく，参考所見ないし鑑別診断（癌，肉芽腫など）において意義がある．

③外科的肺生検（胸腔鏡下肺生検，開胸肺生検）は，特発性肺線維症以外の特発性間質性肺炎の診断にとって必須であり，臨床像，画像所見と総合的に判断することが必要である．

④これらの診断基準を満たす場合でも，例えば膠原病等，後になって原因が明らかになる場合がある．これらはその時点で特発性間質性肺炎から除外する．

(3) 鑑別診断

膠原病や薬剤誘起性，環境，職業性など原因の明らかな間質性肺炎や，他のびまん性肺陰影を呈する疾患を除外する．

(4) 特発性肺線維症（IPF）の診断のカテゴリー

(1) の①～⑤に関して，下記の条件を満たす確実，及びほぼ確実な症例を IPF と診断する．

①Definite ：(1) の①～⑤の全項目を満たすもの．あるいは外科的肺生検病理組織診断が UIP であるもの．
②Probable ：(1) の①～⑤のうち⑤を含む 3 項目以上を満たすもの．
③Possible ：(1) の⑤を含む 2 項目しか満たさないもの．
④特発性肺線維症以外の特発性間質性肺炎又は他疾患：(1) の⑤を満たさないもの．

(5) 特発性肺線維症以外の特発性間質性肺炎の診断

外科的肺生検（胸腔鏡下肺生検又は開胸肺生検）により病理組織学的に診断され，臨床所見，画像所見，BAL 液所見等と矛盾しない症例．

特発性肺線維症以外の特発性間質性肺炎としては下記の疾患が含まれる．

非特異性間質性肺炎（NSIP），急性間質性肺炎（AIP），特発性器質化肺炎（COP），剥離性間質性肺炎（DIP），呼吸細気管支炎関連間質性肺炎（RB-ILD），リンパ球性間質性肺炎（LIP）

2. 参考事項

特発性間質性肺炎（IIPs）は，びまん性肺疾患のうち特発性肺線維症（IPF）を始めとする原因不明の間質性肺炎の総称であり，本来その分類及び診断は病理組織診断に基づいている．しかし，臨床現場においては診断に十分な情報を与える外科的肺生検の施行はしばしば困難である．そのため，高齢者（主に 50 歳以上）に多い特発性肺線維症に対しては，高分解能 CT（HRCT）による明らかな蜂巣肺が確認できる場合，病理組織学的検索なしに診断してよい．それ以外の特発性間質性肺炎が疑われる場合には，外科的肺生検に基づく病理組織学的診断を必要とする．

〈重症度分類〉

重症度分類Ⅲ度以上を対象とする．

下記の重症度分類判定表に従い判定する．安静時動脈血酸素分圧が 80 Torr 以上を Ⅰ度，70 Torr 以上 80 Torr 未満

表1 鑑別の必要な疾患

鑑別除外診断

（1）心不全	（10）薬剤性肺炎
（2）肺炎（特に異型肺炎）	（11）好酸球性肺炎
（3）既知の原因による急性肺傷害（ALI）	（12）びまん性汎細気管支炎
（4）膠原病	（13）癌性リンパ管症
（5）血管炎	（14）肺胞上皮癌
（6）サルコイドーシス	（15）リンパ脈管筋腫症（LAM）
（7）過敏性肺炎	（16）肺胞蛋白症
（8）じん肺	（17）ランゲルハンス細胞組織球症
（9）放射線肺炎	

表2 略語説明

英語略称	英語表記	日本語表記	解説
IIPs	Idiopathic interstitial pneumonias	特発性間質性肺炎	原因不明の間質性肺炎の総称
IPF	Idiopathic pulmonary fibrosis	特発性肺線維症	臨床診断名
UIP	Usual interstitial pneumonia	通常型間質性肺炎	IPFに見られる病理組織診断名
NSIP	Non-specific interstitial pneumonia	非特異性間質性肺炎	臨床・病理組織診断名
COP	Cryptogenic organizing pneumonia	特発性器質化肺炎	臨床診断名
OP	Organizing pneumonia	器質化肺炎	病理組織診断名
DIP	Desquamative interstitial pneumonia	剥離性間質性肺炎	臨床・病理組織診断名
RB-ILD	Respiratory bronchiolitis-associated interstitial lung disease	呼吸細気管支炎関連性間質性肺炎	臨床・病理組織診断名
LIP	Lymphocytic interstitial pneumonia	リンパ球性間質性肺炎	臨床・病理組織診断名
AIP	Acute interstitial pneumonia	急性間質性肺炎	臨床診断名
DAD	Diffuse alveolar damage	びまん性肺胞傷害	AIPに見られる肺病理組織診断名

をⅡ度，60 Torr 以上 70 Torr 未満をⅢ度，60 Torr 未満をⅣ度とする．重症度Ⅱ度以上で6分間歩行時 SpO_2 が 90％未満となる場合は，重症度を1段階高くする．ただし，安静時動脈血酸素分圧が 70 Torr 未満の時には，6分間歩行時 SpO_2 は必ずしも測定する必要はない．

重症度分類判定表

新重症度分類	安静時動脈血酸素分圧	6分間歩行時 SpO_2
Ⅰ	80 Torr 以上	
Ⅱ	70 Torr 以上 80 Torr 未満	90％未満の場合はⅢにする
Ⅲ	60 Torr 以上 70 Torr 未満	90％未満の場合はⅣにする（危険な場合は測定不要）
Ⅳ	60 Torr 未満	測定不要

※診断基準及び重症度分類の適応における留意事項
1. 病名診断に用いる臨床症状，検査所見等に関して，診断基準上に特段の規定がない場合には，いずれの時期のものを用いても差し支えない（ただし，当該疾病の経過を示す臨床症状等であって，確認可能なものに限る．）．
2. 治療開始後における重症度分類については，適切な医学的管理の下で治療が行われている状態であって，直近6か月間で最も悪い状態を医師が判断することとする．
3. なお，症状の程度が上記の重症度分類等で一定以上に該当しない者であるが，高額な医療を継続することが必要なものについては，医療費助成の対象とする．

付3 厚生労働省指定難病 臨床調査個人票

※正誤表あり

| 臨床調査個人票 | □ 新規　□ 更新 |

085　特発性間質性肺炎

■ 行政記載欄

| 受給者番号 | ☐☐☐☐☐☐☐ | 判定結果 | □ 認定 | □ 不認定 |

■ 基本情報

姓（かな）		名（かな）	
姓（漢字）		名（漢字）	

郵便番号	☐☐☐☐☐☐☐
住所	

生年月日	西暦　☐☐☐☐年☐☐月☐☐日	*以降、数字は右詰めで記入
性別	□ 1.男　□ 2.女	
出生市区町村		

出生時氏名	姓（かな）		名（かな）	
（変更のある場合）	姓（漢字）		名（漢字）	

家族歴	□ 1.あり　□ 2.なし　□ 3.不明
	発症者続柄
	□ 1.父　□ 2.母　□ 3.子　□ 4.同胞（男性）
	□ 5.同胞（女性）　□ 6.祖父（父方）　□ 7.祖母（父方）
	□ 8.祖父（母方）　□ 9.祖母（母方）　□ 10.いとこ
	□ 11.その他　*11を選択の場合、以下に記入
	続柄

| 発症年月 | 西暦　☐☐☐☐年☐☐月 |

社会保障			
介護認定	☐ 1. 要介護	☐ 2. 要支援	☐ 3. なし
要介護度	☐ 1　　☐ 2　　☐ 3　　☐ 4　　☐ 5		

生活状況	
移動の程度	☐ 1. 歩き回るのに問題はない　　☐ 2. いくらか問題がある ☐ 3. 寝たきりである
身の回りの管理	☐ 1. 洗面や着替えに問題はない　　☐ 2. いくらか問題がある ☐ 3. 自分でできない
ふだんの活動	☐ 1. 問題はない　　☐ 2. いくらか問題がある ☐ 3. 行うことができない
痛み／不快感	☐ 1. ない　　☐ 2. 中程度ある　　☐ 3. ひどい
不安／ふさぎ込み	☐ 1. 問題はない　　☐ 2. 中程度 ☐ 3. ひどく不安あるいはふさぎ込んでいる

■　診断基準に関する事項

診断

☐ 1. 特発性肺線維症（IPF）	☐ 2. IPF 以外の間質性肺炎		
IPF 以外の間質性肺炎	☐ 1. NSIP　　☐ 2. AIP　　☐ 3. COP　　☐ 4. DIP ☐ 5. RB-ILD　　☐ 6. LIP　　☐ 7. その他		

A．主要所見

身体所見（新規）			
身長	☐☐☐ cm	体重	☐☐☐ kg

主要症状			
1. 捻髪音	☐ 1. あり	☐ 2. なし	☐ 3. 不明
2. 乾性咳嗽	☐ 1. あり	☐ 2. なし	☐ 3. 不明
3. 労作時呼吸困難	☐ 1. あり	☐ 2. なし	☐ 3. 不明
	mMRC グレード分類　☐ 0　☐ 1　☐ 2　☐ 3　☐ 4		
4. ばち指	☐ 1. あり	☐ 2. なし	☐ 3. 不明

B．検査所見　＊小数点も１文字として記入する

血清学的検査

KL-6 の上昇	☐ 1. あり　☐ 2. なし　☐ 3. 不明	☐☐☐☐	U/mL
SP-D の上昇	☐ 1. あり　☐ 2. なし　☐ 3. 不明	☐☐☐☐	ng/mL
SP-A の上昇	☐ 1. あり　☐ 2. なし　☐ 3. 不明	☐☐☐☐☐	ng/mL
LDH の上昇	☐ 1. あり　☐ 2. なし　☐ 3. 不明	☐☐☐☐	IU/L
リウマチ因子の上昇	☐ 1. 陽性　☐ 2. 陰性　☐ 3. 不明	☐☐☐☐	IU/mL
RAPA の上昇	☐ 1. 陽性　☐ 2. 陰性　☐ 3. 不明	☐☐☐☐☐	倍
抗核抗体	☐ 1. 陽性　☐ 2. 陰性　☐ 3. 不明	☐☐☐☐☐	倍
MPO-ANCA	☐ 1. 陽性　☐ 2. 陰性　☐ 3. 不明	☐☐☐☐	IU/mL
CK の上昇	☐ 1. あり　☐ 2. なし　☐ 3. 不明	☐☐☐☐	IU/L
その他	内容		

胸部 X 線画像所見

検査年月日	西暦 ☐☐☐☐ 年 ☐☐ 月 ☐☐ 日
1. 両側びまん性陰影	☐ 1. あり　☐ 2. なし　☐ 3. 未実施 ☐ 一側　☐ 両側
2. 中下肺野、外側優位	☐ 1. あり　☐ 2. なし　　3. 肺野の縮小　☐ 1. あり　☐ 2. なし

胸部 HRCT 画像所見

添付検査データの実施日	西暦 ☐☐☐☐ 年 ☐☐ 月 ☐☐ 日
画像所見	☐ 1. 胸膜直下の陰影分布　☐ 2. 蜂巣肺 ☐ 3. 網状陰影　☐ 4. 牽引性気管支・細気管支拡張 ☐ 5. すりガラス陰影　☐ 6. 浸潤影（コンソリデーション）

血液ガス、呼吸機能、6分間歩行試験

項目	値	項目	値
安静時 PaO_2（室内気）	☐☐☐ Torr	安静時 $AaDO_2$	☐☐☐ Torr
FVC	☐☐☐☐ mL	%FVC	☐☐☐☐☐ %
拘束性障害（%VC）	☐☐☐☐☐ %	$\%FEV_1$	☐☐☐.☐ %
拡散障害（%DLco）	☐☐☐ %		

6分間歩行時 SpO_2 試験の実施	☐ 1. 実施　　☐ 2. 未実施
	lowest SpO_2 ☐☐ %
	歩行距離 ☐☐☐ m

気管支肺胞洗浄液（BAL）検査

☐ 1. 実施　　☐ 2. 未実施

検査年月日	西暦 ☐☐☐☐ 年 ☐☐ 月 ☐☐ 日		
回収率	☐☐.☐ %		
肺胞マクロファージ	☐☐.☐ %	リンパ球	☐☐.☐ %
好中球	☐☐.☐ %	好酸球	☐☐.☐ %
CD4/CD8 比	☐.☐☐		

経気管支肺生検（TBLB）

☐ 1. 実施　　☐ 2. 未実施

検査年月日	西暦 ☐☐☐☐ 年 ☐☐ 月 ☐☐ 日
所見記載	

病理学的所見（新規）

外科的肺生検	☐ 1. 実施　　☐ 2. 未実施
検査年月日	西暦 ☐☐☐☐ 年 ☐☐ 月 ☐☐ 日
方法	☐ 1. 開胸肺生検　　☐ 2. 胸腔鏡下肺生検
所見	☐ 1. UIP　☐ 2. NSIP　☐ 3. OP　☐ 4. RB ☐ 5. DIP　☐ 6. DAD　☐ 7. LIP　☐ 8. その他

C．鑑別診断（新規）

以下の疾病を鑑別し、全て除外できる。除外できた疾病には☑を記入する。	☐ 1. 全て除外可	☐ 2. 除外不可	☐ 3. 不明

☐ 1. 心不全　　　☐ 2. 肺炎（特に異型肺炎）　　　☐ 3. 既知の原因による急性肺障害（ALI）

☐ 4. 膠原病　　　☐ 5. 血管炎　　　☐ 6. サルコイドーシス

☐ 7. 過敏性肺炎　　　☐ 8. じん肺　　　☐ 9. 放射線肺炎

☐ 10. 薬剤性肺炎　　　☐ 11. 好酸球性肺炎　　　☐ 12. びまん性汎細気管支炎

☐ 13. 癌性リンパ管症　　　☐ 14. 肺胞上皮癌　　　☐ 15. リンパ脈管筋腫症（LAM）

☐ 16. 肺胞蛋白症　　　☐ 17. ランゲルハンス細胞組織球症

＜診断のカテゴリー＞
特発性肺線維症：下記①〜⑤に関し、下記条件を満たす Definite および Probable な症例を IPF と診断

☐ Definite：下記①〜⑤の全項目を満たす、あるいは外科的肺生検病理組織診断で UIP

☐ Probable：下記①〜⑤のうち、⑤を含む 3 項目以上を満たす

☐ Possible：下記①〜⑤のうち、⑤を含む 2 項目しか満たさない

☐ 特発性肺線維症以外の特発性間質性肺炎：下記①〜④を満たし、B. の病理学的所見で
　2. NSIP〜7. LIP のいずれかと診断され、臨床所見、画像所見、BAL 液所見などと矛盾しない症例

☐ いずれにも該当しない

☐ ①主要症状の 1 捻髪音を認め、2〜4 の 1 項目以上を認める

☐ ②血清学的検査で下記の 1 項目以上が上昇

　　☐ KL-6　　☐ SP-D　　☐ SP-A　　☐ LDH

☐ ③呼吸機能：下記の 2 項目以上を満たす

　　☐ 拘束性障害（%VC＜80%）　　☐ 拡散障害（%DLco＜80%）　　☐ 低酸素血症（以下の 1 項目以上）

　（☐ 安静時 PaO_2：80Torr 未満　　☐ 安静時 $AaDO_2$：20Torr 以上　　☐ 6 分間歩行時 SpO_2：90%以下 ）

☐ ④B の胸部 X 線画像所見で両側びまん性陰影を含む 2 項目以上を認める

☐ ⑤病理診断を伴わない IPF：胸部 HRCT 画像所見で胸膜直下の陰影分布および蜂巣肺を認める

症状の概要、経過、特記すべき事項など　＊250文字以内かつ7行以内

■　発症と経過（新規）

喫煙歴	☐ 1. 現在喫煙　　☐ 2. 過去に喫煙したがやめた　　☐ 3. なし			
	本数	☐☐ 本/日	年数	☐☐ 年
粉塵吸引歴	☐ 1. あり　　☐ 2. なし　　☐ 3. 不明			
	年数	☐☐ 年		
発症形式	☐ 1. 慢性発症（3か月以上）　　☐ 2. 亜急性発症（1〜3か月） ☐ 3. 急性発症（1か月以内）			

■　治療その他

副腎皮質ステロイド	☐ 1. あり　　☐ 2. なし			
	プレドニゾロン換算最大量	☐☐☐☐ mg/日		
	治療期間（自）	西暦 ☐☐☐☐ 年	☐☐ 月	☐☐ 日
	治療期間（至）	西暦 ☐☐☐☐ 年	☐☐ 月	☐☐ 日
免疫抑制薬	☐ 1. あり　　☐ 2. なし			
	種類			
	量	☐☐☐☐☐ mg/日		
	治療期間（自）	西暦 ☐☐☐☐ 年	☐☐ 月	☐☐ 日
	治療期間（至）	西暦 ☐☐☐☐ 年	☐☐ 月	☐☐ 日

在宅酸素療法	☐ 1. あり		☐ 2. なし					
	治療期間（自）	西暦		年		月		日
	治療期間（至）	西暦		年		月		日
抗線維化薬 （ピルフェニドン）	☐ 1. あり		☐ 2. なし					
	量			mg/日				
	治療期間（自）	西暦		年		月		日
	治療期間（至）	西暦		年		月		日
抗線維化薬 （ニンテダニブ）	☐ 1. あり		☐ 2. なし					
	量			mg/日				
	治療期間（自）	西暦		年		月		日
	治療期間（至）	西暦		年		月		日
その他薬剤 （N-アセチル システイン等）	☐ 1. あり		☐ 2. なし					
	種類							
	量			mg/日				
	治療期間（自）	西暦		年		月		日
	治療期間（至）	西暦		年		月		日

■ 重症度分類に関する事項

新重症度分類	☐ 1. I	☐ 2. II	☐ 3. III	☐ 4. IV

■ 人工呼吸器に関する事項（使用者のみ記入）

使用の有無	☐ 1. あり
開始時期	西暦 ____ 年 __ 月
離脱の見込み	☐ 1. あり ☐ 2. なし

種類	☐ 1. 気管切開孔を介した人工呼吸器		
	☐ 2. 鼻マスク又は顔マスクを介した人工呼吸器		
施行状況	☐ 1. 間欠的施行	☐ 2. 夜間に継続的に施行	
	☐ 3. 一日中施行	☐ 4. 現在は未施行	
生活状況	食事	☐ 自立 ☐ 部分介助 ☐ 全介助	
	車椅子とベッド間の移動	☐ 自立 ☐ 軽度介助 ☐ 部分介助 ☐ 全介助	
	整容	☐ 自立 ☐ 部分介助/不可能	
	トイレ動作	☐ 自立 ☐ 部分介助 ☐ 全介助	
	入浴	☐ 自立 ☐ 部分介助/不可能	
	歩行	☐ 自立 ☐ 軽度介助 ☐ 部分介助 ☐ 全介助	
	階段昇降	☐ 自立 ☐ 部分介助 ☐ 不能	
	着替え	☐ 自立 ☐ 部分介助 ☐ 全介助	
	排便コントロール	☐ 自立 ☐ 部分介助 ☐ 全介助	
	排尿コントロール	☐ 自立 ☐ 部分介助 ☐ 全介助	

医療機関名	
指定医番号	☐☐☐☐☐☐☐☐☐
医療機関所在地	
電話番号	☐☐☐☐☐☐☐☐☐☐ *ハイフンを除き、左詰めで記入
医師の氏名	印　※自筆または押印のこと
記載年月日	西暦　☐☐☐☐年　☐☐月　☐☐日

- 病名診断に用いる臨床症状、検査所見等に関して、診断基準上に特段の規定がない場合には、いずれの時期のものを用いても差し支えありません。（ただし、当該疾病の経過を示す臨床症状等であって、確認可能なものに限ります。）
- 治療開始後における重症度分類については、適切な医学的管理の下で治療が行われている状態で、直近6か月間で最も悪い状態を記載してください。
- 診断基準、重症度分類については、
「指定難病に係る診断基準及び重症度分類等について」（平成26年11月12日健発1112第1号健康局長通知）を参照の上、ご記入ください。
- 審査のため、検査結果等について別途提出をお願いすることがあります。

臨床調査個人票　正誤表

No.	告知番号	疾病名	項目	正	誤
17	85	特発性間質性肺炎	診断のカテゴリー	特発性肺線維症以外の間質炎：下記⑤を満たさないもので，B. の病理学的所見で 2. NSIP～7. LIP いずれかと診断され，臨床所見，画像所見，BAL液所見などと矛盾しない症例	特発性肺線維症以外の間質炎：下記①～④を満たし，B. の病理学的所見で 2. NSIP～7. LIP いずれかと診断され，臨床所見，画像所見，BAL液所見などと矛盾しない症例

改訂第4版作成作業の経過と委員会の構成

■作業の経過
- 2019年 4 月14日　　　第1回責任編集委員会
- 2019年 6 月15日　　　第2回責任編集委員会
- 2019年10月10日　　　第3回責任編集委員会
- 2019年11月～2021年3月　COVID-19感染拡大の影響により，必要に応じて責任編集委員会内でメール審議を実施
- 2021年 4 月9～22日　　パブリックコメント募集（日本呼吸器学会ホームページ）
- 2021年12月15日　　　編集委員会

■委員会の構成
◆日本呼吸器学会 びまん性肺疾患診断・治療ガイドライン作成委員会
委員長：本間 栄

副委員長：稲瀬直彦，坂東政司

責任編集委員：吾妻安良太，近藤康博，須田隆文，冨岡洋海

委員：阿部信二，一門和哉，井上義一，海老名雅仁，小倉高志，岸 一馬，北市正則，栗原泰之，弦間昭彦，今野 哲，酒井文和，坂本 晋，上甲 剛，高橋弘毅，田口善夫，武村民子，伊達洋至，西岡安彦，長谷川好規，服部 登，花岡正幸，半田知宏，福岡順也，蛇澤 晶，星野友昭，宮崎泰成，迎 寛，横山彰仁，渡辺憲太朗

◆執筆者
吾妻安良太，阿部信二，新井 徹，石井晴之，石田 学，泉 信有，一門和哉，稲瀬直彦，井上義一，牛木淳人，江頭玲子，榎本紀之，海老名雅仁，岡元昌樹，片岡健介，加藤元康，菊池亮太，岸 一馬，喜舎場朝雄，近藤康博，今野 哲，財前圭晃，阪本考司，坂本 晋，佐々木信一，上甲 剛，杉野圭史，澄川裕充，田口善夫，武村民子，千葉弘文，津田 徹，富井啓介，冨岡洋海，豊田優子，長岡健太郎，永田一真，中村祐太郎，西山 理，橋本直純，馬場智尚，濱田直樹，半田知宏，坂東政司，福岡順也，藤澤朋幸，蛇澤 晶，星野友昭，本間 栄，宮本 篤，吉野一郎，早稲田優子，和田啓伸，渡辺憲太朗

◆レビューワー
瀬戸口靖弘，滝澤 始，中島 拓，峯岸裕司，山口哲生，山鳥一郎

◆外部評価委員
工藤翔二，杉山幸比古，鈴木栄一，長井苑子，貫和敏博，吉澤靖之

◆日本呼吸器学会 びまん性肺疾患学術部会
部会長：坂東政司

副部会長：宮崎泰成

■厚生労働科学研究費補助金難治性疾患政策研究事業「びまん性肺疾患に関する調査研究班」

平成26～28年度
研究代表者：本間 栄

研究分担者：吾妻安良太，有村義宏，稲瀬直彦，井上義一，海老名雅仁，岸 一馬，慶長直人，河野修興，今野 哲，酒井文和，須田隆文，高橋弘毅，伊達洋至，中山健夫，西岡安彦，西村正治，萩原弘一，長谷川好規，坂東政司，福岡順也，渡辺憲太朗

研究協力者：石井芳樹，泉 信有，植草利公，江石義信，大田 健，大西 洋，小倉高志，喜舎場朝雄，城戸貴志，桑野和善，弦間昭彦，齋藤武文，佐々木信一，四十坊典晴，上甲 剛，杉野圭史，杉山温人，瀬戸口靖弘，高橋和久，田口善夫，竹

内正弘，巽浩一郎，谷口博之，玉腰暁子，寺﨑泰弘，林　龍二，針谷正祥，半田知宏，蛇澤　晶，星野友昭，迎　　寛，棟方　充，山口悦郎，山口哲生，横山彰仁，吉野一郎，吉村邦彦

平成29〜31年（令和元年）度
研究代表者：稲瀬直彦
研究分担者：吾妻安良太，井上義一，海老名雅仁，小倉高志，岸　一馬，慶長直人，近藤康博，今野　哲，酒井文和，上甲　剛，須田隆文，高橋弘毅，伊達洋至，西岡安彦，長谷川好規，服部　登，針谷正祥，坂東政司，蛇澤　晶，本間　栄，渡辺憲太朗
研究協力者：石井　寛，石井芳樹，出原賢治，一門和哉，植草利公，江石義信，江頭玲子，大田　健，大西　洋，喜舎場朝雄，城戸貴志，草野研吾，熊ノ郷淳，桑野和善，弦間昭彦，齋藤武文，佐々木信一，佐藤俊太朗，佐藤寿彦，四十坊典晴，清水泰生，杉山温人，澄川裕充，瀬戸口靖弘，高瀬真人，高橋和久，田口善夫，竹内万彦，竹内正弘，巽浩一郎，田中伴典，谷野功典，寺﨑文生，寺﨑泰弘，富井啓介，仲　哲治，中村幸志，中山健夫，萩原弘一，濱田直樹，林　龍二，半田知宏，福岡順也，藤本公則，星野友昭，松井祥子，宮本　篤，迎　　寛，森本耕三，矢﨑善一，矢寺和博，山口悦郎，山口哲生，横山彰仁，吉野一郎，吉村邦彦，早稲田優子

令和2年度〜
研究代表者：須田隆文
研究分担者：吾妻安良太，井上義一，海老名雅仁，小倉高志，岸　一馬，慶長直人，近藤康博，今野　哲，上甲　剛，伊達洋至，千葉弘文，寺﨑文生，西岡安彦，橋本直純，服部　登，針谷正祥，坂東政司，福岡順也，本間　栄，宮﨑泰成
研究協力者：石井　寛，石井晴之，出原賢治，一門和哉，江頭玲子，大河内眞也，大田　健，大西　洋，喜舎場朝雄，草野研吾，桑野和善，弦間昭彦，齋藤武文，佐藤寿彦，佐々木信一，澤幡美千瑠，四十坊典晴，清水泰生，杉野圭史，杉山温人，澄川裕充，瀬戸口靖弘，高井大哉，高瀬真人，高橋和久，竹内万彦，竹内正弘，田口善夫，田中伴典，谷野功典，田畑和宏，寺﨑泰弘，富井啓介，冨岡洋海，中村幸志，中山健夫，萩原弘一，濱田直樹，半田知宏，藤田昌樹，藤本公則，蛇澤　晶，星野友昭，松井祥子，松田能宣，宮下光令，迎　寛，森田達也，森　雅紀，森本耕三，矢崎善一，矢寺和博，山口哲生，横山彰仁，吉野一郎，早稲田優子

「改訂第4版における作成委員会・執筆者・外部評価委員のCOI（利益相反）について」参照.

> **●COI（利益相反）について**
> 　一般社団法人日本呼吸器学会は，COI（利益相反）委員会を設置し，内科系学会とともに策定したCOI（利益相反）に関する当学会の指針ならびに細則に基づき，COI状態を適正に管理している（COI（利益相反）については，学会ホームページに指針・書式等を掲載している）.

〈利益相反開示項目〉該当する場合は具体的な企業名（団体名）を記載，該当しない場合は「該当なし」を記載する.

1. 企業や営利を目的とした団体の役員，顧問職の有無と報酬額（1つの企業・団体からの報酬額が年間100万円以上）
2. 株の保有と，その株式から得られる利益（1つの企業の年間の利益が100万円以上，あるいは当該株式の5%以上を有する場合）
3. 企業や営利を目的とした団体から支払われた特許権使用料（1つの特許権使用料が年間100万円以上）
4. 企業や営利を目的とした団体から会議の出席（発表）に対し，研究者を拘束した時間・労力に対して支払われた日当（講演料など）（1つの企業・団体からの年間の講演料が合計50万円以上）
5. 企業や営利を目的とした団体がパンフレットなどの執筆に対して支払った原稿料（1つの企業・団体からの年間の原稿料が合計50万円以上）
6. 企業や営利を目的とした団体が提供する研究費（1つの医学系研究（治験，共同研究，受託研究など）に対して，申告者が実質的に使途を定めて取得した研究契約金の総額が年間100万円以上）
7. 企業や営利を目的とした団体が提供する奨学（奨励）寄付金（1つの企業・団体から，申告者個人または申告者が所属する講座・分野または研究室に対して，申告者が実質的に使途を決定し得る寄付金の総額が年間100万円以上）
8. 企業などが提供する寄付講座に申告者が所属している場合（申告者が実質的に使途を決定し得る寄付金の総額が年間100万円以上）
9. 研究とは直接無関係な旅行，贈答品などの提供（1つの企業・団体から受けた総額が年間5万円以上）

〈利益相反事項の開示〉

氏名	開示項目	企業名
吾妻安良太	4	旭化成ファーマ（株），ベーリンガーインゲルハイム（株）
一門 和哉	4	日本ベーリンガーインゲルハイム（株）
井上 義一	1	日本ベーリンガーインゲルハイム（株）
	4	日本ベーリンガーインゲルハイム（株）
小倉 高志	4	エーザイ（株），塩野義製薬（株），日本ベーリンガーインゲルハイム（株）
	6	日本ベーリンガーインゲルハイム（株）
	7	日本ベーリンガーインゲルハイム（株）
栗原 泰之	4	第一三共（株）
弦間 昭彦	4	アストラゼネカ（株），MSD（株），小野薬品工業（株），第一三共（株），大鵬薬品工業（株），中外製薬（株），日本化薬（株），日本ベーリンガーインゲルハイム（株），ファイザー（株）
近藤 康博	4	塩野義製薬（株），日本ベーリンガーインゲルハイム（株）
今野 哲	4	アストラゼネカ（株），日本ベーリンガーインゲルハイム（株）
	7	アクテリオン ファーマシューティカルズ（株），アストラゼネカ（株），杏林製薬（株），日本アレルギー協会，日本ベーリンガーインゲルハイム（株）
酒井 文和	1	アストラゼネカ（株），小野薬品工業（株）
	5	ベーリンガーインゲルハイム（株）
上甲 剛	4	エーザイ（株），杏林製薬（株），塩野義製薬（株），第一三共（株），日本ベーリンガーインゲルハイム（株）
須田 隆文	4	アストラゼネカ（株），日本ベーリンガーインゲルハイム（株）
	6	アストラゼネカ（株），小野薬品工業（株），日本ベーリンガーインゲルハイム（株），ノバルティスファーマ（株）
	7	アステラス製薬（株），MSD（株），小野薬品工業（株），第一三共（株），大鵬薬品工業（株），武田薬品工業（株），日本ベーリンガーインゲルハイム（株），ノバルティスファーマ（株）
高橋 弘毅	4	日本ベーリンガーインゲルハイム（株）
	6	塩野義製薬（株），日本ベーリンガーインゲルハイム（株）
	7	塩野義製薬（株），日本ベーリンガーインゲルハイム（株）
田口 善夫	4	日本ベーリンガーインゲルハイム（株）
冨岡 洋海	4	日本ベーリンガーインゲルハイム（株）
西岡 安彦	4	日本ベーリンガーインゲルハイム（株）
	6	大鵬薬品工業（株），日本ベーリンガーインゲルハイム（株）
	7	大鵬薬品工業（株）
長谷川好規	4	アストラゼネカ（株），MSD（株），中外製薬（株），日本ベーリンガーインゲルハイム（株），ノバルティスファーマ（株），ファイザー（株）
	7	小野薬品工業（株），塩野義製薬（株），積水メディカル（株），大鵬薬品工業（株），中外製薬（株），帝人ファーマ（株），日本イーライリリー（株），日本ベーリンガーインゲルハイム（株），ノバルティスファーマ（株），ブリストル・マイヤーズスクイブ（株）
服部 登	4	アストラゼネカ（株），グラクソ・スミスクライン（株），塩野義製薬（株），中外製薬（株），日本ベーリンガーインゲルハイム（株），ファイザー（株）
	7	小野薬品工業（株），大鵬薬品工業（株），日本イーライリリー（株），ファイザー（株）

氏名	開示項目	企業名
半田 知宏	8	帝人ファーマ（株）
坂東 政司	4	塩野義製薬（株），日本ベーリンガーインゲルハイム（株）
福岡 順也	2	（株）パソロジー研究所
星野 友昭	4	日本ベーリンガーインゲルハイム（株）
	7	日本ベーリンガーインゲルハイム（株）
本間 栄	4	日本ベーリンガーインゲルハイム（株）
	6	帝人ファーマ（株）
	7	塩野義製薬（株），日本ベーリンガーインゲルハイム（株）
	8	塩野義製薬（株），日本ベーリンガーインゲルハイム（株）
宮崎 泰成	4	日本ベーリンガーインゲルハイム（株）
迎 寛	4	アステラス製薬（株），塩野義製薬（株），日本ベーリンガーインゲルハイム（株）
	7	アステラス製薬（株），塩野義製薬
横山 彰仁	4	アストラゼネカ（株），グラクソ・スミスクライン（株），サノフィ（株），日本ベーリンガーインゲルハイム（株），ノバルティスファーマ（株）
	7	アステラス製薬（株），小野薬品工業（株）
渡辺憲太朗	8	フクダ電子西部北販売（株），フクダライフテック（株），フクダライフテック九州（株）
新井 徹	4	日本ベーリンガーインゲルハイム（株）
泉 信有	4	日本ベーリンガーインゲルハイム（株）
岡元 昌樹	4	日本ベーリンガーインゲルハイム（株）
片岡 健介	4	塩野義製薬（株），日本ベーリンガーインゲルハイム（株）
加藤 元康	4	日本ベーリンガーインゲルハイム（株）
	6	キッセイ薬品工業（株），中外製薬（株），日本ベーリンガーインゲルハイム（株）
佐々木信一	4	小野薬品工業（株）
	6	小野薬品工業（株）
杉野 圭史	4	アクテリオン ファーマシューティカルズジャパン（株），塩野義製薬（株），帝人（株），日本ベーリンガーインゲルハイム（株）
千葉 弘文	4	日本ベーリンガーインゲルハイム（株）
津田 徹	4	アストラゼネカ（株），杏林製薬（株），帝人ヘルスケア（株），日本ベーリンガーインゲルハイム（株）
富井 啓介	4	日本ベーリンガーインゲルハイム（株）
	6	帝人ファーマ（株）
中村祐太郎	4	ブリストル・マイヤーズスクイブ（株）
		日本ベーリンガーインゲルハイム（株）
西山 理	4	日本ベーリンガーインゲルハイム（株）
橋本 直純	6	Pearl Therapeutics, Inc.
馬場 智尚	4	日本ベーリンガーインゲルハイム（株）
	9	小野薬品工業（株）
濱田 直樹	6	日本ベーリンガーインゲルハイム（株）
宮本 篤	4	日本ベーリンガーインゲルハイム（株）
吉野 一郎	7	小野薬品工業（株），大鵬薬品工業（株），日本イーライリリー（株），ファイザー（株）
早稲田優子	4	日本ベーリンガーインゲルハイム（株）
瀬戸口靖弘	4	日本ベーリンガーインゲルハイム（株）

〈開示すべき COI がない委員〉

（編集委員）阿部信二，稲瀬直彦，海老名雅仁，岸　一馬，北市正則，坂本　晋，武村民子，伊達洋至，花岡正幸，蛇澤　晶，（執筆者）石井晴之，石田　学，牛木淳人，江頭玲子，榎本紀之，菊池亮太，喜舎場朝雄，財前圭晃，阪本考司，澄川裕充，豊田優子，長岡健太郎，永田一真，藤澤朋幸，和田啓伸，（レビューワー）滝澤　始，中島　拓，峯岸裕司，山口哲生，山鳥一郎，（外部評価委員）工藤翔二，杉山幸比古，鈴木栄一，長井苑子，貫和敏博，吉澤靖之

改訂第 3 版作成作業の経過と委員会の構成

■作業の経過
- 2013 年 9 月 28 日：　　　　　第 1 回編集幹事会
- 2013 年 12 月 28 日：　　　　　第 2 回編集幹事会
- 2014 年 3 月 1 日：　　　　　　第 3 回編集幹事会
- 2014 年 4 月 25 日：　　　　　第 1 回合同全体会議
- 2014 年 8 月 22 日：　　　　　第 4 回編集幹事会
- 2014 年 12 月 12 日：　　　　　重要事項確認の会
- 2015 年 6 月 20 日：　　　　　第 5 回編集幹事会
- 2015 年 11 月 20 日～12 月 4 日：パブリックコメント募集（日本呼吸器学会ホームページ）
- 2016 年 7 月 2 日：　　　　　　第 6 回編集幹事会

■委員会の構成
◆日本呼吸器学会「特発性間質性肺炎 診断と治療の手引き」改訂第 3 版 作成委員会

委 員 長：杉山幸比古
編集幹事：吾妻安良太，稲瀬直彦，坂東政司，本間　栄
委　　員：井上義一，海老名雅仁，小倉高志，岸　一馬，弦間昭彦，河野修興，近藤康博，酒井文和，上甲　剛，鈴木栄一，須田隆文，瀬戸口靖弘，高橋弘毅，滝澤　始，田口善夫，武村民子，伊達洋至，谷口博之，西岡安彦，長谷川好規，福岡順也，蛇澤　晶，迎　寛，山口哲生，山鳥一郎，渡辺憲太朗
外部評価委員：北市正則，工藤翔二，小橋陽一郎，菅　守隆，長井苑子，西村正治，貫和敏博，福田　悠，三嶋理晃，吉澤靖之
執筆協力者：審良正則，阿部信二，一門和哉，中島　拓，服部　登，峯岸裕司

> ●COI（利益相反）について
> 一般社団法人日本呼吸器学会は，COI（利益相反）委員会を設置し，内科系学会とともに策定した COI（利益相反）に関する共通指針ならびに細則に基づき，COI 状態を適正に管理している（COI（利益相反）については，学会ホームページに指針・書式等を掲載している）．
> 以下に，「特発性間質性肺炎 診断と治療の手引き（改訂第 3 版）」作成委員ならびに外部評価委員の COI 関連事項を示す．
> 1) 研究助成金等に関する受入状況
>   （企業名）アステラス製薬（株），アストラゼネカ（株），MSD（株），グラクソ・スミスクライン（株），塩野義製薬（株），第一三共（株），（株）第四銀行，大正富山医薬品（株），大日本住友製薬（株），中外製薬（株），鳥居薬品（株），日本ベーリンガーインゲルハイム（株）
> 2) 講演料・原稿料等の受入状況
>   （企業名）旭化成ファーマ（株），杏林製薬（株），塩野義製薬（株），第一三共（株），大正富山医薬品（株），中外製薬（株），日本ベーリンガーインゲルハイム（株）
> 3) 作成委員の個人的収入に関する受け入れ状況
>   本学会の定めた開示基準に該当するものはない．

◆日本呼吸器学会 びまん性肺疾患学術部会

部 会 長：小倉高志
副部会長：近藤康博

■厚生労働科学研究難治性疾患克服研究事業びまん性肺疾患に関する調査研究班
　平成 23〜25 年度
　　研究代表者：杉山幸比古
　　分担研究者：吾妻安良太，稲瀬直彦，井上義一，海老名雅仁，河野修興，酒井文和，須田隆文，高橋弘毅，伊達洋至，千田金吾，西岡安彦，西村正治，長谷川好規，福田悠，本間　栄
　　研究協力者：石井芳樹，江石義信，大田　健，小倉高志，岸　一馬，桑野和善，慶長直人，弦間昭彦，四十坊典晴，上甲　剛，瀬戸口靖弘，高橋和久，滝澤　始，田口善夫，竹内正弘，谷口博之，寺崎泰弘，中西洋一，萩原弘一，坂東政司，福岡順也，三嶋理晃，迎　寛，棟方　充，山口悦郎，山口哲生，横山彰仁，渡辺憲太朗

　平成 26 年度〜
　　研究代表者：本間　栄
　　分担研究者：吾妻安良太，稲瀬直彦，井上義一，海老名雅仁，河野修興，酒井文和，須田隆文，高橋弘毅，伊達洋至，中山健夫，西岡安彦，西村正治，長谷川好規，坂東政司，福岡順也，渡辺憲太朗
　　研究協力者：石井芳樹，植草利公，江石義信，大田　健，大西　洋，小倉高志，岸　一馬，喜舎場朝雄，桑野和善，慶長直人，弦間昭彦，佐々木信一，四十坊典晴，上甲　剛，杉野圭史，杉山温人，瀬戸口靖弘，高橋和久，滝澤　始，田口善夫，竹内正弘，巽浩一郎，谷口博之，寺﨑泰弘，萩原弘一，迎　寛，棟方　充，山口悦郎，山口哲生，横山彰仁，吉野一郎，吉村邦彦

改訂第 2 版作成作業の経過と委員会の構成

■作業の経過
2009 年 9 月 18 日　「特発性間質性肺炎 診断と治療の手引き」改訂準備部会
　　　　　　　　　　―第 1 回合同会議―
2010 年 3 月 19 日　第 2 回合同会議
2010 年 8 月 20 日　第 3 回合同会議
2010 年 9 月 12 日　第 4 回合同会議

■委員会の構成
◆日本呼吸器学会　びまん性肺疾患診断・治療ガイドライン作成委員会
　　委員長：杉山幸比古
　　委　員：高橋弘毅，海老名雅仁，坂東政司，鈴木栄一，稲瀬直彦，吾妻安良太，福田悠，萩原弘一，酒井文和，小倉高志，本間　栄，山口哲生，千田金吾，谷口博之，長谷川好規，福岡順也，田口善夫，上甲　剛，井上義一，長井苑子，河野修興，横山彰仁，菅　守隆

◆日本呼吸器学会　びまん性肺疾患学術部会
　　部 会 長：井上義一
　　副部会長：本間　栄

◆特発性間質性肺炎診断と治療の手引き改訂部会
　　委員長：本間　栄
　　委　員：高橋弘毅，海老名雅仁，稲瀬直彦，吾妻安良太，福田　悠，萩原弘一，酒井文和，千田金吾，井上義一，谷口博之，福岡順也，長谷川好規，田口善夫，上甲剛，坂東政司，杉山幸比古
　　病理レビュー協力者：河端美則，武村民子，蛇澤　晶，岡　輝明，北市正則，小橋陽一郎，山鳥一郎

■厚生労働科学研究難治性疾患克服研究事業びまん性肺疾患に関する調査研究班
　平成 20～22 年度
　　研究代表者：杉山幸比古
　　分担研究者：高橋弘毅，海老名雅仁，棟方　充，稲瀬直彦，江石義信，松島綱治，吾妻安良太，福田　悠，本間　栄，萩原弘一，酒井文和，千田金吾，伊達洋至，井上義一，河野修興，西岡安彦
　　研究協力者：石井芳樹，大田　健，瀬戸口靖弘，桑野和善，岸　一馬，山口哲生，小倉高志，滝澤　始，慶長直人，福岡順也，長谷川好規，山口悦郎，谷口博之，三嶋理晃，田口善夫，中西洋一，杉崎勝教，菅　守隆，上甲　剛，竹内正弘，弦間昭彦，坂東政司，四十坊典晴，迎　寛，吉村邦彦

　特別レビュー
　　貫和敏博，吉澤靖之，工藤翔二

初版作成作業の経過と委員会の構成

■作業の経過
2001年7月6日		第1回呼吸器学会・厚労省研究班合同会議
	10月20日	第2回合同会議
	11月17, 18日	第3回合同会議（作業合宿）
2002年4月6日		第4回合同会議
	8月23, 24日	第5回合同会議（作業合宿）
	12月27, 28日	第6回合同会議（作業合宿）
2003年3月12日		第7回合同会議
	9月19, 20日	第8回合同会議（ブラッシュアップ作業合宿）
2004年1月16日		第9回合同会議（コアメンバー会議）

■委員会の構成
◆日本呼吸器学会 びまん性肺疾患診断・治療ガイドライン作成委員会
委員長：工藤翔二

委　員：阿部庄作，山口悦郎，貫和敏博，海老名雅仁，杉山幸比古，中田紘一郎，吉澤靖之，折津　愈，吾妻安良太，福田　悠，山口哲生，千田金吾，谷口博之，近藤康博，長井苑子，北市正則，伊藤春海，田口善夫，井上哲郎，小橋陽一郎，野間恵之，林　清二，井上義一，清水信義，河野修興，津田富康，菅　守隆

◆特発性間質性肺炎作業部会
部会長：貫和敏博

委　員：阿部庄作，海老名雅仁，中田紘一郎，吉澤靖之，吾妻安良太，福田　悠，千田金吾，谷口博之，近藤康博，長井苑子，伊藤春海，田口善夫，井上哲郎，小橋陽一郎，野間恵之，林　清二，清水信義，河野修興，菅　守隆，北市正則

■厚生（労働）科学研究特定疾患対策研究事業びまん性肺疾患研究班
平成11～13年度
主任研究者：工藤翔二

分担研究者：阿部庄作，貫和敏博，杉山幸比古，松島綱治，中田紘一郎，吉澤靖之，林　清二，清水信義，曽根三郎，菅　守隆，津田富康，伊藤春海，井上義一

研究協力者：大田　健，滝沢　始，倉島篤行，慶長直人，千田金吾，田口善夫，石岡伸一，小橋陽一郎，江石義信，菅原　勇，高井俊行，白沢卓二，渡邊邦友

平成14～16年度
主任研究者：貫和敏博

分担研究者：近藤　丘，杉山幸比古，江石義信，吉澤靖之，松島綱治，滝沢　始，吾妻安良太，福田　悠，慶長直人，井上義一，上甲　剛，河野修興，曽根三郎，菅　守隆

研究協力者：高橋弘毅，石井芳樹，大田　健，武村民子，中田　光，千田金吾，下方　薫，渡邊邦友，田口善夫，小橋陽一郎，杉崎勝教，瀬戸口靖弘，吉村邦彦，山口悦郎，谷口博之，中西洋一，納　光弘

索 引

欧文索引

|A|

acute eosinophilic pneumonia（AEP） 49
acute fibrinous and organizing pneumonia（AFOP） 130
acute interstitial pneumonia（AIP） 2, 105
alternative diagnosis パターン 6
antinuclear antibody（ANA） 21
azathioprine 146

|B|

bronchiolitis obliterans organizing pneumonia（BOOP） 99
bronchiolocentric patterns of interstitial pneumonia（BPIP） 130
bronchoalveolar lavage（BAL） 27, 69
bronchoalveolar lavage fluid（BALF） 27

|C|

cellular NSIP 86
chronic eosinophilic pneumonia（CEP） 49
ciclosporine 146
composite physiologic index（CPI） 22
crazy-paving appearance 15
cryptogenic organizing pneumonia（COP） 2, 99
CT 11
cyclophosphamide 145

|D|

desquamative interstitial pneumonia（DIP） 2, 110

|F|

familial interstitial pneumonia（FIP） 53
fibroblastic foci 40
fibrotic NSIP 86

|H|

HFNC 94, 156
high resolution CT（HRCT） 11
honeycomb lung 17, 40
honeycomb mimicker 18
hypersensitivity pneumonitis 2

|I|

idiopathic interstitial pneumonias（IIPs） 2
idiopathic lymphocytic interstitial pneumonia（iLIP） 2, 119
idiopathic nonspecific interstitial pneumonia（iNSIP） 2, 80
idiopathic pleuroparenchymal fibroelastosis（iPPFE） 2, 123
idiopathic pulmonary fibrosis（IPF） 2, 63
idiopathic pulmonary upper lobe fibrosis（IPUF） 123
indeterminate for UIP パターン 6
interstitial lung disease（ILD） 5
interstitial pneumonia with autoimmune features（IPAF） 43, 45, 80

|K|

KL-6 20

|M|

microscopic honeycombing 67
mosaic pattern 16
mosaic perfusion 16
multi-detector row CT（MDCT） 11
multidisciplinary discussion（MDD） 6

|N|

N-アセチルシステイン 74, 147
nintedanib 74, 147
NPPV 156

|P|

PF-ILD 56
pirfenidone 73, 147
PMX-DHP 療法 94
probable UIP パターン 6

|R|

respiratory bronchiolitis-associated interstitial lung disease（RB-ILD） 2, 115
reticulation 14
rheumatoid factor（RF） 21

|S|

SP-A 20
SP-D 20
surgical lung biopsy（SLB） 33

|T|

tacrolimus	146
traction bronchiectasis	18
traction bronchiolectasis	41
transbronchial lung biopsy（TBLB）	30
transbronchial lung cryobiopsy（TBLC）	30

|U|

UIP パターン	6
unclassifiable idiopathic interstitial pneumonias（unclassifiable IIPs）	2, 134
undifferentiated connective tissue disease（UCTD）	80

|V|

V-V ECMO	94

---── 和文索引 ──---

|あ|

アザチオプリン	146
アジスロマイシン	93
アスベスト肺	48
アドバンス・ケア・プラニング（ACP）	163
網状影	14

|い|

胃食道逆流	140
石綿肺	48

|う|

右心不全	153

|え|

エンドオブライフ	163

|お|

オピオイド	164

|か|

かかりつけ医	167
核医学検査	19
過食	141
家族性間質性肺炎	53
過敏性肺炎	2, 46
癌	141
環境因子	140
間質性肺炎	2
間質性肺疾患	5
感染症	49, 153
鑑別診断	45
緩和ケア	163

|き|

気管支肺胞洗浄	27, 69
気管支肺胞洗浄液	27
気胸	152
気腫合併肺線維症	151
急性間質性肺炎	2, 105
急性好酸球性肺炎	49
急性増悪	89
胸部 X 線	10
禁煙	140

|け|

経気管支クライオ肺生検	30
経気管支肺生検	30
珪肺	48
外科的肺生検	33
血液検査	20
牽引性気管支拡張	18
牽引性細気管支拡張	18, 41
顕微鏡的蜂巣肺	67

|こ|

抗核抗体	21
抗線維化薬	93, 147
好中球エラスターゼ阻害薬	93, 148
高分解能 CT	11
高流量鼻カニュラ酸素療法	94, 156
コードステータス	164
呼吸管理	156
呼吸機能検査	21, 68
呼吸細気管支炎を伴う間質性肺疾患	2, 115
呼吸リハビリテーション	158
コンソリデーション	14

|さ|

在宅酸素療法	156
細葉	13, 38
サルコイドーシス	50

|し|

シクロスポリン	146
シクロホスファミド	145
室内環境	141
縦隔気腫	152
集学的検討	6
重症度分類	7
小葉	13, 38
進行性線維化を伴う間質性肺疾患	56

進行性フェノタイプを示す慢性線維化性間質性肺疾患
.... 56
じん肺 48

す

ステロイド 144
ステロイド隔日法 145
ステロイド漸減法 145
ステロイド大量療法 145
ステロイド連日静注法 145
すりガラス影 14

せ

精神的苦痛 141
生体肺移植 161
生命予後の改善 137
線維芽細胞巣 40
専門医 169

た

大気汚染物質 140
体重測定 141
タクロリムス 146
多列検出器 CT 11

と

動脈血ガス検査 22
特発性 pleuroparenchymal fibroelastosis（iPPFE）
.... 123
特発性間質性肺炎 2
特発性器質化肺炎 2, 99
特発性上葉限局型肺線維症 123
特発性肺線維症 2, 5, 63
特発性非特異性間質性肺炎 2, 80
特発性リンパ球性間質性肺炎 2, 119
努力肺活量 21
トロンボモジュリンアルファ 148

に

二次性間質性肺炎 42
日常の生活管理 140
ニンテダニブ 74, 147

ね

捻髪音 9

の

脳死肺移植 161

は

肺移植 160
肺活量 21
肺癌 152
肺間質 14, 38
肺気腫 151
肺高血圧 22, 153
肺実質 14
肺生検 30
肺胞 38
肺胞微石症 54
肺末梢 13
剝離性間質性肺炎 2, 110
ばち指 9

ひ

非侵襲的陽圧換気療法 156
微生物因子 140
びまん性肺疾患 1
ピルフェニドン 73, 147

ふ

福祉 141
腹部膨満 141
分類不能型 IIPs 134
分類不能型 ILD 6, 134
分類不能型結合組織病 80

へ

便秘 141

ほ

蜂窩肺 17
蜂巣肺 17, 40
ポリミキシン B 固定化線維 94

ま

慢性好酸球性肺炎 49

め

免疫抑制薬 145

も

モザイク灌流 16
モザイクパターン 16

や

薬剤性肺炎 49

り

リウマチ因子 21
リコンビナントトロンボモジュリン 93

ろ

6 分間歩行試験 22

特発性間質性肺炎 診断と治療の手引き2022（改訂第4版）

2004年 9月20日 第1版第1刷発行	編集者 日本呼吸器学会 びまん性肺疾患
2009年 4月20日 第1版第7刷発行	診断・治療ガイドライン作成
2011年 3月10日 第2版第1刷発行	委員会
2012年10月10日 第2版第3刷発行	発行者 小立健太
2016年12月15日 第3版第1刷発行	発行所 株式会社 南江堂
2020年12月 5日 第3版第4刷発行	〒113-8410 東京都文京区本郷三丁目42番6号
2022年 2月20日 第4版第1刷発行	☎(出版)03-3811-7198 (営業)03-3811-7239
2024年 2月20日 第4版第2刷発行	ホームページ https://www.nankodo.co.jp/
	印刷・製本 三美印刷
	装丁 渡邊真介

Idiopathic Interstitial Pneumonias : Diagnosis and Treatment 2022, 4th Edition
©The Japanese Respiratory Society, 2022

定価は表紙に表示してあります．
落丁・乱丁の場合はお取り替えいたします．
ご意見・お問い合わせはホームページまでお寄せください．

Printed and Bound in Japan
ISBN978-4-524-22828-7

本書の無断複製を禁じます．
JCOPY〈出版者著作権管理機構 委託出版物〉

本書の無断複製は，著作権法上での例外を除き禁じられています．複製される場合は，そのつど事前に，出版者著作権管理機構（TEL 03-5244-5088, FAX 03-5244-5089, e-mail: info@jcopy.or.jp）の許諾を得てください．

本書を複製（複写，スキャン，デジタルデータ化等）を無許諾で行う行為は，著作権法上での限られた例外（「私的使用のための複製」等）を除き禁じられています．大学，病院，企業等の内部において，業務上使用する目的で上記の行為を行うことは私的使用には該当せず違法です．また私的使用であっても，代行業者等の第三者に依頼して上記の行為を行うことは違法です．